DOKTOR SEN

STEPHEN KING

DOKTOR SEN

Przełożył
Tomasz Wilusz

Prószyński i S-ka

Tytuł oryginału:
DOCTOR SLEEP

Projekt okładki: Ewa Wójcik

Ilustracja na okładce: Vincent Chong

Redaktor serii: Katarzyna Rudzka

Redakcja: Agnieszka Rosłan

Korekta: Grażyna Nawrocka

Łamanie: Ewa Wójcik

ISBN 978-83-7839-618-5

Warszawa 2013

Wydawca:
Prószyński Media Sp. z o.o.
02-697 Warszawa, ul. Rzymowskiego 28
www.proszynski.pl

Druk i oprawa:

MORAVIA BOOKS
www.cpi-moravia.com

Kiedy rzępoliłem na gitarze rytmicznej w zespole o nazwie The Rock Bottom Remainders, na koncertach grywał z nami Warren Zevon. Warren był miłośnikiem szarych T-shirtów i filmów typu *Kingdom of the Spiders*. Nalegał, żebym to ja śpiewał główny wokal w jego sztandarowym kawałku, *Werewolves of London*, który wykonywaliśmy na bis. Przekonywałem, że nie jestem godzien. On uparcie twierdził, że tak. Poinstruował mnie: „Tonacja G-dur i wyj od serca. Co najważniejsze: graj jak Keith".

Nigdy nie będę umiał grać jak Keith Richards, ale zawsze dawałem z siebie wszystko i z Warrenem u boku, wtórującym mi nuta w nutę i śmiejącym się do rozpuku, zawsze dawałem z siebie wszystko.

Warrenie, ten skowyt jest dla Ciebie, gdziekolwiek jesteś. Brak mi Ciebie, przyjacielu.

Staliśmy w punkcie zwrotnym. Półśrodki nic nam nie dały.
Anonimowi Alkoholicy (Wielka Księga)

Aby żyć, musieliśmy być wolni od gniewu. [Jest on] wąt-
pliwym luksusem normalnych mężczyzn i kobiet.
Anonimowi Alkoholicy (Wielka Księga)

Sprawy wstępne

STRACH to skrót od „stul uszy, ratuj, co się da, i chodu".
stare powiedzenie Anonimowych Alkoholików

Skrytka

1

Drugiego dnia grudnia roku, kiedy w Białym Domu urzędował hodowca orzeszków ziemnych z Georgii, doszczętnie spłonęła Panorama, jeden z największych luksusowych hoteli w Kolorado. Spisano go na straty. Po przeprowadzonym dochodzeniu szef służby przeciwpożarowej hrabstwa Jicarilla za przyczynę pożaru uznał wadliwy kocioł centralnego ogrzewania. W czasie gdy zdarzył się ten nieszczęśliwy wypadek, hotel był zamknięty na zimę i przebywały w nim tylko cztery osoby. Trzy przeżyły. John Torrance, dozorca hotelu poza sezonem, zginął podczas nieudanej (i heroicznej) próby spuszczenia pary z kotła, gdy jej ciśnienie osiągnęło katastrofalnie wysoki poziom z winy niesprawnego zaworu bezpieczeństwa.

Dwojgiem z ocalałych byli żona i mały synek dozorcy. Trzecim – szef kuchni Panoramy, Richard Hallorann, który przerwał sezonową pracę na Florydzie i przyjechał do Torrance'ów, z powodu, jak to określił, „silnego przeczucia", że ta rodzina jest w opałach. Oboje dorośli odnieśli poważne obrażenia w eksplozji. Tylko dziecko wyszło z niej bez szwanku.

Przynajmniej fizycznego.

2

Wendy Torrance i jej syn otrzymali odszkodowanie od korporacji będącej właścicielem Panoramy. Niewysokie, ale wystarczające, żeby mieli z czego żyć przez trzy lata, bo tyle czasu Wendy nie mogła pracować z powodu doznanych urazów kręgosłupa. Prawnik, z którym się skonsultowała, przekonywał, że gdyby odrzuciła ofertę i zagrała ostro, mogłaby dostać dużo więcej, gdyż korporacja nade wszystko pragnęła uniknąć procesu. Ona jednak, podobnie jak rzeczona korporacja, chciała tylko zostawić tę koszmarną zimę w Kolorado za sobą. Wróci do zdrowia, oświadczyła, i tak też się stało, chociaż bóle pleców prześladowały ją do końca życia. Pogruchotane kręgi i połamane żebra zrastają się, ale nigdy nie przestają o sobie przypominać.

Winifred i Daniel Torrance trochę pomieszkali na Środkowym Południu, po czym los rzucił ich do Tampy. Dick Hallorann (ten od silnych przeczuć) czasem przyjeżdżał z Key West, żeby się z nimi spotkać. A przede wszystkim żeby rozmawiać z małym Dannym. Łączyła ich więź.

Pewnego dnia w marcu 1981 roku Wendy zadzwoniła wczesnym rankiem do Dicka i spytała, czy mógłby przyjechać, ponieważ Danny obudził ją w środku nocy i powiedział, żeby nie wchodziła do łazienki.

A potem w ogóle przestał się odzywać.

3

Obudził się, bo chciało mu się siku. Na zewnątrz wiał silny wiatr. Było ciepło – jak prawie zawsze na Florydzie – ale tego dźwięku nie lubił. Przypominał mu Panoramę, w której wadliwy kocioł centralnego ogrzewania był najmniejszym z zagrożeń.

Mieszkali z matką w ciasnym mieszkaniu na piętrze czynszówki. Danny wysunął się z małego pokoju sąsiadującego z sypialnią mamy i przeszedł na drugą stronę korytarza. Wiatr dmuchnął mocniej i konająca palma obok budynku zaklekotała liśćmi. To był dźwięk jak grzechot kości. Kiedy nikt nie korzystał z prysznica ani sedesu, zawsze zostawiali drzwi łazienki otwarte, bo zepsuł się zamek. Tej nocy były zamknięte. Nie dlatego jednak, że w środku była jego matka. Wskutek obrażeń twarzy, których doznała w Panoramie, ostatnimi czasy chrapała – cichym „kwiip-kwiip" – i Danny słyszał to z jej sypialni.

Zamknęła je przez pomyłkę, to wszystko, tłumaczył sobie.

Wiedział, że wcale nie, nawet wtedy (był chłopcem o silnych przeczuciach i równie silnej intuicji), ale czasem trzeba uzyskać pewność. Czasem trzeba zobaczyć. Nauczył się tego w Panoramie, w pokoju na piętrze.

Wyciągnął rękę, która wydawała się zbyt długa, zbyt rozciągliwa, zbyt bezkostna, przekręcił gałkę i otworzył drzwi.

Tak jak się tego spodziewał, była tam kobieta z pokoju 217. Siedziała nago na sedesie. Rozkraczona, miała uda blade i napęczniałe, a pod brzuchem kępkę szarych włosów. Szare były też jej oczy, jak dwa stalowe lustra. Zielonkawe piersi zwisały jak dwa balony, z których zeszło powietrze. Na widok Danny'ego usta kobiety rozciągnęły się w uśmiechu.

„Zamknij oczy – poradził mu kiedyś Dick Hallorann. – Jeśli zobaczysz coś złego, zamknij oczy i powiedz sobie, że tego nie ma, a kiedy je otworzysz, to zniknie".

Ale to nie poskutkowało w pokoju 217, kiedy miał pięć lat, i nie poskutkuje teraz. Wiedział to. Czuł jej zapach. Rozkładała się.

Kobieta – wiedział, jak się nazywa, pani Massey – dźwignęła się na sine stopy i wyciągnęła do niego ręce. Fałdy skóry zwisały

13

u jej ramion, prawie ściekały. Uśmiechała się jak na widok starego znajomego. Albo może czegoś smacznego do jedzenia.

Z pozornym spokojem Danny po cichu zamknął drzwi i cofnął się. Patrzył, jak gałka przekręca się w prawo... w lewo... znowu w prawo... i nieruchomieje.

Miał już osiem lat i nawet przerażony był w stanie zachować choć trochę rozsądku. Po części dlatego, że w głębi ducha spodziewał się, że to się stanie. Chociaż zawsze sądził, że zjawi się Horace Derwent. Albo może barman, ten, którego jego ojciec nazywał Lloydem. Pewnie powinien był się domyślić, że to jednak będzie pani Massey, nawet zanim to się w końcu stało. Bo ze wszystkich nieumarłych istot z hotelu Panorama ona była najgorsza.

Racjonalna cząstka jego umysłu powiedziała mu, że ta kobieta to tylko fragment niepamiętanego koszmaru, który zawędrował za nim na jawę i do łazienki. Cząstka ta przekonywała, że jeśli otworzy drzwi znowu, w środku nie będzie nikogo. Na pewno, bo przecież teraz już się obudził. Ale inna cząstka, cząstka, która jaśniała, wiedziała, że to nieprawda. Panorama jeszcze z nim nie skończyła. Co najmniej jeden z jej mściwych duchów podążył za nim aż na Florydę. Kiedyś znalazł tę kobietę leżącą w wannie. Wyszła z niej wtedy i próbowała go udusić swoimi zimnymi, śliskimi (ale przerażająco silnymi) palcami. Jeśli on teraz otworzy drzwi łazienki, ona dokończy dzieła.

Wybrał rozwiązanie pośrednie i przyłożył ucho do drzwi. Najpierw nie było nic. Potem usłyszał słaby dźwięk.

Martwe paznokcie drapiące drewno.

Na miękkich nogach poszedł do kuchni, stanął na krześle i wysikał się do zlewu. Potem obudził mamę i powiedział jej, żeby nie wchodziła do łazienki, bo jest tam coś złego. Zrobiwszy to, wrócił do łóżka i zagrzebał się głęboko w pościeli. Chciał zostać tam na zawsze i wstawać tylko po to, żeby wysikać się do zlewu. Teraz, kiedy ostrzegł mamę, nie widział potrzeby, żeby z nią rozmawiać.

Matka znała ten numer z nieodzywaniem się. Danny odstawił go już kiedyś, po tym jak wszedł do pokoju 217 w hotelu Panorama.

– A z Dickiem porozmawiasz?

Leżąc w łóżku, spojrzał na nią i skinął głową. Matka zadzwoniła, mimo że była czwarta rano.

Nazajutrz późnym popołudniem przyjechał Dick. Przywiózł coś. Prezent.

4

Po tym, jak Wendy zadzwoniła do Dicka – dopilnowała, by syn słyszał każde jej słowo – Danny znów zasnął. Choć miał już osiem lat i chodził do trzeciej klasy, ssał kciuk. Serce ją bolało na ten widok. Podeszła do drzwi łazienki. Stała i patrzyła na nie. Bała się – Danny ją wystraszył – ale musiała się załatwić, a nie zamierzała skorzystać ze zlewu jak on. Na samą myśl o tym, jak by wyglądała, balansując na krawędzi blatu kuchennego z tyłkiem wiszącym nad miską zlewozmywaka (nawet jeśli nikt nie mógłby jej zobaczyć), zmarszczyła nos.

W jednej dłoni trzymała młotek z jej małej wdowiej skrzynki z narzędziami. Kiedy przekręciła gałkę i pchnęła drzwi, wzniosła go. Łazienka była pusta, oczywiście, ale deska sedesu leżała opuszczona. Wendy nigdy nie zostawiała jej w tej pozycji, zanim kładła się spać, bo wiedziała, że gdyby w nocy przyszedł Danny, w może dziesięciu procentach przytomny, pewnie zapomniałby

15

deskę podnieść i całą by zasikał. Poza tym śmierdziało. Okropnie. Jakby szczur zdechł w ścianie.

Zrobiła krok do przodu, potem drugi. Zobaczyła jakiś ruch i obróciła się z wzniesionym młotkiem, żeby uderzyć tego

(to)

kto przyczaił się za drzwiami. Ale to był tylko jej cień. Boi się własnego cienia, drwili czasem ludzie, ale kto miał do tego większe prawo niż Wendy Torrance? Po wszystkim, co widziała i przez co przeszła, wiedziała, że cienie mogą być niebezpieczne. Mogą mieć kły.

W łazience nie było nikogo, lecz zobaczyła rozmazaną brudną plamę na desce sedesu i drugą na zasłonie prysznica. W pierwszej chwili pomyślała, że to odchody, ale gówno nie jest żółtawosine. Przyjrzała się uważniej i zobaczyła strzępki mięsa i zgniłej skóry. Plamy były też na macie łazienkowej; miały kształt śladów stóp. Śladów zbyt małych, żeby zostawił je mężczyzna.

– O Boże! – wyszeptała.

A jednak skorzystała ze zlewu.

5

Wyciągnęła syna z łóżka w południe. Zdołała wmusić w niego trochę zupy i pół kanapki z masłem orzechowym, ale potem położył się z powrotem. Wciąż nie chciał nic mówić. Hallorann przyjechał krótko po piątej po południu swoim teraz już leciwym (ale nienagannie utrzymanym i wypolerowanym na oślepiający połysk) czerwonym cadillakiem. Wendy czekała przy oknie, wypatrując go, tak jak kiedyś wypatrywała męża, zawsze z nadzieją, że Jack wróci do domu w dobrym nastroju. I trzeźwy.

Zbiegła po schodach i otworzyła drzwi w chwili, kiedy Dick już miał wcisnąć przycisk domofonu podpisany TORRANCE 2A. Rozpostarł ramiona i Wendy od razu padła w jego objęcia. Pragnęła zostać w tym bezpiecznym uścisku przez co najmniej godzinę. Może nawet dwie.

Puścił ją i odsunął na długość ramienia.

– Dobrze wyglądasz, Wendy. Jak się miewa mały mężczyzna? Zaczął się odzywać?

– Nie, ale z tobą porozmawia. Nawet jeśli początkowo nie na głos, możecie… – Zamiast dokończyć, zrobiła pistolet z palców i wymierzyła w jego czoło.

– Niekoniecznie – powiedział Dick. Jego uśmiech obnażył nową, błyszczącą sztuczną szczękę. Panorama odebrała mu większą część poprzedniej tej nocy, kiedy eksplodował kocioł. To Jack Torrance wymachiwał drewnianym młotkiem, który pozbawił Dicka protezy, a Wendy umiejętności chodzenia bez lekkiego utykania, ale oboje rozumieli, że prawdziwym winowajcą był hotel. – Ma dużą moc, Wendy. Jeśli zechce się przede mną zamknąć, zrobi tak i już. Wiem to z własnego doświadczenia. Poza tym byłoby lepiej, żebyśmy rozmawiali ustami. Lepiej dla niego. A teraz opowiedz, co się stało.

Zrobiwszy to, Wendy zabrała go do łazienki. Zostawiła plamy, żeby sam je zobaczył, tak jak postąpiłby glina na patrolu zabezpieczający miejsce zbrodni dla techników. Bo tu rzeczywiście doszło do zbrodni. Przeciwko jej synowi.

Dick długo patrzył, niczego nie dotykając, po czym kiwnął głową.

– Zobaczmy, czy Danny jest na nogach.

Nie był, ale jego radosna mina w chwili, kiedy zobaczył, kto siedzi obok niego na łóżku i potrząsa jego ramieniem, sprawiła, że Wendy zrobiło się lżej na sercu.

(cześć Danny mam dla ciebie prezent)

(dzisiaj nie mam urodzin)

Wendy obserwowała ich. Wiedziała, że rozmawiają, ale nie wiedziała o czym.

– Wstawaj, kochany – powiedział Dick. – Przejdziemy się po plaży.

(Dick ona wróciła pani Massey z pokoju 217 wróciła)

Dick jeszcze raz potrząsnął jego ramieniem.

– Mów na głos, Dan. Mama się o ciebie martwi.

– Co to za prezent? – spytał Danny.

Dick się uśmiechnął.

– Już lepiej. Lubię cię słyszeć, Wendy też.

– Tak. – Tylko tyle ośmieliła się powiedzieć. Inaczej usłyszeliby, że głos jej drży.

– Pod naszą nieobecność możesz posprzątać w łazience – powiedział do niej Dick. – Masz gumowe rękawice?

Skinęła głową.

– To dobrze. Włóż je.

6

Do plaży były trzy kilometry. Parking otaczały tandetne nadmorskie atrakcje – budki z ciastkami i hot dogami, sklepiki z pamiątkami – ale zbliżał się koniec sezonu i interes słabo się kręcił. Mieli prawie całą plażę dla siebie. W czasie jazdy Danny trzymał na kolanach podarowany mu prezent – podłużną, dość ciężką paczkę zawiniętą w srebrny papier.

– Rozpakujesz to potem, najpierw trochę pogadamy – powiedział Dick.

Szli tuż poza zasięgiem fal, po twardym, połyskującym piasku. Danny wolno stawiał kroki, bo Dick był już dość stary. Pewnego dnia umrze. Może nawet wkrótce.

– Jeszcze parę lat pociągnę – zapewnił go Dick. – O to się nie martw. A teraz powiedz mi, co się stało w nocy. Niczego nie pomijając.

Nie trwało to długo. Normalnie najtrudniej byłoby znaleźć słowa, żeby wyrazić ogarniające go przerażenie i to, jak mieszało się ono z duszącym uczuciem pewności: teraz, kiedy go odszukała, nigdy nie odejdzie. Ale ponieważ jego rozmówcą był Dick, Danny słów nie potrzebował, choć one też się znalazły.

– Ona wróci. Ja to wiem. Będzie wracać i wracać, aż mnie dorwie.

– Pamiętasz, jak się poznaliśmy?

Choć zaskoczony zmianą tematu, Danny skinął głową. Hallorann oprowadził jego i jego rodziców po hotelu Panorama pierwszego dnia po ich przyjeździe. Wydawało się, że to było bardzo dawno temu.

– I pamiętasz, jak pierwszym razem przemówiłem w twojej głowie?

– Pewnie.

– Co wtedy powiedziałem?

– Zapytałeś, czy chcę pojechać z tobą na Florydę.

– Właśnie. I jakie to było uczucie, dowiedzieć się, że już nie jesteś sam? Że nie jesteś jedyny?

– Wspaniałe – powiedział Danny. – To było super.

– Uhm – przytaknął Hallorann. – No jasne.

Przez chwilę szli w milczeniu. Małe ptaszki – ćwirki, jak nazywała je matka Danny'ego – wbiegały w fale i wybiegały z powrotem na brzeg.

– Nie zdziwiło cię to, że zjawiłem się wtedy, kiedy mnie potrzebowałeś? – Dick Hallorann spojrzał w dół na Danny'ego i uśmiechnął się. – Nie. Pewnie, że nie. Bo i niby dlaczego? Byłeś tylko dzieckiem, ale teraz jesteś już trochę starszy. Dużo starszy pod pewnymi względami. Posłuchaj mnie, Danny. Świat jest tak urządzony, żeby panowała w nim równowaga. Ja w to wierzę. Jest takie powiedzenie: kiedy uczeń jest gotowy, zjawia się nauczyciel. Ja byłem twoim nauczycielem.

– Byłeś kimś dużo ważniejszym – powiedział Danny. Wziął Dicka za rękę. – Byłeś moim przyjacielem. Uratowałeś nas.

Dick zignorował te słowa… przynajmniej pozornie.

– Moja babcia też jaśniała… pamiętasz, jak ci to powiedziałem?

– Tak. Mówiłeś, że mogliście prowadzić długie rozmowy bez otwierania ust.

– Zgadza się. Ona uczyła mnie. Ją uczyła jej prababcia, jeszcze w czasach niewolnictwa. Pewnego dnia, Danny, przyjdzie kolej na ciebie, żebyś został nauczycielem. Zjawi się uczeń.

– Chyba że wcześniej dorwie mnie pani Massey – powiedział Danny ponuro.

Doszli do ławki. Dick usiadł.

– Dalej nie odważę się pójść; potem mógłbym nie mieć siły wrócić. Usiądź. Opowiem ci pewną historię.

– Nie chcę żadnych historii. Ona wróci, nie rozumiesz? Będzie wracać i wracać, i wracać.

– Zamknij usta i otwórz uszy. Może się czegoś nauczysz.

– Dick uśmiechnął się szeroko, obnażając nową, błyszczącą protezę. – Myślę, że zrozumiesz, o co chodzi. Głupi to ty nie jesteś, kochany.

7

Matka jego matki – ta jaśniejąca – mieszkała w Clearwater. Była Białą Babcią. Nie dlatego, że była białej rasy, oczywiście, ale przez wzgląd na jej dobroć. Ojciec jego ojca mieszkał we wsi Dunbrie w stanie Missisipi, niedaleko Oxford. Owdowiał długo przed narodzinami Dicka. Jak na człowieka kolorowego żyjącego w tym miejscu i czasie, był bogaty. Prowadził dom pogrzebowy. Mały Dick Hallorann przyjeżdżał tam z rodzicami cztery razy w roku i nienawidził tych wizyt. Bał się Andy'ego Halloranna i nazywał go – tylko w myślach, gdyby powiedział to na głos, dostałby w gębę – Czarnym Dziadkiem.

– Słyszałeś o pedofilach? – spytał Danny'ego Dick. – Facetach, którzy chcą uprawiać seks z dziećmi?

– Trochę – powiedział Danny ostrożnie. Na pewno wiedział, że nie wolno rozmawiać z nieznajomymi i wsiadać z nimi do samochodu. Bo mogą ci coś zrobić.

– Cóż, stary Andy był więcej niż pedofilem. Był też cholernym sadystą.

– Kto to jest sadysta?

– Ktoś, kto lubi zadawać ból.

Danny kiwnął głową ze zrozumieniem.

– Jak Frankie Listrone z mojej szkoły. Robi innym dzieciom pokrzywki i daje kokosy. Jak się nie popłaczesz, przestaje. A jak tak, nie przestaje w ogóle.

– To źle, ale tu chodzi o coś jeszcze gorszego.

Przypadkowy przechodzień uznałby, że Dick zamilkł, ale jego opowieść trwała dalej w postaci serii obrazów i łączących je fraz. Danny zobaczył Czarnego Dziadka, wysokiego mężczyznę w garniturze tak czarnym jak jego skóra i

21

(fedorze)
takim specyficznym kapeluszu na głowie. Zobaczył, że w kącikach jego ust zawsze tkwiły strzępki śliny, że miał podkrążone oczy, jakby był zmęczony albo dopiero co przestał płakać. Zobaczył, że dziadek często brał Dicka – młodszego niż on teraz, pewnie w wieku, w jakim Danny był tamtej zimy w Panoramie – na kolana. Przy innych zazwyczaj tylko go łaskotał. Kiedy byli sami, wsuwał mu dłoń między nogi i ściskał jaja tak mocno, że Dick myślał, że zemdleje z bólu.

– Przyjemnie, co? – sapał mu w ucho Czarny Dziadek Andy. Śmierdział papierosami i whisky White Horse. – Pewnie, że tak, każdy chłopak to lubi. Ale nawet jeśli nie, masz nic nikomu nie mówić. Inaczej zrobię ci krzywdę. Spalę cię.

– O rany – powiedział Danny. – To wstrętne.

– Robił też inne rzeczy – kontynuował Dick – ale ja powiem ci tylko o jednej. Po śmierci żony dziadek najął kobietę do pomocy w utrzymaniu domu. Sprzątała i gotowała. Przy obiedzie kładła na stół wszystko naraz, od sałatki po deser, bo tak życzył sobie Czarny Dziadek. Deser to zawsze było ciasto albo budyń. Dostawałem go na talerzyku albo w miseczce, które stały obok mojego talerza, żebym widział te słodkości przez cały czas, kiedy wmuszałem w siebie jakieś świństwa. Twarda zasada dziadka była taka, że mogłem patrzeć na deser, ale nie wolno mi go było tknąć, dopóki nie przełknę ostatniego kawałka smażonego mięsa, gotowanych jarzyn i ziemniaków purée. Musiałem nawet wyjeść z talerza sos, który był zbrylony i prawie nie miał smaku. Jeśli zostawała choć odrobina, Czarny Dziadek dawał mi pajdę chleba i mówił: „Tym to zetrzyj, Dickuśku, talerz ma błyszczeć, jakby pies go wylizał". Tak mnie nazywał, Dickuśkiem.

Czasem nie mogłem zjeść wszystkiego, żeby nie wiadomo co, a wtedy nie dostawałem ciasta ani budyniu. Zabierał mi deser i sam go zjadał. A czasem kiedy zjadłem wszystko, dziadek gasił papierosa w moim kawałku ciasta albo budyniu waniliowym. Mógł tak robić, bo zawsze siedział obok mnie. Obracał to w żart. „Ups, nie trafiłem do popielniczki", mawiał. Mama i tata nigdy nie kazali mu przestać, choć musieli wiedzieć, że nawet jeśli to był żart, dziecku się takich żartów nie robi. Udawali, że ich też to bawi.

– Okropne – powiedział Danny. – Rodzice powinni byli się za tobą wstawić. Moja mama zawsze mnie broni. Tata też na pewno by mnie bronił.

– Bali się go. I słusznie. Andy Hallorann był wrednym skurkowańcem. Mówił: „Śmiało, Dickie, wyjedz wszystko dookoła tego, nie zatrujesz się". Jeśli wziąłem kęs, kazał Nonnie… tak miała na imię jego gosposia… przynieść mi świeżą porcję deseru. Jeśli nie, deser z wgniecionym petem zostawał na stole. Doszło do tego, że w ogóle nie mogłem dokończyć obiadu, bo skręcało mnie w brzuchu.

– Powinieneś był przesunąć deser na drugą stronę talerza – zauważył Danny.

– Próbowałem, pewnie, nie urodziłem się głupi. On wtedy przesuwał go z powrotem i mówił, że deser ma stać po prawej ręce. – Dick zamilkł i spojrzał na wodę. Długa biała łódź powoli sunęła po linii oddzielającej niebo od Zatoki Meksykańskiej. – Czasem, kiedy dopadał mnie na osobności, gryzł mnie. Jak raz zagroziłem, że jeśli nie zostawi mnie w spokoju, powiem tacie, zgasił papierosa na mojej bosej stopie. I rzekł: „Powiedz mu też o tym, zobaczymy, co ci to da. Twój tatko zna moje obyczaje i nigdy słowem nie piśnie, bo jest tchórzem. I po mojej śmierci chce dostać pieniądze, które mam w banku, a ja na razie nie wybieram się umierać".

Danny słuchał zafascynowany, z szeroko otwartymi oczami. Zawsze uważał, że historia Sinobrodego jest najstraszniejszą ze wszystkich, najstraszniejszą, jaką można sobie wyobrazić, ale ta była gorsza. Bo była prawdziwa.

– Czasem mówił, że zna złego człowieka, Charliego Manxa, i że jeśli nie zrobię tego, czego chce, zamówi międzymiastową do niego, a wtedy Charlie Manx przyjedzie swoim eleganckim samochodem i zabierze mnie tam, gdzie trafiają wszystkie niegrzeczne dzieci. Potem dziadzio wsadzał mi rękę między nogi i zaczynał ściskać. „Dlatego nic nikomu nie powiesz, Dickuśku. Inaczej przyjdzie stary Charlie i będzie cię trzymał razem z innymi dziećmi, które ukradł, aż umrzesz. A wtedy trafisz do piekła i będziesz się smażył na wieki wieków. Bo zakapowałeś. Obojętne, czy ktokolwiek ci uwierzy, kapowanie to kapowanie".

Długo wierzyłem temu staremu bydlakowi. Nie powiedziałem nawet mojej Białej Babci, tej jaśniejącej, bo bałem się, że pomyśli, że to moja wina. Gdybym był starszy, byłbym mądrzejszy, ale byłem tylko dzieckiem. – Zawiesił głos. – I coś jeszcze. Wiesz, co takiego?

Danny długo wpatrywał się w twarz Dicka, wnikał w myśli i obrazy skryte pod jego czołem. Wreszcie powiedział:

– Chciałeś, żeby twój ojciec dostał te pieniądze. Ale tak się nie stało.

– Właśnie. Czarny Dziadek zapisał cały majątek domowi dla murzyńskich sierot w Alabamie i dam głowę, że wiem dlaczego. Ale to nie ma nic do rzeczy.

– I twoja dobra babcia nie wiedziała? Nie domyślała się?

– Wiedziała, że coś się działo, ale trzymałem to głęboko w ukryciu, a ona nie próbowała tego ze mnie wyciągnąć. Powiedziała tylko, że kiedy będę gotów o tym pomówić, ona będzie gotowa mnie wysłuchać. Danny, kiedy Andy Hallorann umarł na wylew, byłem najszczęśliwszym chłopcem na świecie. Mama powiedziała, że nie muszę iść na pogrzeb, że mogę zostać z babcią Rose, moją Białą Babunią, ale ja chciałem tam być. Pewnie, że tak. Chciałem się upewnić, że Czarne Dziadzisko naprawdę umarło.

Tego dnia padało. Wszyscy stali wokół grobu pod czarnymi parasolami. Patrzyłem, jak jego trumna, bez wątpienia największa i najlepsza w jego zakładzie, zanurza się w ziemi, i myślałem o tych chwilach, kiedy kręcił mi jaja, o petach w moim deserze i tym jednym, który zgasił na mojej stopie, i o tym, jak dyrygował wszystkimi przy obiedzie niczym ten szalony stary król w sztuce Szekspira. Głównie jednak myślałem o Charliem Manxie, który niewątpliwie był od początku do końca wymysłem, i o tym, że dziadek już nigdy nie będzie mógł po niego zadzwonić, żeby przyjechał w nocy i zabrał mnie swoim eleganckim samochodem do innych skradzionych chłopców i dziewczynek.

Zajrzałem do grobu. „Niech chłopak zobaczy", powiedział tata, kiedy mama próbowała mnie odciągnąć. Popatrzyłem na trumnę w tym mokrym dole i pomyślałem: Tam jesteś dwa metry bliżej piekła, Czarny Dziadku, i niedługo pokonasz resztę drogi, a wtedy oby diabeł dał ci tysiaka płonącą ręką.

Dick sięgnął do kieszeni spodni i wyjął paczkę marlboro z kartonikiem zapałek wsuniętym pod celofan. Włożył papierosa do ust i musiał wodzić za nim zapałką, bo drżała mu nie tylko ręka, ale i wargi. Danny zobaczył ze zdumieniem, że w oczach Dicka stoją łzy.

Przekonany, że wie, do czego ta historia zmierza, Danny spytał:

– Kiedy wrócił?

Dick zaciągnął się głęboko i z uśmiechem wypuścił dym.

– Nie musiałeś zajrzeć mi do głowy, żeby się tego domyślić, co?

– Nie.

– Pół roku później. Któregoś dnia przyszedłem ze szkoły i leżał goły na moim łóżku, ze sterczącym, przegniłym kutasem na wierzchu. Powiedział: „Chodź tu, Dickuśku, usiądź na tym. Ty mi dasz tysiaka, ja tobie dwa". Krzyczałem, ale nikt mnie nie mógł usłyszeć. Mama i tata pracowali, mama w restauracji, tata w drukarni. Uciekłem i trzasnąłem drzwiami. Usłyszałem, jak Czarny Dziadek wstaje… łup… idzie przez pokój… łup, łup, łup… a potem…

– Paznokcie – powiedział Danny ledwo słyszalnie. – Drapiące w drzwi.

– Właśnie. Następnym razem wszedłem tam dopiero wieczorem, kiedy mama i tata byli w domu. Już go nie było, ale zostawił… ślady.

– No jasne. Takie jak u nas w łazience. Bo gnił.

– Zgadza się. Sam zmieniłem pościel, wiedziałem jak, bo mama pokazała mi dwa lata wcześniej. Powiedziała, że jestem już za duży, by zatrudniać gosposię, że gosposie są dla takich białych chłopców i dziewczynek, jakimi się opiekowała, zanim została hostessą w Berkin's Steak House. Tydzień później zobaczyłem Czarnego Dziadka w parku, bujał się na huśtawce. Miał na sobie garnitur, ale cały pokryty czymś szarym… pewnie pleśnią, która obrastała go w trumnie.

– Tak – powiedział Danny kruchym szeptem. Nic więcej nie mógł z siebie wydobyć.

– Miał jednak rozpięty rozporek i cały interes na wierzchu.

Przykro mi, że ci to wszystko mówię, Danny, za mały jesteś, żeby tego słuchać, ale musisz znać prawdę.

– Wtedy poszedłeś do Białej Babci?

– Musiałem. Bo wiedziałem to, co wiesz ty: że będzie ciągle wracał. Nie jak... Danny, widziałeś kiedyś martwych ludzi? Normalnych martwych ludzi, o to mi chodzi. – Zaśmiał się, bo to zabawnie zabrzmiało. Dla Danny'ego też. – Duchy.

– Kilka razy. Kiedyś trzy stały przy przejeździe kolejowym. Dwa chłopaki i dziewczyna. Nastolatki. Myślę, że... może tam zginęli.

Dick skinął głową.

– Zwykle trzymają się blisko miejsca, gdzie przeszli na drugą stronę, dopóki nie oswoją się z tym, że są martwi. Dopiero wtedy odchodzą na dobre. Tacy byli niektórzy ludzie z tych, których widziałeś w Panoramie.

– Wiem – przytaknął Danny. Ulga, że mógł rozmawiać o tym z kimś, kto rozumiał, była nie do opisania. – I raz była taka kobieta w restauracji. Takiej ze stolikami na zewnątrz. Nie była przezroczysta, ale nikt poza mną jej nie widział. Siedziała na krześle i zniknęła, kiedy kelnerka wsunęła je pod stolik. Ty ich czasem widujesz?

– Już od dawna nie, ale moja jasność nigdy nie była tak silna jak twoja. Z wiekiem trochę słabnie...

– To dobrze – powiedział Danny żarliwie.

– ...ale ty masz jej tak dużo, że chyba nawet kiedy dorośniesz, sporo ci zostanie. Normalne duchy nie są takie jak kobieta, którą widziałeś w pokoju 217 i twojej łazience. Mam rację, prawda?

– Tak. Pani Massey jest prawdziwa. Zostawia kawałki ciała. Widziałeś je. Mama też widziała... a ona nie jaśnieje.

– Wracajmy – zaproponował Dick. – Pora, żebyś zobaczył, co ci przywiozłem.

8

Z powrotem na parking szli jeszcze wolniej, bo Dick dostał zadyszki.

– Papierosy – wyjaśnił. – Nawet nie zaczynaj, Danny.

– Mama pali. Myśli, że nie wiem, ale się myli. Dick, co zrobiła twoja Biała Babcia? Musiała coś zrobić, bo Czarny Dziadek nigdy cię nie dopadł.

– Dała mi prezent, taki sam, jaki ja dam tobie. To właśnie robi nauczyciel, kiedy uczeń jest gotowy. Wiesz, nauka sama w sobie jest prezentem. Najlepszym, jaki można dać albo dostać.

Nigdy nie mówiła o dziadku Andym po imieniu, nazywała go po prostu... zbuczeńcem. – Dick uśmiechnął się szeroko. – Powiedziałem jej, że on nie jest duchem, że jest prawdziwy. A ona na to, że tak, rzeczywiście, i że jest prawdziwy dzięki mnie. Mojej jasności. Powiedziała, że niektóre duchy, zwłaszcza te gniewne, nie chcą odejść z tego świata, bo wiedzą, że to, co je czeka potem, jest jeszcze gorsze. Większość ostatecznie zanika z głodu, ale niektóre znajdują pożywienie. „Tym właśnie dla nich jest jasność, Dick – powiedziała mi. – Pożywieniem. Ty karmisz tego zbuczeńca. Niechcący, ale to robisz. On jest jak komar, który krąży nąd głową i co jakiś czas ląduje, żeby napić się krwi. Nic na to nie poradzisz. Możesz zrobić tylko jedno: wykorzystać to, po co przybył, przeciwko niemu".

Byli już przy cadillacu. Dick otworzył drzwi i z westchnieniem ulgi wsunął się za kierownicę.

– Dawno, dawno temu mogłem przejść piętnaście kilometrów i przebiec następne osiem. Dziś wystarczy krótki spacer po plaży i plecy bolą, jakby koń mnie kopnął. Śmiało, Danny. Rozpakuj prezent.

Danny zerwał srebrny papier i zobaczył kasetkę z pomalowanego na zielono metalu. Na wieku, pod zatrzaskiem, była mała klawiatura.

– Fajna!

– Tak? Podoba ci się? To dobrze. Kupiona w Western Auto. Czysta amerykańska stal. Moja miała kłódkę z małym kluczykiem, który nosiłem na szyi, ale to było dawno temu. Teraz są lata osiemdziesiąte, technika poszła do przodu. Widzisz tę klawiaturę? Wstukujesz pięć cyfr, które zapamiętasz, i wciskasz ten mały guzik z napisem „set". Potem, jak chcesz otworzyć skrytkę, wprowadzasz kod.

Danny był zachwycony.

– Dzięki, Dick! Będę w niej trzymał moje skarby! – Do których zaliczały się jego najlepsze karty z baseballistami, skautowa odznaka z kompasem, szczęśliwy zielony kamyk i zdjęcie jego z ojcem, zrobione na trawniku przed budynkiem, w którym mieszkali w Boulder, zanim przenieśli się do Panoramy. Zanim wszystko się zepsuło.

– Dobrze, Danny, chcę, żebyś tak zrobił, ale chcę, żebyś zrobił też coś innego.

– Co?

– Poznaj tę skrytkę na wylot. Nie tylko patrz na nią. Obmacaj ją ze wszystkich stron. Potem wsadź nos do środka i zobacz, czy czymś pachnie. Ona musi być twoim najbliższym przyjacielem, przynajmniej przez pewien czas.

– Dlaczego?

– Bo drugą taką samą będziesz trzymał w swojej głowie. To będzie jeszcze bardziej szczególna skrytka. I kiedy ta suka znowu się pojawi, będziesz na nią przygotowany. Powiem ci jak, tak jak Biała Babunia powiedziała to mnie.

W drodze powrotnej do domu Danny prawie się nie odzywał. Miał dużo spraw do przemyślenia. Na kolanach trzymał swój prezent – kasetkę z mocnego metalu.

9

Pani Massey wróciła tydzień później. Znów była w łazience, tym razem w wannie. Danny'ego to nie zaskoczyło. Bądź co bądź, w wannie umarła. Tym razem nie uciekł. Tym razem wszedł do środka i zamknął drzwi. Uśmiechnęła się i przywołała go gestem. Danny też się uśmiechnął i podszedł do niej. W pokoju grał telewizor. Mama oglądała *Three's Company*.

– Dzień dobry, pani Massey – powiedział Danny. – Mam coś dla pani.

W ostatniej chwili zrozumiała i zaczęła krzyczeć.

10

Jego mama łomotała do drzwi łazienki.

– Danny? Wszystko w porządku?

– Tak, mamo. – Wanna była pusta. Zostało w niej trochę brei, ale Danny uznał, że żaden kłopot to wyczyścić. Wystarczy puścić wodę i sama spłynie. – Musisz się załatwić? Zaraz wychodzę.

– Nie. Ja tylko… myślałam, że mnie wołałeś.

Danny wziął szczoteczkę do zębów i otworzył drzwi.

– Wszystko w stuprocentowym porządku. Widzisz? – Uśmiechnął się szeroko. Teraz, kiedy pani Massey już nie było, przyszło mu to bez trudu.

Niepokój zniknął z jej twarzy.

– To dobrze. Pamiętaj, żeby wyszorować zęby trzonowe, te z tyłu. Tam chowa się jedzenie.

– Dobrze, mamo.

Głęboko w głowie, tam gdzie na specjalnej półce spoczywała bliźniacza kopia jego kasetki, Danny słyszał stłumiony krzyk. Nie przeszkadzało mu to. Sądził, że ten krzyk prędzej czy później ucichnie, i miał rację.

11

Minęły dwa lata. Ostatniego dnia przed feriami z okazji Święta Dziękczynienia na środku pustych schodów w szkole Danny'emu Torrance'owi ukazał się Horace Derwent. Na ramionach marynarki miał konfetti. Z jego gnijącej dłoni zwisała czarna maseczka. Cuchnął grobem.

– Wspaniały bal, prawda? – spytał.

Danny odwrócił się i odszedł. Bardzo szybko.

Po szkole zadzwonił na numer restauracji w Key West, w której pracował Dick.

– Znalazł mnie następny z Ludzi z Panoramy. Ile mogę mieć skrytek w głowie?

Dick zachichotał.

– Tyle, ile ci potrzeba, kochany. Na tym właśnie polega piękno jasności. Myślisz, że ja musiałem tam zamknąć tylko mojego Czarnego Dziadka?

– Czy oni tam umierają?

Tym razem nie było chichotu. Tym razem w głosie Dicka brzmiała zimna nuta, której Danny nigdy przedtem nie słyszał. I wcale go to nie raziło.

– Czy to ważne?

Danny uznał, że nie.

Kiedy dawny właściciel Panoramy ukazał się znowu, wkrótce po Nowym Roku – tym razem w garderobie w sypialni Danny'ego – Danny był gotowy. Wszedł do garderoby i zamknął drzwi. Niedługo potem na wysokiej półce w jego głowie, obok mentalnej skrytki zawierającej panią Massey, spoczęła druga, identyczna. Było trochę łomotania i wymyślnych przekleństw, które Danny zapamiętał do wykorzystania na przyszłość. Wkrótce protesty ucichły. W skrytce Derwenta panowała cisza, w skrytce Massey też. To, czy jeszcze żyli, czy nie (jeśli o nieumarłych można powiedzieć, że żyją), nie miało już znaczenia.

Liczyło się tylko to, że się stamtąd nie wydostaną. Był bezpieczny.

Tak wtedy sądził. Oczywiście, sądził też, że nigdy nie weźmie alkoholu do ust, bo przecież widział, co picie zrobiło z jego ojcem.

Czasem się mylimy i tyle.

Grzechotnik

1

Nazywała się Andrea Steiner i lubiła filmy, ale nie lubiła mężczyzn. Nic w tym dziwnego, jako że rodzony ojciec zgwałcił ją po raz pierwszy, kiedy miała osiem lat. Gwałcił ją przez następne osiem. W końcu położyła temu kres, najpierw przekłuwając mu jądra, jedno po drugim, drutem do robótek mamy, a potem wbijając ten sam drut, ociekający czerwienią, w lewy oczodół jej gwałciciela i ojca. Z jajami poszło łatwo, bo spał, ale ból był tak silny, że go obudził, pomimo jej szczególnego daru. Była jednak dużą dziewczyną, a on był pijany. Udało jej się unieruchomić go swoim ciężarem na dość długo, by zadać *coup de grace*.

Teraz miała lat osiem razy cztery, błąkała się po Ameryce, a w Białym Domu hodowcę orzeszków ziemnych zastąpił były aktor. Ten nowy miał nienaturalne czarne włosy aktora i czarujący, niebudzący zaufania uśmiech aktora. Andi oglądała jeden z jego filmów w telewizji. Człowiek, który w przyszłości miał zostać prezydentem, grał w nim gościa, któremu pociąg obciął nogi. Podobała jej się myśl o mężczyźnie bez nóg; mężczyzna bez nóg nie może cię dopaść i zgwałcić.

Filmy to było to. Filmy zabierały cię daleko stąd. Zawsze można było liczyć na popcorn i happy end. Jak udawało się zaciągnąć do kina faceta, wtedy była to randka, więc on płacił. Dzisiejszy film jej się podobał. Były walki, było całowanie, była głośna muzyka. Nosił tytuł *Poszukiwacze zaginionej Arki*. Mężczyzna, z którym przyszła, trzymał rękę pod jej spódnicą, wysoko na nagim udzie, ale to nic; ręka to nie kutas. Poznała tego faceta w barze. W barach poznawała większość mężczyzn, z którymi się spotykała. Postawił jej drinka, ale darmowy drink to jeszcze nie randka; to tylko podryw.

– Co to znaczy? – spytał ją, przesuwając czubkiem palca po jej lewym ramieniu. Miała na sobie bluzkę bez rękawów, więc tatuaż był widoczny. Zawsze go odsłaniała, kiedy szukała faceta na randkę. Chciała, żeby mężczyźni go widzieli. W ich mniemaniu był lubieżny. Zrobiła go sobie w San Diego rok po tym, jak zabiła ojca.

– To wąż – powiedziała. – Grzechotnik. Nie widzisz kłów?

Oczywiście, że widział. Kły były wielkie, zupełnie nieproporcjonalne w stosunku do głowy. Z jednego zwisała kropla jadu.

Facet był typem biznesmena w drogim garniturze, z gęstymi, zaczesanymi do tyłu prezydenckimi włosami i popołudniem wolnym od takiej czy innej gównianej roboty papierkowej, jaką się zajmował. Włosy miał prawie zupełnie białe, nie czarne, i wyglądał na jakieś sześćdziesiąt lat. Prawie dwa razy starszy od niej. Ale takie rzeczy mężczyzn nie obchodzą. Jemu to bez różnicy, czy miała lat szesnaście, czy trzydzieści dwa. Czy nawet osiem. Przypomniała sobie coś, co raz powiedział jej ojciec: „Jak umieją spuszczać po sobie wodę, nie są dla mnie za młode".

– Oczywiście, że widzę – powiedział mężczyzna, który teraz siedział obok niej – ale co to znaczy?

– Może się dowiesz – odparła Andi. Dotknęła językiem górnej wargi. – Mam jeszcze jeden tatuaż. Gdzie indziej.

– Pokażesz mi go?

– Może. Lubisz filmy?

Zmarszczył brwi.

– Co masz na myśli?

– Chcesz pójść ze mną na randkę, prawda?

Wiedział, co to znaczy – a przynajmniej co to zwykle znaczyło. Kiedy inne dziewczyny przesiadujące w tym lokalu mówiły o randkach, chodziło im tylko o jedno. Lecz ona miała na myśli coś innego.

– Pewnie. Jesteś ładna.

– To zabierz mnie na randkę. Prawdziwą. W Rialto lecą *Poszukiwacze zaginionej Arki*.

– Ja myślałem raczej o tym hoteliku dwie przecznice stąd, kochanie. Pokój z barkiem i balkonem, co ty na to?

Nachyliła się wtedy do jego ucha i przycisnęła piersi do jego ramienia.

– Może potem. Najpierw zabierz mnie do kina. Postaw mi bilet i kup popcorn. W ciemności bierze mnie na amory.

I oto byli tutaj, a na ekranie przed nimi Harrison Ford, wielki jak drapacz chmur, strzelał z bicza w pustynnym pyle. Stary facet z prezydenckimi włosami wsadził jej rękę pod spódnicę, ale ona twardo trzymała na kolanach kubełek z popcornem, tak żeby mógł zajść daleko, ale nie za daleko. Próbował wsunąć dłoń głębiej, co było irytujące, bo chciała zobaczyć, jak film się skończy, i dowiedzieć się, co jest w zaginionej Arce. Dlatego…

2

O drugiej po południu w dzień powszedni kino było prawie puste, ale dwa rzędy za Andi Steiner i jej towarzyszem siedziało troje ludzi. Dwaj mężczyźni, jeden dość stary, drugi z wyglądu wkraczający w wiek średni (ale pozory często mylą), a między nimi kobieta oszałamiającej urody. Wydatne kości policzkowe, szare oczy, mleczna cera, burza czarnych włosów związanych z tyłu szeroką aksamitną wstążką. Zwykle nosiła kapelusz – stary, sfatygowany cylinder – ale tego dnia zostawiła go w swoim samochodzie turystycznym. Do kina nie chodzi się w wysokim cylindrze. Nazywała się Rose O'Hara, ale koczownicza rodzina, z którą podróżowała, wołała na nią Rose Kapelusz.

Mężczyzną wkraczającym w wiek średni był Barry Smith. Choć w stu procentach biały, znany był w tej samej rodzinie jako Barry Kitajec, bo miał lekko skośne oczy.

– Teraz patrzcie – rzekł. – To ciekawe.

– Film jest ciekawy – burknął starszy mężczyzna, Dziadzio Flick. Ale to tylko z wrodzonej przekory. On też obserwował parę siedzącą dwa rzędy przed nimi.

– Oby – powiedziała Rose – bo ta kobieta wcale nie ma tak dużo pary. Trochę, ale…

– Zaczyna się, zaczyna się – powiedział Barry z szerokim uśmiechem, kiedy Andi przechyliła się w bok i przyłożyła usta do ucha towarzysza. Zupełnie zapomniał o trzymanej w dłoni paczce gumisiów. – Trzy razy widziałem, jak to robiła, i nadal mam z tego uciechę.

3

Ucho Pana Biznesmena, wypełnione strzechą szorstkich białych włosów, było zatkane woskowiną koloru gówna, lecz Andi to nie powstrzymało; chciała zwinąć się z tego miasta, a finanse jej się kończyły.

– Nie jesteś zmęczony? – szepnęła do obrzydliwego ucha. – Nie chcesz się przespać?

Mężczyzna natychmiast opuścił głowę na pierś i zaczął chrapać. Andi sięgnęła pod spódnicę, podniosła spoczywającą tam rozluźnioną dłoń i położyła ją na poręczy krzesła. Potem włożyła rękę za połę drogiej z wyglądu marynarki Pana Biznesmena i zaczęła szperać. Portfel był w wewnętrznej lewej kieszeni. Dobrze. Nie będzie musiała kazać mu podnieść tłustej dupy z siedzenia. Jak już zasypiali, nie tak łatwo było ich zmusić, żeby się ruszyli.

Otworzyła portfel, rzuciła karty kredytowe na podłogę i przez parę chwil oglądała zdjęcia – Pan Biznesmen z grupą innych otyłych Panów Biznesmenów na polu golfowym; Pan Biznesmen z żoną; dużo młodszy Pan Biznesmen stojący przed choinką ze swoim synem i dwiema córkami. Córki miały czapki Świętego Mikołaja i identyczne sukienki. Pewnie ich nie gwałcił, ale nie można tego wykluczyć. Mężczyźni gwałcą, kiedy wiedzą, że ujdzie im to na sucho, przekonała się o tym. Na ojcowskich kolanach, można rzec.

W przegródce na banknoty było ponad dwieście dolarów. Liczyła na więcej – bar, w którym go poznała, przyciągał dziwki wyższej klasy niż knajpy koło lotniska – ale w sumie to i tak nieźle jak na czwartkowy seans popołudniowy, a poza tym świat jest pełen mężczyzn, którzy chętnie zabiorą ładną dziewczynę do kina, gdzie trochę ostrego pettingu będzie tylko przystawką. A przynajmniej na to liczą.

4

– No dobra – mruknęła Rose i zaczęła się podnosić. – Przekonałeś mnie. Zaryzykujmy.

Ale Barry położył dłoń na jej ramieniu, powstrzymując ją.

– Nie, poczekaj. Patrz. Teraz będzie najlepsze.

5

Andi znów nachyliła się do obrzydliwego ucha.

– Śpij głębiej – szepnęła. – Najgłębiej jak możesz. Ból, który poczujesz, będzie tylko snem. – Otworzyła swoją torebkę i wyjęła nóż z rączką z masy perłowej. Mały, ale ostry jak brzytwa. – Czym będzie ból?

– Tylko snem – mruknął Pan Biznesmen w węzeł krawata.

– Otóż to, słonko. – Objęła go ramieniem i szybko wycięła podwójne V w jego prawym policzku, policzku tak tłustym, że lada dzień stanie się obwisły. Przez chwilę podziwiała swoje dzieło w niepewnym świetle kolorowej wiązki snów z projektora. Potem popłynęła krew. Pan Biznesmen obudzi się z palącą twarzą, przesiąkniętym na wylot prawym rękawem drogiej marynarki i potrzebą wizyty na pogotowiu.

Jak wytłumaczysz to żonie? Coś wymyślisz, na pewno. Ale jeśli nie zrobisz sobie operacji plastycznej, będziesz widział mój ślad za każdym razem, kiedy spojrzysz w lustro. I ilekroć pójdziesz na dupy do baru, będziesz pamiętał, jak kiedyś ukąsił cię grzechotnik. Taki w niebieskiej spódnicy i białej bluzce bez rękawów.

Schowała dwie pięćdziesiątki i pięć dwudziestek do torebki, zamknęła ją i już miała wstać, kiedy poczuła dłoń na ramieniu.

– Cześć, moja droga – usłyszała szept tuż przy uchu. – Resztę filmu obejrzysz kiedy indziej. Teraz pójdziesz z nami.

Próbowała się odwrócić, ale dłonie chwyciły ją za głowę. Co najstraszniejsze, były wewnątrz jej głowy.

Potem – dopóki nie znalazła się w earthcruiserze Rose na zaniedbanym kempingu na peryferiach tego miasta na Środkowym Zachodzie – była tylko ciemność.

6

Kiedy się ocknęła, Rose poczęstowała ją herbatą i długo do niej mówiła. Andi słyszała każde słowo, ale uwagę skupiała głównie na kobiecie, która ją uprowadziła. Robiła wrażenie, mówiąc delikatnie. Rose Kapelusz miała metr osiemdziesiąt wzrostu, długie nogi w zwężanych białych spodniach i wydatne piersi sterczące pod T-shirtem z logo UNICEF-u oraz hasłem „Ocalić dziecko za wszelką cenę". Jej twarz była twarzą spokojnej królowej, pogodną, nieskalaną najmniejszą troską. Włosy, teraz rozpuszczone, opadały do połowy pleców. Przekrzywiony sfatygowany cylinder na głowie psuł ogólny efekt, ale poza tym była najpiękniejszą kobietą, jaką Andi Steiner kiedykolwiek widziała.

– Rozumiesz, co mówię? Daję ci szansę, Andi, i potraktuj ją poważnie. Od co najmniej dwudziestu lat nie zaproponowaliśmy nikomu tego, co proponuję tobie.

– A jeśli odmówię? Co wtedy? Zabijecie mnie? I weźmiecie tę… – Jak ona to nazwała? – Tę parę?

Rose uśmiechnęła się. Miała duże koraloworóżowe usta. Andi, choć uważała się za osobę aseksualną, była ciekawa, jak smakuje jej szminka.

– Za mało w tobie pary, żeby zawracać sobie nią głowę, moja droga, a ta odrobina, którą masz, to nie byłby żaden rarytas. Smakowałaby tak, jak mięso starej, żylastej krowy smakuje w ustach ćwoka.

– Kogo?

– Mniejsza z tym, na razie słuchaj. Nie zabijemy cię. Jeśli odmówisz, wymażemy tę krótką rozmowę z twojej pamięci. Obudzisz się na poboczu drogi pod jakimś nieciekawym miastem… może Topeką albo Fargo… bez pieniędzy, bez dokumentów, bez wiedzy, skąd się tam wzięłaś. Nie będziesz pamiętać nic od chwili, kiedy weszłaś do tamtego kina z mężczyzną, którego okradłaś i okaleczyłaś.

– Należało mu się! – warknęła Andi.

Rose stanęła na palcach i przeciągnęła się, aż jej dłonie sięgnęły sufitu samochodu turystycznego.

– To twoja sprawa, kotulku, nie jestem twoim psychiatrą. – Nie miała stanika; Andi widziała jej sutki jak dwa znaki przestankowe przesuwające się pod koszulką. – Weź pod uwagę coś innego: zabierzemy ci nie twoje pieniądze i bez wątpienia lewe papiery, ale i twój talent. Kiedy następnym razem zasugerujesz facetowi w ciemnym kinie, żeby zasnął, on spojrzy na ciebie i spyta, o co ci, kurwa, chodzi.

Andi przeszedł zimny dreszcz strachu.

– Nie możecie tego zrobić! – Ale wspomnienie przerażająco silnych dłoni, które wniknęły w głąb jej mózgu, przekonało ją, że ta kobieta byłaby w stanie tego dokonać. Może potrzebowałaby pomocy przyjaciół, tych z kamperów i samochodów turystycznych skupionych dookoła tego wozu jak prosięta wokół wymion maciory, lecz zrobiłaby to.

Rose puściła jej słowa mimo uszu.

– Ile masz lat, moja droga?

– Dwadzieścia osiem. – Odejmowała sobie lat, odkąd skończyła trzydziestkę.

Rose spojrzała na nią uśmiechnięta, milcząca. Andi patrzyła w te piękne szare oczy przez pięć sekund i nie wytrzymała, musiała spuścić wzrok. Wtedy jednak jej spojrzenie padło na te gładkie piersi, nieskrępowane, a mimo to nieobwisłe. I kiedy znów podniosła głowę, nie mogła oderwać oczu od warg. Tych koraloworóżowych warg.

– Masz trzydzieści dwa lata – powiedziała Rose. – Och, znać to po tobie tylko trochę… bo miałaś ciężkie życie. Ciągle uciekałaś. Ale wciąż jesteś ładna. Zostań z nami, żyj z nami, a za dziesięć lat od dziś naprawdę będziesz miała dwadzieścia osiem lat.

– To niemożliwe.

Rose się uśmiechnęła.

– Za sto lat od dziś będziesz wyglądać i czuć się na trzydzieści pięć lat. To znaczy, dopóki nie nabierzesz pary. Wtedy znów staniesz się dwudziestoośmiolatką, tyle że będziesz się czuła dziesięć lat młodsza. A parę będziesz brać często. Długie życie, wieczna młodość, dobre odżywianie się: oto moja propozycja. Co ty na to?

– Zbyt piękne, żeby było prawdziwe. Jak w tych reklamach o ubezpieczeniu na życie za dziesięć dolarów.

Nie była w zupełnym błędzie. Rose jej nie okłamała (przynajmniej jeszcze nie), ale i nie powiedziała całej prawdy. Na przykład tego, że pary czasem brakuje. Albo że nie wszyscy przeżywają Przemianę. Rose sądziła, że akurat ta dziewczyna przeżyje, a Orzech, znachor Prawdziwych, ostrożnie się z tym zgodził, lecz nic nie było pewne.

– A ty i twoi przyjaciele nazywacie się…?

– To nie moi przyjaciele, to moja rodzina. Jesteśmy Prawdziwym Węzłem. – Rose splotła palce i podsunęła je Andi pod nos. – A co związane, tego nic nie rozwiąże. Musisz to zrozumieć.

Andi, która już wiedziała, że dziewczyny raz zgwałconej nic od tego gwałtu nie wyzwoli, rozumiała doskonale.

– W ogóle mam inne wyjście?

Rose wzruszyła ramionami.

– Same złe, moja droga. Ale lepiej będzie, jeśli tego zechcesz. To ułatwi Przemianę.

– Ta Przemiana boli?

Rose uśmiechnęła się i powiedziała pierwsze kłamstwo:

– Wcale.

7

Letni wieczór na peryferiach miasta na Środkowym Zachodzie.

Gdzieś ludzie oglądali Harrisona Forda strzelającego z bicza; gdzieś Prezydent Aktor niewątpliwie uśmiechał się swoim niebudzącym zaufania uśmiechem; tutaj, na tym kempingu, Andi Steiner leżała na rozkładanym łóżku z przeceny, skąpana w blasku reflektorów earthcruisera Rose i czyjegoś winnebago. Rose wytłumaczyła jej, że Prawdziwy Węzeł ma na własność kilka kempingów, lecz akurat ten nie jest jednym z nich. Ich posłaniec wyszukiwał takie miejsca jak to, balansujące na krawędzi bankructwa, i wynajmował je na ich wyłączny użytek. Ameryka była w recesji, ale Prawdziwym pieniędzy nie brakowało.

– Kim jest ten posłaniec? – spytała wtedy Andi.

– Och, to niezwykle ujmujący jegomość – odparła Rose z uśmiechem. – Nawet świętą by zbałamucił. Wkrótce go poznasz.

– Jest dla ciebie kimś szczególnym?

Rose zaśmiała się i pogłaskała ją po policzku. Dotyk jej palców rozniecił ognik podniecenia w żołądku Andi. Wariactwo, ale tak było i tyle.

– Masz w sobie iskierkę, co? Myślę, że dasz radę.

Może to i prawda, lecz kiedy tak leżała, Andi nie była już podniecona, tylko przerażona. Przez głowę przebiegały jej zasłyszane gdzieś wiadomości o ciałach znalezionych w przydrożnych rowach, na leśnych polanach, w wyschniętych studniach. Ciałach kobiet i dziewczyn. Prawie zawsze kobiet i dziewczyn. To nie Rose ją przerażała – nie całkiem. Były tu jeszcze inne kobiety, ale byli też mężczyźni.

Rose uklękła przy niej. Oślepiający blask reflektorów powinien był zmienić jej twarz w surową, brzydką kompozycję czerni i bieli, lecz stało się wprost przeciwnie; uczynił ją jeszcze piękniejszą. Raz jeszcze pogłaskała Andi po policzku.

– Nie bój się – powiedziała. – Nie bój się.

Odwróciła się do jednej z kobiet, bladej, ładnej istoty, którą nazywała Cichą Sarey, i kiwnęła głową. Sarey odpowiedziała tym samym gestem i weszła do wielkiego samochodu turystycznego Rose. Pozostali zaczęli się ustawiać wokół łóżka. Andi to się nie podobało. Wyglądało to trochę tak, jakby mieli ją złożyć w ofierze.

– Nie bój się. Wkrótce będziesz jedną z nas, Andi.

Chyba że wypadniesz z cyklu, pomyślała Rose. Wtedy po prostu spalimy twoje ubrania w piecu za wygódkami i jutro ruszymy w dalszą drogę. Nie ma zysku bez ryzyka.

Miała jednak nadzieję, że do tego nie dojdzie. Ta dziewczyna jej się podobała, a dar usypiania się przyda.

Sarey wróciła ze stalowym pojemnikiem podobnym do termosu. Rose wzięła go od niej i zdjęła czerwoną zakrętkę. Pod spodem była dysza i zawór. Pojemnik przypominał Andi nieoznakowaną puszkę spreju przeciw robalom. Miała ochotę zerwać się z łóżka i uciec, po czym przypomniała sobie kino. Dłonie, które ją trzymały. Dłonie wewnątrz jej głowy.

– Dziadziu Flick, poprowadzisz nas? – spytała Rose.

– Z przyjemnością. – To był ten stary z kina. Tego wieczora miał na sobie obszerne różowe bermudy, białe skarpety, które pięły się po chudych goleniach aż do kolan, i rzemienne sandały. Miły dziadunio po dwóch latach w obozie koncentracyjnym, pomyślała Andi.

Podniósł ręce i pozostali zrobili to samo. Połączeni ze sobą w ten sposób, oświetleni od tyłu krzyżującymi się snopami światła z reflektorów samochodowych, wyglądali jak łańcuch dziwnych papierowych lalek.

– Jesteśmy Prawdziwym Węzłem – powiedział. Głos dobywający się z tej zapadniętej piersi już nie drżał; zmienił się w głęboki, donośny głos mężczyzny dużo młodszego i silniejszego.

– Jesteśmy Prawdziwym Węzłem – powtórzyli. – Co związane, tego nic nie rozwiąże.

– Jest przed nami kobieta – rzekł Dziadzio Flick. – Czy zwiąże swoje życie z naszym?

– Powiedz „tak" – podpowiedziała Rose.

– T-tak – wykrztusiła Andi. Serce już jej nie biło; drgało jak naprężona struna.

Rose przekręciła zawór na pojemniku. Rozległo się ciche, żałosne tchnienie i z dyszy wypłynął kłąb srebrzystej mgły. Zamiast rozproszyć się na łagodnym wieczornym wietrze, zawisł tuż nad pojemnikiem. Rose wychyliła się do przodu, odęła te fascynujące koralowe usta i delikatnie dmuchnęła. Kłąb mgły – nieco przypominający komiksowy dymek dialogowy, tyle że bez tekstu – poszybował naprzód i zawisł nad zwróconą ku górze twarzą i szeroko otwartymi oczami Andi.

– Jesteśmy Prawdziwym Węzłem i trwamy – oświadczył Dziadzio Flick.

– *Sabbatha hanti* – odpowiedzieli pozostali.

Mgła powoli zaczęła opadać.

– Jesteśmy wybrani.

– *Lodsam hanti* – odpowiedzieli.

– Oddychaj głęboko – poleciła Rose i delikatnie pocałowała Andi w policzek. – Do zobaczenia po drugiej stronie.

Może.

– Szczęście jest z nami.

– *Cahanna risone hanti.*

A potem, wszyscy razem:

– Jesteśmy Prawdziwym Węzłem i…

Andi już tego nie słyszała. Srebrzysta substancja osiadła na jej twarzy i była zimna, bardzo zimna. Wciągnięta do ust z oddechem, obudziła się do swoistego, mrocznego życia i zaczęła krzyczeć wewnątrz niej. Dziecko uformowane z mgły – nie wiedziała, chłopiec czy dziewczynka – wyrywało się, ale ktoś ciął raz po raz. To Rose cięła, a pozostali otaczali ją ciasnym kręgiem (węzłem) i oświetlali tuzinem latarek popełniane w zwolnionym tempie morderstwo.

Andi próbowała zerwać się z łóżka, ale nie miała ciała, które mogłoby się zerwać. Jej ciało zniknęło. W jego miejscu był tylko ból w kształcie człowieka. Ból śmierci dziecka i jej własnej.

Ulegnij. Ta myśl była jak chłodna ściereczka przyłożona do palącej rany, w którą zmieniło się jej ciało. To jedyne wyjście.

Nie mogę, całe życie uciekam od tego bólu.

Może i tak, ale teraz nie masz już dokąd uciec. Ulegnij. Przełknij to. Nabierz pary, inaczej umrzesz.

8

Prawdziwi stali z wzniesionymi dłońmi i powtarzali prastare słowa: *sabbatha hanti, lodsam hanti, cahanna risone hanti.* Patrzyli, jak bluzka Andi Steiner rozpłaszcza się w miejscu, gdzie wcześniej wybrzuszały się piersi, jak rąbek spódnicy zwiera się niczym zamykające się usta. Patrzyli, jak jej twarz zmienia się w mleczne szkło. Oczy jednak pozostały, unosiły się jak małe baloniki na zwiewnych nitkach nerwów.

One też znikną, pomyślał Orzech. Nie jest wystarczająco silna. Myślałem, że wytrzyma, ale się myliłem. Może raz czy dwa razy wróci, a potem wypadnie z cyklu. Zostanie z niej tylko ubranie. Próbował sobie przypomnieć własną Przemianę i pamiętał jedynie, że księżyc był wtedy w pełni i paliło się ognisko, nie reflektory samochodów. Ognisko, ciche rżenie koni... i ból. Czy w ogóle można pamiętać ból? Sądził, że nie. Wiesz, że coś takiego istnieje i że tego doznałeś, ale to nie to samo.

Twarz Andi zmaterializowała się znowu jak oblicze ducha nad stolikiem medium. Bluzka wybrzuszyła się krągłościami; spódnicę rozdęły powracające na świat biodra i uda. Z ust wydarł się wrzask bólu.

– Jesteśmy Prawdziwym Węzłem i trwamy – recytowali w krzyżujących się snopach światła z reflektorów samochodów turystycznych. – *Sabbatha hanti.* Jesteśmy wybrani, *lodsam hanti.* Szczęście jest z nami, *cahanna risone hanti.* – Będą tak powtarzać aż do końca. Tak czy inaczej, to już nie potrwa długo.

Andi znów zaczęła znikać. Jej skóra zmieniła się w matowe szkło, przez które Prawdziwi widzieli szkielet i wyszczerzony uśmiech czaszki. W uśmiechu tym błyszczało kilka srebrnych plomb. Bezcielesne oczy przewracały się gwałtownie w oczodołach, których już nie było. Wciąż krzyczała, ale teraz dźwięk ten był cichy i zwielokrotniony echem, jakby niósł się z głębi odległego korytarza.

9

Rose myślała, że dziewczyna się podda, jak to zwykle bywało, kiedy ból stawał się nie do zniesienia, ale twarda była z niej laska. Zmaterializowała się ponownie, bez przerwy krzycząc. Jej odrodzone dłonie z dziką siłą chwyciły ręce Rose i pociągnęły w dół. Rose nachyliła się ku niej, prawie nie czując bólu.

– Wiem, czego chcesz, kotulku. Wróć, a to dostaniesz. – Położyła usta na ustach Andi i pieściła językiem jej górną wargę dotąd, aż warga obróciła się w mgłę. Oczy jednak pozostały, utkwione w oczach Rose.

– *Sabbatha hanti* – recytowali. – *Lodsam hanti. Cahanna risone hanti.*

Andi wróciła, wokół tych wybałuszonych, pełnych bólu oczu znów wykształciła się twarz. A po niej ciało. Rose przez chwilę widziała kości jej ramion, kości palców ściskających jej dłonie, zaraz jednak na nowo okryła je skóra.

Pocałowała ją znowu. Mimo bólu Andi odwzajemniła pocałunek i Rose wdmuchnęła własną esencję do gardła młodszej kobiety.

Chcę jej. A czego chcę, to zawsze dostaję.

Andi znów zaczęła zanikać, ale Rose czuła, że z tym walczy. I wygrywa. Że żywi się krzyczącą siłą życiową wdmuchniętą do jej gardła i płuc, zamiast ją odpychać.

Że po raz pierwszy nabiera pary.

10

Najnowszy członek Prawdziwego Węzła spędził tę noc w łóżku Rose O'Hary i Andi po raz pierwszy w życiu przekonała się, że seks to nie tylko przerażenie i ból. Choć gardło miała zdarte od krzyków, teraz krzyczała znowu, kiedy to nowe doznanie – rozkosz tak silna, jak silny był ból Przemiany – zawładnęło jej ciałem. Czuła się, jakby znów stała się przezroczysta.

– Krzycz do woli – powiedziała Rose, podnosząc głowę spomiędzy jej ud. – Już nieraz takie krzyki słyszeli. I te dobre, i te złe.

– Czy seks jest taki dla wszystkich? – Jeśli tak, co ona straciła! Co ten bydlak ojciec jej ukradł! I ludzie ją uważali za złodziejkę?!

– Taki jest dla nas, kiedy nabieramy pary – stwierdziła Rose.

– Niech to ci wystarczy.

Opuściła głowę i zaczęło się od nowa.

11

Niedługo przed północą Charlie Szton i Baba Ruska siedzieli na dolnym stopniu boundera Charliego, palili wspólnie jointa i patrzyli na księżyc. W earthcruiserze Rose znów rozległy się krzyki.

Charlie i Baba popatrzyli po sobie i uśmiechnęli się szeroko.

– Ktoś to lubi – stwierdziła Baba.

– A czego w tym nie lubić? – powiedział Charlie.

12

Andi obudziła się o brzasku z głową na piersiach Rose. Czuła się zupełnie inaczej; czuła się dokładnie tak samo. Podniosła głowę i zobaczyła, że Rose patrzy na nią tymi niezwykłymi szarymi oczami.

– Uratowałaś mnie – powiedziała Andi. – Przywróciłaś do życia.

– Sama nie dałabym rady. Chciałaś tego. – I nie tylko tego, kotulku.

– To, co było potem… więcej nie możemy tego zrobić, prawda? Rose pokręciła głową z uśmiechem.

– Nie. I dobrze. Niektórych doświadczeń nie da się przebić. Poza tym dziś wraca mój mężczyzna.

– Jak się nazywa?

– Henry Rothman, ale to tylko dla ćwoków. Jego prawdziwe imię to Papa Kruk.

– Kochasz go? Tak, prawda?

Rose uśmiechnęła się, przyciągnęła Andi do siebie, pocałowała ją. Ale nie odpowiedziała.

– Rose?

– Tak?

– Czy ja… czy nadal jestem człowiekiem?

Na to Rose udzieliła tej samej odpowiedzi, jaką Dick Hallorann kiedyś dał małemu Danny'emu Torrance'owi, i tym samym zimnym tonem:

– Czy to ważne?

Andi uznała, że nie. Uznała, że znalazła dom.

Mama

1

Było kłębowisko złych snów – ktoś wymachiwał młotkiem i gonił go niekończącymi się korytarzami, winda jeździła sama, żywopłoty w kształcie zwierząt ożywały i osaczały go – i wreszcie jedna wyrazista myśl: Chcę umrzeć.

Dan Torrance otworzył oczy. Słońce przeszyło źrenice i wbiło się w głąb jego obolałej głowy. Myślał, że mózg mu się sfajczy. Miał kaca wszech czasów. Cała twarz pulsowała bólem. Nos zatkany, pomijając maleńki prześwit w lewej dziurce, który przepuszczał strużkę powietrza. W lewej? Nie, to była prawa dziurka. Mógł oddychać ustami, ale czuł w nich ohydny smak whisky i papierosów. Jego żołądek był jak ołowiana kula wypchana śmieciami. Kac-bebech, tak jakiś kumpel od kielicha nazwał to okropne uczucie. Który kumpel? Nie pamiętał. Ledwo pamiętał własne nazwisko.

Donośne chrapanie obok niego. Dan odwrócił głowę w tamtą stronę, choć szyja zaprotestowała bólem i kolejna błyskawica przeszyła skroń. Znów otworzył oczy, ale tylko trochę; byle nie było tego oślepiającego słońca, proszę. Jeszcze nie. Leżał na nagim materacu na nagiej podłodze. Obok niego leżała rozwalona na plecach naga kobieta. Dan spojrzał po sobie i zobaczył, że on też jest *al fresco*.

Na imię jej… Dolores? Nie. Debbie? Ciepło, ale to jeszcze nie… Deenie. Na imię miała Deenie. Poznał ją w barze Milky Way i ogólnie był wielki ubaw aż do chwili…

Nie pamiętał. I kiedy zerknął na swoje dłonie – obie opuchnięte, knykcie prawej poobcierane i pokryte strupami – stwierdził, że nie chce pamiętać. Zresztą, co to miało za znaczenie? Podstawowy scenariusz nigdy się nie zmieniał. On się upijał, ktoś mówił coś nie tak i się zaczynało. Chaos i mordobicie. W głowie miał złego psa. Na trzeźwo potrafił trzymać go na smyczy. Kiedy pił, smycz znikała. Prędzej czy później kogoś zabiję. Kto wie, może zrobiłem to zeszłego wieczoru.

Hej, malutka, potrzymaj mi fiutka.

Naprawdę tak powiedział? Bał się, że tak. Wracały niektóre wspomnienia i nawet tych kilka oderwanych obrazów to było dla niego za wiele. Grali w bilard. Próbował trochę podkręcić bilę, a ta umazana kredą zdzira wyskoczyła ze stołu i poturlała się po podłodze aż do szafy grającej, w której leciało – cóż by innego? – country. Jak przez mgłę pamiętał, że to był kawałek Joego Diffie. Czemu tak źle zagrał? Bo był pijany, bo stała za nim Deenie, która trzymała go za fiutka tuż pod krawędzią stołu, bo się przed nią popisywał. Tak dla zgrywy. Tylko że wtedy facet w baseballówce Case i szpanerskiej jedwabnej koszuli kowbojskiej zaśmiał się, i to był jego błąd.

Chaos i mordobicie.

Dan dotknął swoich ust i wyczuł tłuste kiełbaski w miejscu, gdzie miał normalne wargi, kiedy wczoraj po południu wychodził z punktu realizacji czeków z nieco ponad pięciuset dolarami w kieszeni.

Przynajmniej wygląda na to, że wszystkie zęby są na swoim…

Zabełtało się w żołądku. Beknął i do ust podeszła mu kwaśna breja o smaku whisky. Przełknął ją. Paliła w gardle. Sturlał się z materaca na kolana, dźwignął niepewnie na nogi i zachwiał się, kiedy pokój zatańczył przed jego oczami powolne tango. Miał kaca, łeb mu pękał, brzuch wypychało podłe żarcie, którym zeszłej nocy zagryzał gorzałę... i wciąż jeszcze był pijany.

Podniósł majtki z podłogi i wyszedł z sypialni, ściskając je w dłoni. Właściwie nie utykał, ale zdecydowanie oszczędzał prawą nogę. Miał w pamięci mglisty obraz – oby nigdy się nie wyostrzył – kowboja w czapce Case rzucającego krzesłem. To wtedy on i Deenie „malutka, potrzymaj mi fiutka" opuścili lokal, może nie biegiem, ale śmiejąc się do rozpuku.

Kolejny skurcz niezadowolonego żołądka. Tym razem towarzyszył mu ucisk, jakby dłoni w śliskiej gumowej rękawicy. To wyzwoliło wszystkie rzygogenne bodźce: kwaśny zapach jajek na twardo w dużym szklanym słoju, smak chrupek bekonowych, obraz frytek zatopionych w gęstym jak krew z nosa keczupie. Całe to gówno, którym się opychał między drinkami. Już wiedział, że zaraz puści pawia, ale pojawiały się coraz to nowe obrazy, wirowały przed oczami jak na kole fortuny z jakiegoś koszmarnego teleturnieju.

Co mamy dla następnego uczestnika naszego programu, Johnny? Cóż, Bob, to wielki talerz TŁUSTYCH SARDYNEK!

Łazienka znajdowała się na wprost, po drugiej stronie króciutkiego korytarza. Drzwi były otwarte, deska kibla podniesiona. Dan skoczył naprzód, padł na kolana i wyrzucił z ust potężny strumień brązowawożółtej brei, prosto na pływającego w sedesie balasa. Odwrócił wzrok, wymacał spłuczkę, nacisnął. Ze zbiornika chlusnęła kaskada, ale nie towarzyszył jej dźwięk spływającej wody. Odwrócił się z powrotem i zobaczył coś niepokojącego:

balas, pewnie jego własne dzieło, unosił się ku obszczanej krawędzi sedesu na morzu półstrawionych przekąsek barowych. W ostatniej chwili, zanim klozet się przelał na uwieńczenie serii banalnych koszmarów tego poranka, coś odchrząknęło w rurze i cały ten syf spłynął. Dan znów zwymiotował, po czym usiadł na piętach, oparty plecami o ścianę łazienki, i ze zwieszoną, pękającą głową czekał, aż zbiornik się napełni, żeby mógł po raz drugi spłukać sedes.

Nigdy więcej. Przysięgam. Koniec z gorzałą, koniec z barami, koniec z burdami.

Składał sobie tę obietnicę po raz setny. Może tysięczny.

Jedno było pewne: musi ulotnić się z tego miasta, inaczej może mieć kłopoty. I to poważne.

Johnny, co mamy dla zdobywcy głównej nagrody w dzisiejszym programie? Bob, to DWA LATA W WIĘZIENIU STANOWYM ZA CZYNNĄ NAPAŚĆ!

I… widownia w studiu szaleje.

Donośny szum wody napływającej do zbiornika ucichł. Dan sięgnął do spłuczki, by spuścić Pamiątkę po Wczorajszym, Część Drugą, po czym znieruchomiał, skupiony na czarnej dziurze po swojej pamięci krótkotrwałej. Czy wiedział, jak się nazywa? Tak! Daniel Anthony Torrance. Czy wiedział, jak ma na imię laska chrapiąca na materacu w drugim pokoju? Tak! Deenie. Nazwiska nie pamiętał, ale niewykluczone, że w ogóle go nie podała. Czy wiedział, jak się nazywa obecny prezydent?

Ku swojemu przerażeniu nie mógł sobie tego przypomnieć, przynajmniej nie od razu. Facet miał odlotową fryzurę na Elvisa i grał na saksofonie – dość marnie. Ale nazwisko…?

W ogóle wiesz, gdzie jesteś?

W Cleveland? W Charleston? Albo tu, albo tu.

Kiedy spuścił wodę, nazwisko prezydenta przyszło mu do głowy z doskonałą klarownością. A on nie był ani w Cleveland, ani w Charleston. Był w Wilmington, w Karolinie Północnej. Pracował jako sanitariusz w szpitalu pod wezwaniem Łaski Najświętszej Marii Panny. Przynajmniej do niedawna. Przyszła pora, żeby zmienić otoczenie. Jeśli przeniesie się w jakieś inne, jakieś dobre miejsce, może uda mu się rzucić picie i zacząć od nowa.

Wstał i spojrzał w lustro. Obrażenia nie były tak poważne, jak się obawiał. Nos opuchnięty, ale nie złamany – przynajmniej na oko. Strupy nad obrzmiałą górną wargą. Na prawym policzku siniak (kowboj w czapce Case był mańkutem) z krwawym śladem po sygnecie pośrodku. Drugi siniak, większy, rozlewał się w zagłębieniu w lewym barku. To, o ile pamięć go nie myliła, od kija bilardowego.

Zajrzał do szafki z lekarstwami. Pośród tubek środków do makijażu i bezładnie walających się buteleczek z lekami dostępnymi bez recepty znalazł trzy środki przepisane przez lekarza. Pierwszym był diflucan stosowany przy drożdżycy. Dobrze, że jestem obrzezany, pomyślał Dan. Drugim okazał się darvon comp 65. Otworzył buteleczkę, zobaczył pół tuzina kapsułek i schował trzy do kieszeni na później. Ostatnim był fioricet. Chwała Bogu, buteleczka prawie pełna. Łyknął trzy proszki, popił zimną wodą. Kiedy nachylił się nad umywalką, głowa rozbolała go jeszcze mocniej, ale sądził, że wkrótce przyjdzie ulga. Fioricet, środek na migrenę i napięciowy ból głowy, to gwarantowany kacobójca. No... prawie gwarantowany.

Już miał zamknąć szafkę, ale zajrzał do niej raz jeszcze. Poprzesuwał rzeczy. Nie było krążka dopochwowego. Może trzymała go w torebce. Oby, bo nie miał przy sobie gumki. Jeśli ją przeleciał – raczej tak, choć nie pamiętał tego na pewno – ujeżdżał ją na oklep.

Włożył majtki i powlókł się z powrotem do sypialni. Przystanął na chwilę w drzwiach i spojrzał na kobietę, która zeszłej nocy przyprowadziła go do swojego domu. Rozrzucone ręce i nogi, wszystko na widoku. Wieczorem, w skórzanej spódniczce do połowy ud, korkowych sandałach, krótkim topie i kolczykach w kształcie kół, wyglądała jak bogini świata zachodniego. Tego ranka widział obwisłe białe ciasto rosnącego od gorzały brzucha i zaczątki drugiego podbródka pod pierwszym.

Zobaczył coś gorszego: a jednak nie była kobietą. Pewnie już nie była niepełnoletnia (Boże, oby nie!), ale musiała mieć góra dwadzieścia lat, może mniej. Na jednej ścianie – niepokojąco dziecinny akcent – wisiał plakat KISS z ziejącym ogniem Gene'em Simmonsem. Drugą zdobił śliczny kiciuś z wystraszonymi oczkami, uczepiony gałęzi drzewa. TRZYMAJ SIĘ, MAŁY, radził ten plakat.

Musiał się stąd zmyć.

Ich splątane ubrania leżały w nogach materaca. Oddzielił swój T-shirt od jej majtek, wciągnął go przez głowę, włożył nogi do nogawek dżinsów. Kiedy zapiął rozporek do połowy, zamarł. Lewa kieszeń była dużo bardziej płaska niż zeszłego popołudnia, kiedy wyszedł z punktu realizacji czeków.

Nie. Niemożliwe!

Głowa, już powoli wracająca do stanu używalności, znów zaczęła go łupać w rytm przyspieszonego bicia serca. Kiedy wsunął rękę do kieszeni, znalazł tam tylko banknot dziesięciodolarowy i dwie wykałaczki. Jedna wbiła się pod paznokieć jego palca wskazującego, w osłonięte nim czułe mięso. Prawie tego nie poczuł.

Nie przepiliśmy pięciuset dolarów. Nie ma szans. Gdybyśmy tyle wychlali, już byśmy nie żyli.

Portfel wciąż był na swoim miejscu, w tylnej kieszeni. Wyciągnął go ze złudną nadzieją, ale nic z tego. Musiał w którymś momencie przełożyć dychę, którą zwykle tam trzymał, do przedniej kieszeni. Przednia kieszeń była trudniej dostępna dla barowych kieszonkowców – ten środek ostrożności teraz wydawał się śmiechu wart.

Spojrzał na chrapiącą, rozwaloną na materacu dziewczynę/ /kobietę i ruszył do niej. Chciał wyrwać ją ze snu i zapytać, co, do cholery, zrobiła z jego pieniędzmi. Ale gdyby go okradła, po co przyprowadziłaby go do swojego domu? A czy nie wydarzyło się coś jeszcze? Jakaś inna przygoda po wyjściu z Milky Way? Teraz, kiedy przejaśniało mu się w głowie, wróciło kolejne wspomnienie – mgliste, ale zapewne prawdziwe – wspólnej jazdy taksówką na dworzec kolejowy.

„Znam tam jednego gościa, kochanie".

Naprawdę to powiedziała czy coś mu się uroiło?

Powiedziała to, na pewno. Jestem w Wilmington, Bill Clinton jest prezydentem, a my pojechaliśmy na dworzec kolejowy. Gdzie rzeczywiście był jeden gość. Gość z tych, którzy transakcje zawierają w męskich kiblach, zwłaszcza gdy klient ma lekko zdemolowaną twarz. Kiedy zapytał, kto mi tak przyłożył, powiedziałem mu…

– Powiedziałem mu, żeby pilnował swojego nosa – mruknął Dan.

Gdy weszli we dwóch do środka, zamierzał kupić gram, żeby jego towarzyszka była zadowolona, nie więcej, i tylko pod warunkiem że towar nie będzie zmieszany pół na pół z mannitolem. To Deenie lubiła kokę, nie on. Słyszał, że nazywali ją anacinem dla bogaczy, a on bogaty nie był. Tylko że w tym momencie ktoś wyszedł z jednej z kabin. Typ biznesmena, z teczką obijającą się o kolano. I kiedy Pan Biznesmen poszedł umyć ręce w jednej z umywalek, Dan zobaczył muchy obłażące jego twarz.

Muchy śmierci. Pan Biznesmen był żywym trupem i nie zdawał sobie z tego sprawy.

Dlatego zamiast poprzestać na małej dawce, Dan poszedł na całego, był tego prawie pewien. Choć może w ostatniej chwili zmienił zdanie. Niewykluczone; tak mało pamiętał.

Ale pamiętał muchy.

Tak. Muchy pamiętał. Gorzała tłumiła jasność, usypiała ją, lecz nie był pewien, czy te muchy w ogóle miały z jasnością cokolwiek wspólnego. Pojawiały się, kiedy chciały, czy był pijany, czy trzeźwy.

Znowu pomyślał: Muszę się stąd zmyć.

Znowu pomyślał: Chcę umrzeć.

2

Deenie stęknęła cicho i odwróciła się od bezlitosnego światła poranka. Oprócz materaca na podłodze w pokoju nie było mebli; nawet komody z odzysku. Garderoba stała otwarta i Dan widział skromną kolekcję ubrań Deenie piętrzących się w dwu plastikowych koszach na bieliznę. Nieliczne rzeczy na wieszakach wyglądały na ciuchy do łażenia po barach. Zobaczył czerwony T-shirt z wyszywanym cekinami napisem SEXY GIRL i dżinsową spódniczkę z modnie postrzępionym rąbkiem. W garderobie stały też dwie pary tenisówek, dwie pary butów na niskim obcasie i jedna para kurewkowatych szpilek z paskami. Nie było jednak korkowych sandałów. I ani śladu jego własnych pościeranych reeboków, skoro już o tym mowa.

Dan nie przypominał sobie, żeby wchodząc do mieszkania, zdjęli buty, ale jeśli tak, to musiały zostać w salonie, który pamiętał – mgliście. Może jest tam też jej torebka. A nuż dał tej dziewczynie na przechowanie resztę pieniędzy. Mało prawdopodobne, ale nie niemożliwe.

Zataszczył swoją pękającą głowę krótkim korytarzem do, jak sądził, jedynego poza sypialnią pokoju w tym mieszkaniu. Na drugim końcu korytarzyka zobaczył małą kuchenkę, na której wyposażenie składała się płytka grzewcza i wsunięta pod blat lodówka barowa. W salonie stała krwawiąca wyściółką kanapa, podparta na jednym końcu dwiema cegłami. Naprzeciwko niej był duży telewizor z pękniętym ekranem. Pęknięcie zaklejono kawałkiem taśmy pakowej, która teraz ledwo się trzymała. Do taśmy przylepiły się dwie muchy, jedna wciąż szamotała się słabo. Dan przyglądał jej się z chorą fascynacją i (nie po raz pierwszy) naszła go refleksja, że skacowane oko ma dziwną zdolność do wychwytywania tego, co najbrzydsze, w każdej scenerii.

Przed kanapą stał stolik. Leżała na nim popielniczka pełna petów, woreczek z białym proszkiem i posypany tymże proszkiem magazyn „People". Obok, dopełniając obrazu całości, był banknot dolarowy, wciąż częściowo zwinięty w rulonik. Ile wciągnęli? Sądząc po tym, ile zostało, mógł się pożegnać ze swoimi pięcioma stówami.

Kurwa, nawet nie lubię koki, pomyślał. Poza tym jak ja to wciągałem? Przecież ledwo mogę oddychać.

Nie wciągał. Ona wciągała. On wcierał w dziąsła. Wszystko zaczynało mu się przypominać. Wolałby nic nie pamiętać, ale było już za późno.

Muchy śmierci w kiblu, wpełzające i wypełzające z ust Pana Biznesmena, łażące po mokrych taflach jego oczu. Pan Diler pyta, na co Dan patrzy. Dan odpowiada, że na nic, nieważne, pokaż, co masz. Okazało się, że Pan Diler miał dużo. Jak to zwykle bywa. Potem jazda inną taksówką do jej mieszkania, Deenie już wciągająca kokę z grzbietu dłoni, zbyt zachłanna – albo wyposzczona – żeby czekać. Oboje usiłują śpiewać *Mr. Roboto*.

Zauważył jej sandały i swoje reeboki przy drzwiach wejściowych i oto nadeszły kolejne złote wspomnienia. Nie zrzuciła sandałów, same jej spadły, bo wtedy już mocno trzymał ją za tyłek, a ona oplatała go nogami w pasie. Jej szyja pachniała perfumami, jej oddech chrupkami bekonowymi o smaku barbecue. Żarli je garściami, zanim podeszli do stołu bilardowego.

Dan włożył tenisówki i ruszył do małej kuchni z nadzieją, że w jedynej szafce będzie kawa rozpuszczalna. Kawy nie znalazł, lecz wracając, zobaczył leżącą na podłodze torebkę Deenie. Pamiętał jak przez mgłę, że rzuciła ją na kanapę i zaśmiała się, kiedy chybiła. Wysypała się połowa gratów, w tym czerwony portfel z imitacji skóry. Zgarnął wszystko z powrotem do środka i zaniósł torebkę do kuchni. Choć doskonale wiedział, że jego pieniądze teraz już mieszkają w kieszeni markowych dżinsów Pana Dilera, jakiś wewnętrzny głos przekonywał, że coś z nich musiało zostać, choćby dlatego, że tej forsy potrzebował. Dziesięć dolarów wystarczy na trzy drinki albo dwa sześciopaki, ale tyle go dziś nie zaspokoi.

Wyciągnął czerwony portfel i zajrzał do środka. Zobaczył kilka zdjęć – dwa przedstawiające Deenie z jakimś facetem zbyt do niej podobnym, by nie był jej krewnym, dwa pokazujące ją z małym dzieckiem i fotografię z balu szkolnego, na której stała w eleganckiej sukience obok chłopaka ze sterczącymi zębami, wciśniętego w koszmarny niebieski smoking. Przegródka na banknoty była wypchana. To rozbudziło w nim nadzieję, dopóki nie zajrzał do środka i nie zobaczył pliku bonów żywnościowych. Było też trochę gotówki: dwie dwudziestki i trzy dziesiątki.

To moje pieniądze, przekonywał siebie. A przynajmniej to, co z nich zostało.

Wiedział, że to nieprawda. Nie dałby jakiejś naprutej lasce swojej tygodniowej wypłaty na przechowanie. To były jej pieniądze.

No tak, ale czy ta koka to nie był jej pomysł? Przecież z jej winy tego ranka jest nie tylko skacowany, ale i spłukany!

Nie. Jesteś skacowany, bo jesteś pijak. Jesteś spłukany, bo zobaczyłeś muchy śmierci.

Może i tak, ale gdyby ona się nie uparła, żeby pojechali na dworzec po towar, on nie zobaczyłby tych much.

Te siedem dych może być jej potrzebne na zakupy.

Jasne. Słoik masła orzechowego i słoik dżemu truskawkowego. No i bochenek chleba, żeby było co posmarować.

Albo na czynsz. Może potrzebować pieniędzy na czynsz.

Gdyby potrzebowała pieniędzy na czynsz, mogłaby opchnąć telewizor. Może jej diler przyjąłby go mimo pękniętego ekranu. Zresztą siedemdziesiąt dolarów to trochę za mało na czynsz, rozumował, nawet za taką norę.

To nie twoje pieniądze, doktorku, stary, rozległ się w jego uszach głos matki, ostatni głos, który chciał słyszeć, kiedy miał potężnego kaca i rozpaczliwie pragnął się napić.

– Pieprz się, mamo – powiedział cicho, ale szczerze. Wziął pieniądze, wcisnął je do kieszeni, włożył portfel z powrotem do torebki i odwrócił się.

Stał tam dzieciak.

Wyglądał na może półtora roku. Miał na sobie koszulkę Atlanta Braves. Sięgała mu do kolan, a mimo to wystawała spod niej pielucha, bo była pełna i wisiała prawie po kostki. Serce skoczyło gwałtownie w piersi Dana, a w głowie nagle łupnęło go tak, jakby Thor przywalił mu od wewnątrz młotem w czaszkę. Przez chwilę był w stu procentach pewien, że dostanie wylewu, zawału albo jednego i drugiego.

Potem wziął głęboki wdech i wypuścił powietrze.

– A ty skąd się wziąłeś, mały bohaterze?

– Mama – powiedział dzieciak.

Co poniekąd było doskonale logiczne – Dan też wziął się ze swojej mamy – ale mało pomocne. Straszliwy wniosek usiłował się uformować w jego obolałej głowie, lecz nie chciał go do siebie dopuścić.

Widział, jak wziąłeś pieniądze.

Może i tak, ale nie o ten wniosek chodziło. Jeśli nawet dzieciak to zobaczył, co z tego? Nie miał jeszcze dwóch lat. Dzieci w tym wieku przyjmują bez sprzeciwu wszystko, co robią dorośli. Gdyby zobaczył, że jego mama chodzi po suficie i strzela ogniem z palców, uznałby, że to normalne.

– Jak ci na imię, mały? – Głos Dana pulsował w rytmie zgodnym z biciem serca, które wciąż jeszcze się nie uspokoiło.

– Mama.

Serio? Jak pójdziesz do szkoły średniej, inne dzieciaki żyć ci nie dadzą.

– Przyszedłeś z sąsiedniego mieszkania? A może mieszkasz naprzeciwko?

Proszę, powiedz, że tak. Bo jeśli nie, jeśli to dzieciak Deenie, to znaczy, że poszła szlajać się po knajpach i zostawiła synka zamkniętego w tej gównianej norze. Samego.

– Mama!

Wtedy malec zobaczył kokę na stoliku i podreptał do niej z przesiąkniętą pieluchą kołyszącą się między nogami.

– Ciuciejki!

– Nie, to nie cukierki – powiedział Dan, choć oczywiście były to cukierki, tyle że wciągane nosem.

Nie zważając na niego, malec sięgnął ręką po biały proszek. W tej chwili Dan zobaczył siniaki na jego ramieniu. Takie zostawia ściskająca dłoń.

Objął malca w pasie i przełożył rękę między jego nogami. Kiedy odciągnął go od stolika (wyciśnięte z pieluchy siki przelały mu się między palcami i kapały na podłogę), w głowie mignął mu obraz, widoczny tylko przez chwilę, ale zatrważająco wyraźny: towarzysz Deenie ze zdjęcia w portfelu podnosi to dziecko i nim potrząsa. Zostawiając ślady palców.

(Hej, Tommy, ile razy mam ci powtarzać, żebyś wypierdalał?)

(Randy, przestań, to tylko dziecko)

I wtedy obraz zniknął. Ale ten drugi głos, słabo protestujący, należał do Deenie, i Dan zrozumiał, że Randy to jej starszy brat. Logiczne. Przemoc nie jest wyłączną domeną mężów i chłopaków. Czasem dopuszcza się jej brat. Czasem wujek. Czasem

(wyłaź, szczeniaku, wyłaź, zażyj swoje lekarstwo)

nawet kochany tatuś.

Zaniósł dziecko – Tommy'ego, na imię miał Tommy – do sypialni. Na widok matki malec natychmiast zaczął się wyrywać.

– Mama! Mama! Ma-ma!

Kiedy Dan postawił go na podłodze, Tommy podreptał do materaca i położył się przy matce. Deenie, choć spała, objęła go ramieniem i przytuliła. Koszulka Braves podciągnęła się i Dan zobaczył kolejne siniaki na nogach chłopca.

Brat ma na imię Randy. Mógłbym go znaleźć.

Ta myśl była zimna i jasna jak lód na jeziorze w styczniu. Gdyby wziął do ręki zdjęcie z portfela i skoncentrował się, ignorując łupanie w głowie, pewnie znalazłby jej starszego brata. Robił już takie rzeczy. Mógłbym zostawić mu kilka sińców od siebie. Powiedzieć, że następnym razem go zabiję.

Tyle że następnego razu nie będzie. Koniec z Wilmington. Nigdy więcej nie zobaczy Deenie ani tego nędznego mieszkanka. Nigdy więcej nie pomyśli o ostatniej nocy ani o tym poranku.

Nie, kochany, odezwał się głos Dicka Halloranna. W skrytkach możesz zamykać istoty z Panoramy, ale nie wspomnienia. Nigdy. To one są prawdziwymi duchami.

Stał w drzwiach, wpatrzony w Deenie i jej posiniaczonego synka. Mały znów zasnął. W porannym słońcu oboje wyglądali prawie jak dwa anioły.

Żaden z niej anioł. Może to nie ona zrobiła mu te siniaki, ale poszła się bawić i zostawiła go samego. Gdyby cię nie było, kiedy się obudził i wszedł do salonu…

„Ciuciejki", powiedział dzieciak, sięgając po kokę. Niedobrze. Trzeba coś z tym zrobić.

Może i tak, ale to nie znaczy, że ja muszę coś z tym zrobić. Nieźle bym wyglądał, gdybym z tą twarzą poszedł do opieki społecznej złożyć zawiadomienie o zaniedbywanym dziecku, co? Śmierdzący gorzałą i rzygami. Ot, praworządny obywatel spełniający swój obywatelski obowiązek.

Możesz odłożyć jej pieniądze na miejsce, powiedziała Wendy. Możesz zrobić choć tyle.

Prawie to zrobił. Naprawdę. Wyjął banknoty z kieszeni i trzymał je w ręku. Nawet podszedł z nimi do jej torebki i ten krótki spacer musiał mu dobrze zrobić, bo w jego głowie zrodził się pewien pomysł.

Jak już masz coś zabrać, weź kokę. Sprzedasz to, co zostało, za sto dolców. Może nawet dwie stówy, jeśli nie jest za bardzo zanieczyszczona.

Tyle że gdyby potencjalny nabywca okazał się tajniakiem – a znając jego szczęście, miał to jak w banku – Dan wylądowałby w więzieniu. Gdzie mogłoby wyjść na jaw, że to on odpowiada też za te wygłupy w Milky Way. Gotówka była dużo bardziej bezpieczna. W sumie siedemdziesiąt dolców.

Podzielę się, stwierdził. Czterdzieści dla niej, trzydzieści dla mnie.

Tyle że z trzech dych będzie niewiele pożytku. Poza tym przecież miała bony żywnościowe – plik dość gruby, żeby udusić konia. Wykarmi za nie dzieciaka, nie?

Wziął kokę i posypany nią „People", położył jedno i drugie na blacie w kuchence, poza zasięgiem dziecka. W zlewie leżała szorstka ściereczka i Dan starł nią resztę białego proszku ze stolika. Powiedział sobie, że jeśli Deenie wyjdzie z sypialni, zanim skończy, odda jej te cholerne pieniądze. A jeśli dalej będzie chrapać, sama jest sobie winna.

Deenie nie wyszła. Dalej chrapała.

Dan skończył wycierać stolik, wrzucił ściereczkę z powrotem do zlewu i przeszło mu przez myśl, żeby zostawić jej liścik. Ale co miałby napisać? „Lepiej dbaj o dziecko i à propos, zabrałem ci pieniądze"?

No dobra, liścika nie będzie.

Wyszedł z pieniędzmi w lewej kieszeni spodni. Zamykając drzwi, uważał, żeby nie trzasnęły. Powiedział sobie, że tak każe przyzwoitość.

3

Koło południa – spowodowany kacem ból głowy był już tylko wspomnieniem dzięki fioricetowi Deenie poprawionemu darvonem – skierował kroki do placówki handlowej o nazwie Golden – Tani Alkohol i Importowane Piwa. Znajdowała się w starej części miasta, gdzie budynki były murowane, chodniki prawie puste, a lombardy (każdy z imponującą kolekcją brzytew w witrynie) liczne. Zamierzał kupić flachę jak najtańszej whisky, ale przed sklepem zobaczył coś, co sprawiło, że się rozmyślił. Był to wózek na zakupy wyładowany zwariowaną kolekcją rzeczy stanowiących dobytek menela. Jego właściciel stał w sklepie i wymyślał sprzedawcy. Na wierzchu wózka leżał koc, zwinięty i przewiązany sznurkiem. Nie wyglądał źle, mimo że Dan dostrzegł na nim kilka plam. Wziął go pod pachę i odszedł szybkim krokiem. Po tym, jak ukradł siedemdziesiąt dolarów samotnej matce nadużywającej narkotyków i alkoholu, zabranie magicznego dywanu lumpowi wydawało się drobiazgiem. I może dlatego czuł się mały jak nigdy.

Jestem jak ten człowiek, który się kurczył, z tego starego filmu, pomyślał, skręcając za róg ze swoją nową zdobyczą. Ukradnę jeszcze kilka rzeczy i zniknę zupełnie.

Nasłuchiwał oburzonych skrzeków menela – im bardziej byli stuknięci, tym głośniej skrzeczeli – ale nie było nic. Jeszcze tylko skręci za ten róg i będzie mógł sobie pogratulować udanej ucieczki.

Dan skręcił.

4

Wieczór zastał go u wylotu dużego kanału burzowego na skarpie pod mostem Cape Fear Memorial. Miał pokój, ale była drobna sprawa zaległości w czynszu, które solennie obiecał spłacić do piątej po południu dnia poprzedniego. I to nie wszystko. Gdyby wrócił do swojego pokoju, mógłby otrzymać zaproszenie do pewnego przypominającego fortecę gmaszyska na Bess Street, gdzie musiałby odpowiedzieć na pytania o pewną awanturę w barze. Ogólnie wydawało się, że bezpieczniej będzie się przyczaić.

W centrum było schronisko o nazwie Dom Nadziei (które pijaczkowie oczywiście przechrzcili na Dom Beznadziei), ale Dan się tam nie wybierał. Jasne, zawsze to darmowe wyro, ale jeśli miałeś flaszkę, personel ją konfiskował. W Wilmington było pełno podrzędnych noclegowni i tanich moteli, w których nikogo nie obchodziło, co pijesz, wciągasz czy wstrzykujesz, ale po co marnować pieniądze, za które można się napić, na łóżko i dach nad głową, skoro noc jest ciepła i sucha? O łóżku i dachu pomyśli, kiedy ruszy na północ. I o tym, jak zabrać swój skromny dobytek z pokoju na Birney Street, żeby gospodyni nie zauważyła.

Księżyc wschodził nad rzeką. Dan rozścielił koc. Wkrótce się na nim położy, zawinie jak w kokon i zaśnie. Wypił akurat tyle, żeby odlecieć, poczuć błogi spokój. Start i pierwsza faza lotu były ciężkie, ale teraz turbulencje miał już za sobą. Pewnie nie można powiedzieć, że wiódł, jak nazwałaby to bogobojna Ameryka, przykładny żywot, lecz na razie wszystko było jak trzeba. Miał flaszkę old sun (kupioną w monopolowym w bezpiecznej odległości od Goldena) i kanapkę z bagietki na śniadanie. Przyszłość była osnuta chmurami, ale tego wieczora świecił księżyc. Wszystko było tak, jak być powinno.

(Ciuciejki)

Nagle był z nim dzieciak. Tommy. Tu, obok niego. Sięgał po kokę. Sińce na ramionach. Niebieskie oczy.

(Ciuciejki)

Dan zobaczył to z bolesną klarownością, której źródłem nie była jasność. I nie tylko to. Chrapiąca Deenie rozwalona na materacu. Czerwony portfel z imitacji skóry. Plik bonów żywnościowych z nadrukiem DEPARTAMENT ROLNICTWA. Pieniądze. Siedemdziesiąt dolarów. Które zabrał.

Myśl o księżycu. O tym, z jakim dostojnym spokojem wschodzi nad wodą.

Przez chwilę mu się to udawało, ale potem zobaczył Deenie leżącą na plecach, czerwony portfel z imitacji skóry, plik bonów żywnościowych, żałosny zwitek banknotów (z których większość już się rozeszła). Najwyraźniej ze wszystkiego widział malca sięgającego po kokę dłonią, która wyglądała jak rozgwiazda. Niebieskie oczy. Posiniaczone ramię.

„Ciuciejki", powiedział.

„Mama", powiedział.

Dan opanował sztukę kontrolowania tempa picia; w ten sposób gorzały starczało na dłużej, rausz był łagodniejszy, a poranny ból głowy lżejszy i bardziej znośny. Czasem jednak ta kontrola szwankowała. Źle się to kończyło. Jak w Milky Way. Tamto to był w mniejszym czy większym stopniu wypadek przy pracy, ale tego wieczora, kiedy wykończył butelkę czterema dużymi łykami, zrobił to celowo. Umysł to tablica. Gorzała to gąbka.

Położył się i opatulił ukradzionym kocem. Czekał na nieświadomość i przyszła, ale przed nią przyszedł Tommy. Koszulka Atlanta Braves. Obwisła pielucha. Niebieskie oczy, posiniaczone ramię, dłoń jak rozgwiazda.

Ciuciejki. Mama.

Nigdy nikomu o tym nie powiem, przysiągł sobie Dan Torrance. Nigdy, przenigdy.

Kiedy światło księżyca srebrzyło się nad Wilmington w Karolinie Północnej, zapadł w nieświadomość. Śnił sny o Panoramie, ale po przebudzeniu miał je zapomnieć. Rano pamiętał tylko niebieskie oczy, posiniaczone ramię, wyciągniętą dłoń.

Zdołał zabrać swoje graty i pojechał na północ, najpierw do stanu Nowy Jork, potem do Massachusetts. Minęły dwa lata. Czasem pomagał ludziom, głównie starym. Miał do tego dar. W zbyt wiele pijanych wieczorów myśl o malcu była jego ostatnią. I pierwszą w skacowane poranki. O nim zawsze myślał, kiedy mówił sobie, że rzuci picie. Może za tydzień; za miesiąc to już na pewno. Malec. Oczy. Ręka. Wyciągnięta dłoń jak rozgwiazda.

Ciuciejki.

Mama.

Część pierwsza

Abra

Rozdział I

Witamy w Minimieście

1

Po Wilmington codzienne picie się skończyło.

Wytrzymywał tydzień, czasem dwa, bez niczego mocniejszego od dietetycznej coli. Budził się nieskacowany, co było przyjemne. Budził się spragniony i rozbity – łaknący – co przyjemne nie było. A potem przychodził ten jeden wieczór. Albo weekend. Czasem bodźcem była reklama budweisera w telewizji – młodzi, piękni ludzie bez śladu mięśnia piwnego sączący zimne browary po meczu siatkówki. Czasem działał tak widok dwóch ładnych panienek popijających po pracy drinki w ogródku jakiejś urokliwej kafejki, takiej z francuską nazwą i mnóstwem wiszących roślin. Drinki prawie zawsze były w rodzaju tych, które podaje się z małymi parasolkami. Czasem zaś wystarczała usłyszana w radiu piosenka. Raz był to *Mr. Roboto* zespołu Styx. Kiedy był trzeźwy, był całkowicie trzeźwy. Gdy pił, upijał się. Jeśli budził się u boku jakiejś kobiety, myślał o Deenie i malcu w koszulce Braves. O siedemdziesięciu dolarach. Nawet o ukradzionym kocu, który zostawił w kanale burzowym. Może wciąż tam leży. Jeżeli tak, już pewnie zapleśniał.

Czasem upijał się i nie przychodził do pracy. Początkowo przymykali na to oko – był dobry w tym, co robił – ale w końcu nastawał ten dzień. A wtedy mówił tylko „bardzo dziękuję" i wsiadał do autobusu. Z Wilmington do Albany, z Albany do Utica. Z Utica do New Paltz. Z New Paltz do Sturbridge, gdzie zalał się na folkowym koncercie pod gołym niebem i nazajutrz obudził się w areszcie ze złamanym nadgarstkiem. Następne było Weston, potem dom spokojnej starości na Martha's Vineyard i, kurczę, długo tam miejsca nie zagrzał. Trzeciego dnia siostra przełożona poczuła od niego gorzałę i do widzenia, krzyżyk na drogę. Raz znalazł się na szlaku wędrówki Prawdziwego Węzła, nie zdając sobie z tego sprawy. Przynajmniej w tej wierzchniej części jego umysłu, chociaż głębiej – w części, która jaśniała – coś poczuł. Zapach, nikły i nieprzyjemny, jak swąd spalonej gumy na odcinku autostrady, na którym niedawno zdarzył się tragiczny wypadek.

Z Martha's Vineyard pojechał autobusem linii MassLines do Newburyport. Tam znalazł pracę w ogólnie olewającym podopiecznych domu dla weteranów, gdzie przed pustymi gabinetami trzymali starych wiarusów na wózkach inwalidzkich dotąd, aż ich worki na mocz zaczną się przelewać. Paskudne miejsce dla pacjentów, lepsze dla takich niepoprawnych nieudaczników jak on, choć Dan i kilka innych osób robili dla tych starych żołnierzy wszystko, co mogli. Pomógł nawet paru przejść na drugą stronę, kiedy wybiła ich godzina. W tej pracy wytrzymał przez pewien czas, dość długo, by Prezydent z Saksofonem oddał klucze do Białego Domu Prezydentowi Kowbojowi.

W Newburyport parę razy sobie popił, ale zawsze wtedy, kiedy następnego dnia miał wolne, więc nikt nie miał pretensji. Po jednym z tych miniciągów obudził się z myślą: Przynajmniej zostawiłem bony żywnościowe. A to znów przywołało stary znajomy duet psychopatycznych gospodarzy teleturnieju.

Przykro mi, Deenie, przegrałaś, ale nikt nie wychodzi ze studia z pustymi rękami. Co mamy dla niej, Johnny?

Cóż, Bob, Deenie pieniędzy nie wygrała, lecz dziś zabiera ze sobą nasz nowy zestaw „Mała gospodyni domowa", kilka gramów kokainy i wielgachny plik BONÓW ŻYWNOŚCIOWYCH!

Nagrodą Dana był cały miesiąc bez gorzały. Zdecydował się na to, jak sądził, w dziwnej formie pokuty. Nieraz nachodziła go myśl, że gdyby miał adres Deenie, dawno wysłałby jej te zasrane siedemdziesiąt dolców. Wysłałby jej dwa razy tyle, może to by przepędziło wspomnienia o dzieciaku w koszulce Braves i wyciągniętej dłoni jak rozgwiazda. Lecz adresu nie miał, więc zamiast tego pozostał trzeźwy. Biczował się. Na sucho.

Wreszcie któregoś wieczoru przechodził obok knajpy Fisherman's Rest i przez szybę zobaczył ładną blondynkę, która siedziała sama przy kontuarze. Miała na sobie spódnicę w szkocką kratę do połowy uda, wyglądała na samotną i Dan wszedł, a wtedy okazało się, że była świeżo po rozwodzie, ojej, przykra sprawa, może chciałaby, żeby dotrzymał jej towarzystwa, i trzy dni później obudził się ze znajomą czarną dziurą w pamięci. Poszedł do ośrodka dla weteranów, w którym mył podłogi i wymieniał żarówki, licząc, że dadzą mu jeszcze jedną szansę. Nic z tego. Ogólne olewanie to nie to samo co zupełne olewanie; prawie, lecz nie całkiem. Wychodząc z tymi kilkoma drobiazgami, które trzymał w swojej szafce, przypomniał sobie stary tekst Bobcata Goldthwaita: „Praca nadal była, tylko wykonywał ją ktoś inny". Wsiadł więc do kolejnego autobusu, tym razem do New Hampshire, i kupił na drogę szklany pojemnik napoju wyskokowego.

Usiadł na samym końcu, na siedzeniu dla pijaków, koło toalety. Nauczony doświadczeniem wiedział, że jak chcesz chlać w autobusie, to najlepsze do tego miejsce. Włożył rękę do brązowej papierowej torby, poluzował nakrętkę szklanego pojemnika napoju wyskokowego i wciągnął w nozdrza brunatny zapach. Ten zapach potrafił mówić, choć miał tylko jedno do powiedzenia: Witaj, stary przyjacielu. Zabij kolejną cząstkę siebie.

Dan pomyślał: Ciuciejki.

I pomyślał: Mama.

Pomyślał, że Tommy teraz już chodzi do szkoły. Oczywiście, o ile wujek Randy go nie zabił.

Pomyślał: Jedyną osobą, która może zaciągnąć hamulec, jesteś ty.

Ta myśl już wiele razy przychodziła mu do głowy, ale teraz za nią nadciągnęła inna, nowa: Nie musisz tak żyć, jeśli nie chcesz. Możesz, oczywiście... ale nie musisz.

Ten głos był dziwny, niepodobny do jego zwykłych wewnętrznych dialogów. W pierwszej chwili uznał, że musiał wychwycić cudzą myśl – potrafił to, lecz ostatnio rzadko zdarzało mu się odbierać niepożądane transmisje. Nauczył się je wygłuszać. Mimo to spojrzał na przód autobusu, prawie pewny, że napotka czyjeś spojrzenie. Nikt jednak na niego nie patrzył. Współpasażerowie spali, rozmawiali z sąsiadami albo wyglądali przez szyby na szary dzień w Nowej Anglii.

Nie musisz tak żyć, jeśli nie chcesz.

Gdyby tylko to była prawda. Dokręcił jednak zakrętkę i położył butelkę na siedzeniu obok. Dwa razy po nią sięgał. Za pierwszym razem odłożył ją z powrotem. Za drugim wsunął dłoń do torby i zdjął zakrętkę, ale w tej samej chwili autobus wjechał na parking tuż za granicą stanu New Hampshire. Dan poszedł do Burger Kinga z resztą pasażerów. Po drodze przystanął na chwilę, żeby wyrzucić papierową torbę do pojemnika na śmieci. Na wysokim zielonym kuble widniały wymalowane od szablonu słowa: JEŚLI JUŻ TEGO NIE POTRZEBUJESZ, ZOSTAW TUTAJ.

Ależ byłoby miło, pomyślał Dan, kiedy butelka wylądowała z brzękiem na dnie. O Boże, ależ byłoby miło.

2

Półtorej godziny później autobus minął tablicę z napisem: WITAMY WE FRAZIER, GDZIE ZAWSZE JEST CO ROBIĆ! I poniżej: DOM MINIMIASTA!

Autobus zatrzymał się przy domu kultury we Frazier, żeby zabrać pasażerów, i na pustym siedzeniu obok Dana, gdzie przez pierwszą część podróży spoczywała butelka, odezwał się Tony. Ten głos Dan rozpoznał, choć Tony nie mówił tak wyraźnie od lat.

(to tutaj)

Miejsce równie dobre jak każde inne, pomyślał Dan.

Ściągnął worek marynarski z półki bagażowej i wysiadł. Ku zachodowi Góry Białe piłowały horyzont. W swoich wędrówkach unikał gór, zwłaszcza poszarpanych monstrów, które przecinały kraj na dwoje. Teraz pomyślał: A jednak wróciłem w górzyste strony. Chyba zawsze wiedziałem, że to nieuniknione. Te góry jednak były łagodniejsze od tych, które wciąż widywał w snach, i uznał, że będzie mógł z nimi żyć przynajmniej przez pewien czas. O ile zdoła przestać myśleć o dzieciaku w koszulce Braves. I pić. Przychodzi taki dzień, gdy do człowieka dociera, że dalsza tułaczka nie ma sensu. Że dokądkolwiek idziesz, zabierasz ze sobą siebie.

W powietrzu zatańczył tuman śniegu delikatny jak koronka ślubna. Dan zauważył, że sklepy wzdłuż szerokiej głównej ulicy kierowały swoją ofertę przede wszystkim do narciarzy, którzy przyjeżdżali w grudniu, i letników ściągających w te strony w czerwcu. We wrześniu i październiku pewnie bywali tu też miłośnicy barw jesieni, teraz jednak trwała typowa dla północnej Nowej Anglii wiosna, nerwowe osiem tygodni chromowane zimnem i wilgocią. Wbrew mottu miasta we Frazier najwyraźniej nie bardzo było co w tym czasie robić, bo główna arteria – Cranmore Avenue – była praktycznie pusta.

Dan zarzucił worek marynarski na ramię i powoli ruszył przed siebie. Przystanął przy ogrodzeniu z kutego żelaza, żeby obejrzeć rozległy wiktoriański dom mający po bokach dwa nowsze murowane budynki połączone z głównym krytymi pasażami. Lewą stronę gmachu centralnego wieńczyła wieżyczka, po prawej zaś wieżyczki nie było, co nadawało mu dziwnie niezrównoważony wygląd. To się Danowi nawet spodobało. Tak jakby ta wielka stara dama mówiła: Taa, kawałek mi odpadł. I co z tego? Ciebie też to kiedyś czeka. Na jego usta powoli wypłynął uśmiech. I zaraz zniknął.

W oknie pokoju w wieżyczce stał Tony. Patrzył z góry. Napotkał spojrzenie Dana, pomachał mu. To było to samo dostojne skinienie dłoni, które Dan pamiętał z dzieciństwa, kiedy Tony często się zjawiał. Dan zamknął oczy i otworzył je znowu. Tony zniknął. Wcale tam nie stał, skąd miałby się wziąć? Okno było zabite deskami.

Na trawniku stała tablica. Złote litery na zielonym tle w tym samym odcieniu co dom głosiły: HOSPICJUM IM. HELEN RIVINGTON.

Mają tam kota, pomyślał. Szarego. Na imię ma Audrey.

Po części miał rację, po części nie. Rzeczywiście, był tam kot, rzeczywiście, był szary, ale był wysterylizowanym kocurem i nie miał na imię Audrey.

Dan długo patrzył na tę tablicę – dość długo, by chmury się rozstąpiły, zsyłając na ziemię słup niebiańskiego światła – po czym ruszył dalej. Choć słońce teraz już świeciło tak jasno, że chrom lśnił na nielicznych samochodach zaparkowanych ukośnie przed halą Olympia Sports i spa Fresh Day, w powietrzu wciąż wirował śnieg. Danowi przypomniały się słowa, którymi jego matka skomentowała podobną wiosenną pogodę dawno temu, kiedy mieszkali w Vermoncie: Diabeł bije żonę.

3

Przecznicę czy dwie od hospicjum Dan zatrzymał się znowu. Naprzeciwko Urzędu Miejskiego, po drugiej stronie ulicy, znajdował się skwer. Był tam może hektar trawnika, który zaczynał się zielenić, estrada, boisko do softballu, utwardzona połowa boiska do koszykówki, stoły piknikowe, nawet dołki do gry w golfa. Wszystko to bardzo ładne, ale jego najbardziej zaintrygowała tablica o treści

ODWIEDŹ MINIMIASTO
„MAŁY CUD" FRAZIER
I PRZEJEDŹ SIĘ KOLEJĄ MINIMIASTA!

Nie trzeba było geniusza, by poznać, że Minimiasto to miniaturowa replika Cranmore Avenue. Był kościół metodystów, który Dan minął po drodze, z iglicą strzelającą na całe dwa metry w niebo;

było kino Music Box; lodziarnia Spondulicks; księgarnia; sklep odzieżowy Shirts & Stuff; Galeria Frazier, Artystyczne Grafiki to Nasza Specjalność. Była też wierna, sięgająca po pas miniatura zwieńczonego jedną wieżyczką hospicjum imienia Helen Rivington, choć murowane budynki po bokach zostały pominięte. Może dlatego, że były koszmarnie brzydkie, pomyślał Dan, zwłaszcza w porównaniu z gmachem głównym.

Za Minimiastem stał miniaturowy pociąg z napisem KOLEJ MINIMIASTA wymalowanym na wagonach zbyt małych, by zmieścił się w nich ktokolwiek większy od trzylatka. Dym buchał z komina jaskrawoczerwonej lokomotywy wielkości motocykla Honda Gold Wing. Dan słyszał pomruk silnika dieslowskiego. Na lokomotywie staroświeckimi pozłacanymi literami napisane było HELEN RIVINGTON. Patronka miasta, domyślił się. Pewnie gdzieś we Frazier jest też ulica jej imienia.

Postał tu dłuższą chwilę, choć słońce znów się schowało i zrobiło się tak zimno, że para szła z ust. W dzieciństwie zawsze chciał mieć kolejkę i nigdy jej nie dostał. Tu, w Minimieście, znalazł wersję XL, którą mogły pokochać dzieci w każdym wieku.

Zarzucił worek marynarski na drugie ramię i przeszedł przez ulicę. To, że znów usłyszał Tony'ego – i go zobaczył – było niepokojące, lecz akurat w tej chwili cieszył się, że tu wysiadł. Może właśnie takiego miejsca szukał; może tutaj wreszcie znajdzie sposób, by naprostować swoje niebezpiecznie zwichrowane życie.

Zabierasz siebie ze sobą, dokądkolwiek idziesz.

Schował tę myśl do wewnętrznej szafy. Był w tym dobry. Miał w tej szafie całą masę rzeczy.

4

Żeby zajrzeć do środka lokomotywy, przyniósł sobie mały taboret wypatrzony pod niskim okapem stacji Minimiasto i wszedł na niego. W kabinie maszynisty stały dwa fotele pokryte owczą skórą, na oko pochodzące ze starego samochodu sportowego produkowanego w Detroit. Także sama kabina i stery wyglądały jak przerobiony wyrób jednej z fabryk Detroit, wyłączając wykrzywioną w Z staroświecką dźwignię zmiany biegów, która sterczała z podłogi. Nie było rozrysowanego schematu biegów; oryginalną gałkę zastąpiła wyszczerzona trupia czaszka przewiązana chustą, której dawna czerwień wyblakła do bladego różu, pościerana ściskającymi drążek przez lata dłońmi. Górna połowa kierownicy była obcięta, tak że to, co zostało, przypominało wolant lekkiego samolotu. Na desce rozdzielczej widniało wymalowane na czarno zatarte, ale czytelne ostrzeżenie MAX PRĘDKOŚĆ 60 NIE PRZEKRACZAĆ.

– Podoba się? – usłyszał tuż za plecami.

Obrócił się i o mało nie spadł z taboretu. Duża, ogorzała dłoń przytrzymała go za przedramię. Jej właścicielem był facet około sześćdziesiątki, ubrany w wywatowaną kurtkę dżinsową i czapkę myśliwską w czerwoną kratę z opuszczonymi nausznikami. W wolnej ręce miał skrzynkę z narzędziami opatrzoną etykietą z wytłoczonym napisem WŁASNOŚĆ URZĘDU MIEJSKIEGO WE FRAZIER.

– Przepraszam – powiedział Dan, schodząc z taboretu. – Nie chciałem…

– Nic się nie stało. Co rusz ktoś zagląda do lokomotywy. Zwykle maniacy kolejek. To dla nich jak spełnione marzenie. Latem, kiedy jest ruch i „Riv" kursuje mniej więcej co godzinę, nie dopuszczamy ich za blisko, ale o tej porze roku nie ma żadnych „nas", jestem tylko ja. A mnie to nie przeszkadza. – Wyciągnął rękę. – Billy Freeman. Ekipa konserwacyjno-remontowa. „Riv" to moje dziecko.

Dan uścisnął podaną mu dłoń.

– Dan Torrance.

Billy Freeman spojrzał na worek marynarski.

– Dopiero co wysiadłeś z autobusu, domyślam się. A może przyjechałeś stopem?

– Autobusem – stwierdził Dan. – Jaki silnik w tym siedzi?

– O, to ciekawa sprawa. Pewnie nigdy nie słyszałeś o chevrolecie veraneio, co?

Słyszeć nie słyszał, a mimo to wiedział, o co chodzi. Bo wiedział to Freeman. Dan nie miał tak silnego przebłysku od lat. Wzbudziło to w nim cień radości pamiętanej z wczesnego dzieciństwa, z czasów kiedy jeszcze nie wiedział, jak niebezpieczna potrafi być jasność.

– Brazylijski suburban, zgadza się? Turbodiesel.

Freeman uniósł krzaczaste brwi i uśmiechnął się szeroko.

– Pewnie! Casey Kingsley, to szef, kupił go rok temu na licytacji. Prawdziwe cudo. Ciągnie jak skurczybyk. Deska rozdzielcza też jest z suburbana. Siedzenia wstawiłem sam.

Przebłysk już przygasał, ale Dan wychwycił jeszcze jeden szczegół.

– Z gto judge.

Freeman się rozpromienił.

– Zgadza się. Znalazłem je na złomowisku koło Sunapee. Dźwignia zmiany biegów jest z macka rocznik 1961. Dziewięć biegów. Nieźle, co? Rozglądasz się za pracą, czy tylko się rozglądasz?

Dan zamrugał, zaskoczony nagłą zmianą tematu. Czy rozglądał się za pracą? Pewnie tak. Najrozsądniej byłoby zacząć od hospicjum, które minął na spacerze po Cranmore Avenue, zwłaszcza że miał przeczucie – nie wiedział, czy za sprawą jasności, czy zwykłej intuicji – że szukają pracowników, ale nie był pewien, czy chce tam pójść już teraz. Widok Tony'ego w oknie wieżyczki był niepokojący.

Poza tym, Danny, niech upłynie trochę czasu od twojego ostatniego drinka, zanim się tam pokażesz i poprosisz o formularz podania o pracę. Nawet jeśli jedyne, co mają do zaoferowania, to pastowanie podłóg na nocnej zmianie.

Głos Dicka Halloranna. Chryste! Dan nie myślał o Dicku od dawna. Chyba od Wilmington.

Z nadejściem lata – kiedy to we Frazier zdecydowanie było co robić – na pewno pojawi się dużo najprzeróżniejszych ofert pracy. Gdyby jednak miał wybierać między restauracją Chili's w miejscowym centrum handlowym a Minimiastem, bez wahania wybrałby Minimiasto. Otworzył usta, żeby odpowiedzieć na pytanie Freemana, ale zanim mógł dobyć z siebie głos, znów odezwał się Hallorann.

Zbliżasz się do trzydziestki, kochany. Możesz nie dostać następnej szansy.

Tymczasem Billy Freeman patrzył na niego z otwartą, prostoduszną ciekawością.

– Tak – powiedział Dan. – Szukam pracy.

– Wiesz, w Minimieście nie zaczepiłbyś się na długo. Jak przychodzi lato i kończy się szkoła, pan Kingsley zatrudnia miejscowych. Głównie w wieku od osiemnastu do dwudziestu dwóch lat. Tak chcą radni. Poza tym młodziakom nie trzeba dużo płacić. – Billy Freeman uśmiechnął się szeroko, obnażając dwie szczerby. – No, ale bywają gorsze fuchy. Praca na świeżym powietrzu dziś nie wygląda kusząco, lecz to zimno już długo nie potrwa.

Co do tego na pewno miał rację. Wiele rzeczy na skwerze okrywały plandeki, jednak wkrótce zostaną zdjęte i wyłoni się spod nich nadbudowa lata w małym ośrodku turystycznym: stoiska z hot dogami, budki z lodami, okrągłe coś, co Danowi wyglądało na karuzelę. No i oczywiście kolejka, ta z malutkimi wagonami i potężnym turbodieslem. Jeśli tylko nie da w gaz i pokaże, że jest godny zaufania, Freeman albo jego szef – Kingsley – może pozwolą mu ją poprowadzić. Fajnie by było. A potem, kiedy władze miasta zatrudnią wypuszczone ze szkoły dzieciaki, zawsze pozostanie hospicjum.

O ile zdecyduje się zostać, rzecz jasna.

Gdzieś zostać musisz, powiedział Hallorann (najwyraźniej Dan miał dziś dzień słyszenia głosów i widzenia wizji). Gdzieś zostać musisz, kochany, bo wkrótce nie będziesz w stanie zostać nigdzie.

Zaskakując samego siebie, Dan się roześmiał.

– To mi pasuje, panie Freeman. Pod każdym względem.

5

– Pracowałeś kiedyś przy utrzymaniu terenu? – spytał Billy Freeman. Szli powoli wzdłuż kolejki. Wagony sięgały Danowi do piersi. Czuł się jak olbrzym.

– Umiem pielić, sadzić i malować. Potrafię się posługiwać dmuchawą do liści i piłą łańcuchową. Naprawię mały silnik, jeśli usterka nie jest zbyt skomplikowana. I poradzę sobie z kosiarką traktorową, nie rozjeżdżając przy tym małych dzieci. Jeśli chodzi o kolejkę… akurat na tym się nie znam.

– Na to musiałbyś mieć zgodę Kingsleya. Ubezpieczenie i tak

dalej. Słuchaj, masz referencje? Pan Kingsley nikogo bez nich nie weźmie.

– Tak, zebrało się ich trochę. Pracowałem głównie jako woźny i sanitariusz w szpitalach. Panie Freeman...

– Wystarczy Billy.

– Ta kolejka nie wygląda, jakby mogła przewozić pasażerów, Billy. Gdzie mieliby siedzieć?

Billy uśmiechnął się szeroko.

– Zaczekaj tu. Ciekawe, czy ciebie rozbawi to tak jak mnie. Nigdy mi się to nie znudzi.

Freeman wrócił do lokomotywy i wsadził głowę do kabiny. Silnik, dotąd leniwie pracujący na biegu jałowym, zwiększył obroty, rytmicznie wypuszczając smugi ciemnego dymu. Na całej długości „Helen Rivington" rozległo się wycie hydrauliki. Dachy wagonów pasażerskich i żółtego wagonu służbowego – w sumie dziewięć – nagle zaczęły się podnosić. W oczach Dana wyglądało to tak, jakby jednocześnie otwierały się dachy dziewięciu identycznych kabrioletów. Schylił się, żeby zajrzeć w okna, i zobaczył, że środkiem każdego wagonu ciągnie się rząd twardych plastikowych siedzeń. Sześć w wagonach pasażerskich, dwa w służbowym. W sumie pięćdziesiąt miejsc.

Kiedy Billy wrócił, Dan uśmiechał się szeroko.

– Twój pociąg musi bardzo dziwnie wyglądać, kiedy jest pełen pasażerów.

– O tak. Ludzie pękają ze śmiechu i całe klisze wypstrykują. Chodź, pokażę ci.

Billy wdrapał się na platerowany stalą stopień na końcu wagonika – takie same były we wszystkich pozostałych – wsiadł i zajął miejsce. Powstało dziwne złudzenie optyczne, wskutek którego wydawał się większy niż w rzeczywistości. Pomachał dostojnie do Dana, któremu przed oczami stanął obraz pięćdziesięciu Brobdingnagów w maciupkim przy nich pociągu, ruszającym majestatycznie ze stacji Minimiasto.

Kiedy Billy wstał i zszedł z powrotem na ziemię, Dan zaklaskał z uznaniem.

– Założę się, że w wakacje sprzedajecie z miliard pocztówek.

– A żebyś wiedział.

Billy wygrzebał z kieszeni kurtki wygniecioną paczkę papierosów Duke; tania marka, którą Dan dobrze znał, sprzedawana na dworcach autobusowych i w sklepach całodobowych w całej Ameryce. Poczęstował go. Dan wziął papierosa. Billy przypalił oba.

– Korzystam, póki mogę – mruknął, patrząc na swojego papierosa. – Jeszcze kilka lat i palenie będzie tu zabronione. Klub Kobiet Frazier już o tym przebąkuje. Banda starych kwok, moim skromnym zdaniem, ale wiesz, jak to mówią: ręka, która kołysze pieprzoną kołyską, rządzi pieprzonym światem. – Wypuścił dym nosem. – Nie żeby któraś z nich kołysała kołyską od czasów Nixona. Czy choćby potrzebowała tampaxa.

– Może to nie taki głupi pomysł – powiedział Dan. – Dzieciaki naśladują zachowania starszych od siebie. – Pomyślał o swoim ojcu. Jedynym, co Jack Torrance lubił bardziej od drinka, powiedziała jego matka niedługo przed śmiercią, był tuzin drinków. Oczywiście, Wendy z kolei lubiła papierosy i one ją zabiły. Dawno, dawno temu Dan przysiągł sobie, że w ten nałóg też nigdy nie wpadnie. Z czasem doszedł do wniosku, że życie to pasmo ironicznych pułapek.

Billy Freeman spojrzał na niego z jednym okiem zmrużonym w wąską szparkę.

– Czasem miewam przeczucia co do ludzi i takie przeczucie

mam co do ciebie. Miałem je, jeszcze zanim się odwróciłeś i zobaczyłem twoją twarz. Myślę, że możesz być odpowiednim człowiekiem do wiosennych porządków, które czekają mnie od dziś
do końca maja. Tak czuję, a ufam swoim uczuciom. To pewnie
głupie.

Dan wcale nie sądził, że to głupie, i teraz zrozumiał, dlaczego
słyszał myśli Billy'ego Freemana tak wyraźnie, bez żadnego wysiłku. Przypomniał sobie coś, co kiedyś powiedział mu Dick Hallorann
– Dick, jego pierwszy dorosły przyjaciel: „Wielu ludzi ma trochę
tego, co ja nazywam jasnością, ale zwykle to tylko iskierka – coś,
dzięki czemu wiedzą, co didżej puści w radiu czy że zaraz zadzwoni
telefon".

Billy Freeman miał tę iskierkę. Ten błysk.

– Pewnie muszę pogadać z Carym Kingsleyem, hę?

– Caseyem, nie Carym. Tak, on tu jest szefem. Dwadzieścia pięć
lat zarządza gospodarką komunalną miasta.

– Kiedy byłby dobry moment?

– Najlepiej od razu. – Billy wskazał ręką. – Ta kupa cegieł po
drugiej stronie ulicy to Urząd Miejski. Pan Kingsley ma gabinet
w suterenie, na końcu korytarza. Poznasz, że jesteś, gdzie trzeba,
jak usłyszysz przez sufit muzykę disco. We wtorki i czwartki w sali
gimnastycznej organizują aerobik dla pań.

– W porządku – powiedział Dan. – Tak zrobię.

– Referencje masz?

– Tak. – Dan poklepał worek marynarski oparty o stację Minimiasto.

– I nie napisałeś ich sam ani nic takiego?

Danny się uśmiechnął.

– Nie, to autentyki.

– No to do boju, tygrysie.

– Dobra.

– Jeszcze jedno – powiedział Billy, kiedy Dan ruszył. – Casey tępi picie. Jeśli pijesz i spyta cię o to, radzę... żebyś skłamał.

Dan kiwnął głową i uniósł dłoń na znak, że zrozumiał. Nieraz już tak kłamał.

6

Sądząc po jego przekrwionym nosie, Casey Kingsley nie zawsze tępił picie. Był potężnie zbudowanym człowiekiem, który nie tyle urzędował w swoim małym, zagraconym gabinecie, ile go wypełniał. W tej chwili siedział odchylony na krześle za biurkiem i przeglądał referencje Dana, schludnie przechowywane w niebieskiej teczce. Tył głowy Kingsleya prawie dotykał pionowej belki prostego drewnianego krzyża, który wisiał na ścianie obok oprawionego zdjęcia rodziny gospodarza gabinetu. Na tejże fotografii młodszy, szczuplejszy Kingsley pozował z żoną i trojgiem dzieci w kostiumach kąpielowych na jakiejś plaży. Przez sufit przebijały lekko tylko stłumione dźwięki *YMCA* The Village People. Towarzyszył im entuzjastyczny tupot wielu nóg. Dan wyobraził sobie gigantyczną stonogę. Taką, która niedawno była u lokalnego fryzjera i ma na sobie jasnoczerwony trykot mniej więcej dziewięciometrowej długości.

– Mhm – mruknął Kingsley. – Mhm... taaak... dobra, dobra, dobra...

Na rogu biurka stał szklany słoik z landrynkami. Nie podnosząc głowy znad cienkiego pliku referencji Dana, Kingsley odkręcił pokrywkę, wyłowił jednego cukierka i wrzucił sobie do ust.

– Pan się poczęstuje – powiedział, wciąż z nosem w papierach.

– Nie, dziękuję – odparł Dan.

Naszła go dziwna myśl. Dawno, dawno temu jego ojciec zapewne siedział w pokoiku takim jak ten na rozmowie o pracę na stanowisku dozorcy hotelu Panorama. Co wtedy myślał? Że naprawdę potrzebuje pracy? Że to jego ostatnia szansa? Może. Prawdopodobnie. Tyle że, oczywiście, Jack Torrance stawiał na szali nie tylko swoją przyszłość. A on nie miał tego problemu. Jeśli tym razem się nie uda, będzie mógł się jeszcze trochę poszwendać po kraju. Albo spróbować szczęścia w hospicjum. Ale… podobał mu się ten miejski skwer. Podobał mu się pociąg, w którym dorośli przeciętnych rozmiarów wyglądali jak wielkoludy. Podobało mu się Minimiasto, absurdalne, radosne i jakoś dzielne w swoim małomiasteczkowym zadufaniu. I podobał mu się Billy Freeman, który miał szczyptę jasności i pewnie nawet nie zdawał sobie z tego sprawy.

Nad ich głowami *YMCA* przeszło w *I Will Survive*. Jakby tylko na to czekał, Kingsley wsunął referencje Dana z powrotem do teczki i podał mu ją nad biurkiem.

Nie przyjmie mnie, pomyślał Dan.

Jednak po całym dniu celnych przeczuć tym razem trafił jak kulą w płot.

– Nieźle to wszystko wygląda, przyznam, ale zdaje się, że dużo bardziej odpowiadałaby panu praca w szpitalu rejonowym albo naszym lokalnym hospicjum. Mógłby pan nawet załapać się do Opieki Domowej… widzę, że zrobił pan kilka kursów medycznych i ratowniczych. Z papierów wynika, że umie pan obsługiwać defibrylator. Słyszał pan o Opiece Domowej?

– Tak. I myślałem o hospicjum. A potem zobaczyłem skwer miejski, Minimiasto i pociąg.

Kingsley burknął pod nosem.

– Pewnie nie miałby pan nic przeciwko temu, żeby objąć stery, co?

Dan bez wahania skłamał.

– Nie, proszę pana, to raczej nie dla mnie. – Gdyby przyznał, że chętnie usiadłby na zdobycznym fotelu kierowcy z gto i położył ręce na tej obciętej kierownicy, prawie na pewno pociągnęłoby to za sobą rozmowę o jego prawie jazdy, potem o okolicznościach, w jakich je stracił, i zakończyło się niezwłocznym wyproszeniem go z gabinetu pana Caseya Kingsleya. – Wolę grabie i kosiarkę do trawy.

– I krótkie okresy zatrudnienia, sądząc z tych papierów.

– Wkrótce gdzieś osiądę. Myślę, że zaspokoiłem już głód podróży. – Był ciekaw, czy w uszach Kingsleya zabrzmiało to tak sztucznie jak w jego własnych.

– I tak nie mógłbym pana zatrudnić na długo – powiedział Kingsley. – Kiedy skończy się rok szkolny…

– Billy już mnie uprzedził. Jeśli zdecyduję się zostać na lato, spytam o pracę w hospicjum. Właściwie może nawet złożę podanie wcześniej, chyba że ma pan coś przeciwko.

– Wszystko mi jedno. – Kingsley spojrzał na niego z zaciekawieniem. – Towarzystwo umierających panu nie przeszkadza?

Umarła tam twoja matka, pomyślał Danny. A jednak jaśnienie nie zgasło; właściwie nawet się nie schowało. Trzymałeś ją za rękę, kiedy odchodziła. Miała na imię Ellen.

– Nie – rzekł. Potem, bez powodu, dodał: – Wszyscy umieramy. Świat to tylko hospicjum ze świeżym powietrzem.

– No proszę, filozof. Cóż, panie Torrance, myślę, że pana przyjmę. Ufam wyczuciu Billy'ego; rzadko myli się co do ludzi. Niech pan się nie spóźnia, nie przychodzi pijany i nie pokazuje się w pracy z przekrwionymi oczami i śmierdzący marihuaną. Jeśli złamie pan którąś z tych zasad, pożegnamy się, bo hospicjum imienia Rivington nie będzie chciało mieć z panem do czynienia, już ja się o to postaram. Czy to jasne?

Dan poczuł się niemile dotknięty

(nadgorliwy kutasina)

ale zdusił to w sobie. Byli na boisku Kingsleya, grali jego piłką.

– Jak słońce.

– Może pan zacząć od jutra, jeśli to panu pasuje. W mieście jest dużo pensjonatów. Jak pan chce, mogę zadzwonić do paru osób. Stać pana na dziewięćdziesiąt tygodniowo przed pierwszą wypłatą?

– Tak. Dziękuję, panie Kingsley.

Kingsley machnął ręką.

– Tymczasem polecam motel Red Roof. Prowadzi go mój szwagier, da panu zniżkę. Może być?

– Tak. – Wszystko wydarzyło się niewiarygodnie szybko, jak przy dołożeniu kilku ostatnich brakujących kawałków do skomplikowanej, tysiącelementowej układanki. Dan powiedział sobie, żeby nie ufać temu wrażeniu.

Kingsley wstał. Był masywnym mężczyzną, więc trochę to trwało. Dan też się podniósł i uścisnął mięsistą dłoń Kingsleya, wyciągniętą do niego nad zagraconym biurkiem. Teraz z góry dobiegały dźwięki KC and the Sunshine Band informujących świat, że tak lubią najbardziej, a-ha, u-hu.

– Nie znoszę tego boogie-gówna – powiedział Kingsley.

Nieprawda, pomyślał Danny. Wcale nie. Ta muzyka przypomina ci córkę, tę, która rzadko cię odwiedza. Bo wciąż jeszcze ci nie wybaczyła.

– Dobrze się pan czuje? – spytał Kingsley. – Trochę pan blady.

– Jestem zmęczony, to wszystko. Mam za sobą długą podróż autobusem.

Jasność wróciła, i to z wielką mocą. Pytanie, dlaczego teraz?

7

Trzeciego dnia pracy Dana – jak dotąd polegała na malowaniu estrady i zdmuchiwaniu ze skweru martwych jesiennych liści – Kingsley niespiesznie przeszedł na drugą stronę Cranmore Avenue i powiedział mu, że jeśli chce, może wziąć pokój na Eliot Street. Z prywatną łazienką, wyposażoną w wannę i prysznic. Osiemdziesiąt pięć tygodniowo. Dan był za.

– Przejdź się tam w przerwie na lunch – powiedział Kingsley. – Pytaj o panią Robertson. – Wymierzył w niego palec naznaczony pierwszymi gruzłami artretyzmu. – I masz nie nawalić, synku, bo to moja stara przyjaciółka. Pamiętaj, że poręczyłem za ciebie na podstawie marnych papierów i intuicji Billy'ego Freemana.

Dan obiecał, że go nie zawiedzie, ale dodatkowy ładunek szczerości, którym próbował nasycić swój głos, zabrzmiał sztucznie nawet w jego własnych uszach. Znów myślał o swoim ojcu, który po zwolnieniu ze szkoły w Vermoncie upadł tak nisko, że musiał błagać o pracę nadzianego starego znajomego. Dziwnie darzyć współczuciem człowieka, który omal cię nie zabił, ale to współczucie w nim siedziało i już. Czy ludzie czuli się w obowiązku przestrzegać jego ojca, żeby nie nawalił? Pewnie tak. No a Jack Torrance oczywiście nawalał mimo to. Spektakularnie. Pięć gwiazdek. Picie niewątpliwie miało w tym udział, ale kiedy człowiek nisko upada, niektórzy nie mogą się oprzeć pokusie, by wdeptać go w ziemię i przydusić butem, zamiast pomóc mu się podnieść. To podłe, lecz taka w dużej mierze jest ludzka natura. Oczywiście, kiedy człowiek schodzi na psy, wokół widzi głównie łapy, pazury i sukinsynów.

– I niech Billy poszuka solidnych butów, które by na ciebie pasowały. Zachomikował całą ich kolekcję w szopie z narzędziami, choć kiedy ostatnio sprawdzałem, tylko połowa była do pary.

Dzień był słoneczny, ciepły. Dan, pracujący w dżinsach i T-shircie Utica Blue Sox, spojrzał w prawie bezchmurne niebo, a potem na Caseya Kingsleya.

– Tak, wiem, jak to wygląda – rzekł Kingsley – ale jesteśmy w górach, synku. Służby meteorologiczne zapowiadają wiatr z północnego wschodu i kilkadziesiąt centymetrów śniegu. Długo nie poleży… w New Hampshire na kwietniowy śnieg mówi się „nawóz dla ubogich"… ale ma mocno wiać. Takie są prognozy. Mam nadzieję, że umiesz się posługiwać dmuchawą do śniegu, nie tylko tą do liści. – Zawiesił głos. – I że masz zdrowe plecy, bo jutro będziecie z Billym dźwigać mnóstwo złamanych gałęzi. Może nawet ciąć obalone drzewa. Poradzisz sobie z piłą łańcuchową?

– Tak, proszę pana – powiedział Dan.

– To dobrze.

8

Dan bez trudu doszedł do porozumienia z panią Robertson; zaproponowała mu nawet kanapkę z sałatką jajeczną i filiżankę kawy we wspólnej kuchni. Przyjął poczęstunek, spodziewając się wszystkich standardowych pytań o to, co sprowadziło go do Frazier i co robił wcześniej. Na szczęście obyło się bez nich. Pani Robertson spytała go tylko, czy miałby może czas pomóc jej pozamykać okiennice na parterze, na wypadek gdyby rzeczywiście, jak to określiła, „trochę powiało". Dan się zgodził. Niewiele było zasad, którymi się kierował w życiu, ale jedna z nich głosiła, że zawsze trzeba mieć dobre układy ze swoją gospodynią; nigdy nie wiadomo, kiedy będziesz musiał poprosić o prolongatę komornego.

Na skwerze czekał Billy z listą zadań. Poprzedniego dnia ściągnęli plandeki ze wszystkich karuzeli dla dzieci. Tego popołudnia założyli je z powrotem, a potem pozamykali na cztery spusty wszystkie budki i stoiska. Na koniec wprowadzili „Riv" pod dach. Po robocie siedzieli na składanych krzesłach obok stacji Minimiasto i palili papierosy.

– Wiesz co, Danno? – powiedział Billy. – Jestem zmęczonym robolem.

– Nie ty jeden. – Ale Dan czuł się dobrze, rozgrzane mięśnie przyjemnie mrowiły. Zapomniał, jak miło jest pracować na świeżym powietrzu, kiedy człowiek nie musi jednocześnie walczyć z kacem.

Chmury zasnuły niebo. Billy westchnął.

– Daj Boże, żeby nie sypało i nie wiało tak mocno, jak zapowiadają w radiu, choć raczej nie ma co sobie robić nadziei. Znalazłem ci buty. Nie wyglądają za dobrze, ale przynajmniej są do pary.

Dan wziął buty i poszedł przez miasto do swojej nowej kwatery. Wtedy wiało już silniej i robiło się ciemno. Rano wydawało się, że Frazier jest na progu lata. Wieczorem powietrze wypełniała szczypiąca w twarz wilgoć zwiastująca śnieg. Boczne ulice opustoszały, domy były pozapinane po szyję.

Za rogiem Morehead Street, na Eliot, Dan przystanął. Po chodniku, pośród grzechoczących jak kości zeszłorocznych jesiennych liści, przetaczał się niesiony wiatrem sfatygowany cylinder, w sam raz dla magika. Albo aktora ze starej komedii muzycznej. Dana przeniknął chłód, bo tego kapelusza tam nie było. Nie istniał naprawdę.

Zamknął oczy, powoli policzył do pięciu, podczas gdy wzmagający się wiatr łopotał nogawkami jego dżinsów, i uniósł powieki. Liście zostały, cylinder zniknął. To tylko jasność wytworzyła jedną z tych swoich wyrazistych, niepokojących i zazwyczaj niezrozumiałych wizji. Zawsze się nasilała po dłuższym okresie trzeźwości, ale nigdy aż tak jak tutaj, we Frazier. Zupełnie jakby powietrze było tu w jakiś sposób inne. Lepiej przenoszące te dziwne transmisje z Planety Gdzie Indziej. Specyficzne.

Tak jak specyficzna była Panorama.

– Nie – powiedział. – Nie, nie wierzę w to.

Kilka drinków i problem rozwiązany, Danny. W to wierzysz?

Niestety, w to wierzył.

9

Pani Robertson mieszkała w starym, rozłożystym domu w stylu kolonialnym i ze swojego pokoju na drugim piętrze Dan miał widok na góry na zachodzie. Mógłby się bez tej scenerii obejść. Jego wspomnienia Panoramy z czasem utonęły w szarej mgle, kiedy jednak rozpakowywał swój skromny dobytek, coś się z niej wynurzyło… tak to należy określić, wynurzyło się, niby jakieś obrzydliwe szczątki organiczne (powiedzmy – zgniłe truchło małego zwierzęcia) wypływające na powierzchnię głębokiego jeziora.

Próbował nie dopuścić do siebie tego wspomnienia, na próżno.

Pierwszy prawdziwy śnieg spadł o zmierzchu. Staliśmy na werandzie tego wielkiego, starego, pustego hotelu, tata pośrodku, mama z jednej strony, ja z drugiej. Obejmował nas ramionami. Wtedy wszystko było dobrze. Wtedy nie pił. Najpierw śnieg padał równo, prostopadle, lecz potem zerwał się wiatr i zaczął nim miotać, tworząc zaspy przy werandzie i przykrywając te… te wycięte z żywopłotu zwierzęta. Te, które czasem się ruszały, kiedy nie patrzyłeś.

Z ramionami obsypanymi gęsią skórką odwrócił się od okna. Wracając z pracy, kupił kanapkę w sklepie Red Apple; zamierzał ją zjeść i poczytać powieść Johna Sandforda, też kupioną w Red Apple, ale po kilku kęsach zawinął kanapkę z powrotem w papier i położył na parapecie, w chłodzie. Może resztę zje później, chociaż nie sądził, by siedział tego wieczora dłużej niż do dziewiątej; jeśli przeczyta sto stron książki, to będzie sukces.

Wiatr wciąż przybierał na sile. Od czasu do czasu wydawał pod okapem mrożące krew w żyłach krzyki, na które Dan podrywał głowę znad lektury. Mniej więcej wpół do dziewiątej zaczął sypać śnieg. Ciężki i mokry, szybko pokrył okno, zasłaniając widok na góry. W pewnym sensie tak było gorzej. W Panoramie śnieg też pozakrywał okna. Najpierw tylko na parterze… potem na piętrze… i wreszcie na drugim piętrze.

A wtedy zostali pogrzebani razem z pełnymi życia umarłymi.

Ojciec myślał, że zrobią go dyrektorem hotelu. Jeśli tylko udowodni swoją lojalność. Oddając im swojego syna.

– Syna swego jednorodzonego – mruknął Dan, po czym rozejrzał się, jakby te słowa wypowiedział ktoś inny… i rzeczywiście, czuł, że nie jest sam. Nie całkiem. Wiatr znów chłosnął boczną ścianę budynku, znów zawył i Dana przeszedł dreszcz.

Jeszcze nie za późno, żeby skoczyć do Red Apple. Wziąć flaszkę czegoś. Uśpić te wszystkie nieprzyjemne myśli.

Nie. Będzie czytał książkę. Lucas Davenport prowadził śledztwo, a on będzie czytał książkę.

Zamknął ją kwadrans po dziewiątej i położył się w kolejnym wynajętym łóżku. Nie zasnę, pomyślał. Nie kiedy wiatr tak wrzeszczy.

Jednak zasnął.

10

Siedział u wylotu kanału burzowego, patrzył w dół porośniętej kępami trawy skarpy na rzekę Cape Fear i most spinający jej brzegi. Noc była pogodna, świecił księżyc w pełni. Nie wiał wiatr, nie padał śnieg. A Panorama zniknęła. Nawet gdyby nie spłonęła doszczętnie za prezydentury Hodowcy Orzeszków Ziemnych, i tak byłaby przeszło tysiąc kilometrów stąd. Dlaczego więc tak bardzo się bał?

Bo nie był sam, oto dlaczego. Ktoś był za jego plecami.

– Poradzić ci coś, misiaczku?

Głos był płynny, drżący. Danowi po plecach przebiegł zimny dreszcz. Jego nogi były jeszcze zimniejsze, najeżone gwiazdkami gęsiej skórki. Widział te białe guzki, bo był w szortach. Oczywiście, jego mózg był mózgiem dorosłego człowieka, ale w tej chwili tkwił w ciele pięciolatka.

Misiaczku?

Już wiedział, kto to jest. Powiedział Deenie swoje imię, ona jednak nie używała go, mówiła do niego „misiaczku".

Nie pamiętasz tego, a poza tym to tylko sen.

Oczywiście. Jest we Frazier w stanie New Hampshire i śpi, podczas gdy na zewnątrz pensjonatu pani Robertson wyje wiosenna zawierucha. Mimo to uznał, że rozsądniej będzie się nie odwracać. I bezpieczniej, to też.

– Nie chcę żadnych rad – powiedział, patrząc na rzekę i księżyc w pełni. – Doradzali mi już różni eksperci. Pełno ich w każdym barze i zakładzie fryzjerskim.

– Trzymaj się z dala od kobiety w kapeluszu, misiaczku.

Jakim kapeluszu? – mógł zapytać, ale właściwie po co? Wiadomo, o który kapelusz chodzi, bo go widział. Porwany wiatrem, przetaczał się po chodniku. Na zewnątrz czarny jak grzech, w środku podszyty białym jedwabiem.

– To Królowa Suka z Piekielnego Zamku. Jeśli z nią zadrzesz, pożre cię żywcem.

Odwrócił głowę. Nie mógł się powstrzymać. Deenie siedziała za nim w kanale burzowym, z kocem menela narzuconym na nagie ramiona. Włosy lepiły jej się do policzków. Obrzmiała twarz ociekała wodą. Oczy zmętniały. Była martwa, pewnie od lat.

Nie istniejesz naprawdę, próbował powiedzieć Dan, ale słowa nie przeszły mu przez gardło. Znów miał pięć lat, Danny miał pięć lat, z Panoramy został tylko popiół i kości, ale tu z nim była martwa kobieta, kobieta, którą okradł.

– To nic – powiedziała. Bulgoczący głos dobywał się z opuchniętego gardła. – Sprzedałam tę kokę. Dosypałam trochę cukru i dostałam dwie stówy. – Uśmiechnęła się szeroko i woda przelała się przez jej zęby. – Lubiłam cię, misiaczku. Dlatego przyszłam cię ostrzec. Trzymaj się z dala od kobiety w kapeluszu.

– Sztuczna twarz – powiedział Dan… ale to był głos Danny'ego, wysoki, słaby, śpiewny głos dziecka. – Sztuczna twarz, nie ma jej, nie jest prawdziwa.

Zamknął oczy, tak jak to często robił, kiedy widział straszne rzeczy w Panoramie. Kobieta zaczęła krzyczeć, ale on uparcie nie podnosił powiek. Krzyk trwał, to narastał, to cichł, i wreszcie

Dan zorientował się, że to wiatr krzyczy. Nie był w Kolorado ani Karolinie Północnej. Był w New Hampshire. Miał zły sen, ale sen się skończył.

11

Jego timex pokazywał drugą nad ranem. Mimo zimna w pokoju ramiona i pierś Dana były śliskie od potu.

Poradzić ci coś, misiaczku?

– Nie – powiedział. – Nie chcę twoich rad.

Ona nie żyje.

W żaden sposób nie mógł tego wiedzieć, ale to wiedział. Deenie – która w swojej skórzanej spódniczce do połowy ud i korkowych sandałach wyglądała jak bogini świata zachodniego – umarła. Nawet wiedział, jak to się stało. Wzięła tabletki, upięła włosy, weszła do wanny, zasnęła, zsunęła się pod wodę, utonęła.

Ryk wiatru był przerażająco znajomy, przepojony głuchą groźbą. Wiatry wieją wszędzie, ale tak brzmią tylko w górach. Jakby gniewny bóg bił w świat wyciosanym z powietrza młotem.

Nazywałem jego picie Złą Rzeczą, pomyślał Dan. Tyle że czasem jest to Dobra Rzecz. Kiedy budzisz się z koszmaru, który, jak wiesz, w co najmniej pięćdziesięciu procentach wziął się z jasności, to Bardzo Dobra Rzecz.

Jeden drink wystarczyłby, żeby znów zasnął. Trzy zagwarantowałyby nie tylko sen, ale i sen pozbawiony snów. Sen jest naturalnym lekarzem, a w tej chwili Dan Torrance czuł się chory i potrzebował silnego lekarstwa.

Wszystko jest pozamykane. Masz szczęście.

Cóż. Może.

Przewrócił się na bok i coś wpiło się w jego plecy. Nie, nie coś. Ktoś. Ktoś leżał z nim w łóżku. Deenie. Chociaż nie, ten ktoś był za mały. Bardziej przypominał...

Wyskoczył z łóżka, wylądował niezgrabnie na podłodze i obejrzał się przez ramię. Tommy, synek Deenie. Z czaszką zgruchotaną z prawej strony. Odłamki kości sterczały z pozlepianych krwią jasnych włosów. Z tak potworną raną nie mógł żyć, a mimo to żył. Wyciągnął dłoń jak rozgwiazda.

– Ciuciejki – powiedział.

Znów rozległ się krzyk, ale tym razem nie krzyczała ani Deenie, ani wiatr za oknem.

Tym razem krzyczał Dan.

12

Kiedy obudził się po raz drugi – teraz już naprawdę – z jego ust dobywał się nie krzyk, tylko głuchy, z głębi piersi płynący pomruk. Usiadł prosto, łapiąc powietrze, pościel rozlewała się kałużą wokół jego pasa. Był sam w łóżku, ale sen jeszcze nie pierzchnął i to, że nikogo nie widział, wcale go nie uspokoiło. Odrzucił pościel – i to też nie wystarczyło. Przesunął dłońmi po prześcieradle, szukając ciepłych śladów czy zagłębienia, które mogły pozostawić małe biodra i pośladki. Nic. Oczywiście. Zajrzał więc jeszcze pod łóżko i zobaczył tylko swoje pożyczone buty.

Wycie wiatru nieco przycichło. Zamieć jeszcze nie ustała, ale już słabła.

Poszedł do łazienki i znienacka obrócił się na pięcie, jakby liczył, że kogoś zaskoczy. Zobaczył tylko łóżko, pościel leżącą na podłodze. Zapalił światło nad umywalką, ochlapał twarz zimną wodą i usiadł na opuszczonej klapie sedesu. Brał głębokie oddechy, jeden, drugi, trzeci… Pomyślał, żeby wstać i wziąć papierosa z paczki leżącej obok książki na jedynym stoliku w pokoju, ale nogi miał jak z waty i nie był pewien, czy utrzymają jego ciężar. Przynajmniej na razie. Dlatego siedział dalej. Widział łóżko, było puste. Cały pokój był pusty. Nic podejrzanego.

Tyle że… czuł, że pokój nie jest pusty. Jeszcze nie. Kiedy to wrażenie przeminie, pewnie wróci do łóżka. Ale nie po to, żeby spać. Tej nocy sen miał z głowy.

13

Siedem lat wcześniej, kiedy pracował jako sanitariusz w hospicjum w Tulsa, zaprzyjaźnił się ze starym psychiatrą chorym na nieuleczalnego raka wątroby. Pewnego dnia, gdy Emil Kemmer wspominał (niezbyt dyskretnie) kilka swoich co bardziej interesujących przypadków, Dan wyznał mu, że od dzieciństwa doświadcza czegoś, co nazwał podwójnym śnieniem. Czy Kemmer zna to zjawisko? Czy ma ono jakąś nazwę?

Kemmer w kwiecie wieku był chłopem na schwał – dowodziło tego stare czarno-białe zdjęcie, które trzymał na stoliku nocnym – ale rak to niebywale skuteczna dieta i w dniu tej rozmowy jego waga była mniej więcej o połowę mniejsza od jego wieku, który wynosił dziewięćdziesiąt jeden lat. Umysł jednak wciąż miał bystry i Dan, siedząc na opuszczonej klapie sedesu i słuchając dogorywającej na zewnątrz zamieci, przypomniał sobie, jak stary psychiatra chytrze się uśmiechnął i powiedział z silnym niemieckim akcentem:

– Zazwyczaj moje diagnozy są płatne.

Dan wtedy uśmiechnął się szeroko.

– No to mam pecha.

– Niekoniecznie. – Kemmer miał jasnoniebieskie oczy. Choć Dan wiedział, że to ze wszech miar niesprawiedliwe, mimo woli wyobraził sobie te oczy patrzące spod hełmu Waffen-SS. – Po tej umieralni krążą plotki, że pomagasz ludziom umrzeć, że masz do tego dar. Prawda to?

– Czasami – przyznał Dan ostrożnie. – Nie zawsze. – Gdyby był szczery, powiedziałby: prawie zawsze.

– Kiedy przyjdzie czas na mnie, pomożesz mi?

– Jeśli będę w stanie, oczywiście.

– To dobrze. – Kemmer usiadł prosto. Był to mozolny, żmudny proces, ale kiedy Dan chciał mu pomóc, stary psychiatra odpędził go gestem. – Zjawisko, które nazywasz podwójnym śnieniem, jest dobrze znane psychiatrom, a szczególnie interesuje zwolenników Junga, którzy nazywają je fałszywym przebudzeniem. Pierwszy sen to zwykle sen świadomy, co znaczy, że śniący wie, że śni…

– Tak! – krzyknął Dan. – Ale ten drugi…

– Śniący jest przekonany, że się obudził – ciągnął Kemmer. – Jung przywiązywał do tego wielką wagę, sądził nawet, że takie sny zawierają wiedzę o przyszłych wydarzeniach… ale my oczywiście wiemy, że tak nie jest, prawda, Danielu?

– Oczywiście – przytaknął Dan.

– Edgar Allan Poe opisał zjawisko fałszywego przebudzenia na długo przed narodzinami Carla Junga. Ujął to tak: „Wszystko to, co widzę, wiem, snem jest tylko, we śnie snem"[*]. Czy odpowiedziałem na twoje pytanie?

[*] Przełożył Władysław Nawrocki.

– Chyba tak. Dzięki.

– Proszę bardzo. A teraz tak sobie myślę, że napiłbym się trochę soku. Jabłkowego, jeśli łaska.

14

„Takie sny zawierają wiedzę o przyszłych wydarzeniach... ale my oczywiście wiemy, że tak nie jest".

Nawet gdyby przez lata nie zachowywał jasności prawie wyłącznie dla siebie, Dan nie ośmieliłby się sprzeciwić umierającemu człowiekowi... zwłaszcza o tak zimnych, przenikliwych niebieskich oczach. Prawda jednak była taka, że jeden albo oba z jego podwójnych snów często ukazywały mu przyszłość, zwykle w formie tylko częściowo przez niego pojmowanej bądź niepojmowanej w ogóle. Tak było zazwyczaj, ale tej nocy, kiedy siedział w majtkach na klapie sedesu, teraz już dygocząc (i nie tylko dlatego, że w łazience było zimno), rozumiał dużo więcej, niżby chciał.

Tommy umarł. Najprawdopodobniej został zamordowany przez znęcającego się nad nim wujka. Jego matka wkrótce potem popełniła samobójstwo. Co do reszty snu... czy tego przetaczającego się po chodniku widmowego kapelusza, który widział wcześniej...

„Trzymaj się z dala od kobiety w kapeluszu. To Królowa Suka z Piekielnego Zamku".

– Nic mnie to nie obchodzi – powiedział Dan.

„Jeśli z nią zadrzesz, pożre cię żywcem".

Nie miał zamiaru jej spotkać, a co dopiero z nią zadzierać. Co się tyczy Deenie, nie był odpowiedzialny za jej porywczego brata ani za to, że zaniedbywała własne dziecko. Nie musiał nawet dłużej mieć wyrzutów sumienia z powodu tych jej parszywych siedemdziesięciu dolarów; sprzedała kokainę – na pewno ta część snu była w stu procentach zgodna z prawdą – i byli kwita. Z nawiązką.

Obchodziło go tylko to, żeby się napić. Upić, mówiąc ściśle. Na umór, do upadłego, w trzy dupy. Ciepłe poranne słońce było miłe, podobnie jak przyjemny ból mięśni po ciężkiej pracy i przebudzenie bez kaca, ale cena – wszystkie te obłędne sny i wizje, nie wspominając o oderwanych myślach mijanych obcych ludzi, które czasem przebijały się przez wzniesione przez niego bariery – była zbyt wysoka.

Zbyt wysoka, by ją płacić.

15

Siedział w jedynym fotelu w pokoju i czytał powieść Johna Sandforda w świetle jedynej lampy w pokoju dotąd, aż dzwony dwóch lokalnych kościołów wybiły siódmą. Wtedy włożył swoje nowe (nowe dla niego) buty i budrysówkę. Wyszedł na świat, który zmienił się, złagodniał. Ostre kanty poznikały. Wciąż padał śnieg, teraz jednak już tylko delikatnie prószył.

Powinienem stąd wyjechać. Wrócić na Florydę. Chrzanić New Hampshire, gdzie śnieg pewnie sypie nawet w lipcu w nieparzyste lata.

Odpowiedział mu głos Halloranna, tym samym dobrotliwym tonem, który pamiętał z dzieciństwa, z czasów, kiedy był Dannym; pobrzmiewała w nim jednak twarda, stalowa nuta: Gdzieś zostać musisz, kochany, bo wkrótce nie będziesz w stanie zostać nigdzie.

– Pieprz się, stary pryku – mruknął.

Znowu poszedł do Red Apple, bo sklepy z mocnymi trunkami miały zostać otwarte nie wcześniej niż za godzinę. Powoli przechadzał się od lodówki z winem do lodówki z piwem i z powrotem, bijąc się z myślami, i wreszcie stwierdził, że jak już ma się upić, to równie dobrze może się przy tym upodlić. Chwycił dwie butelki thunderbirda (osiemnaście procent alkoholu, dobre i to, kiedy whisky jest tymczasowo nieosiągalna), ruszył w stronę kasy, po czym przystanął.

Głos Halloranna: Zaczekaj jeszcze jeden dzień. Daj sobie jeszcze jedną szansę.

Pewnie mógł tak zrobić, ale po co? Żeby znowu obudzić się w łóżku z Tommym? Tommym z pogruchotaną czaszką? A może następnym razem zjawi się Deenie, która dwa dni leżała w tej wannie, zanim znudzony bezskutecznym pukaniem dozorca w końcu otworzył drzwi kluczem uniwersalnym i ją znalazł. Nie mógł tego wiedzieć, Emil Kemmer potwierdziłby to z całą stanowczością, gdyby tu z nim był, ale to wiedział. Wiedział. Po co więc się wysilać?

Może to wzmożenie świadomości minie. Może to taki przejściowy etap, parapsychologiczny odpowiednik delirki. Może to tylko kwestia czasu...

Ale czas się zmienia. To coś, co rozumieją tylko pijaki i ćpuny. Kiedy nie możesz spać, kiedy boisz się obejrzeć za siebie, bo a nuż coś tam zobaczysz, czas się wydłuża i wysuwa ostre kły.

– Pomóc w czymś? – spytał sprzedawca i Dan wiedział
(pierdolona jasność pierdolone pierdoleństwo)
że ten człowiek się go boi. Czemu tu się dziwić? Z rozczochranymi od snu włosami, podkrążonymi oczami i rozedrganymi, niepewnymi ruchami musiał wyglądać jak ćpun na głodzie, który zastanawia się, czy wyciągnąć swoją wierną spluwę i zażądać wszystkich pieniędzy z kasy, czy jednak nie.

– Nie – powiedział Dan. – Właśnie się zorientowałem, że zostawiłem portfel w domu.

Schował zielone butelki z powrotem do lodówki. Kiedy ją zamykał, przemówiły do niego łagodnie, jak przyjaciel do przyjaciela: Do zobaczenia wkrótce, Danny.

16

Billy Freeman czekał na niego opatulony po brwi. Podał mu staromodną czapkę narciarską z wyszytym napisem ANNISTON CYCLONES.

– Co to, u licha, Anniston Cyclones? – spytał Dan.

– Anniston leży trzydzieści kilometrów na północ stąd. Cyclones to nasi odwieczni rywale w futbolu amerykańskim, koszykówce i baseballu. Jak ktoś cię zobaczy w tej mycce, pewnie dostaniesz pigułą w łeb, ale innej nie mam.

Dan naciągnął ją na głowę.

– W takim razie do boju, Cyclones.

– Jasne, pierdol się ty i pchły twoje. – Billy obrzucił go spojrzeniem. – Dobrze się czujesz, Danno?

– Źle spałem.

– Znam ten ból. Cholerny wiatr darł się jak opętany, co? Zupełnie jak moja była, kiedy sugerowałem, że małe bara-bara w sobotni wieczór dobrze nam zrobi. Gotów do pracy?

– Bardziej nie będę.

– To dobrze. Zaczynajmy. Przed nami cholernie ciężki dzień.

17

Dzień rzeczywiście był cholernie ciężki, ale w południe wyszło słońce i temperatura znów podskoczyła do kilkunastu stopni. Minimiasto wypełniło się pluskiem setek małych wodospadów z topniejącego śniegu. Wraz ze wzrostem temperatury w Dana wstąpił nowy duch i paradując z dmuchawą po dziedzińcu małego centrum handlowego przyległego do skweru, złapał się nawet na tym, że nuci przebój Village People (*Young man! I was once in your shoes!*). W górze, na łagodnym wietrze jakże odmiennym od wyjącej nocnej wichury, łopotał transparent WIELKA WIOSENNA PROMOCJA! MINICENY JAK W MINIMIEŚCIE!

Nie miał żadnych wizji.

Po fajrancie zabrał Billy'ego do knajpy Chuck Wagon i zamówił dwa steki. Billy zaproponował, że kupi piwo. Dan potrząsnął głową.

– Trzymam się z dala od alkoholu. Z tej przyczyny, że jak już zacznę, czasem trudno przestać.

– Mógłbyś pogadać o tym z Kingsleyem – powiedział Billy. – Wziął rozwód z gorzałą jakieś piętnaście lat temu. Teraz już wszystko z nim w porządku, ale córka nadal się do niego nie odzywa.

Przy jedzeniu pili kawę. Dużo kawy.

Dan wrócił do swojej jaskini na drugim piętrze przy Eliot Street zmęczony, napchany gorącym jedzeniem i zadowolony, że jest trzeźwy. Nie miał w pokoju telewizora, miał za to drugą połowę powieści Sandforda i zatopił się w niej na parę godzin. Jednym uchem nasłuchiwał wiatru, podmuchy jednak nie przybierały na sile. Sądził, że zawierucha poprzedniej nocy była ostatnim podrygiem zimy. I bardzo dobrze. O dziesiątej położył się i niemal od razu zasnął. Poranną wizytę w Red Apple pamiętał już jak przez mgłę, jakby poszedł tam w malignie, która teraz na dobre minęła.

18

Obudził się w środku nocy, nie dlatego, że wiało, tylko przez to, że strasznie chciało mu się szczać. Wstał, powlókł się do łazienki i zapalił światło.

Cylinder leżał w wannie i był pełen krwi.

– Nie – powiedział. – To sen.

Może sen podwójny. Albo potrójny. Czy nawet poczwórny. Czegoś nie wyznał Emilowi Kremmerowi: bał się, że kiedyś w końcu zabłądzi w labiryncie nocnych fantomów i nigdy z niego nie wyjdzie.

„Wszystko to, co widzę, wiem, snem jest tylko, we śnie snem".

Tyle że to było rzeczywiste. Kapelusz też. Nie zobaczyłby go nikt inny, ale to niczego nie zmieniało. Kapelusz był prawdziwy. Był gdzieś na tym świecie. Dan to wiedział.

Kątem oka zobaczył, że coś jest napisane na lustrze nad umywalką. Napisane szminką.

Nie wolno mi na to spojrzeć.

Za późno. Jego głowa już się odwracała; słyszał, że ścięgna w jego szyi skrzypią jak stare zawiasy. Zresztą co to miało za znaczenie? Wiedział, co tam jest napisane. Pani Massey odeszła, Horace Derwent odszedł, oboje byli bezpiecznie zamknięci w skrytkach, które trzymał w głębi swojego umysłu, ale Panorama jeszcze z nim nie skończyła. Na lustrze krwią, nie szminką, napisane było jedno słowo:

REDRUM

Pod nim, w umywalce, leżała zakrwawiona koszulka Atlanta Braves.

To się nigdy nie skończy, pomyślał Danny. Panorama spłonęła, najstraszniejsze z jej widm wylądowały w skrytkach, ale jasności razem z nimi nie zamknę, bo ona nie jest we mnie, ona jest mną. Bez gorzały, która ją przynajmniej przytępi, te wizje będą powracać dotąd, aż oszaleję.

Widział w lustrze swoją twarz z zawieszonym przed nią słowem *REDRUM* wybitym na jego czole jak piętno. To nie był sen. W umywalce leżała koszulka zamordowanego dziecka, a w wannie kapelusz pełen krwi. Nadciągało szaleństwo. Widział, jak się zbliża, w swoich własnych wybałuszonych oczach.

I wtedy, niczym snop światła z latarki pośród mroku, głos Halloranna: Synu, może i widzisz te rzeczy, ale one są jak obrazki w książce. Nie byłeś bezbronny w Panoramie, kiedy byłeś mały, i nie jesteś bezbronny teraz. Bynajmniej. Zamknij oczy, a kiedy je otworzysz, cały ten syf zniknie.

Zamknął oczy i czekał. Próbował odliczać sekundy, ale doszedł tylko do czternastu, zanim liczby zginęły w zgiełku bezładnych myśli. Na poły spodziewał się poczuć dłonie – może należące do właściciela lub właścicielki kapelusza – zaciskające się na jego szyi. Ale twardo stał w miejscu. Właściwie i tak nie miał dokąd pójść.

Zebrał całą odwagę i otworzył oczy. Wanna pusta. Umywalka pusta. Na lustrze nie było żadnego napisu.

Ale to wróci. Może następnym razem pojawią się jej buty – te korkowe sandały. Albo zobaczę ją w wannie. Dlaczego nie? To tam zobaczyłem panią Massey, a obie umarły w ten sam sposób. Tyle że pani Massey nie okradłem i nie porzuciłem.

– Zaczekałem jeden dzień – powiedział do pustego pokoju. – Choć tyle zrobiłem.

Tak, i chociaż to był cholernie ciężki dzień, był to też cholernie dobry dzień, on pierwszy to przyzna. Dni nie były problemem. Za to noce…

Umysł to tablica. Gorzała to gąbka.

19

Leżał z otwartymi oczami do szóstej. Potem wstał i znów wybrał się do Red Apple. Tym razem już się nie zawahał, tyle że zamiast dwóch butelek birda wyjął z lodówki trzy. Jak to się mówi? Idź na całość albo idź do domu. Sprzedawca bez słowa zapakował butelki; przywykł do wizyt amatorów wina o poranku. Dan niespiesznie poszedł na skwer, usiadł na ławce w Minimieście i wyjął z torby flaszkę. Patrzył na nią jak Hamlet na czaszkę Yoricka. Widziana przez zielone szkło ciecz w środku wyglądała jak trutka na szczury, nie wino.

– Mówisz o tym tak, jakby to było coś złego – powiedział Dan i poluzował zakrętkę.

Tym razem odezwała się jego matka. Wendy Torrance, która paliła aż do samego końca. Bo jeśli samobójstwo jest jedynym rozwiązaniem, możesz przynajmniej wybrać broń, z jakiej zginiesz.

Tak się to skończy, Danny? Po to było to wszystko?

Obrócił zakrętkę w odwrotnym kierunku, dokręcając ją. Potem znów ją odkręcił. I w końcu zdjął. Wino miało kwaśny zapach, zapach muzyki z szafy grającej, podłych knajp i idiotycznych kłótni rozstrzyganych bójkami na parkingach. Koniec końców życie jest głupie jak te bójki. Świat to nie hospicjum ze świeżym powietrzem, świat to hotel Panorama, gdzie zabawa nigdy się nie kończy. Gdzie zmarli żyją wiecznie. Podniósł butelkę do ust.

Czy po to tak walczyliśmy, żeby wydostać się z tego cholernego hotelu, Danny? Czy po to walczyliśmy o nowe życie?

W głosie matki nie było wyrzutu, tylko smutek.

Danny znów dokręcił zakrętkę. Poluzował ją. Dokręcił. Poluzował.

Pomyślał: Jeśli się napiję, Panorama wygra. Mimo że doszczętnie spłonęła, kiedy rozerwało kocioł, wygra. Jeśli się nie napiję, zwariuję.

Pomyślał: Wszystko to, co widzę, wiem, snem jest tylko, we śnie snem.

Wciąż jeszcze odkręcał i zakręcał butelkę, kiedy odnalazł go Billy Freeman, który obudził się wcześnie, nękany niejasnym, niepokojącym poczuciem, że dzieje się coś złego.

– Wypijesz to, Dan, czy tylko będziesz to brandzlował?

– Chyba wypiję. Nie wiem, co innego zrobić.

Billy powiedział mu.

20

Casey Kingsley nie był szczególnie zaskoczony, kiedy kwadrans po ósmej rano zastał przed gabinetem swojego nowego pracownika. Nie zdziwił go też widok butelki, którą Torrance trzymał w rękach i na przemian odkręcał i zakręcał – chłopak od początku miał to takie specyficzne, nieobecne spojrzenie stałego bywalca sklepu z tanim alkoholem.

Billy Freeman nie jaśniał tak silnie jak Dan, w najmniejszym stopniu, ale jego dar to było coś więcej niż tylko iskierka. Tamtego pierwszego dnia zadzwonił do Kingsleya z szopy z narzędziami, gdy tylko Dan poszedł na drugą stronę ulicy do Urzędu Miejskiego.

Jeden młody chłopak szuka pracy, powiedział Billy. Referencje pewnie ma marne, dodał, ale, na jego wyczucie, nadawałby się do tego, żeby pomóc przy robocie w okresie przed wakacjami. Kingsley, który miał doświadczenia – dobre – z intuicją Billy'ego, zgodził się. „Wiem, że kogoś wziąć musimy", powiedział.

Odpowiedź Billy'ego była osobliwa, no ale sam Billy był osobliwy. Raz, przed dwoma laty, wezwał karetkę na pięć minut przed tym, jak dzieciak spadł z huśtawki i rozbił sobie głowę.

„On potrzebuje nas bardziej niż my jego".

I oto Torrance był tu we własnej osobie, zgarbiony na krześle tak, jakby już jechał następnym autobusem albo siedział na następnym stołku barowym, i Kingsley z dziesięciu metrów czuł zapach jego wina. Miał nos konesera do takich aromatów i potrafił każdy zidentyfikować. Ten tutaj to był thunderbird, znany ze starej barowej rymowanki: „Ty masz dolca pół, ja mam dolca pół, zrobimy zrzutę i thunderbird na stół!". Kiedy jednak ten młody człowiek spojrzał na niego, Kingsley nie dostrzegł w jego oczach niczego oprócz desperacji.

– Billy mnie przysłał.

Kingsley milczał. Widział, że chłopak zbiera się w sobie, że z tym walczy. Wyczytał to z jego oczu; z opadających kącików ust; a przede wszystkim z tego, jak trzymał butelkę, jakby nienawidził jej, kochał ją i jej potrzebował, wszystko naraz.

Wreszcie Dan wydobył z siebie słowa, przed którymi uciekał przez całe życie.

– Potrzebuję pomocy.

Zakrył oczy ramieniem. Kingsley schylił się i chwycił butelkę wina. Chłopak przez chwilę ją trzymał... ale w końcu puścił.

– Jesteś chory i zmęczony – powiedział Kingsley. – To widać

na pierwszy rzut oka. Ale czy nie masz już dość tej choroby i tego zmęczenia?

Dan podniósł oczy na niego. Grdyka chodziła mu w górę i w dół. Jeszcze chwilę walczył ze sobą i wreszcie powiedział:

– Nawet nie wiesz jak bardzo.

– Myślę, że wiem. – Kingsley wyjął ze swoich ogromnych spodni ogromny pęk kluczy. Jeden z nich wsunął do zamka w drzwiach z napisem WYDZIAŁ GOSPODARKI KOMUNALNEJ FRAZIER wymalowanym na matowej szybie. – Wejdź. Porozmawiajmy.

Rozdział II

Złe liczby

1

Stara poetka o włoskim imieniu i amerykańskim nazwisku siedziała ze śpiącą prawnuczką na kolanach i oglądała wideo, które mąż jej wnuczki nakręcił przed trzema tygodniami na porodówce. Zaczynało się pokazaną do obiektywu planszą z tytułem: ABRA PRZYCHODZI NA ŚWIAT! Obraz latał, David unikał filmowania zbyt anatomicznych szczegółów (dzięki Bogu), ale Concetta Reynolds widziała spocone włosy lepiące się do czoła Lucii, usłyszała jej krzyk: „Przecież to robię!", kiedy jedna z pielęgniarek kazała jej przeć, i zobaczyła krople krwi na niebieskiej zasłonie – niewiele, ot tyle, żeby było, jak powiedziałaby babcia Chetty, „co pokazać". Nie po angielsku, oczywiście.

Obraz zatrząsł się, kiedy wreszcie ukazało się dziecko, a z głośnika telewizora dobiegł krzyk Lucy: „Ona nie ma twarzy!". Gęsia skórka obsypała plecy i ramiona Chetty.

David, siedzący teraz obok Lucy, zachichotał. Bo Abra oczywiście miała twarz, twarz prześlodką. Chetta spojrzała w dół, jakby po to, żeby się co do tego upewnić. Kiedy znów podniosła wzrok, na ekranie pielęgniarka układała noworodka w ramionach świeżo upieczonej matki. Trzydzieści czy czterdzieści przyprawiających o oczopląs sekund później pojawiła się kolejna plansza, tym razem o treści: WSZYSTKIEGO NAJLEPSZEGO Z OKAZJI URODZIN, ABRO RAFAELLO STONE!

David nacisnął „stop" na pilocie.

– Jesteś jedną z niewielu osób, które to kiedykolwiek zobaczą – oznajmiła Lucy stanowczym, nieznoszącym sprzeciwu tonem.

– To krępujące.

– To cudowne – powiedział Dave. – I jeszcze jedna osoba zobaczy to na pewno: sama Abra. – Zerknął na żonę siedzącą obok niego na kanapie. – Jak będzie w odpowiednim wieku. I oczywiście jeśli zechce. – Poklepał Lucy po udzie, po czym uśmiechnął się szeroko do babci swojej żony. Darzył tę kobietę wielkim szacunkiem, ale dużo mniejszą miłością. – Do tego czasu taśma będzie w skrytce bankowej razem z dokumentami ubezpieczenia, aktem własności domu i moimi milionami zarobionymi na narkotykach.

Concetta uśmiechnęła się, by pokazać, że żart zrozumiała, ale uśmiech był blady, na znak, że nieszczególnie ją rozbawił. Abra wciąż spała na jej kolanach. W pewnym sensie wszystkie dzieci rodzą się w czepku, pomyślała, ich małe twarzyczki to zasłony skrywające tajemnicę i bezmiar możliwości. Może to coś, o czym wypadałoby napisać. Może nie.

Prababcia Abry przyjechała do Ameryki w wieku dwunastu lat i mówiła perfekcyjną, idiomatyczną angielszczyzną – nic dziwnego, bądź co bądź skończyła Vassar i była profesorem (teraz już emerytowanym) angielskiego – ale wszystkie zabobony i przesądy wciąż żyły w jej głowie. Czasem wydawały rozkazy, zawsze po włosku. Chetta uważała, że większość ludzi zajmujących się sztuką to wysoko funkcjonujący schizofrenicy, i sama nie była inna. Wiedziała, że przesądy to bzdura, lecz spluwała przez palce, kiedy widziała kruka albo czarnego kota.

Swoją schizofrenię zawdzięczała w głównej mierze Siostrom Miłosierdzia. Wierzyły w Boga; wierzyły w boskość Jezusa; wierzyły, że lustra to zaklęte sadzawki i że dziecko, które za długo się w nich przegląda, dostanie kurzajek. Od siódmego do dwunastego roku życia pozostawała pod wielkim wpływem tych kobiet. Nosiły za pasem linijki – do bicia, nie mierzenia – i nie było dziecięcego ucha, którego by nie wykręciły.

Lucy wyciągnęła ręce po dziecko. Chetta niechętnie je oddała. Ta mała była przesłodkim szkrabem.

2

Trzydzieści kilometrów na południowy wschód od domu, w którym Abra spała w ramionach Concetty Reynolds, Dan Torrance był na spotkaniu Anonimowych Alkoholików. Jakaś laska ględziła o seksie ze swoim byłym. Casey Kingsley kazał mu zaliczyć dziewięćdziesiąt spotkań w dziewięćdziesiąt dni i to, organizowane w samo południe w podziemiach kościoła metodystów, było jego ósmym. Siedział w pierwszym rzędzie, to też na polecenie Caseya – znanego w tym towarzystwie jako Duży Casey.

– Chorzy, którzy chcą wyzdrowieć, siadają z przodu, Danny. Ostatni rząd na spotkaniach AA nazywamy oślą ławką.

Casey podarował mu mały notes. Na okładce było zdjęcie przedstawiające fale oceanu rozbijające się o skalisty cypel, a nad fotografią sentencja, którą Dan rozumiał, ale niezbyt go ruszała: NIC WIELKIEGO NIE POWSTAJE NAGLE.

– Masz tu wpisywać wszystkie spotkania, na których będziesz. I ile razy zechcę ten notes zobaczyć, masz natychmiast wyciągnąć go z tylnej kieszeni i pokazać, że ani jednego nie opuściłeś.

– Nie dostanę dnia wolnego, nawet jak zachoruję?

Casey zaśmiał się.

– Chory to ty jesteś codziennie, przyjacielu... jesteś zapijaczonym alkoholikiem. Powiedzieć ci coś, co kiedyś usłyszałem od mojego sponsora?

– Chyba już mówiłeś. Nie da się odkisić ogórka, zgadza się?

– Nie wymądrzaj się, tylko słuchaj.

Dan westchnął.

– Słucham.

– Zabieraj dupę na spotkanie. Jeśli ci odpadnie, zapakuj ją do torby i zabierz na spotkanie.

– Urocze. A jeśli po prostu zapomnę?

Casey wówczas wzruszył ramionami.

– Wtedy poszukasz sobie innego sponsora, takiego, który uwierzy, że o tym można zapominać. Ja nie wierzę.

Dan, który czuł się jak jakiś łatwo tłukący się przedmiot balansujący na krawędzi wysokiej półki, nie chciał innego sponsora ani w ogóle żadnych zmian. Nie to, że czuł się źle, ale był wrażliwy. Bardzo wrażliwy. Prawie jakby nie miał skóry. Wizje, które prześladowały go od przyjazdu do Frazier, ustały i choć często myślał o Deenie i jej synku, myśli te nie były już tak bolesne. Na końcu każdego spotkania AA ktoś odczytywał Obietnice. Jedna z nich głosiła: „Nie będziemy żałować przeszłości ani nie zapragniemy zamknąć za nią drzwi". Dan sądził, że zawsze będzie żałował przeszłości, ale nie próbował już zamknąć jej za drzwiami. Po co się wysilać, skoro i tak znowu się otworzą? To kurestwo nawet zasuwki nie miało, a co dopiero zamka.

Zaczął kaligrafować słowo na kartce małego notesu od Caseya. Starannie, wielkimi literami. Nie miał pojęcia, czemu to robi i co to znaczy. Było to słowo **ABRA**.

Tymczasem przemawiająca kobieta zakończyła swoje wyznanie, wybuchnęła płaczem i oświadczyła przez łzy, że choć jej były to bydlak, a ona nadal go kocha, dziękuje opatrzności za to, że jest trzeźwa. Dan bił brawo razem z resztą Lunchowego Towarzystwa, po czym zaczął malować litery długopisem. Pogrubiać je. Uwydatniać.

Czy ja znam to imię? Chyba tak.

Przypomniał sobie skąd, kiedy głos zabrał następny mówca, a on poszedł nalać sobie kawy z termosu. Abra to imię dziewczyny z powieści Johna Steinbecka. *Na wschód od Edenu*. Czytał ją... nie pamiętał kiedy. Na jakimś przystanku w swojej tułaczce. W jakimś anonimowym miejscu. Mniejsza o to.

Kolejna myśl

(zachowaliście to)

wypłynęła na wierzch jego umysłu jak bąbel powietrza i pękła.

Co zachowali?

Frankie P., weteran Lunchowego Towarzystwa, który prowadził spotkanie, spytał, kto rozda żetony. Kiedy nikt się nie zgłosił, Frankie wskazał palcem.

– Może kolega, który czai się tam, przy kawie?

Dan wyszedł skrępowany na środek sali. Oby tylko nie pomylił kolejności żetonów. Pierwszy – biały dla początkujących – już miał. Kiedy wziął do ręki zmaltretowaną puszkę po herbatnikach z rozsypanymi w środku żetonami i medalionami, znów przyszła ta myśl.

Zachowaliście to?

3

Tego samego dnia Prawdziwy Węzeł, po zimie spędzonej na kempingu KOA w Arizonie, spakował manatki i wyruszył na wschód. Jechali drogą numer 77 w stronę Show Low – czternaście kamperów, kilka holujących samochody osobowe, kilka z przytroczonymi z tyłu składanymi krzesłami albo rowerami. Były southwindy i winnebago, monaco i boundery. Długiej kolumnie pojazdów przewodził earthcruiser Rose – importowany kawał toczącej się stali wart siedemdziesiąt tysięcy dolarów, najlepszy samochód turystyczny dostępny na rynku. Jechali powoli, nie przekraczając dozwolonej prędkości.

Nie spieszyło im się. Mieli mnóstwo czasu. Do uczty zostało jeszcze wiele miesięcy.

4

– Zachowaliście to? – spytała Concetta, kiedy Lucy rozpięła bluzkę i podała córeczce pierś. Abby zamrugała rozespanymi oczkami, chwilę possała, po czym straciła zainteresowanie. Jak zaczną cię boleć sutki, nie będziesz chciała jej karmić, dopóki nie poprosi, pomyślała Chetta. I to na całe gardło.

– Co mieliśmy zachować? – spytał David.

Lucy wiedziała.

– Zemdlałam, jak tylko dali mi ją do rąk. Dave mówi, że o mało jej nie upuściłam. Nie było czasu, Momo.

– A, tę błonę z jej twarzy. – W głosie Davida brzmiało lekceważenie. – Zerwali ją i wyrzucili. I dobrze, moim skromnym zdaniem.

– Uśmiechał się, ale jego oczy rzucały jej wyzwanie. Wiesz, że nie ma co drążyć tego tematu. Wiesz o tym, więc daruj sobie.

Wiedziała o tym… i nie. Czy za młodu była podobnie rozdarta? Nie mogła sobie przypomnieć, choć zdawało jej się, że pamięta wszystkie kazania o Błogosławionych Tajemnicach i wiekuistych mękach piekielnych wygłoszone przez Siostry Miłosierdzia, te *banditti* w czerni. Historię o dziewczynie, której Bóg odebrał wzrok za to, że podglądała nagiego brata w kąpieli, i tę o człowieku, któremu Bóg odebrał życie za bluźnierstwo przeciw papieżowi.

…Dajcie ich nam, kiedy są młodzi, a wtedy nie będzie miało znaczenia, ilu wybitnie zdolnych studentów wykształcą, ile tomików poezji napiszą ani nawet ile ważnych nagród zgarnie jeden z tych tomików. Dajcie ich nam, kiedy są młodzi… a będą nasi na zawsze.

– Powinniście byli zachować *la velo*. Przynosi szczęście.

Mówiła bezpośrednio do swojej wnuczki, zupełnie ignorując Davida. Był dobrym człowiekiem, dobrym mężem dla jej Lucii, ale pieprzyć jego lekceważący ton. I po dwakroć pieprzyć jego wyzywająco patrzące oczy.

– Zrobiłabym to, ale nie miałam okazji, Momo. A Dave nie wiedział. – Z powrotem zapinała bluzkę.

Chetta wychyliła się do przodu i przesunęła czubkiem palca po delikatnej skórze policzka Abry; stare ciało połączone dotykiem z ciałem nowym.

– Mówi się, że ci, którzy rodzą się w *la velo,* mają dar jasnowidzenia.

– Chyba w to nie wierzysz, co? – spytał David. – Czepek to tylko kawałek owodni. To…

Mówił dalej, ale Concetta nie słuchała. Abra otworzyła oczy. Był w nich wszechświat poezji, wersy zbyt wspaniałe, by je kiedykolwiek spisać. Czy nawet zapamiętać.

– Mniejsza o to – powiedziała Concetta. Wzięła dziecko na ręce i pocałowała gładką główkę w miejscu, gdzie pulsowało ciemiączko, tuż pod którym skrywała się cała magia umysłu. – Co się stało, to się nie odstanie.

5

Pewnej nocy, jakieś pięć miesięcy po nie całkiem kłótni na temat czepka Abry, Lucy śniło się, że jej córka płacze – tak głośno, jakby pękało jej serce. W tym śnie Abby nie była już w głównej sypialni domu na Richland Court, tylko gdzieś w głębi długiego korytarza. Lucy biegła w kierunku, z którego dochodził płacz. Początkowo po obu bokach ciągnęły się drzwi, jednak wkrótce zmieniły się w fotele. Niebieskie, z wysokimi oparciami. Była w samolocie, a może w pociągu Amtrak. Miała wrażenie, że przebiegła wiele kilometrów, aż wreszcie znalazła się przed drzwiami ubikacji. Za nimi płakało jej dziecko. Nie z głodu, tylko z przerażenia. Może

(o Boże, o Matko Boska)

z bólu.

Strasznie się bała, że drzwi okażą się zamknięte na zamek i będzie je musiała wyważyć – czy nie tak zwykle jest w koszmarach? – ale ustąpiły. Kiedy weszła do środka, zrodził się w niej nowy lęk: A jeśli Abra wpadła do sedesu? Często się o tym czytało. Dzieci w sedesach, w kontenerach śmieci. A jeśli topi się w brzydkiej stalowej muszli klozetowej, jakie montowane są w środkach transportu publicznego, zanurzona po nos w sterylnej niebieskiej wodzie?

Jednak Abra leżała na podłodze. Była naga. Zalana łzami. Na jej piersi, wypisana czymś, co wyglądało jak krew, widniała liczba 11.

6

David Stone śnił, że biegnie za krzykami córki w górę niekończących się schodów ruchomych, które – powoli, ale nieubłaganie – jechały w złym kierunku. Co gorsza, działo się to w centrum handlowym, które stało w ogniu. Powinien był się krztusić, stracić oddech, na długo zanim dotarł na szczyt schodów, ale nie było dymu, tylko morze płomieni. Nie słyszał też żadnego dźwięku oprócz krzyków Abry, choć widział ludzi płonących jak nasączone naftą pochodnie. Kiedy wreszcie wpadł na górę, zobaczył Abby. Leżała na podłodze jak porzucony śmieć. Mężczyźni i kobiety biegali dookoła, nie bacząc na nią, i mimo otaczających ich zewsząd płomieni nikomu nie przyszło do głowy, żeby skorzystać ze schodów ruchomych, które przecież jechały w dół. Po prostu gnali gdzie popadnie, bez opamiętania, jak mrówki, których mrowisko rozorał lemiesz farmera. Jedna kobieta w szpilkach omal nie nadepnęła na jego córkę; gdyby to zrobiła, zabiłaby ją.

Abra była naga. Na jej piersi wypisana była liczba 175.

7

Stone'owie obudzili się jednocześnie, oboje w pierwszej chwili przekonani, że słyszane przez nich krzyki to tylko echo śnionych snów. Ale nie, te krzyki rozlegały się w ich pokoju. Abby leżała w łóżeczku pod mobilem ze Shrekiem i z szeroko otwartymi oczami, czerwonymi policzkami, zaciśniętymi piąstkami darła się wniebogłosy.

Zmiana pieluchy jej nie uciszyła, podanie piersi też nie, podobnie jak kilometry przewędrowane z nią po korytarzu i co najmniej tysiąc zwrotek *The Wheels on the Bus*. Wreszcie – teraz już poważnie przerażona, pierwszy raz była matką i nie wiedziała, co jeszcze można zrobić – Lucy zadzwoniła do Concetty. Choć była druga w nocy, Momo odebrała po drugim sygnale. Miała osiemdziesiąt pięć lat i jej sen był wiotki jak jej skóra. Uważniej słuchała płaczu prawnuczki niż nieskładnie wyrecytowanej przez Lucy litanii zwykłych środków zaradczych, które wypróbowali, i wreszcie zadała rzeczowe pytania.

– Ma gorączkę? Ciągnie się za ucho? Fika nogami, jakby musiała zrobić *merda*?

– Nie. Nic z tych rzeczy. Trochę się zgrzała od płaczu, ale nie sądzę, żeby miała gorączkę. Momo, co mam zrobić?

Chetta, teraz już siedząca za biurkiem, nie wahała się ani chwili.

– Daj jej jeszcze piętnaście minut. Jeśli do tego czasu się nie uciszy i nie zacznie jeść, zabierzcie ją do szpitala.

– Co? Do Brigham and Women's? – Lucy była tak zagubiona i przejęta, że tylko taka możliwość przyszła jej do głowy. Tam rodziła. – To dwieście kilometrów stąd!

– Nie, nie. Do Bridgton. Zaraz za granicą Maine. Tam macie trochę bliżej niż do szpitala rejonowego.

– Jesteś pewna?

– Właśnie patrzę na monitor komputera, więc jak sądzisz?

Mała się nie uciszyła. Płacz był monotonny, nie do wytrzymania, przerażający. Za piętnaście czwarta przyjechali do szpitala w Bridgton i Abra nadal ryczała na cały regulator. Przejażdżki acurą zwykle działały skuteczniej od środka usypiającego, ale nie tego ranka. Davida naszły myśli o tętniakach mózgu i powiedział sobie, że rozum mu odebrało. Małe dzieci nie dostają wylewów… prawda?

– Davey? – spytała Lucy słabym głosem, kiedy zatrzymali się przy tabliczce z napisem TYLKO DLA PACJENTÓW

POGOTOWIA. – Małe dzieci nie dostają wylewów ani ataków serca... prawda?

– Nie, jestem pewien, że nie.

Ale wtedy uderzyła go nowa myśl. A jeśli mała jakimś cudem połknęła agrafkę, która teraz otworzyła się w jej brzuchu? Nie bądź głupi, powiedział sobie. Używamy pampersów, nigdy nawet nie była w pobliżu agrafki.

W takim razie coś innego. Spinka z włosów Lucy. Zabłąkana pinezka, która wpadła do łóżeczka. Może nawet, nie daj Boże, ułamany plastikowy kawałek Shreka, Osła albo księżniczki Fiony. No dobrze, ale przecież mobil chyba jest z pianki, nie?

Tak był przejęty, że nie mógł sobie tego przypomnieć.

– Davey? O czym myślisz?

– O niczym.

Mobil był bezpieczny. Był tego pewien.

Prawie pewien.

Abra wciąż krzyczała.

8

David liczył, że lekarz dyżurny poda jego córce środek uspokajający, ale to naruszałoby przyjęte zasady postępowania wobec niemowląt, u których nie daje się postawić diagnozy, a z Abrą Rafaellą Stone wszystko wydawało się w porządku. Nie miała gorączki ani wysypki, USG wykluczyło przerostowe zwężenie odźwiernika. Prześwietlenie nie wykazało obcych ciał w gardle i brzuchu ani niedrożności jelit. Mała po prostu nie mogła się zamknąć. Stone'owie byli tego wczesnego wtorkowego poranka jedynymi pacjentami pogotowia i wszystkie trzy pielęgniarki dyżurne po kolei próbowały ją uciszyć. Nic nie skutkowało.

122

– Nie powinniście jej nakarmić? – spytała Lucy lekarza, kiedy do nich wrócił. Do głowy przyszła jej nazwa „mleczan Ringera", zasłyszana w jednym z seriali o lekarzach, które oglądała od czasu, gdy będąc nastolatką, zadurzyła się w George'u Clooneyu. Chociaż równie dobrze mogło się okazać, że mleczan Ringera to balsam do stóp, środek przeciwkrzepliwy albo coś na wrzody żołądka.

– Nie chce piersi ani butelki.

– Jak zgłodnieje, będzie jadła – powiedział lekarz, ale Lucy i Davida niezbyt to uspokoiło. Po pierwsze, wyglądał na młodszego od nich. Po drugie (to było o wiele gorsze), w jego głosie brzmiała niepewność. – Dzwoniliście państwo do waszego pediatry? – Zajrzał w papiery. – Doktora Daltona?

– Zostawiliśmy mu wiadomość – rzekł David. – Pewnie skontaktuje się z nami dopiero rano, a wtedy już będzie po wszystkim.

W taki czy inny sposób, pomyślał, a jego umysł – nad którym nie panował wskutek niedostatku snu i nadmiaru niepokoju – podsunął mu obraz równie wyraźny, co przerażający: żałobnicy stojący wokół małego grobu. I jeszcze mniejszej trumny.

9

O wpół do ósmej Chetta Reynolds wpadła do pokoju badań, w którym umieszczono Stone'ów i ich nieustannie wrzeszczącą córkę. Poetka, która, jak niosła wieść gminna, była na krótkiej liście kandydatów do Prezydenckiego Medalu Wolności, miała na sobie dżinsy z prostymi nogawkami i bluzę Boston University z dziurą na łokciu. Ten strój pozwalał zobaczyć, jak bardzo schudła przez ostatnie trzy–cztery lata. „To nie od raka, jeśli tak sobie myślisz – mawiała, ilekroć ktoś wspominał o jej godnej modelki szczupłej figurze, którą zwykle maskowała obszernymi spódnicami albo kaftanami. – Po prostu trenuję przed ostatnim okrążeniem toru".

Włosy Chetty, zazwyczaj zaplecione w warkocze bądź upięte w wymyślnych falach eksponujących jej kolekcję stylowych spinek, sterczały wokół głowy rozczochraną jak u Einsteina chmurą. Nie była umalowana i Lucy, mimo dręczącego ją niepokoju, zszokowało to, jak staro jej babcia wygląda. Cóż, oczywiście, była stara, osiemdziesiąt pięć lat to sędziwy wiek, ale do tego ranka wyglądała w najgorszym razie jak kobieta pod siedemdziesiątkę.

– Przyjechałabym godzinę temu, gdybym znalazła kogoś, kto przypilnowałby Betty. – Betty była jej starą, schorowaną bokserką. – Bets umiera – odpowiedziała Chetta na pełne wyrzutu spojrzenie Davida. – A na podstawie tego, co mi powiedzieliście przez telefon, nie niepokoiłam się zbytnio o Abrę.

– A teraz się niepokoisz? – spytał David.

Lucy posłała mu ostrzegawcze spojrzenie, ale Chetta ze spokojem przyjęła ukrytą w jego słowach przyganę.

– Tak. – Wyciągnęła ręce. – Daj mi ją, Lucy. Zobaczymy, czy się uciszy, jak Momo ją poprosi.

Abra jednak się nie uciszyła bez względu na to, jak była kołysana. Nie poskutkowała też cicha i zaskakująco melodyjna kołysanka (David jej nie znał, choć równie dobrze mogło to być *The Wheels on the Bus* po włosku). Wszyscy po kolei znów chodzili z nią na rękach w tę i we w tę, najpierw po małym pokoju badań, potem po korytarzu i znów po pokoju badań. Krzyk nie ustawał. W którymś momencie na zewnątrz zrobiło się zamieszanie – pewnie przywieźli kogoś z rzeczywistymi, widocznymi obrażeniami, domyślił się David – ale osoby zebrane w pokoju badań numer 4 nie przywiązały do tego większej wagi.

Za pięć dziewiąta drzwi otworzyły się i wszedł pediatra Stone'ów. Doktor John Dalton był człowiekiem znanym Danowi Torrance'owi, choć nie z nazwiska. Dla Dana był po prostu doktorem Johnem, który robił kawę na czwartkowych spotkaniach AA w North Conway.

– Dzięki Bogu! – powiedziała Lucy i wcisnęła wyjące dziecko w ramiona pediatry. – Zostawili nas samych i siedzimy tu już nie wiem ile godzin!

– Byłem w drodze, kiedy dostałem wiadomość. – Dalton dźwignął Abrę na ramię. – Mam wizyty najpierw tu, potem w Castle Rock. Chyba słyszeliście, co się stało?

– O czym mieliśmy słyszeć? – spytał David. Dopiero teraz, kiedy drzwi były otwarte, zorientował się, że na zewnątrz panuje gwar. Ludzie rozmawiali podniesionymi głosami. Niektórzy płakali. Przechodząca korytarzem pielęgniarka, ta sama, która przyjęła ich do szpitala, miała czerwone plamy na twarzy i mokre policzki. Nawet nie zerknęła na ryczące niemowlę.

– Samolot pasażerski uderzył w World Trade Center – powiedział Dalton. – I nikt nie sądzi, że to był wypadek.

To był lot American Airlines numer 11. Lot numer 175 uderzył w południową wieżę World Trade Center szesnaście minut później, o 9.02. O 9.03 Abra Stone nagle przestała płakać. O 9.04 już twardo spała.

W drodze powrotnej do Anniston David i Lucy słuchali radia, a Abra spała spokojnie w foteliku za nimi. Wiadomości były nie do zniesienia, ale wyłączenie ich – nie do pomyślenia… przynajmniej do chwili, kiedy spiker podał nazwy linii lotniczych i numery samolotów: dwóch w Nowym Jorku, jednego w Waszyngtonie, jednego w kraterze na polu w Pensylwanii. Wtedy David w końcu uciszył tę nawałnicę grozy.

– Lucy, muszę ci coś powiedzieć. Śniło mi się...

– Wiem. – Mówiła matowym tonem kogoś, kto właśnie przeżył szok. – Mnie też.

Kiedy przekroczyli granicę New Hampshire, David zaczął myśleć, że może w tej historii z czepkiem jednak jest coś na rzeczy.

10

W mieście w New Jersey na zachodnim brzegu rzeki Hudson znajduje się park nazwany ku czci najsłynniejszego mieszkańca tego miasta. W pogodne dni roztacza się stamtąd wspaniały widok na Dolny Manhattan. Prawdziwy Węzeł przybył do Hoboken ósmego września; rozłożyli się na wynajętym na dziesięć dni prywatnym parkingu. Umowę zawarł Papa Kruk. Przystojny i towarzyski, o wyglądzie czterdziestolatka, Papa lubił nosić T-shirt z napisem JESTEM DO LUDZI! Oczywiście nie wtedy, kiedy prowadził negocjacje w imieniu Prawdziwego Węzła; na takie okazje wkładał garnitur i krawat. Tego oczekiwały ćwoki. Jego oficjalne nazwisko brzmiało Henry Rothman. Skończył prawo na Stanford (w 1938 roku) i zawsze nosił przy sobie gotówkę. Prawdziwi trzymali ponad miliard dolarów na rozmaitych kontach na całym świecie – część w złocie, część w diamentach, część w cennych książkach, znaczkach i obrazach – ale nigdy nie płacili czekiem ani kartą kredytową. Wszyscy, nawet Groszek i Strączek, którzy wyglądali jak dzieci, zawsze mieli przy sobie pliki dziesiątek i dwudziestek.

Jak kiedyś powiedział Jimmy Liczykrupa: „Działamy na zasadzie »z ręki do ręki«. My płacimy, ćwoki dają". Jimmy był księgowym Prawdziwych. Jeszcze jako ćwok walczył w oddziale, który później (długo po tym, jak ich boje dobiegły końca) nazwano Najeźdźcami Quantrilla. W tamtych czasach był zabijaką, który nosił futro z bizona i karabin Sharpsa, ale z upływem lat się uspokoił. Teraz w swoim samochodzie turystycznym miał oprawione zdjęcie Ronalda Reagana z autografem.

Rankiem jedenastego września Prawdziwi oglądali atak na Bliźniacze Wieże z parkingu, przekazując sobie z rąk do rąk cztery lornetki. Z Sinatra Park mieliby lepszy widok, ale Rose nie musiała im mówić, że zbierając się tam za wcześnie, mogliby wzbudzić podejrzenia... a w nadchodzących miesiącach i latach Ameryka miała stać się bardzo podejrzliwym krajem: Jeśli coś widzisz, powiedz coś.

Koło dziesiątej tego ranka – kiedy nad rzeką zgromadziły się tłumy i było bezpiecznie – przenieśli się do parku. Bliźniaki Little, Groszek i Strączek, wieźli Dziadzia Flicka na wózku inwalidzkim. Dziadzio miał na głowie swoją czapkę obwieszczającą JESTEM WETERANEM. Długie, delikatne jak u dziecka białe włosy unosiły się wokół jej krawędzi jak puch trojeści. Kiedyś Dziadzio Flick podawał się za weterana wojny hiszpańsko-amerykańskiej. Potem pierwszej wojny światowej. Ostatnio drugiej. Przewidywał, że za jakieś dwadzieścia lat przerzuci się na Wietnam. Z wiarygodnością Dziadzio nigdy nie miał kłopotów; był pasjonatem historii wojskowości.

Sinatra Park był pełen ludzi. Większość milczała, niektórzy szlochali. Przyczyniły się do tego Annie Fartuch i Czarnooka Sue; obie potrafiły płakać na zawołanie. Pozostali Prawdziwi przybrali na twarze stosownie smutne, poważne i zdumione miny.

Krótko mówiąc, Prawdziwy Węzeł doskonale dostosował się do otoczenia. Jak zawsze.

Gapie przychodzili i odchodzili, ale Prawdziwi zostali w parku przez prawie cały dzień, który był bezchmurny i piękny (pomijając gęste, brudne kłęby wznoszące się nad Dolnym Manhattanem, rzecz jasna). Stali przy żelaznej barierce i nie rozmawiali ze sobą, tylko patrzyli. I oddychali powoli i głęboko, jak turyści ze Środkowego Zachodu, którzy po raz pierwszy stają na Pemaquid Point albo Quoddy Head w Maine i nabierają do płuc świeżego morskiego powietrza. Na znak szacunku Rose zdjęła cylinder i trzymała go u boku.

O czwartej, pełni energii, wrócili całą grupą do swojego obozowiska na parkingu. Przyjdą znów do parku nazajutrz, za dwa dni, za trzy dni. Będą tam przychodzić dotąd, aż dobra para się wyczerpie, a wtedy ruszą w dalszą drogę.

Do tego czasu białe włosy Dziadzia Flicka staną się szpakowate, a wózek inwalidzki przestanie mu być potrzebny.

Rozdział III

Łyżki

1

Z Frazier do North Conway było trzydzieści kilometrów, ale Dan Torrance pokonywał ten dystans w każdy czwartkowy wieczór, po części dlatego, że mógł. Pracował w hospicjum imienia Helen Rivington, przyzwoicie zarabiał i odzyskał prawo jazdy. Samochód, który w związku z tym kupił, nie rzucał na kolana, ot, trzyletni caprice z czarnymi oponami i nawalającym radiem, ale silnik był sprawny i ile razy go odpalał, Dan czuł się jak największy farciarz w New Hampshire. Myślał sobie, że jeśli do końca życia nie będzie musiał wsiąść do autobusu, umrze szczęśliwy. Był styczeń 2004 roku. Pomijając kilka oderwanych myśli i obrazów – i pracę po godzinach, którą czasem wykonywał w hospicjum, oczywiście – jasność przycichła. Tę pracę wykonywałby tak czy tak, ale odkąd trafił do AA, postrzegał ją też jako rodzaj zadośćuczynienia, które dla trzeźwiejących alkoholików jest prawie równie ważne jak powstrzymanie się przed sięgnięciem po pierwszego drinka. Jeśli wytrzyma jeszcze trzy miesiące bez gorzały, będzie świętować trzy lata trzeźwości.

Fakt, że znowu mógł siedzieć za kółkiem, zajmował czołową pozycję w codziennych medytacjach dziękczynnych, których praktykowanie nakazał mu Casey K. (bo, jak stwierdził – z całą ponurą pewnością weterana Programu – wdzięczny alkoholik się nie upija), ale Dan odbywał te czwartkowe podróże głównie dlatego, że zgromadzenia poświęcone czytaniu Wielkiej Księgi działały na niego kojąco. Były wręcz kameralne. Na niektóre otwarte spotkania schodziło się za dużo ludzi jak na jego gust, a w czwartkowe wieczory w North Conway takiego zagrożenia nie było. Stare powiedzenie AA głosi: „Jeśli chcesz coś schować przed alkoholikiem, włóż to do Wielkiej Księgi", i frekwencja na tych wieczornych nasiadówkach w North Conway zdawała się potwierdzać, że coś w tym jest. Nawet w okresie między Dniem Niepodległości a przypadającym w pierwszy poniedziałek września Świętem Pracy – w szczycie sezonu turystycznego – rzadko się zdarzało, by w chwili, gdy uderzenie młotka oznajmiało rozpoczęcie spotkania, w sali Organizacji Weteranów zebrało się więcej niż tuzin osób. Dzięki temu Dan słyszał tam historie, których zapewne nigdy nie wypowiedziano by na głos w obecności pięćdziesięciu czy nawet siedemdziesięciu wychodzących z nałogu pijaków i ćpunów. Na tych liczniej uczęszczanych spotkaniach ludzie mieli tendencję do chowania się za banałami (których były setki) i unikania mówienia o sprawach osobistych. Słyszało się więc „Spokój procentuje" i „Możesz zrobić za mnie rachunek sumienia, jeśli jesteś skłonny zadośćuczynić za moje winy", ale nigdy „Zerżnąłem żonę brata, jak się pewnego wieczoru razem upiliśmy".

Na czwartkowych spotkaniach pod hasłem Studia nad Trzeźwością mała grupka czytała wielki niebieski podręcznik Billa Wilsona od deski do deski. Za każdym razem podejmowali lekturę w miejscu, w którym przerwali ją poprzednio. Kiedy dochodzili do końca książki, wracali do *Opinii lekarza* i zaczynali od nowa.

Na większości spotkań przerabiali około dziesięciu stron. Zajmowało to mniej więcej pół godziny. Przez pozostałe pół godziny grupa miała rozmawiać o właśnie odczytanym fragmencie. Czasem nawet tak było. Częściej jednak dyskusja schodziła na inne tematy, jak niesforny wskaźnik smyrgający po planszy Ouija pod palcami znerwicowanych nastolatków.

Dan pamiętał jedno takie czwartkowe spotkanie w mniej więcej ósmym miesiącu jego trzeźwości. Omawiali wtedy rozdział *Do żon*, pełen staroświeckich stereotypów, które prawie zawsze wywoływały gwałtowne reakcje młodszych kobiet uczestniczących w Programie. Chciały wiedzieć (i słusznie, zdaniem Dana), dlaczego przez sześćdziesiąt pięć czy ile tam lat upłynęło od pierwszego wydania Wielkiej Księgi nikt nie dodał rozdziału zatytułowanego *Do mężów*.

Kiedy Gemma T. – trzydziestoparolatka, której regulator stanu emocjonalnego zdawał się mieć tylko dwa ustawienia: „zła" i „głęboko wkurzona" – podniosła rękę tego konkretnego wieczoru, Dan spodziewał się feministycznej tyrady. Zamiast tego powiedziała ciszej niż zwykle:

– Muszę coś wyznać. Duszę to w sobie, odkąd miałam siedemnaście lat, i dopóki tego z siebie nie zrzucę, nie dam rady zerwać z koką i winem na dobre.

Grupka czekała.

– Potrąciłam człowieka, kiedy wracałam pijana z imprezy – powiedziała Gemma. – W Somerville. Zostawiłam go leżącego na poboczu. Nie wiem, czy przeżył. Do dziś tego nie wiem. Czekałam, kiedy przyjdą po mnie gliny, ale nie przyszli. Upiekło mi się.

Zaśmiała się jak z wyjątkowo dobrego żartu, po czym położyła głowę na stole i głęboki szloch wstrząsnął jej chudym jak szczapa ciałem. Wówczas Dan po raz pierwszy przekonał się, jak przerażająca może być „uczciwość we wszystkich naszych poczynaniach", kiedy stosuje się ją w praktyce. Pomyślał wtedy, jak to mu się wciąż co jakiś czas zdarzało, o banknotach wyciągniętych z portfela Deenie, o rączce chłopca sięgającej po kokainę na stoliku. W pewnym stopniu podziwiał Gemmę, ale sam nie mógł się zdobyć na tak wielką, tak bolesną szczerość. Gdyby musiał dokonać wyboru, czy opowiedzieć tę historię, czy się napić…

Napiłby się. Bez dwóch zdań.

2

Tego wieczora czytali *Rynsztokową brawurę*, jedną z opowieści zawartych w części Wielkiej Księgi noszącej radosny tytuł *Stracili prawie wszystko*. Schemat tej historii był Danowi dobrze znany: porządna rodzina, kościół co niedziela, pierwszy drink, pierwsza popijawa, dobrze prosperujący biznes zniszczony gorzałą, piętrzące się kłamstwa, pierwsze aresztowanie, złamane obietnice poprawy, pobyt w zakładzie i wreszcie happy end. Wszystkie historie z Wielkiej Księgi dobrze się kończyły. To było częścią jej uroku.

Na zewnątrz było zimno, za to w środku aż za ciepło i Dan zapadał w drzemkę, kiedy doktor John podniósł rękę i powiedział:

– Okłamuję żonę w jednej sprawie i nie wiem, jak przestać.

To Dana obudziło. Bardzo lubił DJ-a.

Okazało się, że żona podarowała Johnowi na Gwiazdkę dość drogi zegarek i kiedy przed paroma dniami spytała, czemu go nie nosi, powiedział jej, że zostawił go w gabinecie.

– Tyle że tego zegarka tam nie ma. Szukałem wszędzie i nic. Dużo jeżdżę po szpitalach i kiedy muszę się przebrać w strój szpitalny, korzystam z szafek w pokoju lekarzy. Są wyposażone w zamki szyfrowe, ale zwykle ich nie zamykam, bo nie noszę przy sobie dużo gotówki i nie mam nic, co warto by ukraść. Poza tym zegarkiem, jak sądzę. Nie przypominam sobie, żebym go zdjął i zostawił w szafce... na pewno nie w szpitalu rejonowym ani w Bridgton... ale innego wyjaśnienia nie widzę. Nie chodzi tylko o koszt. To po prostu budzi wspomnienia starych czasów, kiedy co wieczór zalewałem się w pestkę, a rano brałem spida na rozruch.

Reakcją były skinienia głów, a potem podobne opowieści o kłamstwach powodowanych wyrzutami sumienia. Nikt nie udzielał rad; uważane za, jak to określali, „zakłócenia", nie były mile widziane. Po prostu opowiadali swoje historie. John słuchał ze spuszczoną głową i dłońmi splecionymi między kolanami. Kiedy puszczono w obieg koszyk („Jesteśmy samowystarczalni poprzez własne dobrowolne datki"), podziękował wszystkim za udział w dyskusji. Dan poznał po jego minie, że pożytek z rzeczonej dyskusji był mizerny.

Po zmówieniu Modlitwy Pańskiej Dan odłożył niezjedzone herbatniki na miejsce i schował sfatygowane Wielkie Księgi do szafki oznakowanej DO UŻYTKU AA. Kilka osób stało wokół popielniczki na zewnątrz – to było tak zwane spotkanie po spotkaniu; on i John mieli całą kuchnię dla siebie. Dan nie zabierał głosu w czasie dyskusji; był zbyt zajęty debatą, którą toczył w duchu sam ze sobą.

Jasność przycichła, ale to nie znaczy, że zniknęła. Przeciwnie; ze swojej pracy po godzinach wiedział, że ostatnio jest najsilniejsza od lat jego dzieciństwa, tyle że teraz jakby lepiej nad nią panował. Przez to stała się dużo mniej przerażająca i dużo bardziej użyteczna. Jego współpracownicy z hospicjum wiedzieli, że Dan ma w sobie coś niezwykłego, jakiś dar, lecz większość nazywała to empatią i na tym poprzestawali. Ostatnim, czego chciał, kiedy życie wreszcie zaczęło mu się układać, było zdobycie reputacji zabawiającego towarzystwo jasnowidza. Lepiej zachować te dziwne jazdy dla siebie.

No ale doktor John był porządnym chłopem. I cierpiał.

DJ postawił termos do góry dnem na suszarce, wytarł ręce papierowym ręcznikiem zawieszonym na uchwycie piekarnika, po czym odwrócił się do Dana z uśmiechem tak autentycznym jak śmietanka Coffee Mate, którą Dan schował razem z herbatnikami i cukierniczką.

– No to idę. Do zobaczenia za tydzień, jak sądzę.

Koniec końców decyzja podjęła się sama; Dan po prostu nie mógł pozwolić, żeby porządny chłop wyszedł stąd z taką miną. Rozłożył ramiona.

– Chodź tu.

Legendarny niedźwiedź AA. Dan widział go wiele razy, ale sam jeszcze nigdy go z nikim nie zrobił. John przez chwilę patrzył na niego z powątpiewaniem, po czym postąpił o krok naprzód. Dan przyciągnął go do siebie, myśląc: Pewnie nic nie zobaczę.

A jednak zobaczył. Obraz pojawił się tak szybko, jak dawno temu, w latach jego dzieciństwa, kiedy mały Danny czasem pomagał mamie i tacie znaleźć zgubione rzeczy.

– Posłuchaj mnie – powiedział, puszczając Johna. – Martwiłeś się o dzieciaka z goocherem.

John cofnął się.

– O czym ty mówisz?

– Wiem, przekręcam nazwę. Goocher? Glutcher? Coś z kośćmi.

Johnowi opadła szczęka.

– Mówisz o Normanie Lloydzie?

– Ty mi powiedz.

– Normie ma chorobę Gauchera. To zaburzenie lipidowe. Dziedziczne i bardzo rzadkie. Powoduje przerost śledziony, zaburzenia neurologiczne i zazwyczaj wczesną, nieprzyjemną śmierć. Biedny malec praktycznie ma szkielet ze szkła i zapewne nie dożyje dziesiątych urodzin. Ale skąd o tym wiesz? Od jego rodziców? Lloydowie mieszkają kawał drogi stąd, w Nashua.

– Martwiłeś się przed rozmową z nim… nieuleczalne choroby doprowadzają cię do obłędu. Dlatego poszedłeś do łazienki z Tygrysem umyć ręce, chociaż były czyste. Zdjąłeś zegarek i położyłeś go na półce, na której trzymają taki ciemnoczerwony syf do odkażania w plastikowych wyciskanych butelkach. Nie wiem, jak się nazywa.

John D. patrzył na niego jak na wariata.

– W którym szpitalu leży ten dzieciak? – spytał Dan.

– W Elliocie. Czasowo to by się mniej więcej zgadzało i rzeczywiście wpadłem do łazienki przy dyżurce pielęgniarek na pediatrii, żeby obmyć ręce. – DJ zamilkł i zmarszczył brwi. – I owszem, na jej ścianach są postaci z Milne'a. Ale pamiętałbym, gdybym zdjął zega… – Urwał.

– Teraz pamiętasz. – Dan się uśmiechnął. – Prawda?

– Byłem w biurze rzeczy znalezionych w Elliocie. W Bridgton i szpitalu rejonowym też, swoją drogą. I nic.

– No dobra, czyli może ktoś przyszedł do łazienki, zobaczył zegarek i go ukradł. Jeśli tak, masz zasranego pecha… ale przynajmniej możesz powiedzieć żonie, co się stało. I dlaczego to się stało. Myślałeś o tym dzieciaku, ba, martwiłeś się o tego dzieciaka i zapomniałeś założyć zegarek z powrotem, zanim wyszedłeś z kibla. Po prostu. I kto wie, może dalej tam leży. To wysoka półka i praktycznie nikt z tych plastikowych butelek nie korzysta, bo obok umywalki jest dozownik mydła.

– Na tej półce trzymają betadine – powiedział John. – Wysoko, żeby dzieci nie mogły dosięgnąć. Ale... byłeś kiedyś w szpitalu Elliota?

To było pytanie, na które Dan nie chciał odpowiedzieć.

– Zajrzyj na tę półkę. Może dopisze ci szczęście.

3

W następny czwartek Dan przyszedł na Studia nad Trzeźwością wcześniej niż zwykle. Jeśli doktor John postanowił zniszczyć swoje małżeństwo i być może karierę z powodu zgubionego zegarka za siedemset dolarów (alkoholicy rutynowo niszczą małżeństwa i kariery z dużo bardziej błahych przyczyn), ktoś musiał zrobić kawę. Ale DJ był na spotkaniu. I miał zegarek.

Tym razem to on porwał Dana w objęcia. Wyjątkowo serdecznie. Dan już zaczynał się bać, że DJ nie puści go bez wycałowania w oba policzki.

– Był dokładnie tam, gdzie mówiłeś. Dziesięć dni i nikt go nie zabrał. To cud.

– E tam – powiedział Dan. – Ludzie rzadko patrzą na to, co jest ponad linią wzroku. To udowodniony fakt.

– Skąd wiedziałeś?

Dan pokręcił głową.

– Nie umiem tego wyjaśnić. Po prostu tak mam.

– Jak mogę ci się odwdzięczyć?

Na to pytanie Dan czekał.

– Stosując dwunastą tradycję, baranku.

136

John D. uniósł brwi.

– Anonimowość – uściślił Dan. – Krótko mówiąc, trzymaj gębę na kłódkę.

Twarz Johna rozjaśniło zrozumienie. Uśmiechnął się szeroko.

– Da się zrobić.

– I dobrze. A teraz zaparz kawę. Ja przygotuję książki.

4

W większości grup AA w Nowej Anglii rocznice nazywa się urodzinami i stosownie obchodzi: jest ciasto i impreza po spotkaniu. Niedługo przed tym, jak Dan miał w ten sposób uczcić swój trzeci rok trzeźwości, Dave Stone i prababcia Abry przyszli do Johna Daltona – znanego w pewnych kręgach jako doktor John albo DJ – żeby zaprosić go na inne trzecie urodziny. Te Stone'owie wyprawiali Abrze.

– To bardzo miło z waszej strony – powiedział John – i chętnie wpadnę, jeśli tylko będę mógł. Tylko dlaczego mam wrażenie, że coś się za tym kryje?

– Bo tak jest – stwierdziła Chetta. – I obecny tu ze mną Pan Uparciuch uznał, że wreszcie przyszedł czas, by o tym porozmawiać.

– Coś się dzieje z Abrą? Jeśli tak, mówcie, w czym problem. Sądząc z ostatniego badania, jest zdrowa. Przerażająco bystra. Doskonale nawiązuje kontakty z ludźmi. Jest niezwykle komunikatywna. Świetnie czyta. Kiedy ostatnio tu była, przeczytała mi *Alligators All Around*. Pewnie z pamięci, ale to i tak nadzwyczajne w przypadku trzylatki. Lucy wie, że tu jesteście?

– To Lucy i Chetta mnie do tego nakłoniły – rzekł David. – Lucy została w domu z Abrą, robi babeczki na przyjęcie. Kiedy wychodziłem, kuchnia wyglądała jak po przejściu tornada.

– Wobec tego o czym my tu mówimy? Że mam przyjść na jej urodziny w charakterze obserwatora?

– Otóż to – przytaknęła Concetta. – Nie możemy zagwarantować, że coś się wydarzy, ale jest to bardziej prawdopodobne, kiedy jest podekscytowana, a swoim przyjęciem urodzinowym ekscytuje się strasznie. Przyjdą wszyscy jej mali koledzy i koleżanki ze żłobka, ma też być klaun, który pokazuje magiczne sztuczki.

John otworzył szufladę biurka i wyjął żółty notes.

– Czym jest to „coś", czego się spodziewacie?

David się zawahał.

– Hm... trudno powiedzieć.

Chetta odwróciła się do niego.

– Śmiało, *caro*. Za późno, żeby się wycofać. – Jej ton był lekki, prawie wesoły, ale John Dalton miał wrażenie, że wyglądała na zaniepokojoną. Podobnie jak Dave. – Zacznij od tej nocy, kiedy nie mogła przestać płakać.

5

David Stone od dziesięciu lat prowadził na uczelni zajęcia z historii Ameryki oraz dwudziestowiecznej historii Europy i potrafił tak skonstruować wywód, by jego wewnętrzna logika była w miarę oczywista. Ten zaczął od spostrzeżenia, że maraton płaczu ich córeczki ustał prawie od razu po tym, jak drugi samolot uderzył w World Trade Center. Potem wrócił do snów, w których jego żona widziała na piersi Abry numer lotu American Airlines, a on numer lotu United Airlines.

– Lucy śniło się, że znalazła Abrę w ubikacji samolotu. Mnie – że znalazłem ją w płonącym centrum handlowym. Interpretuj to sobie, jak chcesz. Albo nie. Jak dla mnie, te numery lotów mówią same za siebie. Ale co mówią, tego nie wiem. – Zaśmiał się niewesoło, uniósł dłonie, opuścił je z powrotem. – Może boję się wiedzieć.

John Dalton doskonale pamiętał poranek jedenastego września i niemilknący płacz Abry.

– Zobaczmy, czy dobrze zrozumiałem. Uważasz, że twoja córka, wtedy zaledwie pięciomiesięczna, przewidziała te ataki i telepatycznie was o nich uprzedziła.

– Tak – powiedziała Chetta. – Zwięźle i na temat. Brawo.

– Wiem, jak to brzmi – zapewnił David. – Dlatego ja i Lucy trzymaliśmy to przed wszystkimi w tajemnicy. Wie tylko Chetta. Lucy powiedziała jej jeszcze tego samego wieczoru. Lucy mówi swojej Momo wszystko. – Westchnął. Concetta posłała mu chłodne spojrzenie.

– Tobie nic takiego się nie przyśniło? – spytał ją John.

Pokręciła głową.

– Byłam w Bostonie. Poza jej… sama nie wiem… zasięgiem nadawania?

– Od jedenastego września minęły prawie trzy lata – rzekł DJ. – Domyślam się, że w tym czasie coś jeszcze się wydarzyło.

Owszem, wiele się wydarzyło i Dave teraz, kiedy zdobył się na to, by opowiedzieć komuś o tej pierwszej (i najbardziej niewiarygodnej) przepowiedni, stwierdził, że łatwiej mu mówić o całej reszcie.

– Fortepian. On był następny. Wiesz, że Lucy gra?

John pokręcił głową.

– To teraz już wiesz. Od podstawówki. Nie jest wirtuozem ani nic takiego, ale nie najgorzej jej to wychodzi. Mamy vogela, którego dostała w prezencie ślubnym od moich rodziców. Stoi w salonie, gdzie kiedyś rozstawialiśmy też kojec Abry. Cóż, wśród prezentów, które dałem Lucy na Gwiazdkę w 2001 roku, były nuty piosenek Beatlesów zaaranżowanych na fortepian. Abra zwykle leżała w swoim kojcu, wygłupiała się z zabawkami i słuchała. Po tym, jak się uśmiechała i wierzgała nogami, można było poznać, że muzyka jej się podoba.

John tego nie zakwestionował. Większość małych dzieci uwielbia muzykę i mają swoje sposoby na to, by jasno dać to do zrozumienia.

– W książce były wszystkie hity, *Hey Jude*, *Lady Madonna*, *Let It Be*… Abrze najbardziej spodobała się jedna z mniej znanych piosenek, strona B singla, zatytułowana *Not a Second Time*. Znasz ją?

– Nie kojarzę – przyznał John. – Może gdybym ją usłyszał…

– Ma żywe tempo, lecz w odróżnieniu od większości szybkich kawałków Beatlesów oparta jest na riffie fortepianowym, nie zwykłym gitarowym brzmieniu. Nie jest to boogie-woogie, ale coś w tym stylu. Abra uwielbiała ją. Nie tylko wierzgała nogami, kiedy Lucy grała ten numer. Robiła nimi rowerek. – Dave uśmiechnął się na wspomnienie Abry leżącej na plecach w jasnofioletowym pajacyku; jeszcze nie chodziła, a już tańczyła w kojcu jak królowa disco. – Instrumentalna wstawka to prawie sam fortepian i jest prosta jak drut. Lewa dłoń wybija pojedyncze nuty. Jest ich tylko dwadzieścia dziewięć; policzyłem. Dziecko mogłoby to zagrać. I nasze dziecko to zagrało.

John uniósł brwi prawie do linii włosów.

– Zaczęło się wiosną 2002 roku. Lucy i ja czytaliśmy w łóżku. W telewizji leciała prognoza pogody, a zwykle dają ją mniej więcej w połowie wiadomości o jedenastej. Abra była w swoim pokoju... smacznie spała, jak sądziliśmy. Lucy poprosiła, żebym wyłączył telewizor, bo chciała pójść spać. Kliknąłem pilotem i wtedy to usłyszeliśmy. Instrumentalną wstawkę z *Not a Second Time*. Te dwadzieścia dziewięć nut. Odegrane perfekcyjnie. Bez żadnej pomyłki. Melodia dochodziła z parteru.

Mało się nie posraliśmy ze strachu. Pomyśleliśmy, że w domu jest intruz, no ale jaki włamywacz gra Beatlesów, zanim ukradnie srebra? Nie mam broni, kije golfowe trzymam w garażu, więc złapałem najgrubszą książkę, jaka była pod ręką, i poszedłem na dół rozprawić się z tym, kto się tam kręcił. Głupota, wiem. Kazałem Lucy wziąć telefon i dzwonić na 911, jeśli zacznę krzyczeć. Na dole nie było nikogo, wszystkie drzwi były pozamykane. Poza tym klapa fortepianu była opuszczona.

Wróciłem na górę i powiedziałem Lucy, że nie znalazłem nikogo ani niczego. Poszliśmy sprawdzić, co z dzieckiem. Nie rozmawialiśmy o tym, po prostu to zrobiliśmy. Chyba wiedzieliśmy, że to sprawka Abry, lecz żadne z nas nie chciało tego otwarcie przyznać. Nie spała. Leżała w łóżeczku i patrzyła na nas. Wiesz, jakie mądre oczka mają takie małe dzieci?

John wiedział. Jakby mogły zdradzić ci wszystkie tajemnice wszechświata, gdyby tylko potrafiły mówić. Czasami myślał, że może nawet tak jest w istocie, tyle że Bóg przezornie postarał się o to, by w momencie, kiedy już wyjdą poza „gu-gu-ga-ga”, wszystko zapomniały, tak jak w parę godzin po przebudzeniu zapominamy nawet najbardziej wyraziste sny.

– Kiedy nas zobaczyła, uśmiechnęła się, zamknęła oczy i zasnęła. Następnej nocy to się powtórzyło. O tej samej porze.

Te dwadzieścia dziewięć nut z salonu… potem cisza… Poszliśmy do Abry i zastaliśmy ją rozbudzoną. Nie grymasiła, nawet nie ssała monia, tylko na nas patrzyła. I zaraz zasnęła.

– To jest prawda – powiedział John. Właściwie nie było to pytanie; chciał tylko mieć pewność, że dobrze rozumie. – Nie robisz mnie w konia.

– Ani w konia, ani w balona, ani w jajo. – David był całkiem poważny.

John odwrócił się do Chetty.

– Ty też to słyszałaś?

– Nie. Daj Davidowi skończyć.

– Wzięliśmy parę wolnych wieczorów i… wiesz, sam często powtarzasz, że dobry rodzic zawsze musi mieć wszystko zaplanowane, nie?

– Jasne. – To było kazanie, które John Dalton prawił wszystkim świeżo upieczonym rodzicom. Jak sobie poradzicie z nocnym karmieniem? Rozpiszcie grafik, żeby ktoś zawsze był w pogotowiu i nikt się za bardzo nie przemęczał. Jak zorganizujecie kąpiele, karmienie, przebieranie i czas na zabawę, żeby dziecko miało ustalony, a przez to dający poczucie bezpieczeństwa, porządek dnia? Podzielcie się obowiązkami. Sporządźcie plan. Wiecie, co robić, jeśli zdarzy się jakiś wypadek? Na przykład rozwali się łóżeczko albo dziecko się czymś zakrztusi? Jeśli uprzednio sporządzicie plan, będziecie na to przygotowani i w dziewiętnastu na dwadzieścia przypadków wszystko się dobrze skończy.

– Tak więc zrobiliśmy. Następne trzy noce spędziłem na sofie naprzeciwko fortepianu. Trzeciej nocy muzyka zaczęła grać w chwili, kiedy kładłem się spać. Klapa vogela była opuszczona, więc szybko podbiegłem i ją podniosłem. Klawisze się nie poruszały. Co nieszczególnie mnie zaskoczyło, bo zorientowałem się, że muzyka nie dochodziła z fortepianu.

– Słucham?

– Rozbrzmiewała nad nim. W powietrzu. Wtedy Lucy była już u Abry. Przy poprzednich okazjach nic nie powiedzieliśmy, byliśmy zbyt oszołomieni, ale tym razem była gotowa. Kazała Abrze zagrać to jeszcze raz. Nastąpiła krótka przerwa... i mała zrobiła to. Stałem tak blisko, że prawie mogłem te nuty złapać ręką.

Cisza w gabinecie. John Dalton przestał pisać w notesie. Chetta patrzyła na niego z powagą.

– To dzieje się nadal? – spytał wreszcie.

– Nie. Lucy wzięła Abrę na kolana i powiedziała jej, żeby więcej nie grała po nocy, bo nie możemy spać. I to się skończyło. – David zamyślił się na chwilę. – Prawie. Raz, jakieś trzy tygodnie później, znów usłyszeliśmy muzykę, ale była bardzo cicha i tym razem dochodziła z piętra. Z jej pokoju.

– Grała samej sobie – powiedziała Concetta. – Obudziła się... nie mogła od razu zasnąć z powrotem... więc zagrała sobie cichą kołysankę.

6

Pewnego poniedziałkowego popołudnia mniej więcej rok po upadku Bliźniaczych Wież Abra – która wtedy już chodziła i przeplatała swoje nieustające gaworzenie pierwszymi zrozumiałymi słowami – poczłapała do drzwi frontowych i klapnęła przed nimi ze swoją ulubioną lalką na kolanach.

– Co robisz, kochanie? – spytała Lucy. Siedziała przy fortepianie i grała ragtime Scotta Joplina.

– Dada! – oznajmiła Abra.

– Skarbie, dada wróci dopiero na kolację – powiedziała Lucy, ale kwadrans później przed domem zatrzymała się acura i wysiadł Dave z teczką w ręku. W budynku, w którym prowadził zajęcia w poniedziałki, środy i piątki, pękła rura i wszystkich odesłano do domu.

– Lucy powiedziała mi o tym – opowiadała Concetta – a oczywiście wiedziałam już o ataku płaczu jedenastego września i widmowym fortepianie. Pojechałam do nich tydzień–dwa później. Poprosiłam Lucy, żeby nie uprzedzała Abry o mojej wizycie. A Abra mimo to wiedziała. Usadowiła się przed drzwiami dziesięć minut przed moim przyjazdem. Kiedy Lucy spytała, kogo się spodziewa, Abra powiedziała: „Momo".

– Często tak robi – wyjaśnił David. – Nie za każdym razem, kiedy ktoś przyjeżdża, ale jeśli chodzi o kogoś, kogo zna i lubi... prawie zawsze.

Późną wiosną 2003 roku Lucy zastała córkę w sypialni swojej i Dave'a. Abra szarpała drugą szufladę toaletki.

– Niąć! – tłumaczyła mamie. – Niąć, niąć!

– Nie rozumiem cię, słonko – powiedziała Lucy – ale jak chcesz, możesz zajrzeć do środka. Nie ma tam nic oprócz starej bielizny i resztek kosmetyków.

Jak się jednak okazało, Abry nie interesowało wnętrze szuflady, kiedy Lucy ją wysunęła.

– Styłu! Niąć! – Potem, biorąc głęboki wdech: – Niąć styłu, mamo!

Rodzice nigdy nie opanowują biegle języka dziecięcego – za mało jest na to czasu – ale większość go w pewnym stopniu poznaje i Lucy w końcu zrozumiała, że to, co interesuje jej córkę, jest nie w szufladzie, lecz gdzieś za nią.

Zaintrygowana, wysunęła szufladę do końca. Abra natychmiast dała nura pod toaletkę. Lucy, przekonana, że jest tam kurz, a może i robaki lub myszy, próbowała złapać małą za koszulkę, ale chybiła. Kiedy w końcu odsunęła toaletkę od ściany i wcisnęła się w powstałą szparę, Abra trzymała w ręku banknot dwudziestodolarowy, który wpadł w szczelinę między blatem toaletki a spodem lustra.

– Ziobać! – powiedziała radośnie. – Niąć! Mój niąć!

– Nie – odparła Lucy, wyjmując banknot z małej piąstki – dzieci nie dostają niąciów, bo ich nie potrzebują. Ale właśnie zapracowałaś sobie na loda.

– Jody! – krzyknęła Abra. – Moje jody!

– Teraz powiedz doktorowi Johnowi o pani Judkins – rzekł David. – Przy tym byłaś.

– Rzeczywiście – przytaknęła Concetta. – To był niesamowity weekend.

Latem 2003 roku Abra zaczęła mówić – mniej więcej – pełnymi zdaniami. Concetta przyjechała do Stone'ów na długi weekend z okazji Dnia Niepodległości. W niedzielę, która wypadała szóstego lipca, Dave wybrał się do 7-Eleven po butlę propanu, bo chcieli zrobić grilla na podwórku. Abra bawiła się klockami w salonie. Lucy i Chetta były w kuchni i na zmianę zaglądały do małej, żeby sprawdzić, czy nie postanowiła pogryźć wtyczki wyciągniętej z telewizora albo wspiąć się na szczyt Kanapowej Góry. Abry jednak takie rzeczy nie interesowały; była zaprzątnięta ustawianiem konstrukcji, która wyglądała jak Stonehenge z plastikowych klocków.

Lucy i Chetta wyjmowały naczynia ze zmywarki, kiedy Abra zaczęła krzyczeć.

– Zupełnie jakby umierała – powiedziała Chetta. – Wiesz, jakie to przerażające, prawda?

Doktor John skinął głową. Wiedział.

– W moim wieku niełatwo biegać, ale tego dnia wyrwałam sprintem jak Wilma Rudolph. Wpadłam do salonu pół długości przed Lucy. Byłam przekonana, że dziecku coś się stało, i przez chwilę naprawdę widziałam krew. Ale nic jej nie było. Przynajmniej fizycznie. Podbiegła do mnie i objęła moje nogi. Wzięłam ją na ręce. Wtedy już była ze mną Lucy i razem trochę ją uspokoiłyśmy. „Wannie! – powiedziała. – Pomóż Wannie, Momo! Wannie się wywróciła!". Nie wiedziałam, kto to Wannie, ale Lucy wiedziała: Wanda Judkins, sąsiadka z naprzeciwka.

– To ulubiona sąsiadka Abry – wyjaśnił David – bo piecze ciastka i zwykle robi jedno specjalnie dla niej, z jej imieniem wypisanym rodzynkami albo lukrem. Jest wdową. Mieszka sama.

– Poszłyśmy więc do niej – ciągnęła Chetta – ja na przodzie, Lucy za mną z Abrą na rękach. Zapukałam. Żadnego odzewu. „Wannie w jadalni! – powiedziała Abra. – Pomóż Wannie, Momo! Pomóż Wannie, mamusiu! Zrobiła sobie kuku i leci krew!".

Drzwi były otwarte. Weszłyśmy do środka. Poczułam swąd przypalonych ciastek. Pani Judkins leżała na podłodze w jadalni, obok drabiny. W ręku wciąż miała ścierkę, którą wycierała kurze z listew pod sufitem, i rzeczywiście była krew… rozlewała się kałużą wokół jej głowy jak swoista aureola. Myślałam, że już po niej… ale Lucy wyczuła tętno. Pani Judkins rozbiła sobie głowę, doznała lekkiego udaru, ale nazajutrz odzyskała przytomność. Będzie na urodzinach Abry. Poznacie się, jeśli przyjdziesz. – Patrzyła na pediatrę nieruchomym wzrokiem. – Lekarz pogotowia mówił, że gdyby poleżała tam trochę dłużej, albo umarłaby, albo skończyła w stanie wegetatywnym… co moim skromnym zdaniem jest gorsze od śmierci. Tak czy owak, mała uratowała jej życie.

John rzucił długopis na notes.

– Nie wiem, co powiedzieć.

– To nie wszystko – podjął David – ale inne sprawy są trudniej uchwytne. Może po prostu dlatego, że Lucy i ja się do tego przyzwyczailiśmy. Pewnie tak jak człowiek przyzwyczaja się do życia z dzieckiem niewidomym od urodzenia. Tyle że w tym przypadku chodzi o coś dokładnie przeciwnego. Myślę, że wiedzieliśmy jeszcze przed tym, co się stało jedenastego września. Chyba wiedzieliśmy, że ma w sobie coś, prawie od chwili, kiedy przywieźliśmy ją ze szpitala. To tak jakby…

Urwał, wyraźnie zażenowany. Concetta ścisnęła jego ramię.

– Śmiało. Przynajmniej jeszcze nie wezwał smutnych panów z kaftanami bezpieczeństwa.

– No dobra, to jest tak, jakby w domu zawsze wiał wiatr, tyle że właściwie go nie czuć. Ciągle zdaje mi się, że zaraz wydmą się zasłony i obrazy zlecą ze ścian, ale nigdy tak się nie dzieje. Natomiast dwa–trzy razy w tygodniu, niekiedy dwa–trzy razy dziennie, wysiadają korki. Wzywaliśmy dwóch różnych elektryków przy czterech różnych okazjach. Sprawdzają instalację i mówią, że wszystko jest git. W niektóre poranki, kiedy schodzimy na dół, poduszki z foteli i kanapy leżą na podłodze. Wieczorem, zanim Abra kładzie się spać, każemy jej posprzątać zabawki i jeśli nie jest zmęczona i marudna, grzecznie to robi. Ale bywa, że rano pudełko z zabawkami jest otwarte i niektóre zabawki są z powrotem na podłodze. Zwykle klocki. Lubi je najbardziej.

Na chwilę zamilkł, teraz wpatrzony w tablicę do badania wzroku wiszącą na przeciwległej ścianie. John myślał, że Concetta zachęci go, by mówił dalej, ona jednak milczała.

– No dobra, to już zupełny obłęd, ale przysięgam, że to się

naprawdę stało. Któregoś wieczoru, kiedy włączyliśmy telewizor, na wszystkich kanałach lecieli *Simpsonowie*. Abra śmiała się, jakby to był najlepszy dowcip na świecie. Lucy puściły nerwy. Powiedziała „Abro Rafaello Stone, jeśli to twoja sprawka, masz natychmiast przestać!". Lucy rzadko zwraca się do niej ostrym tonem, ale jeśli już to robi, mała jest po prostu zdruzgotana. I tak właśnie było tego wieczoru. Wyłączyłem telewizor i kiedy włączyłem go z powrotem, wszystko wróciło do normy. Mógłbym wymienić wiele innych przykładów... incydentów... zjawisk... drobiazgów, których prawie się nie zauważa. – Wzruszył ramionami. – Jak mówiłem, człowiek się przyzwyczaja.

– Przyjdę na przyjęcie – obiecał John. – Po tym, co usłyszałem, jak mógłbym się oprzeć pokusie?

– Pewnie nic się nie wydarzy – powiedział Dave. – Znasz ten stary dowcip o tym, jak naprawić cieknący kran, co? Wystarczy wezwać hydraulika.

Concetta prychnęła.

– Jeśli naprawdę tak uważasz, synku, możesz się nielicho zdziwić. – I do Johna Daltona: – Wołami go tu musiałam zaciągnąć.

– Daj spokój, Momo. – Krew napływała Dave'owi do twarzy.

John westchnął. Już wcześniej wyczuwał antagonizm między nimi dwojgiem. Nie wiedział, z czego on się bierze – może ze swoistej rywalizacji o względy Lucy – ale nie chciał, by teraz wychodził na wierzch. Ich dziwaczna misja uczyniła z nich tymczasowych sojuszników i wolał, by tak zostało.

– Przestańcie sobie dogryzać. – Powiedział to na tyle ostrym tonem, że oderwali wzrok od siebie i spojrzeli na niego zaskoczeni. – Wierzę wam. W życiu nie słyszałem niczego podobnego...

Czy aby na pewno? Urwał, myśląc o swoim zgubionym zegarku.

– Tak, doktorze? – odezwał się David.

– Przepraszam. Chwilowe zaćmienie.

Na to oboje się uśmiechnęli. Znów byli sprzymierzeńcami. To dobrze.

– W każdym razie nikt nie wezwie smutnych panów w białych kitlach. Uważam was oboje za ludzi trzeźwo myślących... ludzi wykształconych, niepodatnych na histerię czy halucynacje. Gdyby był tylko jeden świadek tych... tych parapsychologicznych incydentów, mógłbym sądzić, że mamy do czynienia z jakąś dziwną formą zespołu Münchhausena, ale widzieliście to wszyscy troje. W związku z czym rodzi się pytanie: Czego ode mnie oczekujecie?

Dave wyraźnie był w rozterce. Babcia jego żony nie.

– Żebyś ją obserwował, jak każde chore dziecko...

Rumieńce już znikały z twarzy Davida Stone'a, ale teraz wróciły. Silniejsze.

– Abra nie jest chora – warknął.

Odwróciła się do niego.

– Wiem! *Cristo!* Dasz mi skończyć?

Dave zrobił zbolałą minę i uniósł dłonie.

– Przepraszam, przepraszam, przepraszam.

– Po prostu nie skacz mi do gardła, David.

– Jeśli nie przestaniecie się sprzeczać, dzieci – powiedział John – postawię was do kąta.

Concetta westchnęła.

– To bardzo stresujące. Dla nas wszystkich. Przepraszam, Davey, użyłam złego wyrażenia.

– Nic się nie stało, *cara.* Siedzimy w tym razem.

Uśmiechnęła się przelotnie.

– Tak, to prawda. John, obserwuj ją, tak jakbyś obserwował

każde dziecko z niezdiagnozowaną przypadłością. To wszystko, o co możemy poprosić, i myślę, że to na razie wystarczy. Może wpadniesz na jakiś pomysł. Mam taką nadzieję. Widzisz...

Odwróciła się do Davida z bezradną miną, która, jak sądził John, zapewne rzadko ukazywała się na tej stanowczej twarzy.

– Boimy się – przyznał Dave. – Ja, Lucy, Chetta... śmiertelnie się boimy. Nie jej, tylko o nią. Bo jest jeszcze mała, rozumiesz? A jeśli ta jej moc... nie wiem, jak inaczej to nazwać... jeśli jeszcze nie rozwinęła się w pełni? Jeśli wciąż rośnie? Co wtedy zrobimy? Pewnego dnia mogłaby... nie wiem...

– Wiesz – powiedziała Chetta. – Mogłaby stracić panowanie nad sobą i zrobić krzywdę sobie albo komuś innemu. – Dotknęła dłoni Johna. – Sama myśl o tym jest nie do zniesienia.

7

Dan Torrance wiedział, że zamieszka w pokoju w wieżyczce hospicjum imienia Helen Rivington, odkąd zobaczył, jak jego stary przyjaciel Tony machał do niego z okna, które po uważniejszym przyjrzeniu okazało się zabite deskami. Spytał panią Clausen, kierowniczkę, o ten pokój jakieś pół roku po tym, gdy zaczął pracować w hospicjum jako woźny/sanitariusz... i nieoficjalny lekarz rezydent. Wraz ze swoim wiernym kompanem Azziem, oczywiście.

– Pełno w nim rupieci – powiedziała pani Clausen, sześćdziesięcioparolatka o podejrzanie rudych włosach. Sarkastyczna i często wulgarna, była mimo to mądrą i ludzką szefową. Co ważniejsze z punktu widzenia zarządu hospicjum, świetnie sobie radziła z pozyskiwaniem funduszy. Dan nie był pewien, czy ją lubi, ale z czasem nabrał do niej szacunku.

– Posprzątam go. W czasie wolnym. Chyba lepiej, żebym był tu, pod ręką, w pogotowiu.

– Danny, powiedz mi coś. Dlaczego jesteś tak dobry w tym, co robisz?

– Szczerze mówiąc, nie wiem. – To przynajmniej w połowie było prawdą. Może nawet w siedemdziesięciu procentach. Żył z jasnością od urodzenia i nadal jej nie rozumiał.

– Pomijając rupiecie, w wieżyczce latem jest gorąco, a zimą tak zimno, że dupa do krzesła przymarza.

– Coś się wykombinuje – powiedział Dan.

– Już ty mi tu nic nie kombinuj. – Pani Clausen spojrzała na niego srogo znad okularów. – Gdyby zarząd wiedział, na co ci pozwalam, pewnie teraz już wyplatałabym kosze w domu opieki w Nashua. Tym z różowymi ścianami i grającym na okrągło Mantovanim. – Prychnęła. – Doktor Sen, też coś.

– To nie ja jestem doktorem – rzekł łagodnie. Wiedział, że dostanie to, czego chce. – Doktorem jest Azzie. Ja mu tylko asystuję.

– Azreel? To tylko kot. Obszarpany dzikus, który przybłąkał się z ulicy i został adoptowany przez gości, którzy teraz już są w komplecie u Bozi czy cholera wie gdzie. Nie interesuje go nic poza tym, żeby dwa razy dziennie dostać pełną michę.

Na to Dan nie odpowiedział. Nie musiał, bo oboje wiedzieli, że to nieprawda.

– Wydawało mi się, że dobrze ci na Eliot Street. Pauline Robertson myśli, że srasz fiołkami. Wiem to, bo śpiewam z nią w chórze kościelnym.

– Jaki jest twój ulubiony hymn? – spytał Dan. – „Uwielbiajcie Pana, psia wasza w mordę kopana"?

Rozciągnęła usta w szerokim uśmiechu.

– No dobrze, niech ci będzie. Posprzątaj ten pokój. Wprowadź się. Załóż se kablówkę, wstaw kwadrofoniczne głośniki i barek. Co mi do tego, przecież jestem tylko szefową.

– Dzięki, pani C.

– Aha, i nie zapomnij o grzejniku elektrycznym, dobra? Poszukaj po wyprzedażach garażowych, na pewno znajdziesz jakiś z porządnie poprzecieranym kablem. W sam raz, żeby spalić ten zasrany interes w zimną lutową noc. Wtedy będą mogli postawić na jego miejscu jakąś murowaną ohydę pasującą do tych szkaradzieństw po bokach.

Dan wstał i przystawił grzbiet dłoni do czoła w niedbałym brytyjskim salucie.

– Jak sobie życzysz, szefowo.

Machnęła na niego ręką.

– Wynocha, zanim zmienię zdanie.

8

Grzejnik wstawił, lecz kabel nie był poprzecierany, a urządzenie było z tych, które w razie wywrócenia same się wyłączają. W pokoju w wieżyczce, na drugim piętrze, nie dało się zainstalować klimatyzacji, ale dwa wentylatory z Wal-Marta ustawione w otwartych oknach wytwarzały przyjemny powiew. Mimo to w letnie dni wnętrze dość mocno się nagrzewało, ale Dan za dnia rzadko siedział w pokoju. A letnie noce w New Hampshire zazwyczaj były chłodne.

Składowane tam rupiecie wyrzucił, zachował tylko starą tablicę szkolną. Przez co najmniej pięćdziesiąt lat stała oparta o ścianę, ukryta za szczątkami starych, śmiertelnie rannych wózków inwalidzkich. Teraz wreszcie się przydała. Napisał na niej listę pacjentów hospicjum i numery ich pokojów, po czym ścierał nazwiska tych, którzy odchodzili, i dopisywał nowo przyjętych. Wiosną 2004 roku na tablicy widniały trzydzieści dwa nazwiska. Dziesięć w Rivington Jeden i dwanaście w Rivington Dwa – to były brzydkie murowane budynki po bokach wiktoriańskiego domu, w którym słynna Helen Rivington niegdyś mieszkała i pisała pasjonujące romanse publikowane pod tętniącym namiętnością pseudonimem Jeannette Montparsse. Pozostali pacjenci zajmowali dwie kondygnacje pod ciasnym, ale funkcjonalnym pokoikiem Dana w wieżyczce.

Niedługo po tym, jak zaczął pracować w hospicjum, Dan spytał Claudette Albertson:

– Czy pani Rivington znana była z czegoś poza pisaniem marnych czytadeł?

Byli wtedy w palarni i oddawali się swojemu paskudnemu nałogowi. Claudette, pogodna afroamerykańska pielęgniarka o barach futbolisty, odrzuciła głowę do tyłu i wybuchnęła śmiechem.

– A żebyś wiedział! Z tego, że zostawiła miastu kupę forsy, kochany! I ten dom, oczywiście. Uważała, że starszym ludziom należy się miejsce, gdzie mogliby umrzeć z godnością.

I w hospicjum jej imienia większość z nich mogła na taką śmierć liczyć. Dan – z pomocą Azziego – miał w tym udział. Sądził, że odkrył swoje powołanie. Czuł się w hospicjum jak w domu.

9

W poranek urodzin Abry Dan wstał z łóżka i zobaczył, że nazwiska zniknęły z tablicy. Na ich miejscu dużymi, kulfoniastymi literami napisane było jedno słowo:

153

cZeśĆ☺

Długo siedział w majtkach na brzegu łóżka i tylko patrzył. W końcu wstał i położył dłoń na literach, lekko je rozmazując. Liczył na przebłysk. Chociaż mgnienie. Wreszcie cofnął dłoń i wytarł pył kredowy w nagie udo.

– Cześć – powiedział... po czym: – Masz może na imię Abra?

Nic. Włożył szlafrok, wziął mydło i ręcznik i poszedł piętro niżej, pod prysznic dla personelu. Po powrocie chwycił gąbkę, którą znalazł razem z tablicą, i zaczął ścierać to słowo. Kiedy to robił, przyszła mu do głowy myśl

(tatuś mówił, że będą balony)

i znieruchomiał, czekając na ciąg dalszy. Nic więcej jednak nie wychwycił, skończył więc ścierać tablicę, po czym zaczął od nowa wypisywać na niej nazwiska i numery pokojów, wspomagając się listą obecności z poniedziałku. Kiedy w południe wrócił do swojego pokoju, po trosze spodziewał się, że tablica znów będzie wytarta, a nazwiska i numery zastąpi „cZeśĆ☺", ale wszystko wyglądało tak jak przed jego wyjściem.

10

Przyjęcie urodzinowe Abry odbywało się na podwórku Stone'ów, pięknej połaci zielonej trawy z jabłoniami i dereniami, które właśnie zaczynały zakwitać. Na końcu podwórka znajdowało się ogrodzenie z drucianej siatki, a w nim furtka zamykana na szyfrową kłódkę. Ogrodzenie piękne nie było, zdecydowanie, ale Davidowi i Lucy to nie przeszkadzało, bo po jego drugiej stronie płynęła rzeka Saco, która wiła się na południowy wschód przez Frazier i North

Conway aż do Maine. Stone'owie uważali, że rzeki i małe dzieci to niebezpieczna kombinacja, zwłaszcza wiosną, kiedy zasilana topniejącym śniegiem Saco była szeroka i wzburzona. Co roku lokalny tygodnik donosił o co najmniej jednym utonięciu.

Dziś dzieciaki miały pod dostatkiem zajęć na trawniku. Jedyną zorganizowaną zabawą, do jakiej się dały zagonić, było wspólne odtańczenie Hokey Pokey, nie były jednak za małe, żeby z własnej inicjatywy biegać (i czasem tarzać się) po trawie, wspinać się jak małpki po drabinkach na placyku zabaw Abry, czołgać się przez tunele zmontowane przez Davida i paru innych tatusiów i odbijać latające wszędzie baloniki – żółte, bo Abra twierdziła, że to jej ulubiony kolor. Fruwało ich co najmniej siedemdziesiąt, co John Dalton mógł potwierdzić. Pomógł Lucy i jej babci je nadmuchać. Jak na kobietę po osiemdziesiątce, Chetta miała płuca jak miechy.

Było dziewięcioro dzieci, licząc Abrę, a ponieważ każde przyszło w asyście co najmniej jednego rodzica, dorosłych opiekunów nie brakowało. Na tarasie rozstawiono składane krzesła i kiedy impreza się rozkręciła, John usiadł obok Concetty, która, wystrojona w markowe dżinsy i bluzę z napisem NAJLEPSZA PRABABUNIA NA ŚWIECIE, pałaszowała wielki kawał tortu urodzinowego. John przez zimę nabrał kilka kilogramów balastu, więc zadowolił się jedną gałką lodów truskawkowych.

– Nie wiem, gdzie ci to wszystko wchodzi – powiedział, wskazując ruchem głowy szybko zmniejszający się kawałek ciasta na jej papierowym talerzyku. – Taka jesteś chuda, że ledwo cię widać. Jak faszerowany sznurek.

– Może i tak, *caro,* ale jem jak wilk. – Popatrzyła na dokazujące dzieci i westchnęła głęboko. – Szkoda, że moja córka nie dożyła tej chwili. Niewielu rzeczy w życiu żałuję, ale to jedna z nich.

John postanowił nie ryzykować rozmowy na ten temat. Matka Lucy, Sandra, zginęła w wypadku samochodowym, kiedy Lucy była młodsza niż Abra w tej chwili. Wiedział to z wypełnionej wspólnie przez Stone'ów historii zdrowia rodziny. O ojcu Lucy nie wiedział nic, bo sama Lucy go nie znała. W tej rubryce formularza wpisała jedno słowo: NIEZNANY.

Tak czy tak, Chetta sama zmieniła temat.

– Wiesz, co mi się w nich podoba, kiedy są w tym wieku?

– Nie. – John lubił dzieci w każdym wieku... przynajmniej do czternastki. Wtedy gruczoły zaczynają pracować na przyspieszonych obrotach i w związku z tym większość czternastolatków poczytuje sobie za obowiązek, by na następne pięć lat stać się nieznośnymi smarkaczami.

– Spójrz na nie, Johnny. To jak obraz Edwarda Hicksa *Królestwo pokoju*, tylko że z dziećmi. Jest sześcioro białych maluchów... w końcu to New Hampshire... ale jest też dwoje czarnych i jedna przepiękna dziewczynka pochodzenia koreańskiego. Znasz tę piosenkę ze szkółki niedzielnej, „czerwone i żółte, czarne i białe, w oczach naszego Pana wszystkie są wspaniałe"? To właśnie mamy tutaj. Dwie godziny i nikt nikogo nie uderzył ani nie popchnął.

John – który widział w swoim życiu wielu maluchów, którzy kopali, popychali, bili i gryźli – przybrał na usta uśmiech w połowie cyniczny, w połowie smutny.

– To nic zaskakującego. Wszystkie chodzą do L'il Chums. To lokalny elitarny żłobek, który pobiera elitarne opłaty. Z czego wynika, że ich rodzice należą do co najmniej wyższej klasy średniej, są po studiach i wyznają zasadę „żyj i daj żyć innym". Te dzieci to w gruncie rzeczy oswojone zwierzęta społeczne.

Tu John urwał, bo Chetta patrzyła na niego z zachmurzonym czołem, ale mógł mówić dalej. Mógł powiedzieć, że mniej więcej do siódmego roku życia – przed osiągnięciem tak zwanego wieku rozumu – większość dzieci to emocjonalne komory pogłosowe. Jeśli dorastają wśród dorosłych, którzy żyją w zgodzie i nie podnoszą głosu, stają się tacy jak oni. Jeśli wychowują ich ludzie, którzy gryzą i krzyczą... cóż...

Dwadzieścia lat leczenia maluchów (nie wspominając o odchowaniu dwóch własnych, obecnie licealistów w porządnych prywatnych szkołach krzewiących zasadę „żyj i daj żyć innym") nie zabiło w nim wszystkich romantycznych idei, które skłoniły go do wyspecjalizowania się w pediatrii, ale mocno je przytępiło. Może dzieci rzeczywiście przychodzą na świat, ciągnąc za sobą smugę chwały, jak z przekonaniem oświadczył Wordsworth, ale też srają w gacie, dopóki się nie nauczą, że tak nie można.

11

W powietrzu rozbrzmiała srebrzysta melodia dzwonków, takich jak te, które oznajmiają przyjazd furgonetki lodziarza. Dzieci obejrzały się z zaciekawieniem.

Na trawnik wjechała urocza zjawa: młody człowiek na nieproporcjonalnie wielkim czerwonym rowerze na trzech kołach. Miał białe rękawiczki i długą marynarkę z komicznie szerokimi wywatowanymi ramionami i wpiętym w klapę sporym kwiatkiem. Nogawki spodni (też nieproporcjonalnie wielkich) były podciągnięte do kolan na naciskających na pedały nogach. Jadąc, trącał palcem wiszące na kierownicy dzwonki. Rower kołysał się z boku na bok, ale nie na tyle, żeby się przewrócić. Na głowie przybysza, pod dużym brązowym melonikiem, tkwiła zwariowana niebieska peruka. Za nim szedł David Stone z lekko oszołomioną miną. W jednej ręce niósł walizkę, w drugiej składany stolik.

– Hej, dzieci! Hej, dzieci! – krzyknął cyklista. – Do mnie! Do mnie! Przedstawienie czas zacząć! – Nie musiał dwa razy prosić; gromadka roześmianych i rozkrzyczanych maluchów już biegła w stronę roweru na trzech kołach.

Lucy podeszła do Johna i Chetty, usiadła i z zabawnym „pfff" zdmuchnęła włosy z oczu. Podbródek miała umazany lukrem czekoladowym.

– A oto magik. W sezonie letnim jest artystą ulicznym we Frazier i North Conway. Dave zobaczył jego ogłoszenie w jakiejś darmowej gazecie, sprawdził faceta i go wynajął. Nazywa się Reggie Pelletier, ale tytułuje się Wielkim Mysterio. Zobaczymy, jak długo zdoła zająć ich uwagę, jak już się napatrzą na ten dziwaczny rower. Stawiam, że góra trzy minuty.

John nie podzielał jej pesymizmu. Wjazd faceta był z premedytacją obliczony na to, by zawładnąć wyobraźnią maluchów, a jego peruka wyglądała zabawnie raczej niż strasznie. Wesołej twarzy Mysterio nie znaczyła szminka aktorska, co też świadczyło na jego korzyść. John uważał, że klauni są mocno przeceniani. Dzieci poniżej szóstego roku życia panicznie się ich boją. Dzieciom starszym wydają się po prostu nudni.

O rany, ale był dzisiaj zgorzkniały.

Może dlatego, że przyszedł zobaczyć coś niesamowitego, a nic się nie wydarzyło. Abra wydawała mu się najzupełniej normalnym dzieckiem. Może weselszym niż inne, ale wyglądało na to, że jej rodzina miała pogodę ducha w genach. No, poza chwilami, kiedy Chetta i Dave prawili sobie złośliwości.

– Nie lekceważ zdolności koncentracji tych skrzatów. – Przechylił się w bok, za Chettę, i starł serwetką lukier z podbródka Lucy. – Jeśli chłopak ma przygotowany program, zajmie ich na co najmniej piętnaście minut. Może nawet dwadzieścia.

– Jeśli ma program – powiedziała Lucy sceptycznie.

Okazało się, że Reggie Pelletier vel Wielki Mysterio miał przygotowany program, i to dobry. W czasie, kiedy jego wierny asystent, Nie-Tak-Wielki Dave, rozstawiał stolik i otwierał walizkę, Mysterio zachęcił jubilatkę i jej gości, żeby obejrzeli z bliska kwiatek w jego butonierce. Gdy podeszli, z kwiatka trysnęła woda: najpierw czerwona, potem zielona, wreszcie niebieska. Nabuzowane cukrem dzieci piszczały ze śmiechu.

– A teraz, chłopcy i dziewczęta... uuu! Aaa! Jeju! Łaskocze!

Zdjął melonik i wyciągnął z niego białego królika. Dzieciom zaparło dech z wrażenia. Mysterio podał królika Abrze. Pogłaskała go i nieponaglana podała dalej. Królikowi wyraźnie nie przeszkadzało to, że znalazł się w centrum uwagi. Może, pomyślał John, przed występem dostał karmę zaprawioną valium. Ostatnie z dzieci oddało królika Mysterio, który włożył go do kapelusza, przesunął nad nim dłonią, po czym pokazał wszystkim wnętrze melonika. Puste – była tam tylko podszewka z flagą amerykańską.

– Gdzie króliczek? – spytała mała Susie Soong-Bartlett.

– W twoich snach, skarbie – powiedział Mysterio. – Tej nocy będzie w nich kicał. A teraz kto chce magiczny szal?

„Ja! Ja!", krzyczeli i chłopcy, i dziewczęta. Mysterio wyciągnął szale z zaciśniętych pięści i rozdał je małym widzom. A potem nastąpiła seria sztuczek pokazywanych szybko, jedna po drugiej, bez chwili wytchnienia. Według zegarka Daltona dzieci stały z wybałuszonymi oczami w półkolu dookoła magika przez co najmniej dwadzieścia pięć minut. I kiedy publiczność zaczęła zdradzać pierwsze oznaki zniecierpliwienia, Mysterio przeszedł do ostatniego aktu pokazu. Wyjął pięć talerzy z walizki (która, kiedy ją pokazał, wydawała się pusta jak jego kapelusz) i zaczął nimi żonglować, śpiewając *Sto lat*. Wszystkie dzieci mu zawtórowały. Abra niemal lewitowała z radości.

Talerze wróciły do walizki. Mysterio znów zademonstrował, że jest pusta, po czym wyjął z niej sześć łyżek. Powiesił je na swojej twarzy, ostatnią umieszczając na czubku nosa. Sztuczka spodobała się jubilatce; Abra usiadła na trawie i pękała ze śmiechu.

– Abba też tak umie – oznajmiła (ostatnio lubiła o sobie mówić w trzeciej osobie; David nazywał to jej „fazą Elmo"). – Abba też tak umie z łyżkami.

– Cieszę się, skarbie – powiedział Mysterio. Słuchał jej jednym uchem i John nie mógł mieć mu tego za złe; dopiero co odstawił kapitalny spektakl dla dzieciaków, twarz miał czerwoną i ociekającą potem pomimo chłodnego wiatru od rzeki, a wciąż jeszcze czekało go efektowne wyjście, tym razem wymagające pedałowania na wielkim rowerze pod górkę.

Mysterio schylił się i poklepał Abrę po głowie dłonią w białej rękawiczce.

– Wszystkiego najlepszego z okazji urodzin i dziękuję wam, dzieci, za to, że byliście tak dobrą i…

Z wnętrza domu dobiegły donośne, melodyjne brzęki, całkiem podobne do dźwięku dzwonków wiszących na kierownicy gigantycznego roweru na trzech kołach. Dzieci tylko zerknęły w tamtym kierunku, po czym odprowadziły wzrokiem odjeżdżającego magika, ale Lucy wstała i poszła sprawdzić, co się przewróciło w kuchni.

Po dwóch minutach wyszła.

– John, chodź, rzuć na to okiem. Myślę, że to właśnie przyszedłeś zobaczyć.

12

John, Lucy i Conchetta stali w kuchni, patrzyli na sufit i nic nie mówili. Żadne z nich nie odwróciło się, kiedy wszedł Dave; byli jak zahipnotyzowani.

– Co...? – zaczął i wtedy zobaczył. – O kurde.

Nikt nie odpowiedział. David popatrzył jeszcze chwilę, próbując ogarnąć myślą to, co widział, po czym wyszedł. Minutę–dwie później wrócił, prowadząc córkę za rękę. Abra trzymała balonik. W pasie, niczym szarfą, przewiązana była szalem od Wielkiego Mysterio.

John Dalton ukląkł obok niej na jedno kolano.

– Ty to zrobiłaś, kochanie? – Był pewien, że zna odpowiedź, ale chciał usłyszeć, co powie ona. Chciał wiedzieć, na ile jest świadoma tego, co robi.

Abra najpierw spojrzała na podłogę. Leżała tam szuflada ze sztućcami. Kiedy wyskoczyła z szafki, wypadła z niej część noży i widelców, ale jedne i drugie były w komplecie. Co innego łyżki. Te zwisały z sufitu, jakby przyciągnięte i utrzymywane tam siłą magnetyczną. Dwie huśtały się leniwie na lampach. Chochla dyndała na okapie nad kuchenką.

Wszystkie dzieci mają swoje techniki uspokajające. John wiedział z długiego doświadczenia, że najczęściej spotykaną jest ssanie kciuka. Abra stosowała nieco inną: zasłoniła prawą dłonią dolną część twarzy i potarła wargi. Wskutek tego jej słowa były stłumione. John odjął jej dłoń od ust – delikatnie.

– Czy… czy źle zrobiłam? – powiedziała cichutko. – Ja… ja…
– Jej mała pierś zaczęła gwałtownie falować. Abra próbowała położyć dłoń z powrotem na ustach, ale trzymał ją John. – Chciałam
być jak Minstrosio. – Popłakała się. John puścił jej rękę; uwolniona
dłoń powędrowała do ust i zaczęła mocno trzeć.

David wziął córkę na ręce i pocałował w policzek. Lucy objęła
ramionami ich oboje i musnęła ustami ciemię Abry.

– Nie, kochanie, nie. Nic się nie stało.

Abra wtuliła twarz w szyję matki. W tej samej chwili łyżki
spadły. Na ich brzęk wszyscy podskoczyli.

13

Dwa miesiące później, kiedy w Górach Białych w New Hampshire zaczynało się lato, David i Lucy Stone siedzieli w gabinecie
Johna Daltona. Ściany obwieszone były zdjęciami jego małych,
uśmiechniętych pacjentów – wielu z nich dzisiaj już miało własne
dzieci.

– Zleciłem oblatanemu w komputerach siostrzeńcowi… za własne pieniądze, ale bez obaw, dużo nie zażądał… żeby poszukał
innych podobnych przypadków i im się przyjrzał. Znalazł przeszło
dziewięćset, mimo że zawęził zakres poszukiwań do ostatnich
trzydziestu lat.

David gwizdnął.

– Aż tyle!

John pokręcił głową.

– Nie aż. Gdyby to była choroba… a nie musimy wracać do tej
dyskusji, bo chorobą nie jest… byłaby tak rzadka jak słoniowa-
cizna. Albo linie Blaschko, które praktycznie zmieniają dotknięte

nimi osoby w zebry. Na blaschko zapada w przybliżeniu jeden na siedem milionów ludzi. To, co ma Abra, występuje z podobną częstotliwością.

– A czym właściwie jest to, co ona ma? – Lucy wzięła męża za rękę i mocno ją ściskała. – Telepatią? Telekinezą? Jakimś innym „tele-"?

– To wszystko na pewno ma w tym udział. Czy jest telepatką? Skoro wie z wyprzedzeniem, kiedy ktoś przyjdzie z wizytą, i wiedziała, że pani Wandzie Judkins coś się stało, wydaje się, że tak. Czy ma zdolność telekinezy? Sądząc z tego, co widzieliśmy w waszej kuchni w jej urodziny, zdecydowanie tak. Czy jest jasnowidzką? Posiada zdolności prekognicyjne, że użyję bardziej fachowego terminu? Tego nie możemy być pewni, choć historia z banknotem dwudziestodolarowym za toaletką na to wskazuje. Ale co z tym wieczorem, kiedy wasz telewizor pokazywał *Simpsonów* na wszystkich kanałach? Jak to nazwać? Albo ten widmowy utwór Beatlesów? Nie była to telekineza, bo fortepian sam nie grał.

– To co teraz? – spytała Lucy. – Na co mamy zwracać uwagę?

– Nie wiem. Nie ma jasno wytyczonej drogi postępowania. Kłopot z badaniami zjawisk paranormalnych polega na tym, że trudno je nazwać nauką. Za dużo jest szarlatanerii, za dużo ludzi, mówiąc wprost, szurniętych.

– Czyli nie możesz nam powiedzieć, co mamy robić – stwierdziła Lucy. – Do tego się to sprowadza.

John się uśmiechnął.

– Ależ mogę: kochajcie ją tak jak do tej pory. Jeśli mój siostrzeniec ma rację… a musicie pamiętać, że A, ma dopiero siedemnaście lat, i B, opiera swoje wnioski na niepewnych danych… dopóki Abra nie wejdzie w okres dojrzewania, będą dalej różne dziwne zdarzenia. Dziwne, czasem nawet niesmaczne. W wieku trzynastu–czternastu lat to zacznie zanikać. Kiedy Abra będzie po dwudziestce, wywoływane przez nią zjawiska zapewne będą niezauważalne. – Uśmiechnął się. – Ale do końca życia będzie świetną pokerzystką.

– A jeśli zacznie widzieć martwych ludzi, jak chłopiec z tego filmu? – spytała Lucy. – Co wtedy?

– Cóż, wówczas będziecie mieli dowód na życie po śmierci. Tymczasem nie szukajcie dziury w całym. I nikomu ani słowa, rozumiemy się?

– Och, pewnie. – Lucy zdobyła się na uśmiech, ale jako że zeskubała zębami z ust większość szminki, nie wyglądał on zbyt pewnie. – Ostatnie, czego chcemy, to zdjęcie naszej córki na okładce „Inside View".

– Dzięki Bogu, że żadne z pozostałych rodziców nie widziało tego numeru z łyżkami – stwierdził David.

– Mam do was pytanie. Czy ona wie, jaka jest niezwykła?

Stone'owie wymienili spojrzenia.

– Nie… nie sądzę – powiedziała Lucy wreszcie. – Choć po tych łyżkach… zrobiliśmy z tego sporą aferę…

– To wam się tak wydaje. Jej chyba nie. Trochę popłakała i wyszła na podwórko z uśmiechem na twarzy. Nie krzyczeliście, nie skarciliście jej, nie daliście klapsa. Moja rada jest taka: na razie zostawcie sprawy własnemu biegowi. Kiedy trochę podrośnie, możecie ją ostrzec, żeby nie robiła tych swoich sztuczek w szkole. Traktujcie ją jak normalne dziecko, bo w gruncie rzeczy jest normalnym dzieckiem. Prawda?

– Jasne – przytaknął David. – Przecież to nie jest tak, że ma krosty, guzy czy trzecie oko.

– Właśnie że ma – odparła Lucy. Myślała o czepku, w którym Abra się urodziła. – Ma trzecie oko. Nie widać go… ale ono jest.

John wstał.

– Podeślę wam wszystkie wydruki z tym, co znalazł mój siostrzeniec, jeśli chcecie.

– Ja poproszę – rzekł David. – Bardzo chętnie je przejrzę. Kochana stara Momo zapewne też. – Lekko zmarszczył nos. Lucy zauważyła to i spochmurniała.

– Tymczasem cieszcie się córką – powiedział im John. – Dacie sobie radę.

Przez pewien czas wydawało się, że miał rację.

Rozdział IV

Doktorze Sen, zgłoś się

1

Był styczeń 2007 roku. W pokoju w wieżyczce Rivington House grzejnik Dana pracował pełną parą, ale i tak było zimno. Północno-wschodni wiatr, gnany od gór przez wichurę dmącą z siłą dwudziestu metrów na sekundę, sypał na uśpione Frazier osiem centymetrów śniegu na godzinę. Kiedy następnego popołudnia zawieja wreszcie osłabnie, niektóre zaspy przy północnych i wschodnich ścianach budynków na Cranmore Avenue będą miały trzy i pół metra.

Zimno Danowi nie przeszkadzało; zagrzebał się pod dwiema kołdrami i było mu ciepło jak za piecem. Wiatr jednak wdzierał się do jego głowy, tak jak wdzierał się pod ramy okien i progi starego wiktoriańskiego domu. Domu, który teraz już uważał za swój. We śnie słyszał wycie tego wiatru wokół hotelu, w którym spędził jedną zimę, kiedy był małym dzieckiem. We śnie był tym małym dzieckiem.

Jest na pierwszym piętrze Panoramy. Mama śpi, a tata siedzi w piwnicy i przegląda stare papiery. To MATERIAŁY. Te MATERIA-ŁY są mu potrzebne do książki, którą zamierza napisać. Danny'ego

166

nie powinno tu być, nie powinien też mieć klucza uniwersalnego,
który ściska w dłoni, ale przyciągnęła go tutaj jakaś nieodparta
siła. W tej chwili patrzy na przymocowany do ściany wąż gaśniczy.
Zwinięty, wygląda jak prawdziwy wąż z mosiężną głową. Śpiący
wąż. Oczywiście, że to nie jest prawdziwy wąż – Danny widzi bre-
zent, nie łuski – lecz do złudzenia go przypomina.

Czasem to jest prawdziwy wąż.

– No dawaj – szepcze do niego w tym śnie. Dygocze ze strachu,
ale coś nie pozwala mu się wycofać. A dlaczego? Bo zbiera własne
MATERIAŁY. – No dawaj, ukąś mnie! Nie możesz, co? Bo jesteś
tylko durnym wężem gaśniczym!

Końcówka durnego węża gaśniczego podnosi się i nagle, zamiast
widzieć jej bok, Danny patrzy prosto w otwór wylotowy. A może
paszczę. Pod tą czarną jamą pojawia się jedna przezroczysta kropla.
Wydłuża się. Danny widzi w niej odbicie swoich szeroko otwartych
oczu.

Kropla wody czy jadu?

To prawdziwy wąż czy wąż gaśniczy?

Kto to może powiedzieć, mój drogi Redrum, Redrum drogi mój?
Kto to może powiedzieć?

Wąż grzechocze ostrzegawczo i przerażenie podchodzi Danny'e-
mu do gardła falą płynącą z szybko bijącego serca. Tak grzechoczą
grzechotniki.

Końcówka węża stacza się z brezentowej pętli, na której leżała
do tej pory, i z głuchym łupnięciem spada na chodnik. Znów słychać
grzechot i Danny wie, że powinien się wycofać, zanim wąż wystrzeli
naprzód i go ukąsi, ale zastygł w bezruchu, nie może się ruszyć,
a grzechot nie milknie...

– Obudź się, Danny! – woła skądś Tony. – Obudź się, obudź się!

Danny nie może ani się obudzić, ani się ruszyć, to jest Pano-
rama, są zasypani śniegiem, wszystko jest inaczej, niż było. Węże
gaśnicze stają się prawdziwymi wężami, martwe kobiety otwierają
oczy, a jego ojciec... och, dobry Boże, MUSIMY STĄD UCIEKAĆ,
BO MÓJ OJCIEC TRACI ROZUM.
Grzechotnik grzechocze. Grzechocze. Grze...

2

Dan słyszał wycie wiatru, ale nie na zewnątrz Panoramy, tylko
za ścianami wieżyczki Rivington House. Słyszał grzechot śniegu
o okno wychodzące na północ. To grzechotanie brzmiało jak odgłos
sypiącego się piasku. I słyszał ciche bzyczenie interkomu.

Odrzucił kołdry i zwiesił nogi z łóżka. Skrzywił się, kiedy jego
rozgrzane stopy dotknęły zimnej podłogi. Przeszedł przez pokój,
niemal podskakując na palcach. Zapalił lampkę na biurku i wypuścił
powietrze ustami. Oddech mu nie parował, ale mimo że spirale
grzejnika jarzyły się matowym czerwonym blaskiem, w pokoju
nie mogło być więcej niż osiem stopni.

Bzzz!

Wcisnął guzik interkomu.

– Jestem – powiedział. – Kto tam?

– Claudette. Jesteś potrzebny.

– Kto tym razem? Pani Winnick? – Był prawie pewien, że
o nią chodzi, a to oznaczałoby konieczność włożenia parki, bo
Vera Winnick mieszkała w Rivington Dwa i w prowadzącym
tam krytym pasażu na pewno było zimno jak w psiarni. Albo
u Eskimosa w wychodku. Czy jak to się mówi. Życie Very
od tygodnia wisiało na włosku – była w śpiączce i miała oddech

Cheyne'a-Stokesa – a słabsi pensjonariusze często opuszczali ten padół w takie noce jak ta. Zwykle o czwartej nad ranem. Spojrzał na zegarek. Była trzecia dwadzieścia, ale co za różnica, kilkadziesiąt minut w tę czy w tę.

Claudette Albertson go zaskoczyła.

– Nie, to pan Hayes, od nas z parteru.

– Jesteś pewna? – Dan tego popołudnia grał z Charliem Hayesem w warcaby i jak na człowieka z ostrą białaczką szpikową, Charlie wydawał się żwawy jak skowronek.

– Nie, ale jest u niego Azzie. A wiesz, co sam zawsze mówisz.

Zawsze mówił, że Azzie nigdy się nie myli, i był to wniosek podparty sześcioma latami obserwacji. Azreel wałęsał się swobodnie po trzech budynkach składających się na kompleks Rivington, a popołudnia zwykle spędzał zwinięty w kłębek na kanapie w świetlicy, choć nierzadko widziało się go rozwalonego na jednym ze stolików do kart – czasem na niedokończonej układance – jak niedbale rzucona etola. Wszyscy pensjonariusze zdawali się go lubić (jeśli były jakieś skargi na kota rezydenta Rivington House, do uszu Dana nigdy nie dotarły), a Azzie w pełni odwzajemniał ich sympatię. Czasem wskakiwał na kolana jakiegoś półżywego staruszka… delikatnie, zawsze tak, że nie bolało. Co było nadzwyczajne, biorąc pod uwagę jego gabaryty. Azzie ważył dobre sześć kilo.

Pomijając popołudniowe drzemki, Az był praktycznie w ciągłym ruchu; zawsze dokądś się wybierał, kogoś musiał zobaczyć, miał coś do roboty. („Ten kot to lepszy cwaniak", powiedziała raz Claudette Danowi). Widywało się go, gdy wypoczywał w jacuzzi, oblizując łapę. Gdy drzemał na wyłączonej ruchomej bieżni w Izbie Zdrowia. Gdy siedział na nieużywanych noszach na kółkach

169

i patrzył prosto przed siebie na coś, co widzą tylko koty. Czasem skradał się po trawniku na tyłach z uszami położonymi po sobie jak prawdziwy drapieżnik, lecz jeśli nawet łapał jakieś ptaki czy wiewiórki, to zanosił je na sąsiednie podwórka albo naprzeciwko, na skwer miejski, i tam rozczłonkowywał.

Świetlica była otwarta przez całą dobę, ale po tym, jak telewizor gaszono i pensjonariusze się rozchodzili, Azzie rzadko tam zaglądał. Gdy wieczór ustępował miejsca nocy i puls Rivington House zwalniał, kot stawał się niespokojny i patrolował korytarze jak czworonożny wartownik na skraju terytorium wroga. W przyćmionym świetle czasem w ogóle nie było go widać, dopóki człowiek nie spojrzał prosto na niego; jego szare pręgowane futro zlewało się z cieniami.

Do pokojów gościnnych wchodził tylko wtedy, kiedy któryś z gości umierał.

Wówczas albo wkradał się do środka (jeśli drzwi nie były zamknięte na zasuwkę), albo siedział na progu z ogonem owiniętym wokół łapek i cichym, uprzejmym „mrau" prosił, by mu otworzyć. Kiedy go wpuszczano, wskakiwał na łóżko gościa (pensjonariusze Rivington House zawsze byli gośćmi, nigdy pacjentami), sadowił się wygodnie i mruczał. Wybrane przez niego osoby, o ile nie spały, czasem go głaskały. Z tego, co Dan wiedział, jeszcze nikt nie zażądał, by Azziego wyrzucić. Jakby zdawali sobie sprawę, że przychodzi do nich jako przyjaciel.

– Który lekarz ma dziś dyżur? – spytał Dan.

– Ty – odparła Claudette bez wahania.

– Wiesz, o czym mówię. Który prawdziwy lekarz.

– Emerson, ale kiedy zadzwoniłam do jego przychodni, kobieta, która odebrała, kazała mi się nie wygłupiać. Wszystko jest

170

zasypane od Berlin do Manchester. Podobno nawet pługi, oprócz tych na autostradach, czekają, aż zrobi się jasno.

– No dobrze – powiedział Dan. – Już idę.

3

Kiedy już trochę popracował w hospicjum, Dan przekonał się, że podziały klasowe występują nawet wśród umierających. Kwatery gościnne w głównym budynku były większe i droższe od tych w Rivington Jeden i Dwa. W wiktoriańskiej posiadłości, w której Helen Rivington niegdyś wieszała swój kapelusz i pisała romanse, pokoje nazywane były apartamentami i nosiły nazwiska słynnych mieszkańców New Hampshire. Charlie Hayes leżał w apartamencie imienia Alana Sheparda. Żeby tam dojść, Dan musiał minąć ulokowany u podnóża schodów minibarek, w którym stały automaty z przekąskami i kilka twardych plastikowych krzeseł. Na jednym z nich rozsiadł się Fred Carling. Zajadał krakersy z masłem orzechowym i czytał stary numer „Popular Mechanics". Carling był jednym z trzech sanitariuszy na nocnej zmianie. Pozostali dwaj dwa razy w miesiącu pełnili dyżury w dzień; Carling nigdy. Ten samozwańczy nocny marek był napakowanym oportunistą i, sądząc po ramionach pokrytych rękawami splątanych tatuaży, byłym harleyowcem.

– Co my tu mamy? – odezwał się. – Toż to mały Danny. A może dziś występujesz w swoim sekretnym wcieleniu?

Dan jeszcze nie w pełni się przebudził i nie był w nastroju do żartów.

– Co wiesz o panu Hayesie?

– Nic poza tym, że jest u niego kot, więc pewnie zaraz odwali kitę.

– Nie było krwawienia?

Potężny sanitariusz wzruszył ramionami.

– No tak, trochę mu pociekło z nosa. Włożyłem zakrwawione ręczniki do morowego wora, tak jak każecie. Są w pralni A, jeśli chcesz sprawdzić.

Danowi cisnęło się na usta pytanie, jak można scharakteryzować krwotok, którego wytarcie wymagało więcej niż jednego ręcznika, słowami „trochę mu pociekło", ale postanowił to przemilczeć. Carling był nieczułym osłem i to, jak udało mu się dostać tu pracę – nawet na nocnej zmianie, kiedy większość gości spała, a reszta była cicho, żeby nie przeszkadzać innym – pozostawało dla Dana zagadką. Podejrzewał, że ktoś załatwił mu to po znajomości. Tak ten świat był urządzony. Czyż jego własny ojciec nie załatwił sobie po znajomości swojej ostatniej posady, dozorcy w hotelu Panorama? Może nie było to rozstrzygającym dowodem na to, że zdobywanie roboty po protekcji do niczego dobrego nie prowadzi, ale na pewno mocno za tym przemawiało.

– Miłego wieczoru, doktorze Seeeeen! – zawołał za nim Carling, nie siląc się na to, by zniżyć głos.

W dyżurce pielęgniarek Claudette przygotowywała rozpiski leków, a Janice Barker patrzyła w mały telewizor grający ze ściszonym dźwiękiem. Leciała jedna z tych niekończących się reklam środków na przeczyszczenie, ale Jan oglądała ją z szeroko otwartymi oczami i rozdziawionymi ustami. Drgnęła, kiedy Dan zastukał paznokciami w blat, i zorientował się, że nie była zafascynowana, tylko przysypiała.

– Czy któraś z was może mi powiedzieć coś konkretnego o Charliem? Carling ni cholery nie wie.

Claudette zerknęła w głąb korytarza, by się upewnić, że Freda Carlinga nie ma w polu widzenia, po czym i tak zniżyła głos.

– Z tego człowieka jest tyle pożytku co z cycków u byka. Nie tracę nadziei, że w końcu go zwolnią.

Dan zachował swoją, podobną opinię dla siebie. Taka dyskrecja przychodziła mu dużo łatwiej, odkąd był trzeźwy.

– Byłam u niego piętnaście minut temu – powiedziała Jan.

– Kiedy przychodzi Pan Kotek, zaglądamy do nich częściej niż zwykle.

– Jak długo Azzie tam siedzi?

– Miauczał pod drzwiami, kiedy o północy przyszłyśmy na dyżur – stwierdziła Claudette – więc mu otworzyłam. Od razu wskoczył na łóżko. Wiesz, jak to on. Już wtedy miałam cię wezwać, ale Charlie nie spał i był przytomny. Gdy się z nim przywitałam, powiedział mi „cześć" i zaczął głaskać Azziego. Postanowiłam więc poczekać. Jakąś godzinę później dostał krwotoku z nosa. Fred go obmył. Musiałam mu przypomnieć, żeby włożył ręczniki do morowego wora.

Morowymi worami personel nazywał plastikowe worki, do których chowano ubrania, pościel i ręczniki zanieczyszczone płynami ustrojowymi i tkankami. To był środek ostrożności wymuszony przepisami stanowymi.

– Zajrzałam do pana Hayesa czterdzieści–pięćdziesiąt minut temu – dodała Jan. – Spał. Potrząsnęłam nim. Otworzył oczy, były przekrwione.

– Wtedy zadzwoniłam do Emersona – wtrąciła Claudette. – I jak dyżurna mnie spławiła, wezwałam ciebie. Pójdziesz tam teraz?

– Tak.

– Powodzenia – powiedziała Jan. – Dryndnij, gdybyś czegoś potrzebował.

– Nie omieszkam. Dlaczego oglądasz reklamę środka na przeczyszczenie, Jannie? A może to pytanie zbyt osobiste?

Ziewnęła.

– O tej porze mam do wyboru to albo reklamę stanika Ahh Bra, a taki już mam.

4

Drzwi apartamentu Alana Sheparda były uchylone do połowy, lecz mimo to zapukał. Nie doczekał się odzewu, więc pchnął je, aż otworzyły się na oścież. Ktoś (pewnie jedna z pielęgniarek; prawie na pewno nie Fred Carling) nieco podniósł zagłówek łóżka. Charlie Hayes leżał przykryty po pierś. Miał dziewięćdziesiąt jeden lat, był przeraźliwie chudy i tak blady, że prawie niewidoczny. Dan musiał stać nieruchomo przez pół minuty, zanim nabrał pewności, że góra od piżamy staruszka unosi się i opada. Obok ledwo dostrzegalnej wypukłości biodra leżał zwinięty w kłębek Azzie. Zlustrował wchodzącego Dana tymi nieprzeniknionymi zielonymi ślepiami.

– Panie Hayes? Charlie?

Staruszek nie otworzył oczu. Powieki miał sinawe, skóra pod nimi była ciemniejsza, fioletowa. Podchodząc bliżej łóżka, Dan zobaczył plamki zakrzepłej krwi pod nozdrzami i w jednym kąciku ust.

Poszedł do łazienki, wziął ściereczkę do twarzy, zwilżył ją ciepłą wodą, wyżął. Gdy wrócił do Charliego, Azzie wstał i ostrożnie przestąpił nad śpiącym na drugą stronę łóżka, robiąc Danowi miejsce. Pościel wciąż była rozgrzana ciałem kota. Dan delikatnie wytarł krew spod nosa Charliego. Kiedy zajął się jego ustami, Charlie uniósł powieki.

– Dan. To ty, prawda? Trochę mi się mąci w oczach.

Rzeczywiście były przekrwione.

– Jak się czujesz, Charlie? Coś cię boli? Jeśli tak, mogę poprosić Claudette, żeby przyniosła ci pigułkę.

– Nie boli – powiedział Charlie. Jego oczy powędrowały do Azziego, po czym wróciły na twarz Dana. – Wiem, czemu on tu jest. I czemu jesteś tu ty.

– Jestem tu, bo obudził mnie wiatr. A Azzie pewnie szuka towarzystwa. Wiesz, koty to nocne stworzenia.

Dan podwinął rękaw piżamy Charliego, żeby zmierzyć mu tętno, i zobaczył cztery fioletowe sińce przecinające chude jak patyk przedramię starca. Pacjentom z zaawansowaną białaczką robiły się sińce, nawet kiedy na nich dmuchnąć, lecz takie ślady pozostawić mogły tylko palce i Dan doskonale wiedział czyje. Teraz, kiedy był trzeźwy, lepiej panował nad nerwami, ale gniew wciąż w nim siedział, podobnie jak od czasu do czasu budząca się silna pokusa, żeby się napić.

Carling, ty bydlaku! – pomyślał. Co, ruszał się za wolno? A może po prostu się wkurzyłeś, że musisz wycierać krew z nosa, kiedy chciałeś sobie w spokoju czytać i żreć te zasrane krakersy?

Starał się nie okazywać tego, co czuł, lecz Azzie zdawał się czytać mu w myślach; miauknął cicho, niespokojnie. W innych okolicznościach Dan pewnie zadałby kilka pytań, teraz jednak miał pilniejsze sprawy. Gdy tylko dotknął staruszka, wiedział, że Azzie znów się nie pomylił.

– Boję się – szepnął Charlie. Ledwo było go słychać w niskim, niemilknącym skowycie wiatru za oknem. – Myślałem, że nie będę się bał, ale się boję.

– Nie ma czego.

Zamiast zmierzyć Charliemu tętno – właściwie nie było po co – wziął starca za rękę. Zobaczył synów Charliego, bliźniaków, jako czteroletnich brzdąców bujających się na huśtawkach. Zobaczył żonę Charliego, gdy opuszczała roletę w sypialni, ubrana tylko w halkę z brukselskiej koronki, którą kupił jej na pierwszą rocznicę ślubu; zobaczył, jak włosy związane w koński ogon opadły jej na ramię, kiedy odwróciła się do niego z twarzą rozświetloną uśmiechem, który mówił „tak". Zobaczył traktor z parasolem w paski rozpiętym nad siedzeniem. Poczuł zapach bekonu i usłyszał *Come Fly with Me* Franka Sinatry w pękniętym radiu marki Motorola stojącym na warsztacie zawalonym narzędziami. Zobaczył kołpak pełen deszczu, w którym odbijała się czerwona stodoła. Czuł smak jagód, patroszył jelenia, łowił ryby w jakimś odległym jeziorze, którego powierzchnię burzył rzęsisty jesienny deszcz. Miał sześćdziesiąt lat i tańczył z żoną w sali Legionu Amerykańskiego. Miał trzydzieści lat i rąbał drzewo. Miał pięć lat, był w szortach i ciągnął czerwony wózek. Potem obrazy zlały się ze sobą jak karty tasowane przez zawodowego gracza, wiatr znowu niósł gęsty śnieg od gór, a tu, w pokoju, była tylko cisza i poważnie patrzące ślepia Azziego. W takich chwilach jak ta Dan wiedział, po co jest na tym świecie. W takich chwilach jak ta nie żałował całego doznanego bólu, smutku, gniewu i trwogi, bo dzięki wszystkiemu, co go spotkało, znalazł się tutaj, w tym pokoju, podczas gdy na zewnątrz szalała zawieja. Charlie Hayes stanął na granicy.

– Nie boję się piekła. Żyłem uczciwie, a poza tym nie wierzę, że piekło w ogóle istnieje. Boję się, że nie ma nic. – Z trudem łapał powietrze. Perełka krwi rosła w kąciku jego prawego oka. – Przedtem nie było nic, wszyscy to wiemy, więc czy nie jest logiczne, że nic nie ma potem?

– Coś jest. – Dan otarł twarz Charliego wilgotną ściereczką.

– Tak naprawdę nigdy się nie kończymy, Charlie. Nie wiem, jak to możliwe ani co to znaczy, wiem tylko, że tak jest.

– Możesz mi pomóc przejść na drugą stronę? Mówią, że pomagasz ludziom.

– Tak. Mogę. – Wziął Charliego też za drugą rękę. – To tak jakbyś zasypiał. I kiedy się obudzisz… a obudzisz się… wszystko zmieni się na lepsze.

– Niebo? Mówisz o niebie?

– Nie wiem, Charlie.

Tej nocy moc była niezwykle silna. Czuł, jak płynie przez ich splecione dłonie niczym prąd elektryczny. Bądź delikatny, przestrzegł się w duchu. Jego cząstka tkwiła w słabnącym ciele, które powoli przestawało funkcjonować, i gasnących zmysłach

(proszę państwa)

które wyłączały się jeden po drugim. Wnikał w umysł

(proszę państwa zamykamy)

który był bystry jak zawsze i świadom tego, że snuje swoje ostatnie myśli… przynajmniej jako Charlie Hayes.

Przekrwione oczy zamknęły się, po czym otworzyły znowu. Bardzo powoli.

– Wszystko w porządku – powiedział Dan. – Musisz się tylko zdrzemnąć. Sen poprawi ci samopoczucie.

– Tak to nazywasz?

– Tak. Nazywam to snem, a sen jest czymś bezpiecznym.

– Nie odchodź.

– Nie odejdę. Jestem z tobą. – Rzeczywiście. Był z Charliem. To było jego straszliwym przywilejem.

Oczy Charliego znów się zamknęły. Dan opuścił powieki i w ciemności zobaczył niespiesznie pulsujące niebieskie światełko.

Jeden błysk... drugi... przerwa. Jeden błysk... drugi... przerwa. Na zewnątrz hulał wiatr.

– Śpij, Charlie. Dzielnie sobie radzisz, ale jesteś zmęczony i musisz się przespać.

– Widzę moją żonę. – Najsłabszy szept.

– Naprawdę?

– Mówi...

Nie było nic więcej, tylko ostatni niebieski błysk pod powiekami Dana i ostatni wydech z ust człowieka w łóżku. Dan otworzył oczy, wsłuchał się w wiatr i czekał na to, co zawsze pojawiało się na końcu. I po kilku sekundach to zobaczył: mętną czerwoną mgiełkę unoszącą się z nosa, ust i oczu Charliego. To było to, co stara pielęgniarka z Tampy – ta, która troszkę jaśniała, mniej więcej tak jak Billy Freeman – nazwała „tchnieniem". Mówiła, że widziała to wiele razy.

Dan widział to za każdym razem.

Mgiełka wzniosła się i zawisła nad ciałem starca. Po chwili zniknęła.

Dan podwinął prawy rękaw piżamy Charliego i poszukał tętna. Tylko dla formalności.

5

Azzie zwykle wychodził przed końcem, ale nie tej nocy. Stał na narzucie obok biodra Charliego i patrzył na drzwi. Dan podążył za jego spojrzeniem, spodziewając się zobaczyć Claudette albo Jan, lecz nie było tam nikogo.

A jednak ktoś tam był.

– Halo?

Nic.

– Jesteś tą dziewczynką, która czasem pisze po mojej tablicy?

Żadnej odpowiedzi. Ale ktoś tam był, na pewno.

– Masz na imię Abra?

Odpowiedzią była słaba, prawie niesłyszalna pośród wiatru kaskada fortepianowych nut. Dan pewnie złożyłby to na karb swojej wybujałej wyobraźni (nie zawsze potrafił odróżnić ją od jasności), gdyby nie Azzie, który strzygł uszami i nie odrywał wzroku od pustych drzwi. Ktoś tam był. Ktoś patrzył.

– To ty jesteś Abra?

Kolejna kaskada nut, a potem znów cisza. Tyle że tym razem w tej ciszy nie kryło się nic. Ktokolwiek tam był wcześniej, zniknął. Azzie przeciągnął się, zeskoczył z łóżka i wyszedł, nie oglądając się za siebie.

Dan jeszcze chwilę posiedział na łóżku, wsłuchany w wiatr. Potem opuścił zagłówek, naciągnął prześcieradło na twarz Charliego i wrócił do dyżurki pielęgniarek, by powiedzieć im, że jeden z gości umarł.

6

Odwalił przypadającą na niego robotę papierkową i poszedł do minibarku. Dawniej popędziłby tam biegiem, z zaciśniętymi pięściami, ale te czasy minęły. Teraz szedł niespiesznie i oddychał powoli i głęboko, by uspokoić serce i myśli. W AA mówi się: „Pomyśl, zanim się napijesz", lecz w czasie cotygodniowych rozmów w cztery oczy Casey K. powtarzał mu, by pomyślał, zanim zrobi cokolwiek. „Nie wytrzeźwiałeś po to, żeby odstawiać głupoty, Danny. Miej to na uwadze, kiedy następnym razem zaczniesz słuchać tego porąbanego chórku złych doradców w twojej głowie".

Ale te cholerne ślady palców.

Carling siedział odchylony do tyłu na krześle. Teraz jadł miętówki w czekoladzie. Zamienił „Popular Mechanics" na kolorowy magazyn z najnowszym niesfornym gwiazdorem sitkomu na okładce.

– Pan Hayes odszedł – powiedział Dan łagodnie.

– Przykro mi. – Nie podnosząc wzroku znad czasopisma. – Ale w sumie po to tu są, no nie?

Dan zahaczył stopą o jedną z przechylonych przednich nóg krzesła Carlinga i poderwał ją ku górze. Krzesło poleciało w bok, Carling gruchnął na podłogę. Paczka miętówek wyleciała mu z ręki. Patrzył na Dana z niedowierzaniem.

– Teraz będziesz słuchał uważnie?

– Ty sukin… – Carling zaczął się podnosić.

Dan położył nogę na jego piersi i pchnął go pod ścianę.

– Widzę, że tak. To dobrze. Na razie lepiej nie wstawaj. Siedź sobie i słuchaj. – Pochylił się i zacisnął dłonie na kolanach. Mocno, bo te dłonie teraz nade wszystko chciały bić. I bić. I bić. Łupało go w skroniach. Powoli, powiedział sobie. Nie pozwól, żeby to wzięło nad tobą górę.

Ale nie było łatwo.

– Jeśli jeszcze raz zobaczę ślady twoich paluchów na pacjencie, sfotografuję je, pójdę do pani Clausen i wylecisz na zbity pysk, obojętne, u kogo masz chody. A kiedy przestaniesz pracować w tej instytucji, znajdę cię i rozwalę ci mordę.

Carling dźwignął się na nogi, opierając się plecami o ścianę i nie spuszczając go z oczu. Był od Dana wyższy i cięższy o co najmniej pięćdziesiąt kilogramów. Zacisnął pięści.

– Już to widzę. Może spróbujesz teraz?

– Chętnie, ale nie tutaj. Zbyt wielu ludzi próbuje spać, poza tym mamy zmarłego. Na którym zostawiłeś swoje ślady.

– Ja tylko zmierzyłem mu tętno. Tym z białaczką łatwo robią się siniaki.

– Tak, ale ty naumyślnie zadałeś mu ból. Nie wiem dlaczego, ale wiem, że tak było.

Coś błysnęło w mętnych oczach Carlinga. Nie wstyd; Dan nie sądził, by ten człowiek był do niego zdolny. Nie, to było raczej niemiłe poczucie, że został przejrzany na wylot. I strach przed wpadką.

– Ważniak się znalazł. Doktor Seeeeen. Co, twoje gówno nie śmierdzi?

– Śmiało, Fred, wyjdźmy na zewnątrz. To będzie dla mnie przyjemność. – I mówił prawdę. Siedział w nim drugi Dan. Już nie tak płytko jak kiedyś, ale wciąż się tam czaił i był tym samym wrednym, nieracjonalnym sukinsynem co zawsze. Kątem oka widział Claudette i Jan, które stały w połowie długości korytarza z szeroko otwartymi oczami, objęte ramionami.

Carling przemyślał sprawę. Owszem, był silniej zbudowany, i owszem, miał większy zasięg rąk. Ale jednocześnie nie był w formie – zbyt wiele faszerowanych burrito, zbyt wiele piwska, dużo słabsza kondycja niż w wieku dwudziestu lat – a twarz tego chudego pokurcza miała w sobie coś niepokojącego. Coś, co już kiedyś widział, w czasach kiedy bujał się z gangiem motocyklowym Święci Drogi. Niektórzy mają w głowach wadliwe bezpieczniki, takie co łatwo wysiadają, a wtedy gościom na amen przepalają się obwody w mózgu. Dotąd uważał Torrance'a za zahukanego kurdupla, który nie podskoczyłby ci, nawet gdybyś mu pięty przypiekał, ale teraz stwierdził, że się mylił. Jego sekretnym wcieleniem był nie Doktor Sen, tylko Doktor Świr.

Przemyślawszy to starannie, Fred powiedział:

– Szkoda mi czasu.

Dan skinął głową.

– I słusznie. Oszczędzimy sobie odmrożeń. Tylko pamiętaj: jeśli nie chcesz wylądować w szpitalu, od tej pory trzymaj łapska przy sobie.

– Od kiedy ty tu rządzisz?

– Nie wiem – powiedział Dan. – Naprawdę nie wiem.

7

Wrócił do swojego pokoju i do łóżka, ale nie mógł zasnąć. Pracując w Rivington House, odwiedził kilkudziesięciu pensjonariuszy na łożu śmierci i po tych wizytach zwykle ogarniał go spokój. Nie tej nocy. Fred Carling wszystko zepsuł. Dan wciąż jeszcze trząsł się ze złości. Świadoma część jego umysłu nienawidziła tej czerwonej burzy; inna, schowana gdzieś głęboko, uwielbiała ją. Pewnie brało się to ze starej dobrej genetyki: natura triumfowała nad wychowaniem. Im dłużej pozostawał trzeźwy, tym więcej starych wspomnień wynurzało się na powierzchnię. A wśród nich najwyraźniejsze były ataki gniewu ojca. Naprawdę miał nadzieję, że Carling podejmie jego wyzwanie. Że wyjdzie na zewnątrz, na śnieg i wiatr, gdzie Dan Torrance, syn Jacka, da temu nic niewartemu szczeniakowi lekarstwo, na jakie zasłużył.

Bóg mu świadkiem, nie chciał być taki jak ojciec toczący samotne boje o zachowanie trzeźwości. AA miało pomagać w panowaniu nad gniewem i zazwyczaj pomagało, ale czasem, w takich chwilach jak ta, Dan zdawał sobie sprawę, jak licha to jest bariera. W takich chwilach czuł się nic niewart i miał wrażenie, że gorzała to wszystko, na co zasługuje. W takich chwilach ojciec był mu bardzo bliski.

Pomyślał: Mama.

Pomyślał: Ciuciejki.

Pomyślał: Nic niewarte szczeniaki muszą dostać lekarstwo. A wiesz, gdzie ono jest sprzedawane, prawda? Prawie wszędzie.

Wiatr przybrał na sile i uderzona wściekłym porywem wieżyczka zatrzeszczała. Kiedy znów zapadła cisza, dziewczynka pisząca po jego tablicy była w pokoju. Dan prawie słyszał jej oddech.

Wystawił rękę spod kołder. Przez chwilę wisiała w zimnym powietrzu i wtem poczuł, że wsuwa się w nią mała, ciepła dłoń.

– Abra – powiedział. – Na imię masz Abra, ale ludzie czasem mówią na ciebie Abby. Prawda?

Nie było odpowiedzi, ale tak naprawdę jej nie potrzebował. Wystarczył dotyk tej ciepłej dłoni. Choć trwał tylko kilka sekund, przyniósł mu ukojenie. Zamknął oczy i zasnął.

8

Trzydzieści kilometrów stamtąd, w małym miasteczku o nazwie Anniston, Abra Stone leżała z otwartymi oczami. Ręka, która otuliła jej dłoń, trzymała ją przez krótką chwilę. Potem obróciła się w mgłę i zniknęła. Ale była tam naprawdę. On był tam naprawdę. Znalazła go we śnie, ale po przebudzeniu odkryła, że to nie był sen. Stała w drzwiach pokoju. To, co zobaczyła w środku, przeraziło ją i zachwyciło zarazem. Była tam śmierć, a śmierć to coś strasznego, lecz była też pomoc człowieka dla człowieka. Ten pan, który pomagał, Abry nie widział, ale zobaczył ją kot. Kot miał na imię tak jak ona, choć nie całkiem.

Nie widział mnie, ale mnie wyczuł. I przed chwilą byliśmy razem. Chyba mu pomogłam, tak jak on pomógł temu panu, który umarł.

To była przyjemna myśl. Trzymając się jej (tak jak trzymała widmową dłoń), Abra przewróciła się na bok, przytuliła pluszowego królika do piersi i zasnęła.

Rozdział V

Prawdziwy Węzeł

1

Prawdziwy Węzeł nie miał osobowości prawnej, ale gdyby takową posiadał, pewne przydrożne miejscowości w Maine, na Florydzie, w Kolorado i Nowym Meksyku nazywano by „miastami korporacyjnymi". Do jego członków – za pośrednictwem poplątanej sieci holdingów – należały wszystkie ważne firmy i duże działki na tych terenach. Miasta Prawdziwych, o barwnych nazwach jak Dry Bend, Jerusalem's Lot, Oree i Sidewinder, służyły im za bezpieczne przystanie, ale nigdy nie siedzieli w nich długo; zwykle wiedli koczowniczy tryb życia. Jeśli jeździcie po autostradach i głównych drogach Ameryki, być może ich widzieliście. Może na autostradzie I-95 w Karolinie Południowej, gdzieś na południe od Dillon i na północ od Santee. Może na I-80 w Montanie, w górach na zachód od Draper. A może w Georgii, kiedy mijaliście – powoli, żeby nie narobić sobie kłopotów – ten osławiony fotoradar na drodze numer 41 pod Tifton.

Ile razy utknęliście za niemrawym samochodem turystycznym, wdychając spaliny i niecierpliwie wyczekując okazji do wyprzedzenia? Wlokąc się sześćdziesiątką, gdy moglibyście swobodnie

– i zgodnie z przepisami – przyspieszyć do stu czy nawet stu dwudziestu na godzinę? I kiedy lewy pas wreszcie się zwalnia i zabieracie się do wyprzedzania, Boże Święty, dopiero wtedy widzicie, że przed wami jest cały długaśny sznur tych cholerstw, paliwożerców jadących dokładnie piętnaście kilometrów na godzinę poniżej dozwolonej prędkości, prowadzonych przez staruszków w okularach, którzy siedzą zgarbieni za kierownicami i ściskają je tak kurczowo, jakby bali się, że im odfruną.

A może spotkaliście ich na parkingu przy autostradzie, kiedy zatrzymaliście się, żeby rozprostować nogi i ewentualnie wrzucić parę drobniaków do jednego z automatów z przekąskami. Zjazdy na takie postoje zawsze się rozwidlają, prawda? Samochody osobowe na jeden parking, ciężarówki i kampery na drugi. Ten dla ciężarówek i kamperów zwykle położony jest nieco dalej. Może widzieliście samochody turystyczne Prawdziwych stojące na takim parkingu, skupione blisko siebie. Może widzieliście, jak ich właściciele idą do głównego budynku – pomału, bo wielu z nich wygląda staro, a niektórzy są mocno przy kości – zawsze całą grupą, zawsze z dala od innych ludzi.

Czasem zjeżdżają z autostrady gdzieś, gdzie jest dużo stacji benzynowych, moteli i fast foodów. I kiedy widzicie te wszystkie kampery zaparkowane przy McDonaldzie czy Burger Kingu, jedziecie dalej, bo wiecie, że całe to towarzystwo stoi w kolejce do kasy, mężczyźni w kapeluszach golfowych z opadającym rondem albo czapkach wędkarskich z długim daszkiem, kobiety w elastycznych spodniach (zwykle jasnoniebieskich) i koszulkach z hasłami typu JEZUS KRÓLEM, WESOŁA WĘDROWNICZKA czy ZAPYTAJ MNIE O MOICH WNUCZKÓW! Wolicie przejechać jeszcze te kilkaset metrów do najbliższego Waffle House lub Shoney's, prawda? Bo wiecie, że złożenie zamówienia zajmie im całe wieki, że będą hamletyzować nad menu i zażyczą sobie a to hamburgera bez ogórków, a to whoppera bez sosu. I przy okazji dokładnie wypytają kasjerów o ciekawe atrakcje turystyczne w okolicy, choć na pierwszy rzut oka widać, że to zwykła zabita dechami dziura, z której dzieciaki uciekają zaraz po ukończeniu najbliższej szkoły średniej.

Prawie się ich nie zauważa, prawda? Bo i jak? To tylko Ludzie z Kamperów, starsi emeryci i garstka ich młodszych kompanów, wiodący tułaczy żywot na autostradach i wiejskich drogach, zatrzymujący się na kempingach, gdzie siedzą na składanych krzesłach z Wal-Marta wokół dymiących grillów i toczą rozmowy o inwestycjach, turniejach wędkarskich, przepisach na gulasz i Bóg wie czym jeszcze. To ludzie, którzy zawsze zaglądają na pchle targi i wyprzedaże garażowe i parkują swoje cholerne dinozaury jeden za drugim w połowie na poboczu, w połowie na ulicy, tak że człowiek musi jechać w ślimaczym tempie, żeby się obok nich przecisnąć. Są przeciwieństwem klubów motocyklowych, które czasem widzi się na tych samych autostradach i wiejskich drogach; jeźdźcy łagodni, nie swobodni.

Cholernie działają na nerwy, kiedy zwalają się całą grupą na parking i zajmują wszystkie toalety, ale jak już ich oporne, rozregulowane podróżą bebechy zrobią swoje i wreszcie możecie sobie ulżyć, natychmiast o tych ludziach zapominacie, prawda? Rzucają się w oczy nie bardziej niż ptaki na drutach telefonicznych czy krowy pasące się na przydrożnej łące. Och, może się zastanowicie, jakim cudem stać ich na benzynę do tych paliwożernych monstrów (muszą mieć niezłą emeryturkę, jak inaczej mogliby sobie pozwolić na te nieustające wędrówki po kraju), może zdziwi was, czemu ktokolwiek w ogóle chce spędzać swoje złote lata na niekończących się amerykańskich drogach, ale poza tym nie zaprzątacie sobie nimi głowy.

A jeśli należycie do grona nieszczęśników, którzy stracili dziecko – został tylko rower na pustej parceli po drugiej stronie ulicy albo czapeczka w krzakach na brzegu pobliskiego strumienia – przez myśl wam nie przejdzie, że oni, Ludzie z Kamperów, mogli mieć z tym cokolwiek wspólnego. Bo i dlaczego? Nie, pewnie zrobił to jakiś włóczęga. Albo (gorszy wariant, ale zatrważająco prawdopodobny) jakiś chory pojeb z waszego miasta, może nawet z waszej dzielnicy czy wręcz waszej ulicy, rąbnięty zwyrodnialec, który świetnie potrafi udawać normalnego i dalej będzie takiego udawał, dopóki ktoś nie znajdzie stosiku kości w jego piwnicy czy płytkiego grobu na jego podwórku. Ludzi z Kamperów, tych wczesnych emerytów i pogodnych staruszków w kapeluszach golfowych i daszkach przeciwsłonecznych z naszytymi kwiatkami, nawet nie bierzecie pod uwagę.

I na ogół słusznie. Tysiące ludzi jeżdżą kamperami, ale w 2011 roku w Ameryce został tylko jeden Węzeł – Prawdziwy Węzeł. Jego członkowie lubili podróże, a to dobrze się składało, bo podróżować musieli. Gdyby za długo przebywali w jednym miejscu, w końcu skupiliby na sobie uwagę, a to dlatego, że nie starzeją się tak jak zwykli ludzie. Może się zdarzyć, że Annie Fartuch czy Brudnemu Philowi (dla ćwoków Anne Lamont i Phil Caputo) przybędzie dwadzieścia lat w jedną noc. Albo że bliźniaki Little (Groszek i Strączek) przeistoczą się z dwudziestodwulatków w (mniej więcej) dwunastoletnie dzieci, jakimi byli w momencie Przemiany, którą przeszli dawno, dawno temu. Jedynym naprawdę młodym członkiem Prawdziwych jest Andrea Steiner, teraz znana jako Jadowita Andi… i nawet ona nie jest taka młoda, na jaką wygląda.

Niedołężna, zrzędliwa osiemdziesięciolatka z dnia na dzień młodnieje o dwadzieścia lat. Zasuszony siedemdziesięcioletni staruszek odkłada laskę; rakowate guzy na jego ramionach i twarzy znikają.

Czarnooka Susie przestaje kuśtykać.

Doug Diesel, dotąd półślepy od zaćmy, odzyskuje sokoli wzrok, a łysy placek na jego głowie znika. Nagle, hokus-pokus, znów jest czterdziestopięciolatkiem.

Steve Parodajny chodzi prosty, choć jeszcze wczoraj miał garb. Jego żona, Baba Czerwona, wyrzuca niewygodne pieluchomajtki, wkłada wysadzane strasami kowbojki i mówi, że chce iść na potańcówkę.

Gdyby dać ludziom dość czasu, by zaobserwowali takie zmiany, zaczęliby się dziwić i zadawać pytania. W końcu pojawiłby się jakiś dziennikarz, a Prawdziwy Węzeł stroni od rozgłosu tak, jak wampiry podobno stronią od światła słonecznego.

Ponieważ jednak jego członkowie nie mają stałego miejsca zamieszkania (a kiedy zostają na dłużej w jednym ze swoich miast, trzymają się na uboczu), idealnie dopasowują się do otoczenia. Bo i dlaczego nie? Noszą te same ubrania co inni Ludzie z Kamperów, te same tanie okulary przeciwsłoneczne, kupują te same pamiątkowe koszulki i zerkają na te same mapy drogowe. Naklejają te same kalkomanie na swoje boundery i winnebago, obwieszczające wszem wobec, jakie to niezwykłe miejsca odwiedzili (POMOGŁEM PRZYCIĄĆ GAŁĘZIE NAJWIĘKSZEGO DRZEWA NA ŚWIECIE W KRAINIE BOŻEGO NARODZENIA!), i kiedy utkniesz za nimi na drodze, czytasz te same napisy na zderzakach (STARY ALE JARY, RATUJMY MEDICARE, JESTEM KONSERWATYSTĄ I GŁOSUJĘ!!) w oczekiwaniu na okazję, żeby ich wyprzedzić. Jedzą smażone kurczaki od Pułkownika Sandersa i od czasu do czasu kupują zdrapki w tych małych sklepach, gdzie można dostać piwo, przynęty, amunicję, pismo „Motor Trend" i dziesięć tysięcy rodzajów batonów. Jeśli w mieście, w którym się zatrzymają, jest sala do gry w bingo, niechybnie zwalą się do niej liczną grupą, zajmą jeden ze stolików i będą grać do końca ostatniej partii. Chciwa G (dla ćwoków Greta Moore) podczas jednej takiej rozgrywki wygrała pięćset dolarów. Chełpiła się tym całymi miesiącami i, choć Prawdziwym pieniędzy nie brak, strasznie działało to niektórym paniom na nerwy. Charlie Szton też nie był zadowolony. Żalił się, że pięć tur czekał na B7, kiedy G w końcu zdobyła bingo.

– Chciwa, suko, ty to masz fart – powiedział.

– A ty masz pecha, bydlaku – odcięła się. – Czarny bydlaku.
– I poszła, rechocząc.

Jeśli kogoś z nich złapie fotoradar albo zatrzyma drogówka za jakieś drobne wykroczenie – co zdarza się rzadko, ale się zdarza – policjant nie znajduje nic oprócz ważnych praw jazdy, aktualnych kart ubezpieczenia i dokumentów, które pod każdym względem są w absolutnym porządku. Nikt nie podnosi głosu, kiedy glina wypisuje mandat, nawet gdy jest to oczywisty kant. Nikt nie kwestionuje zarzutów, należność zostaje niezwłocznie uiszczona. Ameryka to żywy organizm, drogi to jej naczynia krwionośne, a Prawdziwy Węzeł krąży po nich jak cichy wirus.

Nie ma jednak psów.

Zwyczajni Ludzie z Kamperów podróżują w towarzystwie licznych czworonogów, najczęściej tych małych obsrańców z wypielęgnowaną sierścią, kolorowymi obróżkami i wrednym usposobieniem. Wiecie, o jakich mowa; tych, co szczekają tak, że uszy bolą, i patrzą na was tymi swoimi szczurzymi ślepiami pełnymi niepokojącej inteligencji. Widzi się je, kiedy węszą w trawie na wybiegu dla psów na parkingu przy autostradzie, podczas gdy właściciele karnie podążają za nimi z plastikowym woreczkiem i szufelką w pogotowiu. Oprócz standardowych kalkomanii i napisów na zderzakach, na samochodach turystycznych tych zwyczajnych Ludzi z Kamperów można zobaczyć żółte romboidalne nalepki z napisami POMERANIAN NA POKŁADZIE albo KOCHAM MOJEGO PUDLA.

Na samochodach Prawdziwego Węzła takich nalepek nie ma. Nie lubią psów, a psy ich nie lubią. Można rzec, że psy widzą ich prawdziwe oblicze. Bystre, czujne oczy pod tanimi okularami przeciwsłonecznymi. Silne, muskularne nogi myśliwych pod poliestrowymi luźnymi spodniami z Wal-Marta. Ostre kły pod sztucznymi szczękami, tylko czekające na to, żeby je wysunąć.

Nie lubią psów, za to lubią pewne dzieci.

O tak, bardzo lubią pewne dzieci.

2

W maju 2011 roku, niedługo po tym, jak Abra obchodziła dziesiąte urodziny, a Dan Torrance dziesiąty rok trzeźwości, Papa Kruk zapukał do drzwi earthcruisera Rosie Kapelusz. Prawdziwi rozłożyli się na Komfortowym Kempingu pod Lexington w stanie Kentucky. Byli w drodze do Kolorado, gdzie mieli spędzić większą część lata w jednym z miast skrojonych na miarę ich potrzeb. Zrządzeniem losu to było to samo miasto, do którego Dan czasem wracał w snach. Zazwyczaj nigdzie im się nie spieszyło, lecz tego lata sytuacja była dość krytyczna. Wszyscy to wiedzieli, ale nikt nie mówił o tym na głos.

Rose coś wymyśli. Jak zawsze.

– Wejść – powiedziała i Papa Kruk otworzył drzwi.

Kiedy załatwiał oficjalne sprawy, zawsze ubierał się w porządny garnitur i drogie buty wypastowane na lustrzany połysk. Jak już był w nastroju na pełne retro, nosił nawet laskę. Tego ranka miał na sobie obszerne spodnie trzymające się na szelkach, podkoszulek z rybą (i napisem KIEŁBIE WE ŁBIE) i płaską czapkę z daszkiem, którą zdjął, kiedy zamknął za sobą drzwi. Był nie tylko prawą ręką Rose, ale i jej – okazjonalnym – kochankiem, a mimo to nigdy nie zapominał o okazywaniu szacunku. Między innymi to jej się w nim podobało. Nie wątpiła, że gdyby umarła, Prawdziwi mogliby dalej funkcjonować pod jego przywództwem. Przynajmniej przez pewien czas. Czy przez następne sto lat? Chyba nie. Pewnie nie. Potrafił ładnie mówić i ładnie się ubierać, kiedy musiał robić interesy z ćwokami, lecz był marnym strategiem i nie miał za grosz wyobraźni.

Tego ranka coś go trapiło.

Rose siedziała na kanapie w rybaczkach i prostym białym staniku, paliła papierosa i oglądała trzecią godzinę *Today* w wielkim telewizorze zawieszonym na ścianie. To była godzina „luźna", kiedy do studia zapraszano znanych kucharzy i aktorów promujących swoje nowe filmy. Cylinder Rose był przekrzywiony do tyłu. Papa Kruk znał ją tyle lat, ile nie przeżyłby żaden ćwok, i wciąż nie wiedział, jakim cudem ten kapelusz trzymał się na jej głowie pod tym urągającym grawitacji kątem.

Wyłączyła pilotem dźwięk.

– Toż to Henry Rothman we własnej osobie. I bardzo smakowicie wyglądasz, choć zapewne nie przyszedłeś po to, żeby dać się schrupać. Nie za kwadrans dziesiąta rano i nie z taką miną. Kto umarł?

To miał być żart. Miał być, ale nie był, sądząc z grymasu na twarzy Papy i bruzd, które przecięły jego czoło. Wyłączyła telewizor i starannie zgasiła papierosa, próbując ukryć głębokie zaniepokojenie. Kiedyś Prawdziwych było przeszło dwustu. Do wczoraj zostało czterdziestu jeden. Jeśli dobrze zrozumiała wymowę grymasu Papy, dziś było o jednego mniej.

– Tommy Bryka – powiedział Papa Kruk. – Odszedł we śnie. Wpadł w cykl i nagle bum. W ogóle nie cierpiał. Co, jak wiesz, cholernie rzadko się zdarza.

– Obejrzał go Orzech? – Kiedy jeszcze było co oglądać, pomyślała, ale nie powiedziała tego na głos; nie było takiej potrzeby. Orzech, który według swojego oficjalnego prawa jazdy i oficjalnych kart kredytowych nazywał się Peter Wallis i mieszkał w Little Rock w stanie Arkansas, był łapiduchem Prawdziwych.

– Nie, to stało się za szybko. Była z nim Ciężka Mary. Obudziła się, bo Tommy rzucał się po łóżku. Myślała, że ma zły sen, i szturchnęła go łokciem… tylko że wtedy nie było już czego szturchać oprócz piżamy. Pewnie dostał ataku serca. Tommy ostatnio ostro się zaziębił. Orzech sądzi, że to mogło mieć wpływ. Poza tym wiesz, że sukinsyn zawsze kurzył jak komin.

– My nie dostajemy ataków serca. – Po czym, z ociąganiem: – Inna sprawa, że też się nie przeziębiamy. W ostatnich dniach strasznie rzęził, nie? Biedny stary Tommy.

– Tak, biedny stary Tommy. Orzech mówi, że nie można niczego stwierdzić na pewno bez autopsji.

Która nie wchodziła w grę. Nie było już ciała, które można by pokroić.

– Jak Mary się trzyma?

– A jak myślisz? Ma złamane serce, do kurwy nędzy. Znają się od czasów, kiedy Tommy Bryka był Tommym Bryczką. Prawie dziewięćdziesiąt lat. To ona opiekowała się nim po jego Przemianie. Pierwsza podała mu parę, kiedy następnego dnia się ocknął. Teraz mówi, że chce się zabić.

Mało co było w stanie zaszokować Rose, ale te słowa wstrząsnęły nią do głębi. Jeszcze żaden Prawdziwy się nie zabił. Życie było – można rzec – jedynym celem ich życia.

– Pewnie tylko tak mówi – dodał Papa Kruk. – Tyle że…

– Tyle że co?

– Masz rację, zwykle się nie przeziębiamy, lecz ostatnio zdarza się to coraz częściej. Przeważnie kończy się na lekkim katarze. Orzech sądzi, że to z niedożywienia. Oczywiście, to tylko jego domysły.

Rose siedziała w zamyśleniu, bębniąc palcami w nagi brzuch. Oczy utkwiła w pustym prostokącie ekranu telewizora.

– No dobrze – powiedziała wreszcie – to prawda, że z wyżywieniem ostatnio było kiepsko, ale przecież raptem miesiąc temu nabraliśmy pary w Delaware i Tommy wtedy czuł się świetnie. Od razu się podtuczył.

– Tak, chociaż… ten chłopak z Delaware to nie była żadna rewelacja. Bardziej opary niż para.

Nie myślała o tym w tak prostych kategoriach, lecz to była prawda. W dodatku miał dziewiętnaście lat według prawa jazdy. Szczyt swoich możliwości, jakkolwiek skromnych, osiągnął dawno temu, w okresie dojrzewania. Jeszcze dziesięć lat – może nawet pięć – i stałby się zwyczajnym ćwokiem. Fakt, marny był z niego posiłek. Ale nie zawsze można jeść stek. Czasem trzeba się zadowolić kiełkami fasoli i tofu. Przynajmniej pozwalają jako tako wyżyć do czasu, kiedy będziesz mógł zarżnąć następną krowę.

Tyle że duchowe tofu i kiełki fasoli nie utrzymały Tommy'ego Bryki przy życiu, co?

– Dawniej było więcej pary – stwierdził Kruk.

– Nie gadaj głupot. To jak te wyrzekania ćwoków, że pięćdziesiąt lat temu ludzie byli dla siebie milsi. To mit i nie chcę, żebyś go rozgłaszał. Atmosfera i bez tego jest nerwowa.

– Przecież mnie znasz, wiesz, że ja nie z takich. I nie sądzę, że to mit, moja droga. Jak o tym pomyśleć, to nawet logiczne. Pięćdziesiąt lat temu było więcej wszystkiego: ropy, dzikiej zwierzyny, ziemi pod uprawę, czystego powietrza. Było nawet kilku uczciwych polityków.

– Tak! – krzyknęła Rose. – Richard Nixon, pamiętasz go? Księcia Ćwoków?

Nie dał się wpuścić w tę ślepą uliczkę. Kruk może i nie miał za grosz wyobraźni, ale niełatwo było odwrócić jego uwagę. Dlatego został jej prawą ręką. Może nawet miał trochę racji. Kto wie, może liczba ludzi zdolnych wykarmić Prawdziwych rzeczywiście kurczyła się jak zasoby tuńczyka w Pacyfiku?

– Lepiej otwórz jeden ze zbiorników, Rosie. – Zobaczył, że zrobiła wielkie oczy, i uniósł dłoń, nakazując jej milczenie. – Nikt tego głośno nie mówi, lecz cała rodzina o tym myśli.

Rose w to nie wątpiła, a teoria, że Tommy umarł z powodu takich czy innych powikłań wynikających z niedożywienia, wydawała się przerażająco wiarygodna. Kiedy pary brakowało, życie robiło się ciężkie i traciło smak. Nie byli wampirami z jednego z tych starych horrorów z wytwórni Hammer, ale jeść musieli.

– I kiedy ostatnio mieliśmy siódmą falę? – spytał Kruk.

Znał odpowiedź, ona też. Członkowie Prawdziwego Węzła mieli ograniczoną zdolność przewidywania przyszłości, ale kiedy w świecie ćwoków nadciągał prawdziwie wielki kataklizm – siódma fala – wyczuwali to wszyscy. Choć szczegóły ataku na World Trade Center zaczęły im się krystalizować dopiero późnym latem 2001 roku, już wiele miesięcy wcześniej wiedzieli, że coś się wydarzy w Nowym Jorku. Rose do dziś pamiętała tę radość, to niecierpliwe wyczekiwanie. Pewnie tak samo czują się wygłodniałe ćwoki, kiedy dolatuje ich aromat wyjątkowo smakowitego dania gotującego się w kuchni.

Tamtego dnia, i w dni następne, najedli się do syta. Może i wśród ofiar ataku na wieże była tylko garstka prawdziwych parodajnych, ale kiedy kataklizm jest wystarczająco wielki, ból i gwałtowna śmierć wzbogacają treść nawet szarych ludzi. Dlatego Prawdziwi ciągnęli w takie miejsca jak owady do jasno świecącej lampy. Dużo trudniej było namierzyć pojedynczego ćwoka z parą, zwłaszcza teraz, kiedy w swoich szeregach mieli już tylko trzy osoby z niezbędnym do tego wyspecjalizowanym sonarem w głowie: Dziadzia Flicka, Barry'ego Kitajca i samą Rose.

Wstała, wzięła z blatu starannie złożoną bluzkę z dekoltem w łódkę i wciągnęła ją przez głowę. Jak zawsze, wyglądała trochę jak piękna istota nie z tej ziemi (te wydatne kości policzkowe i lekko skośne oczy), ale była niesamowicie seksowna. Założyła kapelusz z powrotem i stuknęła w niego na szczęście.

– Jak myślisz, ile pełnych zbiorników zostało, Kruku?

Wzruszył ramionami.

– Tuzin? Piętnaście?

– Coś koło tego – przytaknęła. Lepiej niech żadne z nich, nawet jej prawa ręka, nie zna prawdy. Jeszcze tylko tego brakowało, żeby obecny niepokój przerodził się w panikę. Spanikowani ludzie rozbiegają się na wszystkie strony. Gdyby do tego doszło, Prawdziwy Węzeł mógłby się rozpaść.

Tymczasem Kruk patrzył na nią, i to uważnie. Zanim mógł zobaczyć za dużo, powiedziała:

– Możesz załatwić, żebyśmy dziś mieli ten kemping tylko dla siebie?

– A jak myślisz? Przy tych cenach paliwa właściciel nie może zapełnić połowy miejsc nawet w weekendy. Nie przepuści takiej okazji.

– W takim razie zajmij się tym. Nabierzemy pary ze zbiornika. Powiedz wszystkim.

– Robi się. – Pocałował ją i przy okazji popieścił jej pierś. – To moja ulubiona bluzka.

Zaśmiała się i odepchnęła go.

– Każda bluzka z cyckami w środku jest twoją ulubioną. Idź już.

Ociągał się jednak, z kącikiem ust skrzywionym w uśmiechu.

– Dziewczyna z grzechotnikiem nadal węszy ci pod drzwiami, moja śliczna?

Opuściła rękę i na chwilę ścisnęła go poniżej pasa.

– Mój Boże, co ty, zazdrosny jesteś?

– Powiedzmy, że tak.

Miała co do tego wątpliwości, ale pochlebiło jej, że nie zaprzeczył.

– Teraz jest z Sarey i dobrze im ze sobą. A skoro już mowa o Andi, ona może nam pomóc. Wiesz jak. Uprzedź wszystkich, ale najpierw porozmawiaj z nią.

Kiedy wyszedł, zamknęła kampera, poszła do szoferki i padła na kolana. Wsunęła palce w wykładzinę między fotelem kierowcy a pedałami. Od podłogi oderwał się pas materiału. Pod spodem była kwadratowa metalowa klapa z wmontowaną klawiaturą. Rose wprowadziła kod i sejf się uchylił. Otworzyła drzwiczki na całą szerokość i zajrzała do środka.

Kruk strzelił, że zostało piętnaście albo tuzin pełnych zbiorników. Choć nie potrafiła czytać myśli członków Plemienia tak jak myśli ćwoków, była pewna, że podał zaniżoną liczbę, żeby podnieść ją na duchu.

Gdyby tylko wiedział, pomyślała.

Sejf był wyłożony styropianem, by chronić zbiorniki w razie wypadku drogowego, i podzielony na czterdzieści przegródek. W ten piękny majowy poranek w Kentucky trzydzieści siedem zbiorników w tych przegródkach było pustych.

Rose wyjęła jeden z trzech pełnych zbiorników i podniosła go. Był lekki; ważąc go w dłoni, miało się wrażenie, że też jest pusty. Zdjęła nakrętkę, upewniła się, że plomba na zaworze jest nienaruszona, po czym zamknęła sejf, wróciła do kampera i ostrożnie – niemal z czcią – postawiła zbiornik na blacie, na którym przedtem leżała jej bluzka.

Po tym wieczorze zostaną już tylko dwa zbiorniki.

Musieli znaleźć porządną parę, by napełnić co najmniej kilka tych pustych zbiorników, i to jak najszybciej. Może Prawdziwi nie byli jeszcze przyparci do muru, nie całkiem, ale dzieliły ich od niego już tylko centymetry.

3

Ernie i Maureen Salkowicz, właściciele kempingu, mieli własną przyczepę mieszkalną ustawioną na pomalowanych betonowych blokach na końcu drogi dojazdowej. Po obfitym w ulewy kwietniu maj obrodził kwiatami i ogródek był ich pełen. Andrea Steiner, ostatnio znana jako Jadowita Andi, przez chwilę podziwiała tulipany i bratki, po czym wdrapała się po trzech stopniach do drzwi wielkiej przyczepy i zapukała.

Po dłuższym czasie otworzył pan Salkowicz. Był niskim mężczyzną z wielkim brzuchem, w tej chwili opiętym jaskrawoczerwonym podkoszulkiem. W jednej dłoni trzymał puszkę piwa, w drugiej upaćkaną musztardą kiełbaskę zawiniętą w kromkę gąbczastego chleba. Korzystając z tego, że jego żona była w drugim pokoju, przez chwilę dokładnie lustrował wzrokiem stojącą przed nim młodą kobietę, od końskiego ogona po tenisówki.

– Tak?

Kilkoro członków Plemienia miało dar do usypiania, lecz u Andi był on zdecydowanie najsilniejszy i jej Przemiana przyniosła Prawdziwym ogromne korzyści. Wciąż od czasu do czasu wykorzystywała swój talent, żeby ogałacać z gotówki portfele pewnych starszych dżentelmenów, którym wpadła w oko. Rose uważała, że to ryzykowne i dziecinne, ale z doświadczenia wiedziała, że te, jak nazywała je sama Andi, „problemy" z czasem znikną. Prawdziwy Węzeł miał tylko jeden istotny problem: jak przetrwać.

– Mam pytanie – powiedziała Andi.

– Jeśli w sprawie toalet, kochanie, szambowóz przyjeżdża w czwartki.

– Nie o to chodzi.

– A o co?

– Nie jesteś zmęczony? Nie chce ci się spać?

Ernie Salkowicz natychmiast zamknął oczy. Piwo i kiełbaska wyleciały mu z rąk i zapaskudziły dywan. No cóż, pomyślała Andi, Kruk zapłacił facetowi tysiąc dwieście z góry. Właściciela kempingu stać na butelkę szamponu do dywanów. Może nawet dwie.

Wzięła go za ramię i zaprowadziła do saloniku. Stały tam dwa obite perkalem fotele, a przed nimi dwa składane stoliki.

– Siadaj.

Salkowicz usiadł z zamkniętymi oczami.

– Lubisz dobierać się do młodych dziewczyn? – spytała go Andi. – Robiłbyś to, gdybyś mógł, co? A w każdym razie gdybyś umiał biegać na tyle szybko, żeby je dogonić. – Przyjrzała mu się, podparta pod boki. – Jesteś obrzydliwy. Powtórz.

– Jestem obrzydliwy – przytaknął. I zaczął chrapać.

Pani Salkowicz przyszła z kuchni. Skubała zębami kanapkę lodową.

– Ty kto? Co mu mówisz? Czego chcesz?

– Żebyś zasnęła – nakazała jej Andi.

Pani Salkowicz upuściła loda. Kolana się pod nią ugięły i siadła na nim.

– Ożeż kurwa – zaklęła Andi. – Nie tutaj. Wstawaj.

Pani Salkowicz podniosła się z rozgniecioną kanapką lodową przylepioną do siedzenia sukienki. Jadowita Andi otoczyła ramieniem jej niemal nieistniejącą talię i zaprowadziła kobietę na drugi fotel, po drodze przystając, by odkleić rozpuszczający się smakołyk od jej tyłka. Wkrótce małżonkowie już siedzieli obok siebie z zamkniętymi oczami.

– Pośpicie sobie do rana – poinstruowała ich Andi. – Mężulo może sobie śnić o tym, że ugania się za młodymi laskami. A tobie, żoneczko, niech się przyśni, że twój stary umarł na zawał i zostawił ci polisę ubezpieczeniową wartą milion dolarów. Może być?

Włączyła telewizor i nastawiła głośno dźwięk. Pat Sajak tonął w objęciach kobiety z wielkimi buforami, która właśnie odgadła hasło NIE SPOCZYWAJ NA LAURACH. Andi przez chwilę podziwiała jej imponującą mleczarnię, po czym ponownie odwróciła się do Salkowicz.

– Po wiadomościach o jedenastej możecie wyłączyć telewizor i położyć się do łóżka. Kiedy się jutro obudzicie, nie będziecie pamiętać, że tu byłam. Jakieś pytania?

Nie mieli żadnych. Zostawiła ich i wróciła do skupiska kamperów. Pościła od wielu tygodni, a tego wieczora wszyscy najedzą się do syta. Co się tyczy jutra... niech Rose się o to martwi, to jej rola. Jadowita Andi zupełnie jej tego nie zazdrościła.

4

O ósmej było już zupełnie ciemno. O dziewiątej Prawdziwi zebrali się na placyku piknikowym. Ostatnia przyszła Rose Kapelusz ze zbiornikiem w rękach. Na jego widok przez zebranych przebiegł cichy, łakomy szmer. Rose wiedziała, co czują. Sama była strasznie głodna.

Wdrapała się na jeden ze zrytych inicjałami stołów i spojrzała na wszystkich po kolei.

– Jesteśmy Prawdziwym Węzłem.

– Jesteśmy Prawdziwym Węzłem – odpowiedzieli. Twarze mieli poważne, oczy pożądliwe i wygłodniałe. – Co związane, tego nic nie rozwiąże.

– Jesteśmy Prawdziwym Węzłem i trwamy.

– Trwamy.

– Jesteśmy wybrani. Szczęście jest z nami.

– Jesteśmy wybrani. Szczęście jest z nami.

– Oni stwarzają; my bierzemy.

– Bierzemy, co stwarzają.

– Weźcie to i zróbcie z tego dobry użytek.

– Zrobimy z tego dobry użytek.

Kiedyś, na początku ostatniej dekady dwudziestego wieku, żył w Enid w stanie Oklahoma pewien chłopiec, Richard Gaylesworthy. „Przysięgam, to dziecko czyta mi w myślach", mówiła czasem jego matka. Ludzie uśmiechali się na te słowa, ona jednak nie żartowała. I być może czytał nie tylko w jej myślach. Dostawał piątki z klasówek, do których w ogóle się nie uczył. Wiedział, kiedy jego ojciec przyjdzie do domu w dobrym humorze, a kiedy wściekły z powodu czegoś, co się stało w jego hurtowni artykułów hydraulicznych. Raz błagał matkę, żeby zagrała w totka, bo, przekonywał ją żarliwie, wie, jakie numery padną. Pani Gaylesworthy odmówiła – byli bogobojnymi baptystami – ale później tego żałowała. Nie wszystkie sześć numerów, które Richard zapisał na kartce przyczepionej do tablicy w kuchni, zostało wylosowane, ale pięć z nich owszem. Przez jej religijne przekonania siedemdziesiąt tysięcy dolarów przeszło im koło nosa. Błagała syna, żeby nie powiedział o tym ojcu, i Richard obiecał, że tego nie zrobi. Był dobrym chłopcem, kochanym chłopcem.

Jakieś dwa miesiące po niedoszłej wygranej w totka pani Gaylesworthy została zastrzelona w swojej kuchni, a dobry, kochany chłopiec zniknął. Jego ciało, zakopane na zaniedbanym polu na opuszczonej farmie, dawno uległo rozkładowi, ale kiedy Rose Kapelusz odkręciła zawór na srebrnym zbiorniku, esencja – para – Richarda uszła z niego kłębem skrzącej się białej mgły. Wzleciała na wysokość może metra nad zbiornikiem i rozścieliła się płasko. Prawdziwi zadarli głowy i patrzyli wyczekująco. Większość drżała. Kilku nawet płakało.

– Przyjmijcie pokarm i trwajcie – powiedziała Rose i uniosła dłonie, aż jej rozpostarte palce znalazły się tuż pod płaszczyzną srebrnej mgły. Wykonała przyzywający gest. Mgła natychmiast opadła ku oczekującym, stopniowo przybierając kształt parasola. Kiedy otuliła ich głowy białym tumanem, zaczęli głęboko oddychać. Sycili się nią przez pięć minut. Kilkoro zachłysnęło się i padło w omdleniu na ziemię.

Rose czuła, że jej ciało nabiera masy, a zmysły się wyostrzają. Rozróżniała każdy zapach tej wiosennej nocy. Wiedziała, że płytkie zmarszczki wokół jej oczu i ust znikają. Białe pasemka w jej włosach ciemniały. Później z Krukiem dadzą ognia w jej łóżku jak dwie płonące pochodnie.

Wdychali Richarda Gaylesworthy'ego, aż nie zostało nic – aż odszedł z tego świata na dobre. Biała mgiełka przerzedziła się, a potem zniknęła. Ci, którzy zemdleli, teraz usiedli prosto i rozglądali się z uśmiechem. Dziadzio Flick złapał wpół Petty Kitajkę, żonę Barry'ego, i porwał ją w tan.

– Puść mnie, stary ośle! – warknęła, ale ze śmiechem.

Jadowita Andi i Cicha Sarey całowały się namiętnie, Andi z dłońmi wplecionymi w mysie włosy Sarey.

Rose zeskoczyła ze stołu piknikowego i odwróciła się do Kruka. Zrobił kółko z kciuka i palca wskazującego i uśmiechnął się do niej.

Wszystko gra, mówił ten uśmiech i rzeczywiście, wszystko grało. Na razie. Jednak pomimo ogarniającej ją euforii Rose myślała o zbiornikach w sejfie. Teraz już było trzydzieści osiem pustych, nie trzydzieści siedem. Cofnęli się o krok bliżej muru.

5

Wyruszyli skoro świt następnego ranka. Pojechali drogą numer 12 do autostrady I-64, czternaście kamperów w nieprzerwanej kolumnie. Na autostradzie rozciągną szyk, by nie było tak wyraźnie widać, że są razem, i będą w kontakcie radiowym, na wypadek gdyby pojawiły się jakieś kłopoty.

Albo gdyby nadarzyła się okazja.

Państwo Salkowicz, rześcy po błogo przespanej nocy, zgodnie uznali, że ci ludzie z kamperów byli chyba najlepszymi klientami, jakich kiedykolwiek mieli. Nie dość, że zapłacili gotówką i posprzątali po sobie na glans, to jeszcze zostawili im pod drzwiami pudding jabłkowy i przemiłą notkę z podziękowaniami. Przy odrobinie szczęścia za rok wrócą, mówili między sobą państwo Salkowicz, jedząc na śniadanie podarowany im deser.

– Wiesz co? – powiedziała Maureen. – Śniło mi się, że Flo, ta agentka ubezpieczeniowa, sprzedała ci wysoką polisę. Zwariowany sen, co?

Ernie mruknął i wycisnął więcej bitej śmietany na swój pudding.

– Tobie coś się śniło, kochanie?

– Nie.

Ale mówiąc to, uciekł z oczami.

6

Szczęście uśmiechnęło się do Prawdziwego Węzła w upalny lipcowy dzień w Iowa. Rose jechała na czele kolumny, jak zawsze, i zaraz na zachód od Adair sonar w jej głowie piknął. Nie aż tak, żeby skronie rozsadziło, ale w miarę głośno. Natychmiast połączyła się przez CB-radio z Barrym Kitajcem, który był mniej więcej takim samym Azjatą jak Tom Cruise. Chociaż, trzeba przyznać, miał lekko skośne oczy. Podobnie jak jego żona – co, zdaniem Rose, tylko dowodziło, że swój ciągnie do swego.

– Barry, poczułeś to? Odbiór.

– Uhm. – Barry z natury nie był zbyt wylewny.

– Z kim jedzie Dziadzio Flick?

Zanim Barry mógł odpowiedzieć, w głośniku rozległy się dwa trzaski i włączyła się Annie Fartuch.

– Jest ze mną i Długim Paulem, kochana. To... to coś dobrego? – Annie wydawała się zaaferowana i Rose mogła to zrozumieć. Richard Gaylesworthy był bardzo dobry, ale po sześciu tygodniach postu jego para powoli przestawała działać.

– Staruszek jest *compos,* Annie?

Zanim mogła odpowiedzieć, odezwał się chrapliwy głos.

– Mam się świetnie, kobieto. – I jak na gościa, który czasem nie pamiętał własnego imienia, Dziadzio Flick rzeczywiście sprawiał wrażenie, jakby był w niezłej formie. Jasne, zrzędził, ale to lepsze, niż gdyby miał bredzić od rzeczy.

Jej sonar znów piknął, tym razem słabiej. Jakby dla podkreślenia faktu, który podkreślenia nie wymagał, Dziadzio burknął:

– W złą stronę, kurna, jedziemy.

Rose nie odpowiedziała, tylko dwa razy kliknęła mikrofonem.

– Kruk? Zgłoś się, kotulku.

– Jestem. – Bez chwili zwłoki, jak zawsze. Jakby tylko czekał na wezwanie.

– Zatrzymacie się na najbliższym parkingu. Ja, Barry i Flick zawrócimy na następnym zjeździe.

– Potrzebna ekipa?

– Nie będę tego wiedziała, dopóki nie podjedziemy bliżej, ale… nie sądzę.

– Dobra. – Pauza, po czym dodał: – Cholera.

Rose odłożyła mikrofon i spojrzała na bezkresne łany kukurydzy po obu stronach dwupasmówki. Kruk był zawiedziony. To zrozumiałe. Wszyscy będą zawiedzeni. Ludzie z dużą ilością pary sprawiali kłopoty, bo praktycznie nie ulegali sugestii. To znaczyło, że trzeba ich było wziąć siłą. Przyjaciele albo członkowie rodziny często próbowali w tym przeszkodzić. Czasem dawało się ich uśpić, ale nie zawsze; pełen pary dzieciak mógł zniweczyć nawet najbardziej wytężone wysiłki Jadowitej Andi. Dlatego zdarzało się, że ktoś musiał zginąć. Przykra sprawa, no ale zdobycz zawsze była tego warta: życie i siła zmagazynowane w stalowym pojemniku. Zapas na czarną godzinę. W wielu przypadkach dochodziła jeszcze dodatkowa korzyść. Para była dziedziczna i zdarzało się, że wszyscy w rodzinie obiektu ich zainteresowania mieli jej co najmniej trochę.

7

Podczas gdy większa część Prawdziwego Węzła czekała na przyjemnie ocienionym parkingu sześćdziesiąt kilometrów na wschód od Council Bluffs, trzej tropiciele zawrócili, zjechali z autostrady w Adair i skierowali się na północ. Byli na głuchej prowincji. Rozłączyli się i zaczęli przemierzać sieć żwirowych, dobrze utrzymanych wiejskich dróg, które dzieliły tę część Iowa na wielkie kwadraty. Zbliżali się do źródła sygnału z różnych stron. Namierzali go.

Stał się mocniejszy… jeszcze mocniejszy… i w końcu się ustabilizował. Dobra para, ale w niewielkiej ilości. Cóż, na bezrybiu i rak ryba.

8

Bradley Trevor dostał dzień wolny od pracy na gospodarce, żeby mógł pójść na trening okręgowej baseballowej reprezentacji juniorów. Gdyby tata odmówił, trener i reszta chłopaków chybaby go zlinczowali, bo Brad był najlepszym pałkarzem w drużynie. Na pierwszy rzut oka na takiego nie wyglądał – chudy jak szczapa jedenastolatek – ale zdobywał bazy, stojąc nawet naprzeciwko najlepszych miotaczy w okręgu. Ze słabymi prawie zawsze rozprawiał się bezlitośnie. Po części zawdzięczał to czystej sile chłopaka wychowywanego na farmie, lecz wchodziło w grę coś jeszcze. Brad po prostu zdawał się wiedzieć z wyprzedzeniem, jaką piłkę rzuci mu miotacz. Nie dlatego, że podpatrywał znaki, jakimi porozumiewali się przeciwnicy (o co podejrzewali go niektórzy trenerzy innych drużyn). Po prostu wiedział. Tak jak wiedział, gdzie najlepiej wykopać nową studnię dla bydła albo dokąd poszła zabłąkana krowa czy gdzie się zapodział pierścionek zaręczynowy mamy, kiedy go raz zgubiła. „Zajrzyj pod dywanik w suburbanie", powiedział i rzeczywiście, był tam.

Trening tego dnia był wyjątkowo udany, ale na końcowej odprawie Brad zdawał się bujać w obłokach i nie wziął napoju z podsuniętej mu wypełnionej lodem balii. Powiedział, że chce już pójść, żeby pomóc mamie zabrać pranie do domu.

– Będzie padać? – spytał Micah Johnson, trener. Wszyscy wiedzieli, że prognozy Brada zwykle się sprawdzają.

– Nie wiem – odparł Brad osowiale.

– Dobrze się czujesz, synu? Wyglądasz trochę niewyraźnie.

Prawdę mówiąc, Brad nie czuł się dobrze; kiedy rano wstał, pobolewała go głowa i chyba miał lekką gorączkę. Nie dlatego jednak było mu tak pilno do domu – po prostu czuł, że nie chce już być na boisku. Miał wrażenie, że jego umysł... nie należy już do niego. Nie był pewien, czy jest tu naprawdę, czy to mu się tylko śni – obłęd, co? Bezwiednie podrapał czerwoną krostkę na przedramieniu.

– Jutro o tej samej porze, tak?

Trener Johnson powiedział, że taki jest plan, i Brad poszedł z rękawicą zwisającą z dłoni. Zwykle truchtał – jak wszyscy koledzy z drużyny – ale tego dnia nie miał na to ochoty. Teraz już bolała go nie tylko głowa, ale i nogi. Zniknął w kukurydzy za trybunami, zamierzając pójść skrótem na oddaloną o trzy kilometry farmę. Kiedy wyszedł na drogę D, wytrzepując kukurydziane wąsy z włosów powolną, ospałą ręką, na żwirze czekał średniej wielkości wanderking z zapalonym silnikiem. Obok niego stał uśmiechnięty Barry Kitajec.

– No, nareszcie jesteś – powiedział Barry.

– Kim pan jest?

– Przyjacielem. Wsiadaj. Podrzucę cię do domu.

– Jasne – powiedział Brad. Tak źle się czuł, że chętnie skorzysta z podwózki. Podrapał czerwoną krostkę na przedramieniu.

– Jesteś Barry Smith. Jesteś przyjacielem. Wsiądę i podrzucisz mnie do domu.

Wsiadł do kampera. Drzwi się zamknęły. Wanderking ruszył.

Następnego dnia całe hrabstwo szukało najlepszego środkowego i pałkarza drużyny z Adair. Rzecznik policji stanowej poprosił okolicznych mieszkańców o informacje o wszelkich podejrzanych samochodach i vanach. Nadeszło wiele zgłoszeń, ale nic z nich nie wynikło. I choć trzy samochody turystyczne wiozące tropicieli były dużo większe od vanów (a ten należący do Rose Kapelusz był iście ogromny), nikt nie wskazał ich policji. Bądź co bądź, to byli Ludzie z Kamperów i podróżowali większą grupą. Brad po prostu… zniknął.

Jak tysiące innych nieszczęsnych dzieci zapadł się pod ziemię.

9

Zabrali go na północ, do nieczynnej rafinerii etanolu oddalonej o kilka kilometrów od najbliższych zabudowań. Kruk wyniósł chłopca z earthcruisera Rose i delikatnie położył go na ziemi. Brad był skrępowany mocną taśmą klejącą i płakał. Kiedy członkowie Prawdziwego Węzła otoczyli go kręgiem (jak żałobnicy otwarty grób), powiedział:

– Proszę, zawieźcie mnie do domu. Nikomu nie powiem.

Rose uklękła przy nim i westchnęła.

– Zrobiłabym to, gdybym mogła, synu, ale nie mogę.

Jego oczy odszukały Barry'ego.

– Mówiłeś, że mogę na tobie polegać! Słyszałem! Tak mówiłeś!

– Przykro mi, kolego. – Barry nie wyglądał, jakby mu było przykro. Wyglądał, jakby był głodny. – Osobiście nic do ciebie nie mam.

Brad przeniósł wzrok z powrotem na Rose.

– Zrobicie mi krzywdę? Proszę, nie róbcie mi krzywdy.

Oczywiście, że zrobią mu krzywdę. Taka była przykra konieczność; ból oczyszcza parę, a Prawdziwi musieli jeść. Homary też cierpią, kiedy wrzuca się je do garów z wrzątkiem, ale ćwokom to nie przeszkadza. Pożywienie to pożywienie, przetrwanie to przetrwanie.

Rose założyła ręce za plecy. W jedną z nich Chciwa G włożyła nóż. Był krótki, lecz bardzo ostry. Rose uśmiechnęła się do chłopca.

– Postaramy się, żeby jak najmniej bolało.

Chłopak wytrzymał długo. Wrzeszczał aż do zdarcia strun głosowych, po czym jego krzyki przeszły w chrapliwe jęki. W pewnym momencie Rose znieruchomiała i rozejrzała się. Na swoich długich, silnych dłoniach miała zakrwawione czerwone rękawice.

– Coś? – spytał Kruk.

– Później porozmawiamy. – Rose wróciła do pracy. Światło z tuzina latarek zmieniło kawałek ziemi za rafinerią etanolu w prowizoryczną salę operacyjną.

– Zabij mnie, proszę – wyszeptał Brad Trevor.

Rose Kapelusz obdarzyła go krzepiącym uśmiechem.

– Już niedługo.

Kłamała.

Chrapliwe jęki zaczęły się od nowa i w końcu zmieniły się w parę.

O świcie pogrzebali ciało chłopca. Potem ruszyli w dalszą drogę.

Rozdział VI

Dziwne radio

1

Nie zdarzyło się to od co najmniej trzech lat, ale pewnych rzeczy się nie zapomina. Takich jak krzyk twojego dziecka w środku nocy. Lucy była sama, bo David pojechał na dwudniową konferencję do Bostonu, ale wiedziała, że gdyby był w domu, popędziłby za nią do pokoju Abry.

Ich córka siedziała prosto w łóżku, z bladą twarzą i rozczochranymi od snu włosami sterczącymi dookoła głowy. Jej szeroko otwarte oczy patrzyły pustym wzrokiem w dal. Prześcieradło – niczym więcej się nie przykrywała, kiedy było ciepło – wyrwało się spod materaca i owijało wokół niej jak zwariowany kokon.

Lucy usiadła obok córki i objęła ją ramieniem. To było tak, jakby tuliła głaz. Ta chwila, tuż przed pełnym przebudzeniem Abry, była najgorsza. Samo to, że ze snu wyrywa cię krzyk córki, jest straszne, ale nie tak straszne jak ten zupełny brak reakcji na bodźce. Między piątym a siódmym rokiem życia te koszmary nawiedzały Abrę dość często i Lucy zawsze się bała, że prędzej czy później psychika jej dziecka tego nie wytrzyma. Że Abra będzie dalej oddychać, ale jej oczy już nigdy nie oderwą się od świata, który ona widziała, a oni nie.

„Nie dojdzie do tego – zapewnił ją David, a John to potwierdził. – Dzieci są odporne. Jeśli nie ma żadnych trwałych następstw – jak zamknięcie się w sobie, izolowanie się, zachowania obsesyjne, moczenie łóżka – pewnie wszystko jest w porządku".

Ale czy to w porządku, że dziecko budzi się z wrzaskiem z koszmaru? Czy to w porządku, że zaraz potem na parterze rozlegają się głośne fortepianowe akordy? Że krany w łazience na końcu korytarza same się odkręcają? Że żarówka w lampce nad łóżkiem Abry strzela, kiedy ona lub David ją włączają?

Później jednak pojawił się niewidzialny przyjaciel Abry i od tego czasu złe sny były coraz rzadsze. W końcu ustały zupełnie. Aż do tej nocy. Chociaż właściwie to już nie była noc; Lucy widziała pierwszy słaby blask na wschodnim horyzoncie i dzięki Bogu za to.

– Ab? To ja, mama. Powiedz coś.

Przez pięć–dziesięć sekund nadal nie było reakcji. Potem, nareszcie, posąg, który Lucy obejmowała ramieniem, rozluźnił się i na powrót zmienił w małą dziewczynkę. Abra wzięła głęboki, drżący wdech.

– Śnił mi się jeden z tych moich koszmarów. Jak kiedyś.

– Domyśliłam się, kochanie.

Abra rzadko pamiętała coś więcej niż tylko oderwane obrazy. Na przykład że jacyś ludzie krzyczeli na siebie albo bili kogoś pięściami. „Przewrócił stół, jak ją gonił", mówiła. Kiedy indziej śniła jej się jednooka szmaciana lalka leżąca na jezdni. Raz, gdy Abra miała zaledwie cztery lata, powiedziała rodzicom, że widziała ducholudków jadących „Helen Rivington", popularną atrakcją turystyczną we Frazier. Była to kolejka kursująca z Minimiasta do Cloud Gap i z powrotem. „Widziałam ich, bo świecił księżyc", powiedziała Abra tamtym razem. Lucy i David siedzieli po obu jej stronach i obejmowali ją ramionami. Lucy wciąż pamiętała wilgotny dotyk jej przepoconej piżamy. „Wiedziałam, że to ducholudki, bo mieli twarze jak stare jabłka i księżyc przeświecał przez nie na wylot".

Następnego ranka Abra jakby nigdy nic biegała, dokazywała i śmiała się z kolegami i koleżankami, ale Lucy nigdy nie zapomniała tego obrazu: jadący przez las mały pociąg pełen martwych ludzi o twarzach jak przezroczyste jabłka w blasku księżyca. Spytała Concettę, czy podczas jednego z ich „babskich dni" zabrała Abrę na przejażdżkę „Helen Rivington". Chetta zaprzeczyła. Były w Minimieście, owszem, ale kolejka akurat była w naprawie, więc zamiast tego przejechały się na karuzeli.

Teraz Abra podniosła oczy na matkę i powiedziała:

– Kiedy wraca tata?

– Pojutrze. Mówił, że będzie na lunch.

– Za późno. – Łza spłynęła z oka Abry, stoczyła się po policzku i kapnęła na różową górę od piżamy.

– Za późno na co? Co pamiętasz, Abba-Daba-Du?

– Robili krzywdę temu chłopcu.

Lucy nie chciała tego drążyć, lecz uznała, że nie ma wyjścia. Zbyt wiele było zbieżności między dawnymi snami Abry a wydarzeniami w świecie rzeczywistym. David zobaczył w „North Conway Sun" zdjęcie jednookiej szmacianej lalki pod nagłówkiem TRZY OFIARY WYPADKU W OSSIPEE. Lucy parę dni po dwóch snach Abry z gatunku „ludzie krzyczeli i bili" wyszukała w kronice kryminalnej informacje o aresztowaniach za przemoc w rodzinie. Nawet John Dalton przyznał, że Abra może odbierać jakieś transmisje w, jak to określił, „dziwnym radiu w jej głowie".

Lucy zapytała więc:

– Jakiemu chłopcu? Mieszka gdzieś w okolicy? Wiesz to może?

Abra pokręciła głową.

– Gdzieś daleko. Nie pamiętam. – I nagle się rozchmurzyła. Szybkość, z jaką te napady przechodziły, zadziwiała Lucy prawie tak bardzo jak same napady. – Ale chyba powiedziałam to Tony'emu. Może on powie swojemu tatusiowi.

Tony, jej niewidzialny przyjaciel. Nie wspominała o nim od paru lat i Lucy miała nadzieję, że jego powrót to nie rodzaj regresji. Dziesięcioletnie dzieci są trochę za duże na niewidzialnych przyjaciół.

– Może tatuś Tony'ego do tego nie dopuści. – Abra się zachmurzyła. – Chociaż chyba jest już za późno.

– Tony dawno się nie pokazywał, co? – Lucy wstała i przetrzepała zmięte prześcieradło. Abra zachichotała, kiedy materiał musnął jej twarz. Najpiękniejszy dźwięk na świecie, zdaniem Lucy. Dźwięk zdrowy. A w pokoju robiło się coraz jaśniej. Zaraz rozśpiewają się ptaki.

– Mamusiu, to łaskocze!

– Mamusie lubią łaskotać. To część ich uroku. No więc jak jest z tym Tonym?

– Powiedział, że przyjdzie zawsze, kiedy będę go potrzebowała. – Abra wsunęła się z powrotem pod prześcieradło. Poklepała łóżko i Lucy położyła się obok niej. – To był zły sen, więc go potrzebowałam. Chyba przyszedł, ale nie bardzo pamiętam. Jego tatuś pracuje w hop-stacji.

O, coś nowego.

– Co to, rozgłośnia radiowa?

– Nie, głuptasie, to miejsce, gdzie ludzie przychodzą umrzeć. – Ton Abry był pobłażliwy, prawie belferski, ale Lucy ciarki przeszły po plecach. – Tony mówi, że jak ludzie tak bardzo chorują, że nie można ich wyleczyć, to idą do hop-stacji i jego tatuś próbuje im trochę ulżyć. Tatuś Tony'ego ma kota, który ma podobne imię jak ja. Ja jestem Abra, a kot Azzie. Czy to nie dziwne, ale w taki zabawny sposób?

– Tak. Dziwne, ale zabawne.

John i David pewnie orzekliby, że sądząc z podobieństwa imion, ta historia o kocie to wymysł niezwykle inteligentnej dziesięciolatki. Sami jednak nie wierzyliby w to tak do końca, a Lucy nie wierzyła w to wcale. Ilu dziesięciolatków wie, co to jest hospicjum? Abra nawet nie wymawiała dobrze tej nazwy.

– Opowiedz mi o chłopcu, który ci się przyśnił. – Teraz, kiedy córka się uspokoiła, ten temat wydawał się bezpieczniejszy. – Powiedz, kto mu robił krzywdę, Abba-Daba-Du.

– Nie pamiętam. Wiem tylko, że myślał, że Barney to jego przyjaciel. A może Barry. Mamo, podasz mi Kicusia?

To był pluszowy królik, teraz z oklapłymi uszami siedzący na wygnaniu na najwyższej półce w pokoju. Nie sypiała z nim od co najmniej dwóch lat. Lucy zdjęła Kicusia, ułożyła go w ramionach córki. Abra przytuliła królika i prawie od razu zasnęła. Przy odrobinie szczęścia pośpi jeszcze godzinę, może nawet dwie. Lucy usiadła obok córki, patrzyła na nią i myślała:

Niech to ustanie za kilka lat, jak zapowiadał John. Albo jeszcze lepiej, niech to ustanie dziś, jeszcze tego ranka. Niech to się skończy, proszę. Nigdy więcej szukania po lokalnych gazetach informacji o chłopcu zabitym przez ojczyma, zakatowanym na śmierć przez łobuzów, którzy nawąchali się kleju, i tak dalej. Niechże to się skończy.

– Boże – powiedziała bardzo cicho – jeśli gdzieś tam jesteś, mógłbyś coś dla mnie zrobić? Mógłbyś zepsuć radio w głowie mojej córeczki?

2

Kiedy Prawdziwi ruszyli autostradą I-80 dalej na zachód, kierując się do miasta w górach Kolorado, w którym mieli spędzić lato (oczywiście, o ile nie nadarzy się okazja, by nabrać gdzieś po drodze porządnej pary), Papa Kruk jechał na fotelu pasażera w earthcruiserze Rose. Jimmy Liczykrupa, finansowy magik Plemienia, tymczasowo przejął stery affinity country coacha Kruka. Satelitarne radio Rose nastawione było na Outlaw Country i w tej chwili z głośników leciało *Whiskey Bent and Hellbound* Hanka Juniora. Całkiem niezły kawałek. Kruk wysłuchał go do końca, zanim wyłączył odbiornik.

– Mówiłaś, że później porozmawiamy. Teraz jest później. Co tam się stało?

– Ktoś nas podglądał – powiedziała Rose.

– Poważnie? – Kruk uniósł brwi. Nabrał tyle pary małego Trevora, co wszyscy, a mimo to nie odmłodniał. Pokarm rzadko tak na niego działał. Z drugiej strony w czasach chudych raczej się nie starzał, no chyba że post się za bardzo przedłużał. W sumie dobry układ, zdaniem Rose. Pewnie zawdzięczał to genom. O ile w ogóle jeszcze je mieli. Orzech sądził, że prawie na pewno tak. – Znaczy, ktoś z parą.

Skinęła głową. Przed nimi, pod niebem koloru spranych dżinsów, upstrzonym leniwie płynącymi cumulusami, I-80 ciągnęła się po horyzont.

– Z dużą parą?

– O tak. Wielką.

– Jak daleko był?

– Na Wschodnim Wybrzeżu. Chyba.

– Chcesz przez to powiedzieć, że podpatrzył nas z odległości… ilu? Prawie dwóch tysięcy kilometrów?

– Może nawet większej. Może nawet z Kanady.

– Chłopak czy dziewczyna?

– Prawdopodobnie dziewczyna, ale to było tylko mgnienie. Góra trzy sekundy. To ma znaczenie?

Nie miało.

– Ile zbiorników dałoby się napełnić z dzieciaka z taką ilością pary w kotle?

– Trudno powiedzieć. Co najmniej trzy. – Tym razem to Rose podała zaniżoną liczbę. Przypuszczała, że nieznana podglądaczka ma dość pary na dziesięć zbiorników, może nawet dwanaście. Jej obecność była krótkotrwała, ale mocno odczuwalna. Podglądaczka zobaczyła, co robili, i wzbudziło to w niej (jeśli to rzeczywiście była „ona") przerażenie tak silne, że na chwilę sparaliżowało ręce Rose i napełniło ją wstrętem. Nie było to jej własne uczucie – patroszenie ćwoka jest nie bardziej obrzydliwe niż patroszenie jelenia – tylko swego rodzaju emocjonalny rykoszet.

– Może powinniśmy zawrócić – rzekł Papa Kruk. – Dopaść ją, dopóki jest okazja.

– Nie. Myślę, że ona dopiero nabiera mocy. Niech trochę dojrzeje.

– To coś, co wiesz, czy tylko przeczucie?

Rose pokiwała dłonią na boki.

– Przeczucie dość silne, by ryzykować, że wpadnie pod samochód albo porwie ją jakiś zboczeniec? – Kruk powiedział to bez cienia ironii. – A co z białaczką lub jakimś innym rakiem? Przecież wiesz, że oni są podatni na takie rzeczy.

– Gdybyś spytał Jimmy'ego Liczykrupę, powiedziałby ci, że według tabel aktuarialnych statystyki są po naszej stronie. – Rose uśmiechnęła się i pieszczotliwie poklepała jego udo. – Za bardzo się przejmujesz, Papciu. Pojedziemy do Sidewinder, jak planowaliśmy, a potem wyskoczymy na parę miesięcy na Florydę. Barry i Dziadzio Flick sądzą, że to może być rok huraganów.

Kruk się skrzywił.

– To jak grzebanie po kontenerach na śmieci.

– Może i tak, ale odpadki w niektórych kontenerach są całkiem pożywne. Ciągle pluję sobie w brodę, że przegapiliśmy tornado w Joplin. No ale takie nagłe nawałnice wyczuwamy ze zbyt małym wyprzedzeniem.

– Ta mała widziała nas.

– Tak.

– I to, co robiliśmy.

– Do czego zmierzasz, Kruku?

– Czy może nas zdemaskować?

– Kotku, jeśli ma więcej niż jedenaście lat, to ja zjem swój cylinder. Jej rodzice zapewne nie wiedzą, co potrafi. A nawet jeśli, pewnie rozpaczliwie starają się to bagatelizować, żeby nie musieć o tym za dużo myśleć.

– Albo wyślą ją do psychiatry, a on da jej prochy – powiedział Kruk. – Które ją przytłumią, przez co trudniej będzie małą znaleźć.

Rose uśmiechnęła się pobłażliwie.

– Jeśli się nie mylę, a jestem prawie pewna, że nie, podać paxil temu dziecku to jakby zarzucić przezroczystą folię na reflektor przeciwlotniczy. Znajdziemy ją we właściwym czasie. Nie martw się.

– Skoro tak twierdzisz. To ty jesteś szefem.

– Zgadza się, kotulku. – Tym razem, zamiast poklepać jego udo, ścisnęła go za nabiał. – Nocujemy w Omaha?

– W LaQuinta Inn. Zarezerwowałem cały tył parteru.

– To dobrze. Będę cię ujeżdżać jak dzikiego konia.

– Zobaczymy, kto kogo będzie ujeżdżał. – Kruk po małym Trevorze był mocno rozochocony. Rose też. Jak i wszyscy pozostali. Znów włączył radio. Cross Canadian Ragweed śpiewali o chłopakach z Oklahomy, którzy nie umieją zwijać skrętów.

Prawdziwi zmierzali na zachód.

3

Byli łagodni sponsorzy AA, byli twardzi sponsorzy AA, i wreszcie byli sponsorzy tacy jak Casey Kingsley, którzy zupełnie się nie cackali ze swoimi podopiecznymi. Biorąc Dana pod swoje skrzydła, Casey kazał mu zaliczyć dziewięćdziesiąt spotkań w dziewięćdziesiąt dni i dzwonić co rano o siódmej. „Jak zadzwonisz wcześniej, odłożę słuchawkę. Jak zadzwonisz później, każę ci zadzwonić jutro… pod warunkiem że do tego czasu pozostaniesz trzeźwy. Jak zadzwonisz pijany albo na kacu, poznam to, ledwie powiesz trzy słowa".

Kiedy Dan odbębnił dziewięćdziesiąt spotkań dzień po dniu, został zwolniony z obowiązku zdawania porannych meldunków telefonicznych. Od tego czasu spotykali się trzy razy tygodniowo na kawie w Sunspot Café. Gdy Dan przyszedł tam w pewne lipcowe popołudnie 2011 roku, Casey czekał na niego w boksie. Dan miał wrażenie, że jego długoletni sponsor AA (i pierwszy pracodawca w New Hampshire) bardzo się postarzał, choć do emerytury jeszcze mu trochę brakowało. Mocno wyłysiał i utykał wyraźnie. Potrzebował endoprotezy, ale ciągle odkładał zabieg na później.

Dan przywitał się, usiadł, złożył dłonie i czekał na, jak nazywał to Casey, Katechizm.

– Jesteś dziś trzeźwy, Danno?

– Tak.

– Czemu zawdzięczamy ten cud wstrzemięźliwości?

Wyrecytował:

– Programowi Anonimowych Alkoholików i Bogu takiemu, jak Go pojmuję. Mój sponsor też chyba maczał w tym palce.

– Uroczy komplement, ale nie bajeruj mnie, to ja nie będę bajerował ciebie.

Przyszła Patty Noyes z dzbankiem kawy i bez pytania napełniła filiżankę Dana.

– Jak się masz, przystojniaku?

Dan obdarzył ją szerokim uśmiechem.

– Dobrze, dzięki.

Zmierzwiła mu włosy i wróciła za kontuar nieco bardziej sprężystym krokiem. Obaj mężczyźni podążyli wzrokiem za uroczym tik-tak jej bioder – jak to mężczyźni – po czym Casey znów spojrzał na Dana.

– Jakieś postępy z tym Bogiem-jak-Go-pojmujesz?

– Niewielkie. Coś czuję, że to robota na całe życie.

– Ale co rano prosisz o pomoc w powstrzymaniu się od picia?

– Tak.

– Na kolanach?

– Tak.

– A wieczorem składasz podziękowania?

– Tak, też na kolanach.

– Dlaczego?

– Bo muszę pamiętać, że przez picie na nie upadłem – powiedział Dan. Taka była prawda.

Casey skinął głową.

– To pierwsze trzy kroki. Podaj ich skróconą wersję.

– Ja nie mogę, Bóg może, chyba Mu pozwolę. – Dodał: – Bóg taki, jak Go pojmuję.

– Ale nie pojmujesz.

– Właśnie.

– Teraz powiedz mi, dlaczego piłeś.

– Bo jestem pijakiem.

– Nie dlatego, że mamusia cię nie kochała?

– Nie. – Wendy miała swoje wady, ale jej miłość do niego i jego do niej zawsze pozostała niezachwiana.

– Nie dlatego, że nie kochał cię tatuś?

– Nie. – Chociaż raz złamał mi rękę, a na koniec mało mnie nie zabił.

– Nie dlatego, że to dziedziczne?

– Nie. – Dan napił się kawy. – Ale to jest dziedziczne. Wiesz o tym, prawda?

– Jasne. Wiem też, że to nie ma znaczenia. Piliśmy, bo jesteśmy pijakami. Nigdy się z tego nie wyleczymy. Toczymy tylko codzienną walkę o utrzymanie osiągniętego stanu ducha, to wszystko.

– Tak jest, szefie. To co, temat odfajkowany?

– Prawie. Myślałeś dziś o tym, żeby się napić?

– Nie. A ty?

– Nie. – Uśmiech rozświetlił i odmłodził Caseya. – To cud. Zgodzisz się, że to cud, Danny?

– Tak.

Patty przyniosła wielką salaterkę budyniu waniliowego – z nie jedną, lecz dwiema wisienkami na wierzchu – i postawiła przed Danem.

– Jedz. Na koszt firmy. Jesteś za chudy.

– A ja to co, skarbie? – spytał Casey.

Patty pociągnęła nosem.

– Ty to jesteś konisko. Chcesz, to ci przyniosę Pływającego Badyla. To taki drink. Wykałaczka w wodzie. – Zadowolona, że do niej należało ostatnie słowo, poszła, kołysząc biodrami.

– Nadal ją posuwasz? – spytał Casey, kiedy Dan zaczął jeść budyń.

– Pięknie powiedziane – stwierdził Dan. – Bardzo delikatnie i newage'owsko.

– Dzięki. To co, posuwasz ją?

– Spotykaliśmy się przez jakieś cztery miesiące, ale to było trzy lata temu, Case. Patty jest zaręczona z przemiłym chłopcem z Grafton.

– Grafton – prychnął lekceważąco Casey. – Ładne widoki, gówniana dziura. Przy tobie nie zachowuje się jak zaręczona.

– Casey...

– Nie, nie zrozum mnie źle. Nigdy nie poradziłbym podopiecznemu, żeby pchał swój nos czy kutasa w cudzy związek. Takie sytuacje to pierwszy krok do kielicha. Ale... widujesz się z kimś?

– To twoja sprawa?

– Tak się składa, że owszem.

– Ostatnio nie. Była jedna pielęgniarka z Rivington House... mówiłem ci o niej.

– Sarah jakaś tam.

– Olson. Rozmawialiśmy nawet o tym, żeby zamieszkać razem, ale dostała świetną ofertę ze szpitala Massachusetts General. Czasem piszemy do siebie maile.

– Żadnych związków przez pierwszy rok, taka jest niepisana zasada – rzekł Casey. – Bardzo niewielu trzeźwiejących alkoholików traktuje ją poważnie. Z tobą było inaczej. Ale, Danno... pora, żebyś związał się z kimś na stałe.

222

– O rany, mój sponsor zmienił się w doktora Phila – powiedział Dan.

– Czy twoje życie jest dziś lepsze? W porównaniu z chwilą, kiedy wysiadłeś tu z autobusu z ociężałą dupą i krwawiącymi oczami?

– Wiesz, że tak. Lepsze, niż mogłem przypuszczać.

– W takim razie pomyśl, czy nie warto by go z kimś dzielić. Mówię tylko.

– Wezmę to pod uwagę. A teraz możemy porozmawiać o czymś innym? Na przykład o Red Sox?

– Najpierw muszę cię o coś zapytać jako twój sponsor. Potem znów możemy być kumplami, którzy spotkali się na kawie.

– No dobra… – Dan spojrzał na niego nieufnie.

– Nigdy nie rozmawialiśmy szerzej o tym, co robisz w hospicjum. Jak pomagasz ludziom.

– Nie. I wolałbym, żeby tak zostało. Wiesz, co się mówi na końcu każdego spotkania, nie? „Niech wszystko, co tu widzieliście i słyszeliście, tutaj zostanie". Tak właśnie podchodzę do tej sfery mojego życia.

– Na ilu sferach twojego życia odbiło się picie?

Dan westchnął.

– Przecież wiesz. Na wszystkich.

– No więc? – A kiedy Dan się nie odezwał: – Personel Rivington mówi na ciebie Doktor Sen. Wieści się rozchodzą, Danno.

Dan milczał. Zostało trochę budyniu i będzie miał przechlapane u Patty, jeśli tej resztki nie zje, ale w jednej chwili stracił apetyt. Pewnie w głębi duszy wiedział, że prędzej czy później musi dojść do tej rozmowy, i wiedział też, że po dziesięciu latach bez choćby jednego drinka (i ostatnio z paroma własnymi podopiecznymi, na których miał baczenie) może liczyć na takt Caseya, lecz i tak chciał jej uniknąć.

– Pomagasz ludziom umrzeć. Nie dusisz ich poduszkami ani nic takiego, nikt cię o to nie podejrzewa, tylko... sam nie wiem. Jakoś nikt tego nie wie.

– Siedzę z nimi, to wszystko. Trochę rozmawiamy. Jeśli tego chcą.

– Robisz kroki, Danno?

Gdyby Dan sądził, że to zmiana tematu, przyjąłby to pytanie z zadowoleniem, ale nie był aż tak naiwny.

– Wiesz, że tak. Jesteś moim sponsorem.

– Taaa, rano prosisz o pomoc, wieczorem dziękujesz. Jedno i drugie na kolanach. To pierwsze trzy kroki. Czwarty to całe to pieprzenie o obrachunku moralnym. A co z piątym?

W sumie kroków było dwanaście. Jako że na początku każdego spotkania odczytywano je na głos, Dan znał wszystkie na pamięć.

– „Wyznaliśmy Bogu, sobie i drugiemu człowiekowi istotę naszych błędów".

– Uhm. – Casey podniósł filiżankę, napił się i spojrzał na Dana znad jej krawędzi. – Zrobiłeś ten krok?

– W zasadzie tak. – Dan stwierdził, że chciałby w tej chwili znaleźć się gdzie indziej. Właściwie wszystko jedno gdzie. W dodatku po raz pierwszy od dawna miał ochotę się napić. Nie był przygotowany do tej dyskusji.

– Niech zgadnę. Wyznałeś sobie wszystkie swoje błędy, wyznałeś Bogu-takiemu-jak-Go-nie-pojmujesz wszystkie swoje błędy i wyznałeś drugiemu człowiekowi, czyli mnie, większość swoich błędów. Trafiłem?

Dan milczał.

– Posłuchaj, co myślę – rzekł Casey – i śmiało, popraw mnie, jeśli się mylę. Kroki ósmy i dziewiąty to naprawienie szkód, które wyrządziliśmy, kiedy chlaliśmy praktycznie dwadzieścia cztery godziny na dobę. Sądzę, że praca, którą wykonujesz w hospicjum, przynajmniej w części, ale części najważniejszej, bierze się z chęci zadośćuczynienia za te właśnie szkody. I myślę, że wśród tych szkód jest jakiś jeden błąd, którego nie możesz sobie wybaczyć, bo za bardzo się go wstydzisz, żeby o nim mówić. Jeśli mam rację, nie jesteś pierwszy, wierz mi.

Dan pomyślał: Mama.

Dan pomyślał: Ciuciejki.

Zobaczył czerwony portfel i żałosny plik bonów żywnościo-wych. Zobaczył też garść pieniędzy. Siedemdziesiąt dolarów, akurat na cztery dni picia. Pięć, gdyby wydawać je oszczędnie i ograniczyć jedzenie do niezbędnego minimum. Zobaczył pieniądze w swojej dłoni wsuwającej je do kieszeni. Zobaczył malca w koszulce Braves i obwisłej pielusze.

Pomyślał: Ten malec miał na imię Tommy.

Pomyślał, nie pierwszy raz i nie ostatni: Nigdy nikomu o tym nie powiem.

– Danno? Jest coś, co masz mi do powiedzenia? Myślę, że tak. Nie wiem, jak długo dźwigasz tego skurwiela na barkach, ale możesz zostawić go mnie i wyjść stąd pięćdziesiąt kilo lżejszy. Tak to działa.

Pomyślał o tym, jak dzieciak podreptał do matki

(Deenie na imię miała Deenie)

i jak ona, choć pogrążona w pijackim śnie, objęła go ramieniem i przytuliła. Leżeli twarzą w twarz w porannym słońcu przebijają-cym się przez brudne okno sypialni.

– Nie ma nic takiego – powiedział.

– Zrzuć to z siebie, Dan. Mówię to nie tylko jako sponsor, ale i jako przyjaciel.

Dan patrzył na niego nieruchomym wzrokiem. Nic nie powiedział.

Casey westchnął.

– Ile razy słyszałeś na spotkaniach, że jesteś tylko tak chory, jak chore są twoje tajemnice? Sto? Pewnie tysiąc. Ze wszystkich starych banałów z AA ten jest chyba najstarszy.

Dan milczał.

– Każdy z nas ma swoje dno – rzekł Casey. – Pewnego dnia będziesz musiał komuś powiedzieć, jakie jest twoje. Jeśli tego nie zrobisz, prędzej czy później znajdziesz się w barze z drinkiem w dłoni.

– Przyjąłem, zrozumiałem – powiedział Dan. – A teraz moglibyśmy pogadać o Red Sox?

Casey spojrzał na zegarek.

– Innym razem. Muszę wracać do domu.

Jasne, pomyślał Dan. Do psa i złotej rybki.

– Dobra. – Chwycił rachunek, ubiegając Caseya. – Innym razem.

4

Po powrocie do pokoju w wieżyczce Dan długo patrzył na swoją tablicę, po czym powoli starł napisane na niej słowa:

Zabijają małego baseballistę!

Kiedy tablica była czysta, spytał:

– Jakiego małego baseballistę?

Żadnego odzewu.

– Abra? Jesteś tu jeszcze?

Nie. Ale przedtem tu była; gdyby wrócił z krępującego spotkania z Caseyem przy kawie dziesięć minut wcześniej, może zobaczyłby jej widmową postać. Jednak czy przyszła do niego? Dan sądził, że nie. Wiedział, że to zupełne wariactwo, ale miał wrażenie, że przyszła do Tony'ego. Który dawno, dawno temu był jego niewidzialnym przyjacielem. Tym, który czasem wywoływał wizje. Tym, który czasem przestrzegał. Tym, który okazał się głębszą, mądrzejszą wersją jego samego.

Dla przerażonego małego chłopca usiłującego przetrwać w hotelu Panorama Tony był opiekuńczym starszym bratem. Ironia polegała na tym, że teraz, po zerwaniu z chlaniem, Daniel Anthony Torrance stał się człowiekiem prawdziwie dorosłym, a Tony wciąż pozostawał dzieckiem. Może nawet tym legendarnym dzieckiem wewnętrznym, o którym bez przerwy plotą newage'owscy guru. Dan osobiście uważał, że całe to gadanie o dziecku wewnętrznym wzięło się z chęci usprawiedliwienia różnych form samolubnego i destrukcyjnego zachowania (które Casey zwykł nazywać syndromem „muszę już to mieć"), ale nie wątpił też, że gdzieś w mózgach dorosłych mężczyzn i kobiet zachowują się wszystkie etapy ich rozwoju – nie tylko wewnętrzne dziecko, ale i wewnętrzne niemowlę, wewnętrzny nastolatek, wewnętrzny dwudziestolatek. I jeśli tajemnicza Abra przyszła do niego, czy to nie naturalne, że sięgnęła poza jego dorosły umysł, by poszukać kogoś w swoim wieku?

Towarzysza zabaw?

Może nawet obrońcy?

Jeśli tak, Tony miał w tym wprawę. Czy ona potrzebowała ochrony? Owszem, w jej słowach

(zabijają małego baseballistę)

był ból, ale ból to nieodrodna część jasności, o czym Dan przekonał się dawno temu. Małe dzieci nie powinny wiedzieć i widzieć tak wiele. Mógłby ją odszukać, lecz co powiedziałby jej rodzicom? Dzień dobry, nie znacie mnie państwo, ale ja znam waszą córkę, czasem bywa w moim pokoju i blisko się zaprzyjaźniliśmy?

Dan nie wiedział, czy nasłaliby na niego szeryfa, lecz nie mógłby mieć o to pretensji i zważywszy na swoją burzliwą przeszłość, wolał tego nie sprawdzać. Niech Tony pozostanie jej przyjacielem na dystans, jeśli tak właśnie wygląda sytuacja. Tony może i był niewidzialny, ale przynajmniej był w mniej więcej odpowiednim wieku.

Później od nowa wypisze nazwiska i numery pokojów. Na razie wziął kawałek kredy z półki pod tablicą i napisał: **Tony i ja życzymy Ci miłego letniego dnia, Abro! Twój DRUGI przyjaciel, Dan.**

Przez chwilę wpatrywał się w te słowa, po czym kiwnął głową i podszedł do okna. Piękne letnie popołudnie, a on przecież ma dziś wolne. Postanowił pójść na spacer i spróbować zapomnieć o niepokojącej rozmowie z Caseyem. Tak, wtedy, w mieszkaniu Deenie w Wilmington, zapewne sięgnął swojego dna, ale skoro nie mówiąc o tym nikomu, wytrzymał dziesięć lat bez picia, to nie bardzo rozumiał, dlaczego dalej zachowując to w tajemnicy, nie miałby wytrzymać następnych dziesięciu. Albo dwudziestu. Zresztą po co w ogóle myśleć w kategorii lat, kiedy motto AA głosi: „Dzień po dniu"?

To, co się stało w Wilmington, było dawno temu. Ten rozdział jego życia się skończył.

Wychodząc, zamknął drzwi na klucz, jak zawsze, ale to nie będzie przeszkodą dla tajemniczej Abry, gdyby postanowiła go odwiedzić. Może po powrocie ze spaceru zastanie na tablicy następną wiadomość.

Może zostaniemy korespondencyjnymi przyjaciółmi.

Jasne. A klika modelek bielizny Victoria Secret może rozgryzie sekret syntezy jądrowej wodoru.

Dan wyszedł z szerokim uśmiechem na twarzy.

5

Kiedy Abra spytała, czy może pójść na doroczną letnią wyprzedaż książek organizowaną przez bibliotekę publiczną w Anniston, Lucy z chęcią oderwała się od popołudniowych zajęć i zaprowadziła córkę na Main Street. Na trawniku stały stoliki do kart zawalone rozmaitymi ofiarowanymi tomami i podczas gdy Lucy zajęła się poszukiwaniem nieprzeczytanych jeszcze książek Jodi Picoult na stoisku z powieściami w miękkiej oprawie (JEDNA ZA $1, 6 ZA $5, WYBIERZ SAM), Abra powędrowała do stolików oznakowanych LITERATURA MŁODZIEŻOWA. Do młodzieżowego wieku co prawda jeszcze jej trochę brakowało, ale była namiętną (i nad wiek wyrobioną) czytelniczką, ze szczególnym zamiłowaniem do fantasy i science fiction. Nadruk na jej ulubionym T-shircie przedstawiał wielką, skomplikowaną machinę nad oświadczeniem STEAMPUNK RZĄDZI.

Kiedy Lucy skonstatowała, że będzie musiała się zadowolić starym Deanem Koontzem i nieco nowszą Lisą Gardner, przybiegła do niej Abra. Była uśmiechnięta.

– Mamo! Mamusiu! On ma na imię Dan!

– Kto ma na imię Dan, skarbie?

– Tata Tony'ego! Życzył mi miłego letniego dnia!

Lucy rozejrzała się, po trosze spodziewając się zobaczyć obcego mężczyznę z chłopcem w wieku Abry. Obcych dostrzegła wielu – w końcu było lato – ale żadnej takiej pary nie wypatrzyła.

Widząc jej reakcję, Abra zachichotała.

– Och, tutaj go nie ma.

– A gdzie jest?

– Nie wiem dokładnie. Ale blisko.

– Cóż… to chyba dobrze, kochanie.

Lucy zdążyła tylko zmierzwić włosy córki, zanim Abra pobiegła wznowić przerwane poszukiwania astronautów, podróżników w czasie i czarnoksiężników. Lucy patrzyła za nią, zupełnie zapominając o wybranych przez siebie książkach zwisających z jej dłoni. Powiedzieć Davidowi o tym, kiedy zadzwoni z Bostonu, czy nie? Uznała, że nie. Dziwne radio, to wszystko.

Można to zignorować.

6

Dan postanowił wpaść do Java Express, kupić dwie kawy i zanieść jedną Billy'emu Freemanowi do Minimiasta. Choć w Wydziale Gospodarki Komunalnej we Frazier pracował niezwykle krótko, on i Billy przez ostatnie dziesięć lat pozostali przyjaciółmi. Po części przez wzgląd na wspólną znajomość z Caseyem – szefem jednego i sponsorem drugiego – ale głównie z czystej sympatii. Dan lubił bezpośredniość Billy'ego.

Lubił też prowadzić „Helen Rivington". To pewnie znowu przez to jego wewnętrzne dziecko; nie wątpił, że tak powiedziałby psychiatra. Billy chętnie powierzał mu stery, w sezonie letnim często wręcz z ulgą. Między Czwartym Lipca a pierwszym weekendem września „Riv" kursowała do Cloud Gap i z powrotem dziesięć razy dziennie, a lat Billy'emu nie ubywało.

Idąc przez trawnik w stronę Cranmore Avenue, Dan zauważył, że siedzi na ocienionej ławce między właściwym Rivington House a Rivington Dwa Fred Carling. Sanitariusz, który kiedyś odcisnął ślady palców na ręce biednego Charliego Hayesa, wciąż pracował na nocnej zmianie i był leniwy i opryskliwy jak zawsze, ale przynajmniej nauczył się nie zadzierać z Doktorem Snem. To Danowi odpowiadało.

Carling, który niebawem zaczynał dyżur, trzymał na kolanach poplamioną tłuszczem torbę z McDonalda i zajadał big maca. Spojrzenia dwóch mężczyzn spotkały się na chwilę. Nie przywitali się. Dan uważał Freda Carlinga za lenia ze skłonnością do sadyzmu, a Carling Dana za świętoszkowatego męczydupę, więc panowała między nimi swoista równowaga. Dopóki nie będą sobie wchodzić w drogę, wszystko będzie dobrze i wszystko będzie dobrze, i wszystkie sprawy ułożą się dobrze.

Dan kupił dwie kawy (dla Billy'ego z czterema kostkami cukru, bo taką pił) i poszedł na skwer, który tętnił życiem w złocistym słońcu. W powietrzu szybowały frisbee. Mamy i tatusiowie bujali maluchów na huśtawkach albo łapali ich u dołu zjeżdżalni. Na boisku do softballu trwał mecz, dzieciaki z YMCA we Frazier grały z drużyną w pomarańczowych koszulkach z napisem WYDZIAŁ REKREACJI ANNISTON. Dan wypatrzył Billy'ego na ministacji kolejowej; stał na taborecie i pucował chrom „Helen Rivington". Wszystko wyglądało dobrze. Czuł się jak w domu.

Nawet jeśli to nie dom, pomyślał, lepszego nie znajdę. Teraz potrzeba mi tylko żony Sally, dziecka Pete'a i psa Rovera.

Uśmiechnął się na tę myśl i poszedł miniaturową Cranmore Avenue w cień stacji Minimiasto.

– Hej, Billy, przyniosłem ci trochę tego cukru o smaku kawy, który tak lubisz.

Na dźwięk jego głosu pierwszy człowiek, od którego Dan usłyszał we Frazier przyjazne słowo, odwrócił się.

– No proszę, jakiś ty miły. Właśnie sobie myślałem, że chętnie... no i po kawie.

Tekturowa tacka wysunęła się z dłoni Danny'ego. Poczuł ciepło, kiedy gorąca kawa chlusnęła na jego tenisówki, ale to doznanie wydawało się odległe, nieważne.

Po twarzy Billy'ego Freemana chodziły muchy.

7

Billy nie chciał rano pójść do Caseya Kingsleya, nie zamierzał wziąć dnia wolnego, a już na pewno nie wybierał się do lekarza. Przekonywał Dana, że czuje się dobrze, jest w doskonałej formie i w ogóle tryska zdrowiem i energią. Nawet ominęło go letnie przeziębienie, które zwykle przechodził w czerwcu albo lipcu.

Dan jednak przez całą noc oka nie zmrużył i nie przyjął do wiadomości jego odmowy. Może dałby mu spokój, gdyby był przekonany, że jest za późno, ale nie, widywał te muchy już nieraz i z czasem je rozszyfrował. Jak pokazywał się cały rój – szczelnie okrywający twarz zasłoną z obrzydliwych, rozpychających się ciałek – nie było nadziei. Kilkanaście oznaczało, że coś można zrobić. Tylko kilka – że jeszcze jest czas. Na twarzy Billy'ego były raptem trzy–cztery.

Na twarzach śmiertelnie chorych pacjentów hospicjum nie widział ani jednej muchy.

Dan pamiętał, jak odwiedził swoją matkę dziewięć miesięcy przed śmiercią, w dniu, kiedy też twierdziła, że czuje się dobrze, jest w doskonałej formie i w ogóle tryska zdrowiem i energią. „Na co tak patrzysz, Danny? – spytała wówczas. – Czymś się umazałam?". I komicznie potarła czubek nosa, przenikając palcami setki much śmierci, które okrywały ją od podbródka po linię włosów jak czepek na twarzy noworodka.

8

Casey miał wprawę w prowadzeniu mediacji. Z właściwą sobie ironią mawiał, że dzięki temu rocznie zgarnia tę imponującą sześciocyfrową kwotę.

Najpierw zapoznał się z argumentami Dana. Potem wysłuchał protestów Billy'ego, że nie ma mowy, by wziął wolne, nie w szczycie sezonu, kiedy już przed ósmą rano ustawiają się kolejki do „Helen Rivington". Poza tym żaden lekarz nie przyjmie go tak od ręki. Dla nich to też był szczyt sezonu.

– Kiedy ostatnio robiłeś sobie badania? – spytał Casey, gdy Billy wreszcie zamilkł. Dan i Billy stali po drugiej stronie biurka. Casey siedział odchylony na swoim biurowym krześle, z palcami splecionymi na brzuchu i głową opartą na zwykłym miejscu tuż pod krzyżem na ścianie.

Billy wyglądał, jakby czuł się zagrożony.

– Chyba pięć lat temu. Ale wtedy nic mi nie było, Case. Lekarz powiedział, że mam ciśnienie o dziesięć jednostek niższe niż on.

Oczy Caseya powędrowały ku Danowi. Patrzyły badawczo, z zaciekawieniem, ale bez śladu niedowierzania. Wobec reszty świata członkowie AA zazwyczaj trzymali język za zębami, za to we własnym gronie rozmawiali – i czasem plotkowali – aż miło. Stąd Casey wiedział, że pomoc nieuleczalnie chorym w bezbolesnym przejściu na tamten świat to niejedyny niezwykły talent Dana Torrance'a. Mówiło się, że Dan T. od czasu do czasu czyni pewne spostrzeżenia. Takie, które nie bardzo można wyjaśnić.

– Johnny Dalton to twój dobry kumpel, nie? – spytał Casey.

– Ten pediatra?

– Tak. Widuję go prawie co czwartek w North Conway.

– Masz jego numer?

– Szczęśliwym trafem, tak. – Dan miał całą listę numerów kontaktowych członków AA na ostatniej stronie małego notesu, który dostał od Caseya i z którym wciąż się nie rozstawał.

– Zadzwoń do niego. Powiedz, że ten nasz łobuz musi jak najszybciej się z kimś zobaczyć. Nie wiesz pewnie, jakiego lekarza mu trzeba, co? W jego wieku na pewno nie pediatry.

– Casey… – zaczął Billy.

– Cicho – powiedział Casey i przeniósł wzrok z powrotem na Dana. – Myślę, że to wiesz, jak Boga kocham. Płuca mu nawalają? Tyle pali, że wcale bym się nie zdziwił.

Dan stwierdził, że za daleko zabrnął, by się teraz wycofać. Westchnął.

– Nie, myślę, że chodzi o jego brzuch.

– Oprócz drobnej niestrawności, z moim brzuchem wszystko jest…

– Cicho, powiedziałem. – Po czym, znów odwracając się do Dana: – W takim razie musi to być lekarz od brzucha. Powiedz Johnny'emu D., że to ważne. – Zawiesił głos. – Uwierzy ci?

Dan był zadowolony z tego pytania. Odkąd przyjechał do New Hampshire, pomógł kilku Anonimowym Alkoholikom i choć wszystkich prosił, by zachowali to w tajemnicy, doskonale wiedział, że niektórzy się wygadali i paplają o nim do tej pory. Ulżyło mu, że John Dalton nie należy do tego grona.

– Tak sądzę.

– No dobra. – Casey wskazał palcem na Billy'ego. – Masz dzień wolny. Płatny. Dla poratowania zdrowia.

– Ale „Riv"…

– W mieście jest kilkanaście osób, które mogą ją prowadzić. Podzwonię po ludziach i sam wezmę dwa pierwsze kursy.

– Ale twoje chore biodro…

– Chrzanić moje chore biodro. Trochę ruchu na świeżym powietrzu dobrze mi zrobi.

– Ale, Casey, przecież czuję się dob…

– Nie obchodzi mnie, czy czujesz się na tyle dobrze, żeby pobiec w wyścigu stąd nad jezioro Winnipesaukee. Idziesz do lekarza, koniec, kropka.

Billy spojrzał na Dana z wyrzutem.

– Widzisz, jakie przez ciebie mam kłopoty? Nawet porannej kawy nie wypiłem.

Tego ranka muchy zniknęły – chociaż wciąż tam były. Dan wiedział, że gdyby się skupił, mógłby je znowu zobaczyć… ale kto by tego chciał, na miłość boską?

– Wiem – przytaknął Dan. – Grawitacja nie istnieje, to życie po prostu jest ciężkie. Mogę skorzystać z twojego telefonu, Casey?

– Proszę cię bardzo. – Casey wstał. – Ja pójdę na stację i wpuszczę pasażerów. Masz czapkę maszynisty w moim rozmiarze, Billy?

– Nie.

– Moja będzie w sam raz – powiedział Dan.

9

Jak na organizację, która nigdzie się nie reklamuje, niczego nie sprzedaje i utrzymuje się ze zmiętych banknotów wrzucanych do przekazywanych z ręki do ręki koszyków albo baseballówek, Anonimowi Alkoholicy mają rozległe – acz dyskretne – wpływy, sięgające daleko poza drzwi rozmaitych wynajmowanych sal i kościelnych podziemi, w których prowadzą swoją działalność. Sitwa starych pijaków, pomyślał Dan.

Zadzwonił do Johna Daltona, a John do Grega Fellertona, internisty. Fellerton nie uczestniczył w Programie, ale miał wobec Johnny'ego D. dług wdzięczności. Dan nie wiedział jaki i nic go to nie obchodziło. Liczyło się tylko to, że krótko przed południem tego samego dnia Billy Freeman leżał już na stole do badań w gabinecie Fellertona w Lewiston. Rzeczony gabinet znajdował się sto trzydzieści kilometrów od Frazier i Billy marudził przez całą drogę.

– Jesteś pewien, że nic ci nie dolega oprócz niestrawności? – spytał Dan, kiedy skręcili na mały parking Fellertona na Pine Street.

– Uhm – odparł Billy. Po chwili z ociąganiem dodał: – Ostatnio była trochę ostrzejsza niż zwykle, ale nie aż tak, żebym nie mógł spać czy coś.

Kłamca, pomyślał Dan, lecz milczał. Zaciągnął tego starego uparciucha tutaj, więc najtrudniejsze miał z głowy.

Siedział w poczekalni i przeglądał numer „OK!" z księciem Williamem i jego ładną, ale chudą nowo poślubioną małżonką na okładce, kiedy z głębi korytarza dobiegł gromki okrzyk bólu. Po dziesięciu minutach wyszedł Fellerton. Usiadł obok Dana. Zerknął na okładkę „OK!" i stwierdził:

– Facet może sobie być następcą brytyjskiego tronu, ale i tak w wieku czterdziestu lat będzie łysy jak kula bilardowa.

– Pewnie ma pan rację.

– Oczywiście, że mam. W sprawach ludzkich jedynym prawowitym królem jest genetyka. Wyślę pańskiego przyjaciela do szpitala Central Maine General na tomografię. Jestem prawie pewien, co wykaże. Jeśli moje przypuszczenia się potwierdzą, zapiszę pana Freemana do chirurga naczyniowego na małe ciachanko jutro rano.

– Co mu jest?

Billy nadszedł z głębi korytarza, zapinając pasek. Jego ogorzała twarz była ziemista i mokra od potu.

– Mówi, że mam zgrubienie w aorcie. Jak bąbel na oponie. Tylko że opony nie krzyczą, jak się je maca.

– Tętniak – powiedział Fellerton. – Och, może się okazać, że to nowotwór, ale ja stawiam, że nie. Tak czy tak, sprawa jest pilna. Cholerstwo ma wielkość piłki pingpongowej. Dobrze, że pan go do mnie przywiózł. Gdyby tętniak pękł, a w pobliżu nie byłoby szpitala... – Lekarz pokręcił głową.

10

Tomografia potwierdziła diagnozę Fellertona i o szóstej tego wieczora Billy leżał już w szpitalnym łóżku, w którym wydawał się dużo mniejszy niż zwykle. Dan siedział przy nim.

– Dałbym się pokroić za papierosa – powiedział Billy żałośnie.

– Na mnie nie licz.

Billy westchnął.

– I tak najwyższy czas to rzucić. Nie stęsknią się za tobą w Rivington House?

– Dzień wolny.

– Nie mogłeś go jakoś lepiej spędzić? Wiesz co? Wychodzi na to, że o ile mnie jutro nie zarżną tymi swoimi nożami i widelcami, zawdzięczam ci życie. Nie wiem, skąd wiedziałeś, ale jeśli kiedyś będę mógł coś dla ciebie zrobić… wszystko jedno co… powiedz tylko słowo.

Dan pomyślał o tym, jak dziesięć lat wcześniej zszedł po stopniach autobusu w tuman śniegu delikatny jak koronka ślubna. Pomyślał o swoim zachwycie widokiem jaskrawoczerwonej lokomotywy. I o chwili, kiedy człowiek leżący teraz obok niego spytał, czy ten mały pociąg mu się podoba, zamiast go przegonić i powiedzieć, żeby trzymał łapy z dala od cudzej własności. Drobny gest, ale taki, który otworzył drzwi do wszystkiego, co Dan miał teraz.

– Billy, chłopie, to ja mam dług wobec ciebie i do końca życia go nie spłacę.

11

W latach swojej trzeźwości zauważył dziwną prawidłowość. Kiedy w jego życiu coś nie układało się najlepiej – jak w ten poranek w 2008 roku, gdy odkrył, że ktoś wybił kamieniem tylną szybę w jego samochodzie – zazwyczaj nie myślał o tym, żeby się napić. Za to kiedy wszystko było, jak trzeba, znienacka powracało to stare, znajome pragnienie. Tego wieczora, gdy pożegnał się z Billym i z lekkim sercem wracał z Lewiston do domu, zauważył przydrożny bar Cowboy Boot i naszła go silna pokusa, by wejść do środka. Kupić dzbanek piwa i rozmienić parę banknotów na dość ćwierćdolarówek, żeby starczyło na co najmniej godzinę puszczania kawałków w szafie grającej. Siedzieć sobie, słuchać Jenningsa, Jacksona i Haggarda, z nikim nie gadać, nie robić zamieszania, tylko pić. Uwolnić się od brzemienia trzeźwości, która czasem ciążyła jak para ołowianych butów. Kiedy zostałoby mu pięć ostatnich ćwierćdolarówek, puściłby *Whiskey Bent and Hellbound* sześć razy z rzędu.

Minął bar, zjechał na gigantyczny parking Wal-Marta zaraz za nim i rozłożył telefon. Już-już trzymał palec nad numerem Caseya, kiedy przypomniał sobie ich trudną rozmowę w kawiarni. Casey mógłby chcieć do niej wrócić, zwłaszcza do tematu, co też Dan przed nim ukrywa. To odpadało.

Czując się jak człowiek, który opuszcza własne ciało, pojechał z powrotem do knajpy i zatrzymał wóz w głębi nieutwardzonego parkingu. Był przekonany, że dobrze robi. Jednocześnie miał wrażenie, jakby przystawiał sobie do skroni naładowany pistolet. Przez otwarte okno słyszał zespół grający na żywo stary kawałek The Derailers *Lover's Lie*. Brzmieli całkiem nieźle, a gdyby wlał w siebie kilka drinków, brzmieliby rewelacyjnie. Na pewno w środku były panienki, które rwały się do tańca. Panienki w lokach, panienki w perłach, panienki w spódniczkach, panienki w koszulach kowbojskich. Panienki były zawsze. Był ciekaw, jaką whisky mieli i Boże, Boże, dobry Boże, tak strasznie go suszyło. Otworzył drzwi samochodu, postawił nogę na ziemi i siedział nieruchomo, ze spuszczoną głową.

Dziesięć lat. Dziesięć dobrych lat, które mógł przekreślić w ciągu najbliższych dziesięciu minut. Jakże łatwo byłoby to zrobić. Jak pszczoła do miodu.

„Każdy z nas ma swoje dno. Pewnego dnia będziesz musiał komuś powiedzieć, jakie jest twoje. Jeśli tego nie zrobisz, prędzej czy później znajdziesz się w barze z drinkiem w dłoni".

I mogę zrzucić całą winę na ciebie, Casey, pomyślał Dan zimno. Mogę powiedzieć, że to ty podsunąłeś mi ten pomysł w Sunspot Café.

Nad drzwiami była migająca czerwona strzałka i szyld z napisem DZBANKI ZA $2 DO 21.00 MILLER LITE ZAPRASZAMY.

Dan zamknął drzwi samochodu, znów rozłożył telefon i zadzwonił do Johna Daltona.

– Z twoim kumplem wszystko w porządku? – spytał John.

– Leży w łóżeczku, jutro o siódmej rano idzie pod nóż. John, mam chęć się napić.

– O nieee! – krzyknął John drżącym falsetem. – Tylko nie wóóóda! I ot tak pokusa minęła. Dan wybuchnął śmiechem.

– No dobra, tego mi było trzeba. Ale jak jeszcze raz zaczniesz naśladować Michaela Jacksona, napiję się na pewno.

– Żałuj, że nie słyszałeś *Billie Jean* w moim wykonaniu. Jestem mistrzem karaoke. Mogę cię o coś spytać?

– Jasne. – Dan patrzył przez przednią szybę na parking, gdzie przechadzało się wielu klientów Cowboy Boot; prawdopodobnie nie rozmawiali o Michale Aniele.

– Czymkolwiek jest to, co masz, czy picie… nie wiem… to głuszyło?

– Przytłumiało. Przyciskało temu poduszkę do twarzy i nie dawało zaczerpnąć tchu.

– A jak z tym jest teraz?

– Niczym Superman, używam moich mocy w obronie prawdy, sprawiedliwości i amerykańskiego stylu życia.

– Innymi słowy, nie chcesz o tym mówić.

– Nie. Nie chcę. Ale teraz jest lepiej niż kiedyś. Lepiej, niż to mi się wydawało możliwe. Kiedy byłem nastolatkiem... – Dan zawiesił głos. Kiedy był nastolatkiem, każdego dnia musiał staczać boje o to, żeby nie zwariować. Głosy, które słyszał, przerażały go, ale zazwyczaj jeszcze gorsze były obrazy. Obiecał i swojej matce, i sobie, że nigdy nie będzie pił jak ojciec, ale kiedy w końcu zaczął, w pierwszej klasie szkoły średniej, przyniosło mu to taką ulgę, że – przynajmniej na początku – tylko żałował, że nie sięgnął po alkohol wcześniej. Poranne kace były po tysiąckroć lepsze od całonocnych koszmarów. W związku z czym poniekąd nasuwało się pytanie: W jakim stopniu był synem swojego ojca? Pod jak wieloma względami?

– Byłeś nastolatkiem i co dalej? – drążył John.

– Nic. Nieważne. Słuchaj, muszę się stąd ruszyć, siedzę na parkingu pod barem.

– Serio? – John wyraźnie się zaciekawił. – Którym?

– Nazywa się Cowboy Boot. Do dziewiątej dzbanki za dwa dolary.

– Dan.

– Tak, John.

– Znam tę knajpę ze starych czasów. Jak już masz sobie zmarnować życie, nie zaczynaj tam. Kobiety to wywłoki ze zniszczonymi amfą zębami, a w męskim kiblu śmierdzi spleśniałymi ochraniaczami na jaja. Do Boota chodzi się tylko wtedy, kiedy człowiek jest na dnie.

I znowu to słowo.

– Wszyscy mamy swoje dno – powiedział Dan. – Prawda?

– Zabieraj się stamtąd, Dan. – John teraz już mówił śmiertelnie poważnie. – Ale to już. Dość wygłupów. I nie rozłączaj się, dopóki ten wielki neonowy but kowbojski na dachu nie zniknie ci z lusterka wstecznego.

Dan zapalił silnik, wyjechał z parkingu i wrócił na drogę numer 11.

– Już prawie – powiedział. – Jeszcze trochę… iii… już go nie ma. – Czuł niewysłowioną ulgę. Czuł też gorzki żal; ile dzbanków za dwa dolary mógłby przerobić do dziewiątej?

– Nie kupisz sześciopaka lub flaszki wina, zanim dojedziesz do Frazier, co?

– Nie. Wszystko gra.

– W takim razie do zobaczenia w czwartek wieczorem. Przyjdź wcześnie, robię kawę. Folgers, z moich specjalnych zapasów.

– Na pewno będę – powiedział Dan.

12

Kiedy wrócił do pokoju w wieżyczce i zapalił światło, na tablicy była nowa wiadomość.

Miałam cudowny dzień!
Twoja przyjaciółka
ABRA

– To dobrze, kochanie – powiedział Dan. – Cieszę się.

Bzzz! Interkom. Podszedł i wcisnął guzik.

– Cześć, Doktorze Sen – powiedziała Loretta Ames. – Tak mi się wydawało, że widziałam, jak wchodziłeś. Wiem, że teoretycznie nadal masz dzień wolny, ale mógłbyś złożyć wizytę domową?

– Komu? Panu Cameronowi czy panu Murrayowi?

– Cameronowi. Azzie przyszedł do niego zaraz po kolacji i ciągle tam siedzi.

Ben Cameron był w Rivington Jeden. Pierwsze piętro. Osiemdziesięciotrzyletni emerytowany księgowy z zastoinową niewydolnością serca. Cholernie miły gość. Dobry w scrabble i strasznie irytujący w parcheesi przez to, że zawsze stawiał blokady, które doprowadzały przeciwników do pasji.

– Już idę – powiedział Dan. W drzwiach przystanął i zerknął przez ramię na tablicę. – Dobranoc, skarbie – powiedział.

Przez następne dwa lata nie miał wiadomości od Abry.

Przez te same dwa lata coś spało w krwiobiegu Prawdziwego Węzła. Pożegnalny upominek od Bradleya Trevora, małego baseballisty.

Część druga

Puste diabły

Rozdział VII

Ktokolwiek widział, ktokolwiek wie

1

Wczesnym rankiem sierpniowego dnia 2013 roku Concetta Reynolds obudziła się w swoim apartamencie w Bostonie. Jak zawsze, najpierw spojrzała w kąt obok komody. Nie było tam zwiniętego w kłębek psa. Betty odeszła przed wieloma laty, ale Chetta wciąż za nią tęskniła. Włożyła szlafrok i ruszyła do kuchni, żeby zaparzyć poranną kawę. Tysiące razy przemierzała tę trasę i nie miała powodu przypuszczać, że tym razem będzie inaczej. A już na pewno nie przyszło jej do głowy, że to będzie pierwsze ogniwo w łańcuchu złowrogich wydarzeń. Nie potknęła się, powie jeszcze tego samego dnia swojej wnuczce Lucy, ani na nic nie wpadła. Po prostu usłyszała niepozorny trzask w swoim prawym boku i chwilę potem już była na podłodze, a jej nogę przeszywał ciepły ból.

Leżała tak może trzy minuty, wpatrzona w swoje niewyraźne odbicie w wypolerowanym parkiecie, i siłą woli zmuszała ból, by zelżał. Jednocześnie rozmawiała sama ze sobą. Ty głupia staructo, kto to widział, nie mieć nikogo pod ręką. David od pięciu lat ci powtarza, że jesteś za stara, by mieszkać sama, i teraz to dopiero się od niego nasłuchasz.

Ale gdyby przyjęła kogoś pod swój dach, musiałaby oddać mu pokój, który trzymała dla Lucy i Abry, a ich wizyty były treścią życia Chetty. Zwłaszcza kiedy pies odszedł, a ona, jak się zdaje, wyczerpała już wszystkie swoje pokłady poezji. Poza tym co z tego, że miała dziewięćdziesiąt siedem lat, skoro poruszała się sprawnie i czuła się dobrze. Kobiety z jej rodziny mogły się poszczycić dobrymi genami. Czyż jej własna Momo nie pochowała czterech mężów i siedmiorga dzieci i nie dożyła stu dwóch lat?

Choć jeśli miała być szczera (przynajmniej ze sobą), tego lata nie czuła się znowu tak dobrze. To lato było... trudne.

Kiedy ból w końcu zelżał – trochę – poczołgała się krótkim korytarzem w stronę kuchni, do której już wsączał się blask świtu. Stwierdziła, że z wysokości podłogi trudniej zachwycać się tym pięknym różanym światłem. Ilekroć ból stawał się zbyt ostry, zatrzymywała się i kładła głowę na kościstym ramieniu, ciężko dysząc. W czasie tych przystanków rozmyślała o siedmiu okresach życia człowieka i o opisywanym przez nie doskonałym (i doskonale idiotycznym) okręgu. Tak samo jak w tej chwili poruszała się dawno temu, w czwartym roku pierwszej wojny światowej, znanej też jako – śmiechu warte – wojna, która położy kres wszelkim wojnom. Była wówczas Concettą Abruzzi i łaziła na czworakach po podwórku gospodarstwa rodziców w Davoli, goniąc kury, które bez trudu jej uciekały. Tak, w kurzu zaczęło się jej bogate, interesujące życie. Potem opublikowała dwadzieścia tomików poezji, była na podwieczorku z Grahamem Greene'em i kolacjach z dwoma prezydentami, i – co najlepsze – los obdarował ją uroczą, wybitnie inteligentną i posiadającą dziwne zdolności prawnuczką. I do czego to wspaniałe życie ją doprowadziło?

Do tego, że znów musi łazić na czworakach. Do punktu wyjścia. *Dio mi benedica.*

Dowlokła się do kuchni i popełzła przez prostokąt słońca do stolika, przy którym jadała posiłki. Leżał na nim jej telefon komórkowy. Chwyciła nogę stolika i trzęsła nią dotąd, aż telefon zsunął się na krawędź blatu i spadł. I, *meno male*, nie rozwalił się. Wybrała numer, na który każą dzwonić w takich wkurzających sytuacjach, po czym zaczekała, aż głos z taśmy podsumuje całą absurdalność dwudziestego pierwszego wieku, informując ją, że rozmowa jest nagrywana.

I wreszcie, dzięki Ci, Maryjo, głos prawdziwego człowieka.

– Pogotowie, słucham.

Leżąca na podłodze kobieta, która dawno temu, w południowych Włoszech, goniła na czworakach kury, mówiła wyraźnie i składnie pomimo bólu.

– Nazywam się Concetta Reynolds, mieszkam na drugim piętrze apartamentowca na Marlborough Street 219. Chyba złamałam sobie biodro. Moglibyście przysłać karetkę?

– Jest tam ktoś z panią, pani Reynolds?

– Na moje nieszczęście, nie. Rozmawia pani z głupią starą babą, która uparła się, że jest w dobrej formie i może mieszkać sama.

2

Lucy odebrała telefon od babci krótko przed tym, jak zabrali Concettę na operację.

– Złamałam biodro, ale mogą je poskładać – usłyszała w słuchawce. – Zdaje się, że wstawią śruby i tak dalej.

– Momo, przewróciłaś się? – Lucy w pierwszej chwili pomyślała o Abrze, która dopiero za tydzień miała wrócić z obozu.

– O tak, ale złamanie, które spowodowało upadek, było zupełnie samorzutne. Ponoć to częste u ludzi w moim wieku, a że na świecie jest więcej ludzi w moim wieku niż dawniej, lekarze widują takie urazy co dzień. Nie musisz przychodzić już teraz, ale postaraj się wpaść w miarę szybko. Zdaje się, że trzeba będzie poczynić pewne ustalenia.

Lucy poczuła zimny ucisk w żołądku.

– Jakie ustalenia?

Teraz, kiedy była nafaszerowana valium, morfiną czy co tam jej podali, Concettę ogarniał błogi spokój.

– Okazuje się, że złamane biodro to najmniejszy z moich problemów. – Wyjaśniła. Nie trwało to długo. Na koniec powiedziała: – Nie mów Abrze, *cara*. Dostałam od niej dziesiątki maili, nawet jeden prawdziwy list, i wygląda na to, że dobrze się bawi na obozie. Potem będzie miała dość czasu, by się dowiedzieć, że jej stara Momo jest jedną nogą w grobie.

Lucy pomyślała: Jeśli naprawdę sądzisz, że będę to jej musiała powiedzieć…

– Nie muszę być jasnowidzem, by wiedzieć, co myślisz, *che amore*, ale może tym razem złe nowiny ją ominą.

– Może – powiedziała Lucy.

Ledwie odłożyła słuchawkę, zadzwonił telefon.

– Mamo? Mamusiu? – To była Abra. Płakała. – Chcę do domu. Momo ma raka i chcę do domu.

3

Po powrocie z obozu Tapawingo w Maine Abra przekonała się, jak by to było, gdyby musiała kursować między rozwiedzionymi rodzicami. Wraz z matką spędziły ostatnie dwa tygodnie sierpnia i pierwszy tydzień września w apartamencie Chetty na Marlborough Street. Staruszka dobrze zniosła operację złamanego biodra i nie dała się zatrzymać w szpitalu na dłużej, zrezygnowała też z wszelkich prób leczenia wykrytego przez lekarzy raka trzustki.

– Żadnych prochów, żadnej chemioterapii. Dziewięćdziesiąt siedem lat wystarczy. Co się tyczy ciebie, Lucio, nie życzę sobie, żebyś przez najbliższe pół roku przynosiła mi jedzenie, tabletki i basen. Masz rodzinę, a mnie stać na całodobową opiekę.

– Nie spędzisz ostatnich dni życia wśród obcych – orzekła Lucy swoim głosem „tej, której trzeba być posłusznym". Abra i jej ojciec wiedzieli, że kiedy przybierała taki ton, nie było co się z nią spierać. Nawet Concetta nie miała szans nic wskórać.

Nie było możliwości, by Abra została z nimi w Bostonie; dziewiątego września zaczynała naukę w ósmej klasie szkoły w Anniston. David Stone wziął roczny urlop naukowy, który przeznaczył na pisanie książki porównującej szalone lata dwudzieste do jeszcze bardziej szalonych lat sześćdziesiątych, i tak oto – jak wiele jej koleżanek z obozu Tap – Abra zaczęła kursować od jednego rodzica do drugiego. Dni powszednie spędzała z ojcem. W weekendy jeździła do Bostonu, żeby być z mamą i Momo. Myślała, że już nic gorszego nie może się stać… ale nigdy nie jest tak źle, żeby nie mogło być gorzej.

4

Choć David Stone teraz już pracował w domu, ani razu nie raczył pójść do skrzynki na końcu podjazdu po pocztę. Twierdził, że Poczta Amerykańska to samonapędzająca się biurokratyczna machina, która z nastaniem nowego wieku straciła rację bytu. Bywało, że przychodziły jakieś paczki, czasem ze sprowadzonymi przez niego książkami, które były mu potrzebne do pracy, częściej z rzeczami zamówionymi przez Lucy z takiego czy innego katalogu, ale poza tym, jak mówił, listonosz przynosił samą makulaturę.

Kiedy Lucy była w domu, to ona wyjmowała pocztę ze skrzynki przy furtce i przeglądała ją, sącząc poranną kawę. Rzeczywiście, przychodziła głównie makulatura, która z miejsca lądowała w, jak nazywał to Dave, Okrągłym Segregatorze. Jednak na początku września Lucy nie było, więc to Abra – teraz nominalna pani domu – zaglądała do skrzynki, kiedy wysiadała z autobusu szkolnego. Oprócz tego zmywała naczynia, dwa razy w tygodniu prała rzeczy swoje i taty i, jeśli nie zapomniała, włączała robot odkurzacz Roomba. Wykonywała te obowiązki bez szemrania, bo wiedziała, że mama pomaga Momo, a książka taty jest bardzo ważna. Jak powiedział, będzie POPULARNONAUKOWA, nie NAUKOWA. Gdyby odniosła sukces, mógłby odejść z uczelni i żyć z pisania, przynajmniej przez pewien czas.

Tego dnia, siedemnastego września, skrzynka zawierała gazetkę reklamową z Wal-Marta, pocztówkę zapowiadającą otwarcie nowego gabinetu dentystycznego (GWARANTUJEMY UŚMIECHY DO DECHY!) i dwa kolorowe wabiki lokalnych agencji nieruchomości oferujących domy na zasadach timeshare w ośrodku narciarskim Mount Thunder.

Była też darmowa gazeta lokalna „The Anniston Shopper". Na jej pierwszych dwóch stronach publikowano garść wiadomości z serwisów prasowych, a w środku kilka artykułów o wydarzeniach w Anniston i okolicy (przeważnie sportowych). Resztę stanowiły reklamy i kupony. Gdyby Lucy była w domu, wycięłaby kilka tych ostatnich, a pozostałą część „Shoppera" wyrzuciła do kubła ze śmieciami do recyklingu. Jej córka nawet nie zobaczyłaby tej gazety. Tego dnia, jako że Lucy była w Bostonie, stało się inaczej.

Abra przewertowała gazetę, niespiesznie idąc podjazdem, po czym zajrzała na ostatnią stronę. Było tam czterdzieści–pięćdziesiąt zdjęć formatu znaczków pocztowych, większość kolorowa, kilka czarno-białych. U góry widniał nagłówek:

KTOKOLWIEK WIDZIAŁ, KTOKOLWIEK WIE
Cotygodniowa rubryka „Anniston Shopper"

W pierwszej chwili pomyślała, że to jakiś konkurs. Potem dotarło do niej, że to zaginione dzieci, i poczuła się, jakby ktoś schwycił nabłonek jej żołądka i wyżął go niczym ściereczkę. Na długiej przerwie kupiła trójpak ciastek Oreo, żeby mieć co przegryźć w autobusie wiozącym ją do domu. Teraz miała wrażenie, że wyciskane dłonią tego kogoś ciastka podchodzą jej do gardła.

Nie patrz na to, jeśli to cię razi, powiedziała sobie. To był srogi, pouczający głos, którym często się napominała, kiedy była zdenerwowana albo zagubiona (głos Momo, choć nigdy tego sobie nie uświadomiła). Wyrzuć to do śmieci razem z resztą tej makulatury. Tyle że jakoś nie mogła odwrócić wzroku od tych zdjęć.

Oto Cynthia Abelard, ur. 9 czerwca 2005 roku. Po krótkim namyśle Abra zorientowała się, że „ur." to skrót od „urodzona". Czyli dziś Cynthia miałaby osiem lat. Gdyby żyła. Zaginęła w 2009 roku. Jak można stracić z oczu czterolatkę? – zastanawiała się Abra. Musi mieć beznadziejnych rodziców. Ale oczywiście rodzice zapewne wcale nie byli winni. Pewnie przypadkiem spotkał ją jakiś krążący po dzielnicy zbok i wykorzystał okazję.

Oto Merton Askew, ur. 4 września 1998 roku. Zniknął w 2010 roku.

Oto, w połowie strony, piękna mała Latynoska Angel Barbera, która zniknęła ze swojego domu w Kansas City w wieku siedmiu lat i od dziewięciu lat pozostawała zaginiona. Abra była ciekawa, czy jej rodzice naprawdę sądzą, że to malutkie zdjęcie pomoże ją odnaleźć. Nawet gdyby do nich wróciła, czy w ogóle by ją rozpoznali? I czy ona rozpoznałaby ich?

Wyrzuć to, powiedział głos Momo. Za dużo masz już zmartwień, żeby jeszcze oglądać zaginione...

Jej spojrzenie padło na fotografię w dolnym rzędzie i z ust Abry wyrwał się cichy jęk. Początkowo nawet nie wiedziała, co go wywołało, a właściwie wiedziała, ale niejasno; tak bywa, kiedy wiesz, jakiego słowa chcesz użyć w wypracowaniu, ale nie możesz go sobie przypomnieć, skubane siedzi ci na końcu języka i ani myśli się stamtąd ruszyć.

Zdjęcie przedstawiało krótko ostrzyżonego białego chłopaka z szerokim, głupawym uśmiechem. Chyba miał piegi na policzkach. Fotografia była za mała, żeby stwierdzić to na pewno, ale

(to piegi wiesz że to piegi)

Abra z jakiegoś powodu to wiedziała. Tak, to były piegi i starsi bracia dokuczali mu z ich powodu, a mama zapewniała go, że z czasem znikną.

– Powiedziała mu, że piegi przynoszą szczęście – szepnęła Abra. Bradley Trevor, ur. 2 marca 2000 roku. Zaginął 12 lipca 2011. Rasa: biała. Miejsce zamieszkania: Bankerton, Iowa. Aktualny wiek: 13. A pod spodem, pod wszystkimi tymi zdjęciami w większości uśmiechniętych dzieci: *Jeśli sądzisz, że widziałeś Bradleya*

Trevora, skontaktuj się z Krajowym Centrum do spraw Zaginionych i Wykorzystywanych Dzieci.

Tyle że nikt nie skontaktuje się z nimi w sprawie Bradleya, bo nikt go nie zobaczy. I nie miał aktualnie trzynastu lat. Bradley Trevor zatrzymał się na jedenastu. Zatrzymał się jak zepsuty zegarek, który pokazuje tę samą godzinę przez całą dobę. Abra mimo woli zaczęła się zastanawiać, czy pod ziemią piegi zanikają.

– Mały baseballista – szepnęła.

Wzdłuż podjazdu rosły kwiaty. Abra schyliła się z dłońmi na kolanach i nagle dużo zbyt ciężkim plecakiem na plecach, i zwymiotowała ciastkami Oreo i nieprzetrawioną częścią szkolnego obiadu na astry matki. Kiedy nabrała pewności, że drugi raz nie rzygnie, poszła do garażu i wyrzuciła pocztę do kubła. Całą pocztę.

Tata miał rację, to makulatura.

5

Drzwi małego pokoju, w którym jej tata urządził swój gabinet, były otwarte i kiedy Abra poszła do zlewu kuchennego nalać sobie wody, żeby wypłukać z ust kwaśnoczekoladowy smak ciastek, usłyszała miarowy stukot klawiszy komputera. To dobrze. Kiedy stukot spowalniał albo w ogóle ustawał, tata zwykle był zrzędliwy. No i bardziej ją zauważał. Dziś chciała pozostać niezauważona.

– Abba-Daba-Du, to ty? – zawołał śpiewnie.

Normalnie zażądałaby, żeby przestał ją nazywać tym dziecinnym imieniem, lecz nie dzisiaj.

– Tak, to ja.

– W szkole wszystko w porządku?

Rytmiczne stuk-stuk-stuk ucichło. Proszę, nie przychodź tutaj, modliła się Abra. Nie wychodź z pokoju, nie patrz na mnie, nie pytaj, czemu jestem taka blada czy coś.

– Tak. Jak idzie książka?

– Dzisiaj świetnie – powiedział. – Piszę o charlestonie i black bottom. Ram-pa-ram-pam-riki-tiki-tak. – Cokolwiek to znaczy. Najważniejsze, że znów rozległo się stuk-stuk-stuk. Dzięki Bogu.

– Cieszę się – powiedziała, opłukała szklankę i postawiła ją na suszarce. – Idę na górę odrobić lekcje.

– Zuch dziewczyna. Szykuj się na Harvard w 2018 roku.

– Dobrze, tato. – I może nawet go posłucha. Wszystko, byle nie myśleć o Bankerton w stanie Iowa w roku 2011.

6

Tylko że nie mogła przestać.

Dlatego…

No właśnie, dlaczego? Dlatego, że… cóż…

Dlatego, że są pewne rzeczy, które umiem robić.

Pogadała przez komunikator internetowy ze swoją koleżanką Jessicą, ale potem rodzice zabrali Jessicę do centrum handlowego w North Conway na kolację w Panda Garden, więc Abra sięgnęła po książkę do wiedzy o społeczeństwie. Zamierzała poczytać czwarty rozdział, przeraźliwie nudne dwadzieścia stron zatytułowanych *Jak funkcjonuje nasz rząd*, ale zamiast tego książka otworzyła się na rozdziale piątym *Twoje obywatelskie obowiązki*.

O Boże, „obowiązki" to ostatnie słowo, jakie chciała zobaczyć tego popołudnia. Poszła do łazienki po następną szklankę wody, bo w ustach wciąż miała obrzydliwy smak. Złapała się na tym, że ogląda w lustrze swoje piegi. Były dokładnie trzy, jeden na lewym policzku i dwa na kinolu. Nie najgorzej. Pod tym względem dopisało jej szczęście. Nie miała też znamienia jak Bethany Stevens ani zeza w jednym oku jak Norman McGinley, nie jąkała się jak Ginny Whitlaw i nie musiała żyć z okropnym imieniem jak biedny, wyśmiewany Pence Effersham. Jasne, była trochę dziwna, ale nikt się jej nie czepiał, ludzi to raczej intrygowało, niż odstręczało, inaczej niż to było w przypadku Pence'a, przezywanego przez chłopaków (lecz dziewczyny zawsze skądś się tego dowiadują) Pence'em Penisem.

I, co najważniejsze, nie pokroili mnie na kawałki jacyś szaleńcy, którzy nie reagowali, kiedy krzyczałam i błagałam, żeby przestali. Nie musiałam widzieć przed śmiercią, jak niektórzy z nich zlizują moją krew ze swoich dłoni. Abba-Daba-Du to szczęściara, że hej.

Tyle że może wcale nie była z niej znowu taka szczęściara. Szczęściary nie wiedzą tego, czego wiedzieć nie powinny.

Opuściła klapę sedesu, usiadła na niej i cicho łkała z twarzą ukrytą w dłoniach. Samo to, że znów opadły ją myśli o Bradleyu Trevorze i o tym, jak umarł, było złe, ale nie chodziło tylko o niego. Były jeszcze te pozostałe dzieci, tyle zdjęć, że cieśniły się na ostatniej stronie „Shoppera" jak na szkolnej akademii z piekła rodem. Wszystkie te szczerbate uśmiechy, wszystkie te oczy, które wiedziały o świecie mniej niż sama Abra, a co właściwie wiedziała ona? Nawet nie *Jak funkcjonuje nasz rząd*.

Co myśleli rodzice tych zaginionych dzieci? Jak mogli dalej żyć? Czy co rano po przebudzeniu i co wieczór przed zaśnięciem mieli przed oczami obraz Cynthii, Mertona lub Angel? Czy zostawili ich pokoje w nienaruszonym stanie, żeby były gotowe, w razie gdyby dzieci wróciły do domu, czy też rozdali ich ubrania i zabawki potrzebującym? Abra słyszała, że tak postąpili rodzice Lenniego O'Meary, kiedy Lennie spadł z drzewa, uderzył głową w kamień i umarł. Lennie O'Meara, który doszedł do piątej klasy, a potem po prostu... się zatrzymał. No ale rodzice Lenniego oczywiście wiedzieli, że on nie żyje, był grób, na którym mogli kłaść kwiaty, i to chyba zmieniało sytuację. Może nie, lecz Abra sądziła, że tak. Bo inaczej, chcąc nie chcąc, człowiek się zastanawia, prawda? Na przykład przy śniadaniu rozmyśla, czy jego zaginione

(Cynthia Merton Angel)

dziecko też w tej chwili gdzieś je śniadanie, puszcza latawiec, zbiera pomarańcze z grupą imigrantów czy co tam jeszcze. W głębi ducha jest prawie pewien, że on albo ona nie żyje, taki los spotyka większość zaginionych dzieci (wystarczy oglądać wiadomości o szóstej, żeby się o tym przekonać), ale nie wie tego na sto procent.

Nie mogła rozwiać tej niepewności rodzicom Cynthii Abelard i Mertona Askew, nie miała pojęcia, co ich spotkało, lecz w przypadku Bradleya Trevora było inaczej.

Już prawie o nim zapomniała i wtedy ta durna gazeta... te durne zdjęcia... i te wspomnienia, które wróciły, wspomnienia, których dotąd była nieświadoma, obrazy jakby wypłoszone z jej podświadomości...

I te rzeczy, które potrafiła robić. Rzeczy, o których nie mówiła rodzicom, bo tylko by się przejęli, tak jak pewnie przejęliby się, gdyby wiedzieli, że któregoś dnia po szkole całowała się z Bobbym Flannaganem – tylko trochę, bez języczka i żadnych takich świństw. O tym na pewno nie chcieliby wiedzieć. Abra domyślała się (w dużej mierze słusznie, choć bez udziału telepatii), że rodzice wciąż widzą w niej ośmiolatkę i tak pewnie pozostanie, przynajmniej dopóki nie urosną jej cycki, co na razie nie nastąpiło – a przynajmniej nie na tyle, żeby to było zauważalne.

Jak dotąd nawet nie odbyli z nią POWAŻNEJ ROZMOWY. Julie Vandover mówiła, że o „tych sprawach" prawie zawsze dowiadujesz się od mamy, ale Abra ostatnio dowiedziała się od mamy tylko o jednej sprawie: że w czwartek rano ma koniecznie wynosić śmieci przed przyjazdem autobusu.

– Nie wymagamy od ciebie wiele – powiedziała Lucy – a tej jesieni jest szczególnie ważne, żeby każde z nas wzięło na siebie część obowiązków.

Momo przynajmniej próbowała zacząć POWAŻNĄ ROZMO-WĘ. Pewnego wiosennego dnia wzięła Abrę na stronę i zapytała:

– Wiesz, czego chłopcy w twoim wieku chcą od dziewczynek w twoim wieku?

– Pewnie seksu – odparła Abra... chociaż potulny, płochliwy Pence Effersham zwykle chciał tylko, żeby poczęstowała go ciast-kiem, pożyczyła mu ćwierć dolara na przekąskę z automatu albo wysłuchała jego przechwałek, ile razy oglądał *Avengers*.

Momo skinęła głową.

– Nie można potępiać ludzkiej natury, jest, jaka jest, ale nie dawaj im tego, czego chcą. Koniec, kropka. Żadnej dyskusji. Możesz przemyśleć sprawę na nowo w wieku dziewiętnastu lat, jeśli będziesz miała ochotę.

To, choć trochę krępujące, było przynajmniej proste i zrozu-miałe. W odróżnieniu od tego, co miała w głowie. To było jej znamię, niewidzialne, lecz rzeczywiste. Jej rodzice nie mówili już o tych dziwactwach, które działy się, kiedy była mała. Może myśleli, że to, co je wywołało, prawie zanikło. Jasne, wyczuła, że Momo jest chora, ale to nie to samo co zwariowana muzyka fortepianowa, odkręcający się kran w łazience czy przyjęcie urodzinowe (ledwo przez nią pamiętane), na którym obwiesiła łyżkami cały sufit w kuchni. Po prostu nauczyła się nad tym panować. Nie całkowicie, ale prawie.

Poza tym... to się zmieniło. Teraz już rzadko widziała coś, co dopiero się miało wydarzyć. Podobnie było z przenoszeniem rzeczy siłą woli. Kiedy miała sześć–siedem lat, mogła skoncentrować się na stosie podręczników i podnieść je pod sam sufit. Nic trudnego. Łatwo jak uszyć gacie kotu, jak mawiała Momo. Teraz nawet kiedy była tylko jedna książka, Abra mogła się koncentrować dotąd, aż mózg jej uszami wychodził, a mimo to przesuwała ją najwyżej o kilka centymetrów po biurku. I nawet to był sukces. Przeważnie nie mogła nawet przewracać kartek.

Ale były inne rzeczy, które potrafiła robić, i to często lepiej niż w dzieciństwie. Na przykład zaglądała ludziom do głów. Nie z każdym to jej wychodziło – niektórzy szczelnie się zamykali, inni wysyłali tylko pojedyncze błyski – ale wiele osób było jak okna z rozsuniętymi zasłonami. Mogła zajrzeć w ich myśli, kiedy tylko chciała. Zwykle tego unikała, bo to, co tam widziała, czasem było smutne, a często szokujące. Odkrycie, że pani Moran, jej ukochana nauczycielka w szóstej klasie, ma ROMANS, było jak dotąd największą sensacją, i nie w dobrym tego słowa znaczeniu.

Ostatnio na ogół trzymała tę widzącą część swojego umysłu pod kluczem. Z początku trudno jej się było nauczyć, jak to robić, tak jak trudno jest się nauczyć jeździć tyłem na łyżwach czy pisać lewą ręką, lecz w końcu się udało. Trening nie uczynił mistrza (przynajmniej jeszcze nie), ale bardzo pomógł. Wciąż czasem zaglądała do cudzych głów, zawsze ostrożnie, przygotowana wycofać się, gdy tylko zobaczy coś dziwnego czy obrzydliwego. I nigdy nie próbowała czytać w myślach rodziców i Momo. To byłoby nie w porządku. Może w ogóle nie powinna podglądać niczyich myśli, ale jak powiedziała sama Momo: nie można potępiać ludzkiej natury, a nie ma nic bardziej ludzkiego niż ciekawość.

Czasem potrafiła zmusić ludzi, żeby coś robili. Nie wszystkich, nawet nie połowę, lecz wiele osób było bardzo podatnych na sugestie. (Pewnie byli to ci sami ludzie, którzy wierzyli, że specyfiki z telezakupów naprawdę usuwają zmarszczki czy powodują odrastanie włosów). Abra wiedziała, że jest to talent, który mógłby się rozwinąć, gdyby ćwiczyła go jak mięsień, ale tego nie robiła. Przerażał ją.

Były jeszcze inne umiejętności, w tym takie, których nie potrafiła nazwać. Ta, o której myślała w tej chwili, swoją nazwę miała. Abra określała ją dalekowidzeniem. Jak pozostałe przejawy jej niezwykłego daru, czasem była słabsza, czasem silniejsza, ale ilekroć naprawdę chciała z niej skorzystać – i miała obiekt, na którym mogła się skupić – zazwyczaj mogła ją przywołać.

Mogłabym zrobić to teraz…

– Zamknij się, Abba-Daba-Du – powiedziała cichym, napiętym głosem. – Zamknij się, Abba-Daba-Dupo.

Otworzyła podręcznik algebry na stronie z zadaną na jutro pracą domową, zaznaczonej kartką, na której napisała imiona Pete, Jimmy, Cam i Mike, każde co najmniej dwadzieścia razy. Razem wzięte, składały się na 'Round Here, jej ulubiony boysband. Byli tacy przystojni, zwłaszcza Cam. Jej najlepsza przyjaciółka, Emma Deane, też tak sądziła. Te niebieskie oczy, te niedbale rozburzone czarne włosy.

Może mogłabym pomóc. Jego rodzicom byłoby smutno, ale przynajmniej by wiedzieli.

– Zamknij się, Abba-Daba-Du. Zamknij się, Abba-Daba-Dupogłowa.

Jeśli $5x - 4 = 26$, ile wynosi x?

– Sześćdziesiąt tryliardów! – powiedziała. – Kogo to obchodzi?

Spojrzenie Abry padło na imiona ślicznych chłopców z 'Round Here, wykaligrafowane krągłymi literami namiętnie stosowanymi przez nią i Emmę („tak pismo wygląda bardziej romantycznie", twierdziła Emma), i nagle wydały jej się one głupie, dziecinne i w ogóle niestosowne. Pocięli go, zlizywali jego krew, a potem zrobili mu coś jeszcze gorszego. W świecie, gdzie coś takiego mogło się zdarzyć, wzdychanie do boysbandu było nawet więcej niż niestosowne.

Abra zamknęła podręcznik z hukiem, zeszła na dół (stuk-stuk-stuk w gabinecie ojca trwało nieprzerwanie) i skierowała się do garażu. Wyjęła „Shoppera" z kubła, zabrała go do swojego pokoju i wygładziła na biurku.

Te wszystkie twarze.

W tej chwili jednak interesowała ją tylko jedna.

7

Serce waliło jej mocno, bardzo mocno. Przy poprzednich okazjach, kiedy świadomie próbowała dalekowidzieć albo czytać w myślach, bała się, ale nigdy tak jak teraz. W najmniejszym stopniu.

Co zrobisz, jeśli się dowiesz?

To pytanie na później, bo może w ogóle się niczego nie dowie. Przyczajony w niej tchórz miał taką nadzieję.

Położyła dwa palce lewej dłoni na fotografii Bradleya Trevora, bo jej lewa dłoń widziała lepiej. Wolałaby dotknąć zdjęcia wszystkimi palcami (a gdyby zamiast zdjęcia miała przedmiot, wzięłaby go do ręki), ale było za małe. Dwa palce zasłoniły je w całości. A mimo to widziała twarz chłopca. Wyraźnie.

Niebieskie oczy, takie jak ma Cam Riley z 'Round Here. Na zdjęciu nie było tego widać, lecz miały ten sam głęboki odcień. Wiedziała to.

Praworęczny jak ja. A jednocześnie leworęczny jak ja. To jego lewa ręka wiedziała, jaką miotacz rzuci piłkę, szybką czy podkrę…

Abra wydała cichy, zduszony okrzyk. Mały baseballista wiedział więcej niż inni.

Mały baseballista naprawdę był taki jak ona.

Otóż to. Dlatego go porwali.

Zamknęła oczy i zobaczyła jego twarz. Bradley Trevor. Dla kolegów Brad. Mały baseballista. Kiedy drużyna przegrywała, przekręcał czapkę daszkiem do tyłu, bo to przynosiło szczęście. Jego ojciec był farmerem. Matka piekła placki, które sprzedawała w lokalnej restauracji i na rodzinnym straganie. Kiedy jego starszy brat wyjechał na studia, Brad przejął po nim płyty AC/DC. On i jego najlepszy kumpel Al najbardziej lubili piosenkę *Big Balls*. Siedzieli na łóżku Brada, śpiewali ją razem i pękali ze śmiechu.

Przeszedł przez pole kukurydzy i czekał na niego mężczyzna. Brad myślał, że to dobry człowiek, że można na nim polegać, bo ten mężczyzna…

– Barry – cicho szepnęła Abra. Jej oczy latały w tę i we w tę pod opuszczonymi powiekami, jakby śniła wyrazisty sen. – Nazywał się Barry Kufaja. Oszukał cię, Brad. Prawda?

Ale nie tylko Barry. Gdyby był sam, Brad mógłby się na nim poznać. Wszyscy ludzie z latarkami musieli połączyć siły i razem wysyłać mu jedną i tę samą myśl: że może się bezpiecznie zabrać z tym Barrym Kufają jego pikapem, kamperem czy co to było, bo Barry jest w porządku. Można na nim polegać. To przyjaciel.

I zawieźli go…

Abra wniknęła głębiej. Nie zawracała sobie głowy tym, co widział Brad, bo Brad nie widział nic oprócz szarej wykładziny. Był skrępowany taśmą i leżał twarzą w dół na podłodze samochodu Barry'ego Kufai. Ale to nic. Teraz, kiedy nawiązała łączność, mogła widzieć więcej niż on. Mogła zobaczyć…

Jego rękawica. Rękawica baseballowa marki Wilson. A Barry Kufaja…

Ten obraz zniknął. Może wróci, może nie.

Była noc. Abra czuła smród nawozu. Z przodu była fabryka. Jakaś

(zdewastowana)

fabryka. Zmierzał tam sznur samochodów, kilka małych, wiele dużych, parę ogromnych. Wszystkie ze zgaszonymi reflektorami, na wypadek gdyby ktoś patrzył, ale to nic, bo na niebie wisiał księżyc widoczny w trzech czwartych. Dawał dość światła, żeby widzieć otoczenie. Jechali wyboistą, pełną dziur asfaltową drogą, obok wieży ciśnień, obok szopy ze zniszczonym dachem, przez otwartą zardzewiałą bramę, obok dużej tablicy, która przemknęła tak szybko, że Abra nie zdążyła jej przeczytać. Dalej była fabryka. Zdewastowana fabryka z rozwalonymi kominami i rozwalonymi oknami. Była jeszcze jedna tabliczka i tę Abra zdołała odczytać w świetle księżyca: ZAKAZ WSTĘPU ZGODNIE Z ZARZĄDZENIEM SZERYFA HRABSTWA CANTON.

Pojechali za fabrykę; tam zakatują małego baseballistę Brada na śmierć. Abra nie chciała tego oglądać, więc przewinęła wszystko do tyłu. Trochę to było trudne, jak otwieranie bardzo mocno zakręconego słoika, ale potrafiła to robić. Doszła do interesującego ją miejsca i znów odtworzyła to, co było potem.

Rękawica spodobała się Barry'emu Kufai, bo przypomniała mu dzieciństwo. Dlatego ją przymierzył. Przymierzył ją, powąchał olej, którym Brad ją smarował, żeby nie zesztywniała, i kilka razy uderzył w nią pięścią...

Obrazy jednak już toczyły się naprzód i znów zapomniała o rękawicy baseballowej Brada.

Wieża ciśnień. Szopa ze zniszczonym dachem. Zardzewiała brama. I ta pierwsza tablica. Co było na niej napisane?

Nic z tego. Wciąż za szybko, nawet przy świetle księżyca. Jeszcze raz przewinęła obrazy do tyłu (teraz już pot perlił się na jej czole) i odtworzyła od nowa. Wieża ciśnień. Szopa ze zniszczonym dachem. Przygotuj się, to teraz. Zardzewiała brama. A potem duża tablica. Tym razem mogła odczytać cały napis, chociaż nie bardzo go rozumiała.

Chwyciła kartkę, na której wykaligrafowała te durne imiona członków boysbandu, i odwróciła ją na drugą stronę. Szybko, zanim zapomniała, zapisała wszystko, co zobaczyła na tej tablicy: ORGANIC INDUSTRIES, RAFINERIA ETANOLU #4, FREEMAN, IOWA i ZAMKNIĘTE DO ODWOŁANIA.

No dobra, czyli wiedziała już, gdzie go zabili i gdzie – była pewna – go pochowali, razem z rękawicą baseballową i całą resztą. Co teraz? Gdyby zadzwoniła do Centrum do spraw Zaginionych i Wykorzystywanych Dzieci, usłyszeliby dziecięcy głos i nie potraktowaliby zgłoszenia poważnie... może co najwyżej podaliby numer jej telefonu policji, która pewnie aresztowałaby ją za to, że robi sobie żarty kosztem nieszczęśliwych, smutnych ludzi. Potem pomyślała o matce, lecz teraz, kiedy Momo była chora i przygotowywała się do śmierci, to nawet nie wchodziło w grę. Mama i bez tego miała dość zmartwień.

Abra wstała, podeszła do okna i wyjrzała na swoją ulicę, na sklep Lickety-Split na rogu (który starsze dzieciaki nazywały Lickety-Spliff*, bo na jego tyłach, przy kontenerach na śmieci, spotykali się palacze trawy) i Góry Białe wrzynające się w czyste, błękitne letnie niebo. Zaczęła trzeć usta – tego nerwowego tiku rodzice próbowali ją oduczyć, ale ich tu nie było, więc chrzanić to. Chrzanić po całości.

Tata jest na dole.

Jemu też nie chciała nic powiedzieć. Nie dlatego, że musiał skończyć swoją książkę, tylko przez to, że nawet gdyby jej uwierzył, nie chciałby się mieszać w taką historię. Abra nie musiała czytać mu w myślach, żeby to wiedzieć.

Do kogo więc ma się zwrócić?

Zanim mogła znaleźć logiczną odpowiedź, świat za szybą zaczął się obracać jakby na gigantycznym dysku. Cichy okrzyk wyrwał się z jej ust i chwyciła się framugi okna, ściskając zasłony w pięściach. Coś podobnego już ją parę razy spotkało, zawsze bez uprzedzenia, i ilekroć to się działo, była przerażona, bo nie miała nad tym kontroli – to było jak atak padaczki. Nie tkwiła już we własnym ciele, była daleko, zamiast widzieć daleko, i co będzie, jeśli nie zdoła wrócić?

Talerz gramofonu obracał się coraz wolniej, wreszcie znieruchomiał. Nie była już w swoim pokoju, tylko w supermarkecie, przed stoiskiem mięsnym. Nad nim (ten napis odczytała bez trudu dzięki jasno świecącym jarzeniówkom) wisiało zapewnienie: W SKLEPIE SAM'S KAŻDE MIĘSO JEST PIERWSZEJ KLASY! Przez

---

* *Spliff* – skręt z marihuany.

sekundę–dwie stoisko mięsne zbliżało się do niej, bo talerz gramofonu przeniósł ją do wnętrza kogoś, kto szedł. Kto robił zakupy.
Barry Kufaja? Nie, nie on, choć Barry też tam był; to za nim tam
trafiła. Tyle że ktoś inny, dużo silniejszy, odciągnął ją od niego.
Abra widziała u dołu wózek wyładowany zakupami. Potem ruch
do przodu ustał i wtedy to poczuła, to

(szperanie wnikanie)

zwariowane wrażenie, że ktoś W NIEJ JEST, i nagle zrozumiała,
że tym razem nie jest sama na talerzu gramofonu. Patrzyła w stronę
stoiska mięsnego na końcu alejki w supermarkecie, a w tym samym
czasie ktoś inny patrzył przez jej okno na Richland Court i Góry
Białe na horyzoncie.

Wybuchł w niej paniczny strach, jak ogień polany benzyną. Z jej ust,
zaciśniętych tak mocno, jakby były zszyte, nie wyszedł żaden dźwięk,
ale w duchu, z mocą, o jaką sama siebie nie podejrzewała, krzyknęła:

(NIE! PRECZ Z MOJEJ GŁOWY!)

8

Kiedy David poczuł, że dom się trzęsie, i zobaczył, że żyrandol
w jego gabinecie zakołysał się na łańcuchu, w pierwszej chwili
pomyślał

(Abra)

że to jego córka dostała jednego z tych swoich parapsychicznych
napadów. Tyle że od lat nie było żadnych numerów z telekinezą,
a takich jak ten to w ogóle nigdy. Kiedy wszystko wróciło do normy,
jego drugą – i, jak uznał, dużo bardziej rozsądną – myślą było to, że
właśnie przeżył swoje pierwsze trzęsienie ziemi w New Hampshire.
Wiedział, że od czasu do czasu się zdarzają, ale... o rany!

Wstał od komputera (nie zapominając o uprzednim zapisaniu dokumentu) i wybiegł na korytarz. Stanął u podnóża schodów i zawołał:

– Abra! Poczułaś to?

Wyszła ze swojego pokoju, blada i lekko wystraszona.

– Tak, trochę. Ja… myślę, że…

– Trzęsienie ziemi! – powiedział David rozpromieniony. – Twoje pierwsze trzęsienie ziemi! Fajnie, co?

– Tak – odparła Abra bez większego entuzjazmu. – Fajnie.

Jej ojciec wyjrzał przez okno salonu i zobaczył ludzi stojących na gankach i trawnikach. Wśród nich był jego dobry kumpel Matt Renfrew.

– Skoczę na drugą stronę ulicy i pogadam z Mattem, skarbie. Idziesz ze mną?

– Lepiej dokończę matmę.

David ruszył w stronę drzwi frontowych, po czym odwrócił się i podniósł oczy na nią.

– Chyba się nie boisz, co? Nie ma czego. Już po wszystkim.

Jakżeby chciała, żeby tak było.

9

Rose Kapelusz robiła zakupy dla dwóch osób, bo Dziadzio Flick znowu źle się czuł. W sklepie Sam's spotkała kilku innych Prawdziwych i pozdrowiła ich skinieniem głowy. Przy konserwach na chwilę przystanęła, żeby porozmawiać z Barrym Kitajcem, który dzierżył w dłoni listę zakupów sporządzoną przez jego żonę. Barry niepokoił się o Flicka.

– Pozbiera się – powiedziała Rose. – Znasz Dziadzia.

Barry uśmiechnął się szeroko.

– Twardszy od gotowanej sowy.

Rose kiwnęła głową i pchnęła wózek.

– A żebyś wiedział.

Ot, zwykłe popołudnie dnia powszedniego w supermarkecie, i kiedy Rose pożegnała się z Barrym, w pierwszej chwili wzięła to, co się z nią działo, za jakąś błahostkę, może spadek poziomu cukru. Miała do tego skłonność i dlatego zwykle nosiła w torebce baton. Potem uświadomiła sobie, że ktoś siedzi w jej głowie. Że ktoś patrzy.

Rose nie zostałaby przywódczynią Prawdziwego Węzła, gdyby była niezdecydowana. Zatrzymała się z wózkiem zwróconym w stronę stoiska mięsnego (jej następnego planowego przystanku) i natychmiast skoczyła na drugi koniec połączenia ustanowionego przez jakąś wścibską i potencjalnie niebezpieczną osobę. Nie był to jeden z Prawdziwych, każdego z nich rozpoznałaby od razu, ale i nie zwyczajny ćwok.

Nie, to było coś zupełnie nadzwyczajnego.

Sklep zniknął i nagle zobaczyła przed sobą łańcuch górski. Nie Góry Skaliste; rozpoznałaby je. Jakieś mniejsze. Catskill? Adirondack? Może te, może te, może jakieś inne. Co do podglądacza… Rose odniosła wrażenie, że to dziecko. Prawie na pewno dziewczyna, ta sama, z którą już raz się kiedyś zetknęła.

Muszę zobaczyć, jak wygląda, wtedy będę mogła ją znaleźć, kiedy tylko zechcę. Muszę ją skłonić, żeby spojrzała w lust…

Ale wtedy myśl jak wystrzał ze strzelby w zamkniętym pokoju

(NIE! PRECZ Z MOJEJ GŁOWY!)

wymazała wszelkie obrazy i rzuciła ją na sklepowy regał. Puszki z zupami i warzywami runęły kaskadą na podłogę, poturlały się na wszystkie strony. Rose przez chwilę myślała, że pójdzie w ich ślady i zemdleje jak cnotliwa bohaterka romansu. A potem wróciła do siebie. Dziewczyna zerwała połączenie, i to całkiem efektownie.

Czy krwawił jej nos? Otarła go palcami i sprawdziła. Nie. To dobrze.

Przybiegł jeden z pracowników układających towar na półkach.

– Dobrze się pani czuje?

– Tak. Na chwilę zrobiło mi się słabo. Wczoraj miałam wyrywany ząb, pewnie dlatego. Już mi przeszło. Ależ narobiłam bałaganu, co? Przepraszam. Dobrze, że to puszki, nie butelki.

– Nic się nie stało, naprawdę. Może usiądzie pani na ławce przed sklepem?

– Nie ma takiej potrzeby – powiedziała Rose. I rzeczywiście, takiej potrzeby nie było, ale na dziś skończyła z zakupami. Przeszła z wózkiem dwie alejki dalej i tam go zostawiła.

10

Wsiadła do swojej starej, ale niezawodnej tacomy, którą przyjechała z kempingu w górach na zachód od Sidewinder. Wyjęła telefon z torebki i wcisnęła guzik szybkiego wybierania numeru. Papa Kruk odebrał po pierwszym sygnale.

– Co tam, Rosie?

– Mamy kłopot.

Oczywiście, była to też szansa. Dzieciak z wystarczającą ilością pary w kotle, żeby wypalić do niej z taką mocą – nie tylko wykryć Rose, ale i prawie ją znokautować – to nie byle kąsek, tylko znalezisko stulecia. Czuła się jak kapitan Ahab, kiedy po raz pierwszy zobaczył białego wieloryba.

– Mów. – Rzeczowy ton.

– Niecałe dwa lata temu. Dzieciak z Iowa. Pamiętasz go?

– Jasne.

– Pamiętasz, jak ci powiedziałam, że ktoś nas podglądał?

– Uhm. Ktoś ze Wschodniego Wybrzeża. Sądziłaś, że to była dziewczyna.

– I miałam rację. Właśnie znowu mnie znalazła. Byłam w sklepie, pilnowałam swojego nosa i ni z tego, ni z owego się pojawiła.

– Dlaczego teraz, po tylu latach?

– Nie wiem i nic mnie to nie obchodzi. Ale musimy ją mieć, Kruku. Musimy.

– Wie, kim jesteś? Gdzie jesteśmy?

Rose myślała o tym wcześniej, w drodze do samochodu. Intruzka nie widziała jej, to na pewno. Siedziała w niej i wyglądała jej oczami na zewnątrz. Co zobaczyła? Alejkę w supermarkecie. Ile takich było w Ameryce? Pewnie z milion.

– Nie sądzę, ale nie to jest najważniejsze.

– A co?

– Pamiętasz, jak mówiłam, że ma dużo pary? Co tam dużo, mnóstwo! Cóż, okazuje się, że nawet to było za mało powiedziane. Kiedy próbowałam odwrócić sytuację, wymiotła mnie ze swojej głowy jak puszek dmuchawca. Jeszcze nigdy nie przeżyłam czegoś takiego. Do tej pory sądziłam, że to niemożliwe.

– Jest potencjalną Prawdziwą czy potencjalnym pokarmem?

– Nie wiem. – Ale nie mówiła prawdy. Potrzebowali pary, zapasów pary dużo bardziej niż nowych członków. Poza tym Rose nie chciała w gronie Prawdziwych kogoś o takiej mocy.

– No dobrze, jak ją znajdziemy? Jakieś sugestie?

Rose pomyślała o tym, co widziała oczami dziewczyny, zanim została tak bezceremonialnie wywalona z powrotem do supermarketu w Sidewinder. Niewiele, ale był tam sklep...

– Dzieciaki nazywają go Lickety-Spliff – powiedziała.

– Hę?

– Nic, nieważne. Muszę pomyśleć. Ona będzie nasza, Kruku. Musi być nasza.

Nastąpiła pauza. Kiedy Kruk wreszcie się odezwał, w jego głosie brzmiała ostrożność.

– Z tego, co mówisz, wynikałoby, że można będzie napełnić kilkanaście zbiorników. To znaczy, jeśli na pewno nie chcesz jej Przemienić.

Rose prychnęła nerwowym śmiechem.

– Jeśli mam rację, nie starczy nam zbiorników na parę tej dziewczyny. Gdyby była górą, byłaby Everestem. – Nie odpowiedział. Rose nie musiała go widzieć ani wnikać w jego myśli, by wiedzieć, że osłupiał. – Może nie będziemy musieli zrobić ani jednego, ani drugiego.

– Nie rozumiem.

Oczywiście, że nie. Myślenie długofalowe nigdy nie było specjalnością Kruka.

– Może nie będziemy musieli ani jej Przemienić, ani zabić. Pomyśl o krowach.

– O krowach.

– Jak zarżniesz krowę, to masz zapas steków i hamburgerów na parę miesięcy. A pozostawiona przy życiu i doglądana będzie ci dawać mleko przez sześć lat. Może nawet osiem.

Cisza. Długa. Nie przerywała jej. Kiedy Kruk w końcu odpowiedział, wydawał się ostrożny jak nigdy.

– W życiu o czymś takim nie słyszałem. Zabijamy ich, kiedy para się wyczerpuje, albo – jeśli mogą się przydać i są dość silni, żeby przeżyć Przemianę – przemieniamy ich. Tak jak przemieniliśmy Andi w latach osiemdziesiątych. Może Dziadzio Flick nie zgodziłby się ze mną... w końcu jeśli mu wierzyć, pamięta czasy, kiedy Henryk VIII ścinał swoje żony... lecz nie sądzę, żeby Prawdziwi kiedykolwiek próbowali zatrzymać kogoś z parą na dłużej. Jeśli jest tak silna, jak twierdzisz, to mogłoby być niebezpieczne.

Jakbym sama tego nie wiedziała. Gdybyś przeżył to co ja, uznałbyś, że szaleństwem jest w ogóle o tym myśleć. I może to jest szaleństwo. Ale...

Ale miała już dość rozpaczliwych poszukiwań żywności, które zabierały tyle czasu jej i całej rodzinie. Dość tego, że żyli jak dziesiątowieczni Cyganie, gdy powinni żyć jak królowie i królowe wszelkiego stworzenia. Którymi byli.

– Pogadaj z Dziadziem, jak się lepiej poczuje. I z Ciężką Mary, żyje prawie tak długo jak Flick. I z Jadowitą Andi. Jest nowa, ale ma głowę na karku. I w ogóle z każdym, kto twoim zdaniem może mieć coś ciekawego do powiedzenia.

– Jezu, Rosie. Nie wiem...

– Ja też nie, przynajmniej na razie. Jeszcze nie ochłonęłam. Na razie proszę cię tylko, żebyś przygotował grunt. W końcu jesteś naszym posłańcem.

– No dobra...

– Aha, i pamiętaj, żeby porozmawiać z Orzechem. Spytaj, czy są jakieś środki, które można podać dziecku ćwokowi, żeby było potulne jak owieczka.

– Coś mi się zdaje, że ta dziewczyna to nie ćwok.

– Ależ tak. Wielki, tłusty, dojny ćwok.

Nie całkiem prawda. To wielki biały wieloryb.

Rose się rozłączyła. Nie obchodziło jej, czy Papa Kruk ma coś jeszcze do powiedzenia. Była szefem i uznała rozmowę za zakończoną.

Ona jest białym wielorybem. Chcę ją mieć.

Jednak tak jak Ahab nie chciał swojego wieloryba tylko dlatego, że z Moby'ego można było uzyskać wiele ton tłuszczu i niezliczone baryłki oleju, tak samo Rose nie chciała tej dziewczyny tylko dlatego, że ta mogłaby – przy zastosowaniu odpowiedniej kombinacji narkotyków i solidnej dawki silnego telepatycznego znieczulenia – być prawie niewyczerpanym źródłem pary. Tu chodziło o coś bardziej osobistego. Przemienić ją? Przyjąć do Prawdziwego Węzła? Nigdy. Ta mała wywaliła Rose Kapelusz ze swojej głowy jak głupkowatego religijnego natręta, który wędruje od drzwi do drzwi i rozdaje ulotki o końcu świata. Jeszcze nikt tak jej nie spławił. Bez względu na to, jak wielką ta dziewucha miała moc, musiała dostać nauczkę.

A to moja specjalność, pomyślała Rose Kapelusz.

Zapaliła silnik, wyjechała z parkingu przed supermarketem i ruszyła na należący do rodziny kemping Bluebell. Był pięknie położony, co właściwie nie powinno zaskakiwać. Bądź co bądź, kiedyś stał tam jeden z najwspanialszych luksusowych hoteli na świecie.

No ale Panorama doszczętnie spłonęła dawno temu.

11

Państwo Renfrew, Matt i Cassie, najwięksi balangowicze na osiedlu, urządzili spontanicznego grilla z okazji trzęsienia ziemi. Zaprosili całe Richland Court i prawie wszyscy przyszli. Matt kupił w pobliskim sklepie Lickety-Split skrzynkę napojów, kilka butelek taniego wina i banię piwa. Było wesoło i David Stone świetnie się bawił. Z tego, co widział, Abra też. Trzymała się blisko koleżanek, Julii i Emmy, i dopilnował, by zjadła hamburgera i trochę sałatki. Lucy kazała mu zwracać uwagę na to, jak ich córka się odżywia, Abra bowiem była już w wieku, w którym waga i wygląd zaczynają mieć dla dziewcząt wielkie znaczenie – wieku, w którym anoreksja czy bulimia często pokazują swoje chude, zagłodzone oblicza.

Czegoś jednak nie zauważył (a Lucy być może zauważyłaby to, gdyby tam była): Abra nie była tak rozchichotana jak jej koleżanki. I kiedy zjadła miseczkę lodów (małą), spytała ojca, czy może wrócić do domu i dokończyć pracę domową.

– Jasne – powiedział David – ale najpierw podziękuj państwu Renfrew.

Abra zrobiłaby to bez przypominania, lecz przemilczała to i przytaknęła.

– Ależ proszę cię bardzo, Abby – powiedziała pani Renfrew. Jej oczy po trzech lampkach białego wina świeciły niemal nadnaturalnym blaskiem. – Fajnie, co? Trzęsienia ziemi powinny zdarzać się częściej. Chociaż rozmawiałam z Vicky Fenton... znasz Fentonów? Mieszkają na Pond Street. To zaledwie przecznicę stąd, a ona twierdzi, że niczego nie poczuli. Dziwne, nie?

– Bardzo – przytaknęła Abra i pomyślała, że jeśli to się pani Renfrew wydaje dziwne, to mało jeszcze w życiu widziała.

12

Dokończyła pracę domową i oglądała na parterze telewizję z tatą, kiedy zadzwoniła mama. Chwilę porozmawiały, po czym

Abra oddała słuchawkę ojcu. Lucy o coś zapytała i Abra wiedziała o co, jeszcze zanim Dave zerknął na nią i powiedział:

– Tak, wszystko z nią w porządku, tylko jest zmęczona odrabianiem pracy domowej, zdaje się. Tyle dzieciom w tych czasach zadają. Mówiła ci, że mieliśmy tu małe trzęsienie ziemi?

– Idę na górę, tato – powiedziała Abra, a on pomachał jej ręką z roztargnieniem.

Usiadła przy biurku, włączyła komputer i zaraz go wyłączyła. Nie miała ochoty grać we Fruit Ninja, a już na pewno nie chciała z nikim czatować. Musiała zastanowić się, co robić, bo coś zrobić musiała.

Schowała podręczniki do plecaka, po czym podniosła wzrok. Kobieta z supermarketu patrzyła na nią zza okna. To było niemożliwe, bo okno znajdowało się na pierwszym piętrze, a jednak tam była. Miała nieskazitelną, perłowobiałą skórę, wydatne kości policzkowe, ciemne, szeroko rozstawione oczy, lekko skośne w kącikach. Abra pomyślała, że to chyba najpiękniejsza kobieta, jaką w życiu widziała. Poza tym, uprzytomniła sobie od razu, i to bez cienia wątpliwości, nieznajoma w oknie była szalona. Bujne czarne kędziory okalały jej idealną, jakoś butną twarz i spływały po ramionach. Na tej burzy włosów, zawadiacko przekrzywiony pod niedorzecznie ostrym kątem, jakimś cudem trzymał się cylinder z pościeranego aksamitu.

Tak naprawdę jej tam nie ma, nie siedzi też w mojej głowie. Nie wiem, jak to możliwe, że ją widzę, i nie sądzę, żeby wie…

Szalona kobieta w ciemniejącym oknie uśmiechnęła się szeroko i kiedy jej wargi się rozchyliły, Abra zobaczyła, że miała tylko jeden ząb u góry, potworny, pożółkły kieł. Zrozumiała, że to ostatnia rzecz, jaką Bradley Trevor widział przed śmiercią, i krzyknęła,

krzyknęła najgłośniej, jak mogła… ale tylko w duchu, bo gardło miała ściśnięte, a struny głosowe sparaliżowane.

Zamknęła oczy. Kiedy otworzyła je znowu, szeroko uśmiechnięta kobieta o białej twarzy zniknęła.

Nie ma jej. Abra odetchnęła z ulgą. Ale może wrócić. Wie, że istnieję, i może tu przyjść.

W tym momencie uświadomiła sobie coś, co powinna była wiedzieć od chwili, kiedy zobaczyła tę opuszczoną fabrykę. Tak naprawdę był tylko jeden człowiek, do którego mogła się zwrócić. Tylko jeden człowiek, który mógł jej pomóc. Znów zamknęła oczy, tym razem nie po to, by schować się przed straszliwym widmem zaglądającym do niej przez okno, lecz żeby wezwać pomoc.

(TONY, TWÓJ TATA JEST MI POTRZEBNY! PROSZĘ, TONY, PROSZĘ!)

– Pomóż mi, Tony. Boję się – szepnęła. Oczy wciąż miała zamknięte, teraz jednak czuła na rzęsach i policzkach ciepłe łzy.

Rozdział VIII
Teoria względności Abry

1

Ostatni kurs dnia „Helen Rivington" zwany był „Przejażdżką o zachodzie słońca" i w wiele wieczorów wolnych od dyżurów w hospicjum Dan obejmował stery małego pociągu. Billy Freeman, który przez wszystkie lata pracy dla miasta odbył ten kurs jakieś dwadzieścia pięć tysięcy razy, bardzo sobie jego zastępstwo chwalił.

– Nigdy ci się to nie znudzi, co? – spytał kiedyś Dana.

– Powiedzmy, że nadrabiam braki z dzieciństwa.

Tak naprawdę w dzieciństwie właściwie niczego mu nie brakowało, no ale po tym, jak pieniądze z odszkodowania się rozeszły, często się z matką przeprowadzali i Wendy musiała imać się różnych zajęć. Ponieważ nie skończyła studiów, nigdy dużo nie zarabiała. Tyle żeby zapewnić im obojgu dach nad głową i wyżywienie, lecz niewiele ponadto.

Raz – był wtedy w szkole średniej i mieszkali w Bradenton, niedaleko Tampy – zapytał ją, dlaczego w ogóle nie chodzi na randki. Wówczas osiągnął już taki wiek, że zdawał sobie sprawę, że wciąż jest bardzo atrakcyjną kobietą. Wendy Torrance, która nigdy w pełni nie doszła do siebie po urazie pleców odniesionym z rąk

278

męża, uśmiechnęła się krzywo i powiedziała: „Jeden mężczyzna mi wystarczył, Danny. Zresztą przecież mam ciebie".

– Ile wiedziała o twoim piciu? – spytał Casey K. w czasie jednego z ich spotkań w Sunspot Café. – Zacząłeś dość wcześnie, nie? Dan musiał się zastanowić nad odpowiedzią.

– Pewnie więcej, niż wtedy sądziłem, ale nigdy o tym nie rozmawialiśmy. Myślę, że bała się poruszyć ten temat. Poza tym nigdy nie miałem kłopotów z policją… przynajmniej nie wtedy… i skończyłem szkołę średnią z wyróżnieniem. – Uśmiechnął się ponuro do Caseya znad filiżanki kawy. – No i, oczywiście, nigdy jej nie biłem. To pewnie wiele zmieniało.

Nigdy nie dostał też tej upragnionej zabawkowej kolejki, lecz podstawowa zasada, którą Anonimowi Alkoholicy kierują się w życiu, głosi: Nie pij, a będzie lepiej. I lepiej było. Teraz miał największą małą kolejkę, jaką chłopak mógł sobie wymarzyć, i Billy nie mylił się, to mu się nigdy nie znudzi. No, może za dziesięć–dwadzieścia lat, ale Dan sądził, że pewnie i wtedy będzie się zgłaszał na ochotnika do odbycia tego ostatniego kursu, tylko po to, by poprowadzić „Riv" o zachodzie słońca na zawrotkę w Cloud Gap. Pejzaże zapierały dech w piersi, a kiedy Saco była spokojna (zwykle taka była, jak już ustawały jej wiosenne konwulsje), wszystkie kolory widziało się dwa razy, raz w górze, raz w dole. Na stacji końcowej „Riv" panowała niezmącona cisza; jakby Bóg wstrzymał oddech.

Najlepsze były kursy we wrześniu i październiku, przed przerwą zimową. Wtedy nie było już turystów i kolejką zwykle jeździła garstka miejscowych, z których wielu Dan znał po imieniu. W wieczory dni powszednich, takie jak ten, schodziło raptem kilkanaście biletów. Co Danowi odpowiadało.

Było już zupełnie ciemno, kiedy wprowadził „Riv" na stację Minimiasto. Oparł się o pierwszy wagon pasażerski, czapkę (z napisem MASZYNISTA DAN wyszytym czerwoną nicią nad daszkiem) zsunął na tył głowy i życzył garstce wysiadających miłego wieczoru. Na ławce siedział Billy z twarzą oświetloną migotliwym blaskiem żaru papierosa. Musiał mieć już blisko siedemdziesiąt lat, ale dobrze wyglądał, w pełni doszedł do siebie po przebytej przed dwoma laty operacji i twierdził, że ani myśli przejść na emeryturę.

– Co miałbym wtedy robić? – spytał, kiedy Dan jeden jedyny raz poruszył ten temat. – Zamieszkać w tej umieralni, w której pracujesz? Czekać, aż odwiedzi mnie twój kot? Dziękuję, postoję.

Kiedy ostatni pasażerowie poszli, zapewne na poszukiwania kolacji, Billy zgasił papierosa.

– Wprowadzę ją pod dach. Chyba że to też chcesz zrobić.

– Nie, proszę cię bardzo. Za długo już siedzisz na dupie. Kiedy rzucisz papierochy, Billy? Pamiętasz, co mówił lekarz? Że to w dużej mierze z nich wziął się ten twój mały problem z brzuchem.

– Ograniczyłem palenie prawie do zera – powiedział Billy, lecz wymownie spuścił wzrok. Dan mógł sam sprawdzić, na ile Billy tak naprawdę ograniczył palenie – pewnie nawet nie musiałby go dotykać, żeby zdobyć tę informację – ale tego nie zrobił. Któregoś dnia minionego lata widział chłopaka w T-shircie z nadrukowanym ośmiokątnym znakiem drogowym. W środku, zamiast STOP, napisane było TMI. Kiedy Danny spytał, co to znaczy, małolat obdarzył go współczującym uśmiechem zapewne zarezerwowanym dla dżentelmenów z czterdziestką na karku.

– *Too much information.* Za dużo informacji – wyjaśnił. Dan podziękował mu z myślą: Skąd ja to znam.

Wszyscy mają tajemnice. Wiedział to od małego. Przyzwoici ludzie mają prawo je zachowywać, a Billy Freeman był uosobieniem przyzwoitości.

– Może pójdziemy na kawę, Danno? Masz czas? Dziesięć minut mi wystarczy, żeby położyć tę sukę do łóżeczka.

Dan czule dotknął boku lokomotywy.

– Jasne, ale licz się ze słowami. To nie suka, to prawdziwa da… I wtedy rozsadziło mu głowę.

2

Ocknął się wyciągnięty w półleżącej pozycji na tej samej ławce, na której Billy wcześniej palił papierosa. Obok siedział Billy, wyraźnie zaniepokojony. Co tam zaniepokojony, śmiertelnie przerażony. Miał w dłoni swój telefon i trzymał palec nad klawiszami.

– Schowaj to – powiedział Dan. Słowa wyszły z jego ust ochrypłym skrzekiem. Odchrząknął i spróbował znowu. – Nic mi nie jest.

– Na pewno? Jezu Chryste, myślałem, żeś udaru dostał. Byłem tego pewien.

Takie to było uczucie, pomyślał Dan.

I po raz pierwszy od wielu lat pomyślał o Dicku Hallorannie, *chef extraordinaire* hotelu Panorama w dawnych czasach. Dick prawie od razu poznał, że synek Jacka Torrance'a ma ten sam dar co on. Ciekawe, czy jeszcze żyje, pomyślał Dan. Prawie na pewno nie; już wtedy dobijał do sześćdziesiątki.

– Kto to jest Tony? – spytał Billy.

– Hę?

– Powtarzałeś: „Proszę, Tony, proszę". Kim jest Tony?

– To znajomy z czasów, kiedy piłem. – Marna improwizacja, ale to pierwsze mu przyszło do jego wciąż oszołomionej głowy. – Dobry kumpel.

Billy jeszcze przez kilka sekund patrzył na podświetlony prostokąt komórki, po czym powoli złożył telefon i schował.

– Wiesz, tak łatwo mnie nie nabierzesz. Myślę, że miałeś jeden z tych swoich przebłysków. Jak tego dnia, kiedy dowiedziałeś się o moim... – Poklepał się po brzuchu.

– Cóż...

Billy uniósł dłoń.

– Ani słowa więcej. Pod warunkiem że nic ci nie jest. I że to nie coś złego o mnie. Bo gdyby tak było, chciałbym wiedzieć, o co chodzi. Pewnie nie każdy ma takie podejście, ale ja tak.

– Nie, to nic w związku z tobą. – Dan wstał. Ulżyło mu, kiedy nogi bez trudu utrzymały jego ciężar. – Tę kawę może przełóżmy na kiedy indziej, jeśli nie masz nic przeciwko.

– Zupełnie nic. Idź do domu, połóż się. Ciągle jesteś blady. Cokolwiek to było, mocno dało ci w kość. – Billy zerknął na „Riv". – Dobrze, że to się nie stało, kiedy siedziałeś za sterami i prułeś sześćdziesiątką.

– Żebyś wiedział – powiedział Dan.

3

Przeszedł na tę stronę Cranmore Avenue, po której stał Rivington House. Zamierzał usłuchać rady Billy'ego i się położyć, lecz ostatecznie zamiast wejść przez furtkę na wysadzany kwiatami chodnik przed starym wiktoriańskim domem, postanowił wybrać się na krótki spacer. Dochodził już do siebie – wracał do siebie

– a wieczór był piękny. Poza tym musiał przemyśleć, co się stało, i to bardzo wnikliwie.

„Cokolwiek to było, mocno dało ci w kość".

Znów przypomniał mu się Dick Hallorann i wszystko to, o czym on sam nie powiedział Caseyowi Kingsleyowi. I nie powie. Krzywda, jaką wyrządził Deenie – i zapewne jej synkowi przez swoją bezczynność – tkwiła w nim głęboko jak zatrzymany ząb mądrości i tam pozostanie. Jednak kiedy Danny Torrance miał pięć lat, to jemu wyrządzono krzywdę – i jego matce, oczywiście – i nie tylko Jack Torrance był temu winien. A Dick wtedy coś w tej sprawie zrobił. Gdyby nie on, Dan i jego matka umarliby w Panoramie. Te stare wspomnienia wciąż były zbyt bolesne, żeby do nich wracać, wciąż przesycone dziecinnymi podstawowymi barwami przerażenia i trwogi. Wolałby nigdy więcej nie myśleć o tamtych wydarzeniach, lecz nie miał wyjścia, musiał. Bo… cóż…

Bo nasze uczynki wracają do nas. Może decyduje o tym przypadek, może los, ale tak czy tak wracają. Co powiedział Dick tego dnia, gdy dał mi kasetkę? „Kiedy uczeń jest gotowy, pojawia się nauczyciel". Nie mam kwalifikacji, by kogokolwiek uczyć, ale wiem jedno: jak nie będziesz pił, to się nie upijesz.

Dotarł do skrzyżowania; tam zawrócił. Miał cały chodnik dla siebie. To niesamowite, jak szybko Frazier pustoszało z końcem lata, i na tę myśl przypomniało mu się, jak szybko opustoszała Panorama. Jak szybko mała rodzina Torrance'ów miała cały hotel dla siebie.

Nie licząc duchów, oczywiście. One nie odeszły.

4

Hallorann powiedział Danny'emu, że jedzie do Denver, a stamtąd poleci na południe, na Florydę. Spytał, czy Danny pomógłby mu znieść bagaże na parking Panoramy, i Danny zataszczył jedną z toreb do wynajętego samochodu kucharza. Była mała, niewiele większa od aktówki, ale musiał ją dźwigać obiema rękami. Kiedy torby bezpiecznie spoczęły w bagażniku i obaj wsiedli do samochodu, Hallorann powiedział Danny'emu, jak nazywa się to, co ma w głowie, to, w co jego rodzice nie do końca chcieli wierzyć.

„Masz dar. Ja to zawsze nazywałem jasnością. I tak nazywała to moja babka. Czujesz się trochę osamotniony, bo uważasz, że ty jeden jesteś taki?".

Tak, czuł się osamotniony, i tak, uważał, że on jeden był taki. Hallorann wyprowadził go z błędu. Od tamtego czasu Dan natknął się na wielu ludzi, którzy, jak określił to kucharz, „słabiutko jaśnieli". Jednym z nich był Billy.

Ale nigdy nie spotkał kogoś takiego jak ta dziewczyna, która tego wieczora krzyknęła mu w głowie. Myślał, że ten krzyk rozerwie go na strzępy.

Czy on kiedyś miał taką moc? Może nie aż taką, ale prawie. W dniu zamknięcia Panoramy Hallorann powiedział strapionemu chłopcu, który siedział obok niego, żeby... jak to ujął?

Powiedział, żebym w niego uderzył.

Dan doszedł do Rivington House i stanął przy furtce. Pierwsze opadłe liście tańczyły na wieczornym wietrze wokół jego nóg.

A kiedy go spytałem, co mam pomyśleć, powiedział, że cokolwiek. „Ale intensywnie", dodał. Zrobiłem więc, co chciał, tyle że w ostatniej chwili pohamowałem się, przynajmniej trochę. Gdyby nie to, chybabym go zabił. Szarpnął się do tyłu – nie, odrzuciło go do tyłu – i przygryzł dolną wargę. Pamiętam krew. Nazwał mnie pistoletem. A potem spytał o Tony'ego. Mojego niewidzialnego przyjaciela. Powiedziałem mu więc o nim.

Wyglądało na to, że Tony wrócił, teraz już jednak nie jako przyjaciel Dana, tylko Abry. Była w tarapatach, jak kiedyś Dan, lecz dorośli mężczyźni, którzy szukają kontaktu z małymi dziewczynkami, ściągają na siebie uwagę i budzą podejrzenia. Dobrze mu się żyło we Frazier i sądził, że na to zasługiwał po tych wszystkich straconych latach.

Ale...

Ale kiedy potrzebował Dicka – w Panoramie i potem, na Florydzie, gdy wróciła pani Massey – Dick przybył. W AA coś takiego określano interwencją w ramach dwunastego kroku. Bo kiedy uczeń jest gotowy, pojawia się nauczyciel.

Dan kilka razy był z Caseyem Kingsleyem i kilkoma innymi chłopakami z Programu na interwencjach w ramach dwunastego kroku u ludzi, którzy siedzieli po uszy w gorzale albo narkotykach. Czasem o tę przysługę prosili przyjaciele lub szefowie; częściej krewni, którzy wyczerpali wszelkie inne możliwości i nie wiedzieli, co robić. Kilka wizyt przez te wszystkie lata przyniosło skutek, większość jednak kończyła się zatrzaśnięciem im drzwi przed nosem lub sugestią, by Casey i jego towarzysze wsadzili sobie te swoje świętoszkowate, pseudoreligijne bujdy w dupę. Pewien otumaniony amfą weteran wspaniałej irackiej przygody George'a Busha nawet groził im pistoletem. Kiedy wracali z nędznej chałupy w Chocura, w której weteran zadekował się ze swoją struchlałą żoną, Dan stwierdził:

– To była strata czasu.

– To byłaby strata czasu, gdybyśmy robili to dla nich – stwierdził wtedy Casey – ale tak nie jest. Robimy to dla nas samych. Podoba ci się twoje życie, Danny? – Zadał to pytanie nie po raz pierwszy i nie ostatni.

– Tak. – Bez najmniejszego wahania. Może nie był prezesem General Motors i nie kręcił rozbieranych scen miłosnych z Kate Winslet, lecz miał wszystko, co mógłby sobie wymarzyć.

– Myślisz, że na to zasłużyłeś?

– Nie. – Dan się uśmiechnął. – Raczej nie. Na to się nie da zasłużyć.

– Co więc sprawiło, że znów lubisz rano wstawać z łóżka? Szczęście czy łaska Boża?

Sądził, że Casey oczekiwał od niego odpowiedzi, że łaska Boża, lecz w swoich trzeźwych latach wyrobił w sobie nie zawsze korzystny nawyk szczerości.

– Nie wiem.

– To nic, bo kiedy jesteś przyparty do muru, jedno nie różni się od drugiego.

5

– Abra, Abra, Abra – mówił, idąc ścieżką do Rivington House. – W coś ty się wpakowała, dziewczyno? I w co pakujesz mnie?

Myślał, że będzie musiał spróbować nawiązać z nią kontakt przy użyciu jasności, która bywała zawodna, ale kiedy wszedł do pokoju w wieżyczce, zobaczył, że to nie będzie konieczne. Na tablicy, starannie wypisane, widniało:

kadabra@nhml.com

Przez kilka sekund zastanawiał się, skąd taki login, po czym zrozumiał i parsknął śmiechem.

– Dobre, mała, dobre.

Włączył laptopa. Chwilę później miał już przed sobą czysty formularz maila. Wpisał jej adres, po czym tylko siedział i patrzył na migający kursor. Ile ona ma lat? Na podstawie ich nielicznych kontaktów sądził, że mogła być mądrą dwunastolatką albo nieco naiwną szesnastolatką. Chociaż obstawiał raczej ten pierwszy wariant. On zaś był mężczyzną w takim wieku, że gdyby przestał się golić, pewnie miałby zarost przyprószony siwizną. I oto szykował się, by nawiązać z nią korespondencję. Już widział te nagłówki: *Pedofil z hospicjum.*

Może to nic takiego. Kto wie; przecież to tylko dziecko.

Tak, ale dziecko przerażone jak cholera. Poza tym ta dziewczyna go intrygowała. Od dłuższego czasu. Zapewne tak samo, jak on intrygował Halloranna.

Przydałoby mi się teraz trochę łaski Bożej. I kupa szczęścia.

W rubryce TEMAT u góry formularza maila Dan napisał: *Cześć, Abra.* Zjechał kursorem niżej, odetchnął głęboko i wystukał cztery słowa: *Powiedz, co się stało.*

6

W następną sobotę po południu Dan siedział w blasku słońca na jednej z ławek przed obrośniętym bluszczem gmachem biblioteki publicznej w Anniston. W rękach trzymał rozłożony egzemplarz „Union-Leader". Strona była zadrukowana słowami, ale niczego z nich nie rozumiał. Za bardzo się denerwował.

Punktualnie o drugiej nadjechała dziewczyna w dżinsach. Zostawiła rower w stojaku na skraju skweru. Pomachała do Dana z szerokim uśmiechem.

Abra. Abra-Kadabra.

Była wysoka jak na dziecko w tym wieku, głównie dzięki długim nogom. Swoje gęste kręcone blond włosy spięła w gruby koński ogon, który wyglądał, jakby lada moment miał się zbuntować i rozsypać na wszystkie strony. Jako że dzień był dość chłodny, miała na sobie lekką kurtkę z napisem ANNISTON CYCLONES na plecach, wykonanym techniką sitodruku. Chwyciła dwie książki przytroczone do tylnego błotnika roweru i podbiegła do Dana, wciąż z tym szerokim uśmiechem na ustach. Ładna, ale nie piękna. Pomijając jej szeroko rozstawione niebieskie oczy. One były piękne.

– Wujek Dan! Jeju, jak się cieszę, że cię widzę! – I serdecznie cmoknęła go w policzek. Tego nie było w scenariuszu. Jej wiara w jego fundamentalną przyzwoitość była przerażająca.

– I nawzajem, Abro. Usiądź.

Uprzedził ją, że będą musieli zachować ostrożność. Abra – dziecko swojej epoki – zrozumiała od razu. Zgodzili się, że najlepiej będzie się spotkać na otwartym terenie, a w Anniston niewiele było terenów bardziej otwartych od skweru przed biblioteką położoną blisko centrum miasteczka.

Patrzyła na niego ze szczerym zainteresowaniem, może nawet łakomie. Miał wrażenie, że małe palce delikatnie obmacują wnętrze jego głowy.

(gdzie Tony?)

Dan przyłożył palec do skroni.

Abra uśmiechnęła się i w tej chwili stała się bezsprzecznie piękna, zmieniła się w dziewczynę, która za cztery–pięć lat będzie łamać chłopakom serca.

(CZEŚĆ TONY!)

Huknęła tak głośno, że mimowolnie drgnął, i znów przypomniał sobie to, jak Dicka Halloranna wcisnęło w fotel kierowcy cadillaca, jak jego oczy na chwilę stały się puste.

(musimy rozmawiać na głos)

(dobrze)

– Jakby co, jestem kuzynem twojego ojca, dobra? Właściwie nie wujkiem, ale tak mnie nazywasz.

– Dobrze, dobrze, jesteś wujek Dan. Nic nam nie grozi, pod warunkiem że nie spotkamy najlepszej przyjaciółki mojej mamy. Nazywa się Gretchen Silverlake. Zna chyba całe drzewo genealogiczne naszej rodziny, a ono nie jest za duże.

No świetnie, pomyślał Dan. Wścibska przyjaciółka.

– Bez obaw – powiedziała Abra. – Jej starszy syn gra w drużynie futbolowej, więc Gretchen nie opuszcza żadnego meczu Cyclones. Jak prawie całe miasto. Dlatego przestań się bać, że ktoś pomyśli, że jesteś…

Dokończyła to zdanie przesłanym myślą obrazem, a właściwie rysunkiem. Ukazał się w mgnieniu oka, prymitywny, ale wyraźny. Mała dziewczynka napastowana w ciemnym zaułku przez potężnego mężczyznę w prochowcu. Kolana dziewczynki stukały o siebie i chwilę przed zniknięciem obrazu Dan zobaczył nad jej głową dymek ze słowami: „Ratunku, zboczeniec!".

– To wcale nie takie śmieszne.

W odpowiedzi przesłał jej obrazek własnego autorstwa: Dan Torrance w pasiaku więziennym prowadzony przez dwóch barczystych policjantów. Pierwszy raz spróbował coś takiego zrobić i nie wyszło mu tak dobrze jak jej, ale był zachwycony, że to w ogóle potrafi. I wtedy, praktycznie zanim zrozumiał, co się dzieje, przywłaszczyła sobie jego obrazek i go przerobiła. Wyimaginowany Dan wyjął zza pasa pistolet, wycelował w jednego z policjantów i pociągnął za spust. Z lufy wyskoczyła chusteczka z napisem PAF!

Rzeczywisty Dan zaniemówił.

– Przepraszam. – Abra podniosła zaciśnięte pięści do ust i zachichotała. – Nie mogłam się oprzeć. Moglibyśmy tak do wieczora, co? Fajnie by było.

Domyślał się, że przyniosłoby to jej też ulgę. Przez te wszystkie lata miała świetną piłkę, lecz nie spotkała nikogo, z kim mogłaby się nią pobawić. Tak samo, oczywiście, było z nim. Dziś po raz pierwszy od dzieciństwa – od ostatniej rozmowy z Hallorannem – nie tylko odbierał, ale i nadawał.

– Masz rację, byłoby fajnie, tylko że nie pora na to. Musisz jeszcze raz opowiedzieć wszystko od początku. W mailu podałaś tylko najważniejsze szczegóły.

– Od czego zacząć?

– Może od twojego nazwiska? Skoro jestem twoim honorowym wujkiem, powinienem je znać.

To ją rozśmieszyło. Dan usiłował zachować kamienną twarz i nie dał rady. Boże drogi, już tę dziewczynę polubił.

– Jestem Abra Rafaella Stone – powiedziała. Śmiech raptownie ucichł. – Mam nadzieję, że kobieta w kapeluszu nigdy się tego nie dowie.

7

Siedzieli razem na ławce przed biblioteką przez czterdzieści pięć minut, grzejąc twarze w jesiennym słońcu. Abra po raz pierwszy w życiu odczuwała bezwarunkową przyjemność – nawet radość

– z daru, który zawsze ją zdumiewał, a czasem przerażał. Dzięki temu człowiekowi wiedziała już nawet, jak go nazywać: jasnością. To była dobra nazwa, nazwa, która dodawała otuchy, bo ona sama zawsze uważała ten dar za coś mrocznego.

Mieli wiele spraw do omówienia, wiele wrażeń, którymi musieli się podzielić. Cóż, ledwie zaczęli, podeszła do nich tęgawa pięćdziesięciolatka w tweedowej spódnicy. Przywitała się i patrzyła na Dana z zaciekawieniem, ale nie niestosownym zaciekawieniem.

– Dzień dobry, pani Gerard. To mój wujek Dan. Pani Gerard w zeszłym roku uczyła mnie angielskiego.

– Bardzo mi miło panią poznać. Dan Torrance.

Pani Gerard chwyciła podaną jej dłoń i ścisnęła raz, a rzetelnie. Abra czuła, że Dan – wujek Dan – się odpręża. To dobrze.

– Mieszka pan w tych okolicach, panie Torrance?

– Niedaleko stąd, we Frazier. Pracuję w tamtejszym hospicjum. Rivington House.

– Aha. To się panu chwali. Abro, przeczytałaś *Fachmana*? Powieść Malamuda, którą ci poleciłam?

Abra się zasępiła.

– Mam ją na nooku… dostałam na urodziny bon upominkowy… ale jeszcze się do niej nie zabrałam. Wygląda na trudną.

– Jesteś gotowa na trudną literaturę – powiedziała pani Gerard.

– Bardziej niż gotowa. Ani się obejrzysz, a już będziesz w szkole średniej i zaraz potem na studiach. Radzę, żebyś jeszcze dziś wzięła się do lektury. Miło mi było pana poznać, panie Torrance. Ma pan niezwykle inteligentną siostrzenicę. Abro… intelekt pociąga za sobą odpowiedzialność. – Na podkreślenie swoich słów pani Gerard postukała Abrę w skroń, po czym weszła po schodach do biblioteki i zniknęła w środku.

Abra odwróciła się do Dana.

– Nie było źle, co?

– Na razie. Jeśli porozmawia z twoimi rodzicami...

– Nie ma szans. Mama jest w Bostonie, pomaga mojej Momo, która ma raka.

– Przykro mi to słyszeć. Czy Momo to twoja

(babcia)

(prababcia)

– Poza tym – dodała Abra – tak naprawdę nie kłamiemy, mówiąc, że jesteś moim wujkiem. W zeszłym roku na biologii pan Staley mówił nam, że wszyscy ludzie mają taką samą budowę genetyczną. Że różnimy się tak naprawdę tylko w drobiazgach. Wiesz, że mamy w dziewięćdziesięciu dziewięciu procentach taki sam kod genetyczny jak psy?

– Tego nie wiedziałem – przyznał Dan – ale to wyjaśnia, dlaczego na widok psiego pokarmu zawsze ślinka mi cieknie.

Zaśmiała się.

– Czyli w sumie mógłbyś być moim wujkiem, kuzynem czy kimś takim. Tak tylko mówię.

– To jest teoria względności Abry, rozumiem?

– Tak myślę. Zresztą czy musimy mieć takie same oczy albo włosy, żeby być spokrewnieni? Łączy nas coś innego, coś, czego nie ma prawie nikt. Dlatego w sumie jesteśmy krewnymi, tylko szczególnego rodzaju. Myślisz, że odpowiada za to jakiś gen, tak jak za niebieskie oczy czy rude włosy? A tak à propos, wiesz, że w Szkocji jest największy odsetek rudzielców?

– Pierwsze słyszę. Jesteś niewyczerpanym źródłem informacji.

Jej uśmiech nieco przygasł.

– Naśmiewasz się ze mnie?

– Skądże znowu. Być może jasność rzeczywiście ma się w genach, ale osobiście w to wątpię. Myślę, że to coś niewymiernego.

– To znaczy, że nie da się tego wyjaśnić? Jak Boga, nieba i innych takich?

– Tak. – Mimo woli pomyślał o Charliem Hayesie i wszystkich tych przed i po Charliem, których odprowadził na tamten świat jako Doktor Sen. Niektórzy nazywają chwilę śmierci odejściem. Danowi to określenie się podobało, bo wydawało się najbardziej trafne. Kiedy ludzie na twoich oczach opuszczają ten świat – wyruszają w ostatni kurs z Minimiasta zwanego przez ludzi rzeczywistością do Cloud Gap w zaświatach – to zmienia twój sposób myślenia. Z punktu widzenia tych, którzy dokonują żywota, to świat odchodzi. W tych chwilach na pograniczu życia i śmierci Dan zawsze czuł, że jest w obecności jakiejś nie całkiem widocznej ogromnej mocy. Ludzie zasypiali, budzili się, dokądś odchodzili. Trwali. Miał powody, by w to wierzyć, nawet jako dziecko.

– O czym myślisz? – spytała Abra. – Widzę to, lecz tego nie rozumiem. A chcę.

– Nie umiem tego wyjaśnić – powiedział.

– Częściowo chodzi o ducholudków, prawda? Raz ich widziałam, w tym małym pociągu we Frazier.

Otworzył szeroko oczy.

– Naprawdę?

– Tak. Chyba nie chcieli zrobić mi krzywdy... tylko na mnie patrzyli... ale byli trochę straszni. Myślę, że to byli ludzie, którzy jeździli tym pociągiem w dawnych czasach. Widziałeś kiedyś ducholudków? Tak, prawda?

– Tak, bardzo dawno temu. – I niektórzy z nich byli dużo więcej

niż tylko duchami. Duchy nie zostawiają śladów na deskach kloze-
towych i zasłonach pryszniców. – Abro, jak dużo rodzice wiedzą
o twojej jasności?

– Tata myśli, że mi przeszła, tylko czasem jeszcze ujawniają
się jakieś resztki... na przykład jak zadzwoniłam z obozu, bo wiedziałam, że Momo jest chora... i jest z tego zadowolony. Mama
wie, że nadal to mam, bo czasem prosi, żebym pomogła jej coś
znaleźć... w zeszłym miesiącu kluczyki do samochodu, zostawiła
je na warsztacie taty w garażu... ale nie wie, jakie to jest silne.
W ogóle już o tym nie mówią. – Zawiesiła głos. – Momo wie. Nie
boi się tego jak mama i tata, lecz powiedziała mi, że muszę być
ostrożna. Bo gdyby ludzie się dowiedzieli... – Zrobiła komiczną
minę, przewróciła oczami i wysunęła język z kącika ust. – Ratunku,
dziwoląg. Rozumiesz?

(tak)

Uśmiechnęła się z wdzięcznością.

– No jasne.

– Nikt poza tym?

– No... Momo kazała mi porozmawiać z doktorem Johnem, bo
on już trochę wiedział o tym, co potrafię. Kiedyś, hm, jak byłam
mała, widział, jak zrobiłam taką jedną sztuczkę z łyżkami. Tak
jakby powiesiłam je na suficie.

– Ten John to aby nie John Dalton?

Rozpromieniła się.

– Znasz go?

– Tak się jakoś złożyło. Kiedyś mu coś znalazłem. Coś, co zgubił.

(zegarek!)

(zgadza się)

– Nie mówię mu wszystkiego – wyjaśniła Abra z niepewną miną. – A już na pewno nie o małym baseballiście i kobiecie w kapeluszu. Bo powiedziałby moim rodzicom, a oni i bez tego mają dużo zmartwień. Poza tym co mogliby na to poradzić?

– Na razie to zostawmy. Kto to jest ten mały baseballista?

– Bradley Trevor. Brad. Czasem przekręcał czapkę daszkiem do tyłu, bo to przynosi szczęście. Wiesz, tak jak to robią baseballiści... On nie żyje. Zabili go. Ale przedtem zrobili mu krzywdę. Tak strasznie się nad nim znęcali. – Dolna warga zaczęła jej drżeć i w tej chwili Abra wyglądała bardziej jak dziewięcioletnie dziecko niż prawie już trzynastoletnia dziewczyna.

(nie płacz Abro nie możemy ściągać na siebie)

(wiem wiem)

Spuściła głowę, wzięła kilka głębokich oddechów i znów spojrzała na niego. Oczy za bardzo jej błyszczały, ale usta przestały drżeć.

– Nic mi nie jest – powiedziała. – Naprawdę. Cieszę się tylko, że nie jestem sama z tym, co mi siedzi w głowie.

8

Słuchał uważnie, gdy opisywała to, co zapamiętała ze swojego pierwszego spotkania z Bradleyem Trevorem przed dwoma laty. Nie było tego wiele. Najwyraźniejszym wspomnieniem był obraz wielu krzyżujących się snopów światła z latarek, które padały na niego, kiedy leżał na ziemi. I jego krzyki. Te pamiętała doskonale.

– Musieli go oświetlać, bo robili mu jakąś operację – powiedziała Abra. – Przynajmniej tak to nazywali, ale w rzeczywistości po prostu go katowali.

Opowiedziała mu o tym, jak potem znalazła Bradleya na ostatniej stronie „The Anniston Shopper", wśród fotografii zaginionych dzieci. Jak dotknęła jego zdjęcia, żeby spróbować się czegoś o nim dowiedzieć.

– Ty też tak masz? – spytała. – Że jak czegoś dotykasz, to ukazują ci się obrazy? I dużo się dowiadujesz?

– Czasem. Nie zawsze. Kiedyś, jak byłem mały, zdarzało mi się to częściej i bardziej mogłem na tym polegać.

– Myślisz, że z tego wyrosnę? Nie miałabym nic przeciwko. – Zamyśliła się. – Chociaż z drugiej strony miałabym. Trudno to wytłumaczyć.

– Wiem, o co ci chodzi. To nas wyróżnia, prawda? To, co potrafimy.

Abra się uśmiechnęła.

– Jesteś pewna, że wiesz, gdzie zabili tego chłopca?

– Tak, i w tym samym miejscu go pochowali. Razem z jego rękawicą baseballową. – Abra podała mu kartkę z zeszytu. To była kopia, nie oryginał. Spaliłaby się ze wstydu, gdyby ktokolwiek zobaczył te imiona chłopaków z 'Round Here wykaligrafowane przez nią nie raz, lecz mnóstwo razy. Nawet sposób, w jaki je napisała, teraz wydawał się zupełnie niestosowny, te wielkie, krągłe litery wyrażające nie prawdziwą miłość, tylko jakieś szczenięce zadurzenie.

– Nie masz się czego wstydzić – powiedział Dan w roztargnieniu, wpatrzony w słowa wypisane przez nią na kartce. – W twoim wieku podkochiwałem się w Stevie Nicks. I w Ann Wilson z Heart. Pewnie nigdy o niej nie słyszałaś, to nie twoja epoka, ale kiedyś marzyłem, żeby zaprosić ją na piątkową potańcówkę w gimnazjum w Glenwood. To dopiero głupie, co?

Patrzyła na niego z otwartymi ustami.

– Głupie, ale normalne – mówił dalej. – To coś najnormalniejszego na świecie, więc nie czyń sobie wyrzutów. I nie myśl, że podglądałem, Abro. To samo mi się ukazało. Wyskoczyło przed oczami, że tak powiem.

– O Boże! – Abra poczerwieniała jak burak. – Niełatwo będzie się do tego przyzwyczaić, co?

– Nie tylko tobie, mała. – Znów spuścił wzrok na kartkę.

ZAKAZ WSTĘPU ZGODNIE Z ZARZĄDZENIEM SZERYFA HRABSTWA CANTON

ORGANIC INDUSTRIES
RAFINERIA ETANOLU #4
FREEMAN, IOWA

ZAMKNIĘTE DO ODWOŁANIA

– Jak to wszystko odczytałaś? Oglądając to raz po raz? Odtwarzając jak film?

– To o Organic Industries i rafinerii etanolu, tak. Z tablicą ZAKAZ WSTĘPU poszło łatwo. Ty tak nie potrafisz?

– Chyba nie. Nigdy nie próbowałem. Może raz.

– Znalazłam Freeman w Iowa na komputerze. A na Google Earth widać tę fabrykę. To wszystko, co zobaczyłam, naprawdę tam jest.

Myśli Dana wróciły do Johna Daltona. Inni uczestnicy Programu rozpowiadali wszem wobec o dziwnym darze Dana do odnajdowania zaginionych rzeczy; John nie. W sumie nic w tym zaskakującego. Lekarze zobowiązują się do zachowania tajemnicy tak jak członkowie AA, nieprawdaż? Czyli w relacjach z Johnem był niejako podwójnie zabezpieczony.

– Mógłbyś zadzwonić do rodziców Bradleya Trevora, nie? – powiedziała Abra. – Albo do szeryfa hrabstwa Canton. Mnie by nie uwierzyli, ale dorosłemu tak.

– Pewnie mógłbym. – Tyle że człowiek, który wie, gdzie pochowane są zwłoki, automatycznie wskoczyłby na pierwsze miejsce listy podejrzanych, więc gdyby miał to zrobić, musiałby być bardzo, bardzo ostrożny.

Abro, żebyś ty wiedziała, w jakie kłopoty mnie pakujesz.

– Przepraszam – szepnęła.

Położył dłoń na jej dłoni i delikatnie ścisnął.

– Nie ma za co. Akurat tego nie miałaś usłyszeć.

Wyprostowała się.

– O Boże, to Yvonne Stroud. Koleżanka z klasy.

Dan pospiesznie zabrał rękę. Zobaczył idącą chodnikiem pulchną, brązowowłosą dziewczynę mniej więcej w wieku Abry. Niosła plecak i przyciskała do piersi wygięty w łuk kołonotatnik. Miała błyszczące, dociekliwe oczy.

– Będzie chciała wiedzieć o tobie wszystko – zmartwiła się Abra. – Dosłownie wszystko. I jest gadatliwa.

O-o.

Dan spojrzał na nadchodzącą dziewczynę.

(jesteśmy nieciekawi)

– Pomóż mi, Abro – powiedział i poczuł, że przyłączyła się do niego. Wysyłana wspólnie myśl natychmiast nabrała mocy i głębi.

(JESTEŚMY ZUPEŁNIE NIECIEKAWI)

– Dobrze – stwierdziła Abra. – Jeszcze trochę. Rób to razem ze mną. Jakbyśmy śpiewali w duecie.

(LEDWO NAS WIDZISZ JESTEŚMY NIECIEKAWI A POZA TYM MASZ COŚ LEPSZEGO DO ROBOTY)

Yvonne Stroud przeszła pospiesznie chodnikiem, pozdrowiła Abrę nieokreślonym skinieniem dłoni, ale nie zwolniła kroku. Wbiegła po schodach do biblioteki i zniknęła w środku.

– A niech mnie małpa iska – powiedział Dan.

Abra spojrzała na niego z powagą.

– Jakbyś jakąś ładnie poprosił... było nie było, zgodnie z teorią względności Abry małpy to twoje krewniaczki. Macie bardzo podobne... – Przesłała obraz szeregu pustych pudełek ze strzałkami w środku, wskazującymi w dół, na ich

(dna)

Oboje wybuchnęli śmiechem.

9

Dan kazał jej powtórzyć tę historię z talerzem gramofonu trzy razy. Chciał mieć pewność, że wszystko dobrze zrozumiał.

– Tego też nigdy nie robiłeś? – spytała Abra. – Tego dalekowidzenia?

– Projekcji astralnej? Nie. Tobie się to często zdarza?

– Tylko raz czy dwa razy. – Zamyśliła się. – Może trzy. Kiedyś przeniosło mnie w dziewczynę, która kąpała się w rzece. Patrzyłam na nią z naszego podwórka. Miałam chyba dziesięć lat. Nie wiem, czemu to się stało, nie była w niebezpieczeństwie ani nic takiego, po prostu pływała sobie z koleżankami. Wtedy to trwało najdłużej. Co najmniej trzy minuty. Tak to się nazywa? Projekcja astralna? Ma to coś wspólnego z astronautami?

– To stare określenie, rodem z seansów spirytystycznych sprzed stu lat, i pewnie niezbyt trafne. Oznacza po prostu opuszczenie własnego ciała. – O ile takie doświadczenie w ogóle można ująć w słowa. – Ale... chcę się upewnić, że dobrze rozumiem... ta pływająca dziewczyna nie wniknęła w twój umysł?

Abra energicznie potrząsnęła głową, jej koński ogon zakołysał się z boku na bok.

– Nawet nie wiedziała, że w niej byłam. To zadziałało w obie strony tylko raz, wtedy z tą kobietą. Tą, która nosi kapelusz. Tylko że wtedy tego kapelusza nie widziałam, bo byłam w niej, w środku.

Dan nakreślił palcem okrąg.

– Ty wniknęłaś w nią, ona w ciebie.

– Tak. – Abra zadygotała. – To ona ciachała Bradleya Trevora dotąd, aż umarł. Kiedy się uśmiecha, ma jeden wielki, długi ząb na górze.

Na wzmiankę o kapeluszu coś go tknęło i z jakiegoś powodu pomyślał o Deenie z Wilmington. Bo Deenie nosiła kapelusz? Nie, a przynajmniej tego nie pamiętał; był wtedy nawalony jak stodoła. To pewnie nic nie znaczyło – w mózgu, zwłaszcza w chwilach stresu, czasem rodzą się przypadkowe skojarzenia, a prawda (bez względu na to, jak bardzo nie chciał tego przyznać) była taka, że myśli o Deenie nigdy go do końca nie opuszczały. Czasem wystarczył byle drobiazg, na przykład korkowe sandały w witrynie sklepowej, by mu się przypomniała.

– Kto to jest Deenie? – spytała Abra. Potem zamrugała pospiesznie i odchyliła się, jakby Dan nagle machnął jej ręką przed oczami. – Ups. Chyba nie powinnam była w to wnikać. Przepraszam.

– Nic się nie stało – rzekł. – To bez znaczenia. Wróćmy do tej twojej kobiety w kapeluszu. Kiedy zobaczyłaś ją potem... w oknie... to nie było to samo?

– Nie. Nie jestem nawet pewna, czy to się stało przez jasność. Myślę, że to było raczej wspomnienie chwili, kiedy widziałam, jak znęcała się nad tym chłopcem.

– Czyli wtedy też cię nie zobaczyła. Nie widziała cię w ogóle.

– Jeśli ta kobieta była tak niebezpieczna, jak Abra sądziła, to miało duże znaczenie.

– Nie. Jestem tego pewna. Ale chce mnie zobaczyć. – Spojrzała na niego szeroko otwartymi oczami. Usta znów jej drżały. – Wtedy, kiedy obrócił się ten talerz gramofonu, myślała „lustro". Chciała, żebym się w nim przejrzała. Chciała posłużyć się moimi oczami, żeby mnie zobaczyć.

– A co w ogóle zobaczyła? Wystarczająco dużo, żeby cię znaleźć?

Abra wnikliwie to przemyślała.

– Kiedy to się stało, patrzyłam przez okno – powiedziała wreszcie. – Stamtąd widać tylko ulicę. I góry, oczywiście, ale w Ameryce jest pełno gór, prawda?

– Prawda. – Czy kobieta w kapeluszu mogłaby znaleźć zdjęcie gór, które zobaczyła oczami Abry, gdyby przeszperała Internet? Nie można było tego wiedzieć na pewno. Prawie niczego w tej sprawie nie można było wiedzieć na pewno.

– Dlaczego go zabili, Dan? Dlaczego zabili małego baseballistę?

Sądził, że to wie, i ukryłby to przed nią, gdyby mógł, ale nawet to krótkie spotkanie wystarczyło, by go przekonać, że jego relacje z Abrą Rafaellą Stone będą się opierać na innych zasadach. Trzeźwiejący alkoholicy dążą do „uczciwości we wszystkich naszych poczynaniach", lecz rzadko ją osiągają; on i Abra nie mogli jej uniknąć.

(pożywienie)

Patrzyła na niego, wstrząśnięta.

– Zjedli jego jasność?

(tak sądzę)

(to WAMPIRY?)

A potem, na głos:

– Takie jak w *Zmierzchu*?

– Nie, nie takie – powiedział Dan. – I, na litość boską, Abro, tak tylko zgaduję. – Drzwi biblioteki się otworzyły. Dan zerknął przez ramię z obawą, że to niezdrowo ciekawska Yvonne Stroud, ale zobaczył tylko zakochaną parę, która nie widziała świata poza sobą. Odwrócił się do Abry. – Musimy kończyć.

– Wiem. – Podniosła rękę, potarła wargi, uświadomiła sobie, co robi, i położyła dłoń z powrotem na podołku. – Ale mam tak dużo pytań. Tyle chcę wiedzieć. Potrzeba by na to wielu godzin.

– Których nie mamy. Jesteś pewna, że to był sklep Sam's?

– Hę?

– Była w supermarkecie Sam's?

– Aha. Tak.

– Znam tę sieć. Robiłem nawet zakupy w jednym–dwóch takich sklepach, ale nie w tych okolicach.

Uśmiechnęła się szeroko.

– Oczywiście, że nie, wujku Danie, tu ich nie ma. Wszystkie są na zachodzie. To też sprawdziłam na Google'u. – Uśmiech przygasł. – Są ich setki, od Nebraski po Kalifornię.

– Muszę jeszcze trochę o tym pomyśleć, ty też. Gdybyś miała jakąś ważną sprawę, możesz napisać do mnie maila, ale lepiej, żebyśmy po prostu… – Postukał się w czoło. – Myk-myk. Rozumiesz?

– Tak. – Uśmiechnęła się. – Jedyna dobra strona tego wszystkiego jest taka, że poznałam kogoś, kto umie robić myk-myk. I wie, jakie to uczucie.

– Możesz korzystać z tablicy?

– Jasne. To łatwe.

– Przede wszystkim musisz pamiętać jedno: kobieta w kapeluszu pewnie nie wie, gdzie cię szukać, ale wie, że gdzieś tam jesteś.

Abra siedziała w zupełnym bezruchu. Próbował wniknąć w jej myśli, lecz czujnie ich strzegła.

– Mógłbyś założyć sobie w głowie taki jakby alarm przeciw-włamaniowy? Który ostrzegałby cię, gdyby była blisko ciebie ciałem lub myślą?

– Sądzisz, że po mnie przyjdzie, prawda?

– Może spróbować. Z dwóch powodów. Po pierwsze, bo wiesz, że ona istnieje.

– Ona i jej przyjaciele – szepnęła Abra. – Ma wielu przyjaciół. (z latarkami)

– Jaki jest drugi powód? – I, zanim mógł odpowiedzieć: – Bo byłby ze mnie smaczny kąsek. Tak jak z tego małego baseballisty. Prawda?

Nie miał co zaprzeczać; jego czoło było dla Abry otwartym oknem.

– To co, możesz sobie założyć taki alarm? Alarm zbliżeniowy? To znaczy…

– Wiem, co to znaczy „zbliżeniowy”. Nie mam pojęcia, ale spróbuję.

Przewidział, co powie potem, zanim otworzyła usta. Nawet nie musiał czytać jej w myślach. Bądź co bądź, była tylko dzieckiem. Kiedy wzięła go za rękę, rozejrzał się ukradkiem, ale nie cofnął dłoni.

– Obiecaj, że nie pozwolisz, żeby mnie dopadła, Dan. Obiecaj.

Zrobił to, bo była dzieckiem i potrzebowała otuchy. Ale oczywiście takiej obietnicy dotrzymać można tylko w jeden sposób: zażegnując zagrożenie.

Znów pomyślał: Abro, żebyś ty wiedziała, w jakie kłopoty mnie pakujesz.

A ona znowu odpowiedziała, choć tym razem nie na głos:

(przepraszam)

– Nie twoja wina, dziecko. Nie

(nie prosiłaś się o to)

podobnie jak ja. Idź, zanieś te książki do biblioteki. Ja muszę wracać do Frazier. Mam dziś nocny dyżur.

– Dobrze. Ale jesteśmy przyjaciółmi, prawda?

– Oczywiście.

– Cieszę się.

– I stawiam, że *Fachman* ci się spodoba. Myślę, że zrozumiesz tę książkę. Bo sama niejedno w swoim życiu musiałaś naprawiać, mam rację?

W kącikach jej ust zrobiły się śliczne dołki.

– Ty wiesz najlepiej.

– O tak, wierz mi – powiedział Dan.

Patrzył za nią, kiedy wchodziła po schodach. Nagle zatrzymała się i zawróciła.

– Nie wiem, kim jest kobieta w kapeluszu, ale znam jednego z jej przyjaciół. Nazywa się Barry Kufaja czy jakoś tak. Założę się, że gdziekolwiek jest ona, on jest przy niej. I mogłabym go znaleźć, gdybym miała rękawicę małego baseballisty. – Patrzyła na niego spokojnym, nieruchomym spojrzeniem tych pięknych niebieskich oczu. – Wyczułabym go, bo Barry Kufaja na chwilę włożył do niej rękę.

W połowie drogi powrotnej do Frazier, pogrążony w zamyśleniu nad słowami Abry o kobiecie w kapeluszu, Dan przypomniał sobie coś, co przeszyło go zimnym dreszczem. Omal nie przekroczył podwójnej ciągłej i pędzący z naprzeciwka pikap zatrąbił na niego gniewnie.

To zdarzyło się dwanaście lat wcześniej, kiedy Frazier jeszcze było dla niego nowe, a jego trzeźwość wisiała na włosku. Szedł do pani Robertson, u której tego samego dnia wynajął pokój. Nadciągała zawierucha, więc Billy Freeman pożyczył mu solidne buty. „Nie wyglądają za dobrze, ale przynajmniej są do pary". I kiedy skręcił z Morehead na Eliot, zobaczył...

Zaraz z przodu był parking. Dan zatrzymał się na nim i poszedł w stronę szumu płynącej wody. To była Saco, oczywiście; biegła przez dwa tuziny małych miasteczek w New Hampshire między North Conway a Crawford Notch, łącząc je jak paciorki na sznurku.

Zobaczyłem w rynsztoku niesiony wiatrem kapelusz. Sfatygowany stary cylinder, w sam raz dla magika. Albo aktora ze starej komedii muzycznej. Tyle że tak naprawdę wcale go tam nie było, bo kiedy zamknąłem oczy i policzyłem do pięciu, zniknął.

– No dobra, to było przez jasność – powiedział do płynącej wody. – Ale to niekoniecznie znaczy, że to ten sam kapelusz, który widziała Abra.

Tak jednak sądził, bo tamtej nocy przyśniła mu się Deenie. Była martwa, twarz wisiała na jej czaszce jak ciasto na patyku. Martwa, opatulona kocem, który Dan ukradł z wózka na zakupy jakiegoś menela. „Trzymaj się z dala od kobiety w kapeluszu, misiaczku". To powiedziała. I coś jeszcze... co?

„To Królowa Suka z Piekielnego Zamku".

– Nie pamiętasz tego – powiedział do płynącej wody. – Nikt nie pamięta snów sprzed dwunastu lat.

A jednak pamiętał. I teraz przypomniał sobie, co jeszcze powiedziała mu martwa kobieta z Wilmington: „Jeśli z nią zadrzesz, pożre cię żywcem".

11

Kilka minut po szóstej wszedł do pokoju w wieżyczce z tacą z jedzeniem ze stołówki. Najpierw spojrzał na tablicę i uśmiechnął się, kiedy zobaczył na niej:

Dziękuję, że mi uwierzyłeś.

Jakbym miał inne wyjście, skarbie.

Starł wiadomość od Abry i usiadł z kolacją przy biurku. Kiedy wyjeżdżał z parkingu, jego myśli wróciły do Dicka Halloranna. Uznał, że to raczej naturalne; gdy ktoś wreszcie prosi cię, żebyś go uczył, radzisz się własnego nauczyciela, jak to robić. Dan stracił kontakt z Dickiem w latach picia (głównie ze wstydu), ale sądził, że powinien być w stanie ustalić, co się ze staruszkiem stało. Może nawet się z nim skontaktować, jeśli Dick jeszcze żył. Wielu ludzi żyje długo po dziewięćdziesiątce, jeśli o siebie dbają. Na przykład prababcia Abry – która musiała już być mocno posunięta w latach.

Potrzebuję odpowiedzi, Dick, a ty jesteś jedynym znanym mi człowiekiem, który może choć kilku udzielić. Dlatego zrób to dla mnie, przyjacielu, i bądź wśród żywych.

Włączył komputer i otworzył Firefoxa. Wiedział, że Dick spędzał zimy, gotując w ekskluzywnych hotelach na Florydzie, ale nie pamiętał ich nazw ani nawet na którym wybrzeżu były. Pewnie obu – w jednym roku Naples, w następnym Palm Beach, w jeszcze następnym Sarasota albo Key West. Nigdy nie brakuje pracy dla człowieka, który potrafi łechtać podniebienia, zwłaszcza te bogate, a Dick umiał je łechtać jak mało kto. Dan liczył, że zadanie ułatwi mu nietypowa pisownia nazwiska Dicka – nie Halloran, tylko Hallorann. Wpisał **Richard Hallorann** i **Floryda** do okienka wyszukiwarki i wcisnął „enter". Wyskoczyły tysiące wyników, ale był prawie pewien, że właściwym jest trzeci od góry, i z jego ust wyrwało się ciche westchnienie zawodu. Otworzył link i na ekranie pojawił się artykuł z „Miami Herald". Żadnych wątpliwości. Kiedy w nagłówku podane jest nie tylko nazwisko, ale i wiek, od razu wiesz, co masz przed sobą.

Znany kucharz z South Beach, Richard „Dick" Hallorann, l. 81.

Notce towarzyszyło zdjęcie. Było małe, ale Dan wszędzie rozpoznałby tę wesołą, mądrą twarz. Czy umierał samotnie? Wątpliwe. Ten człowiek był zbyt towarzyski… i za bardzo lubił kobiety. Frekwencja przy jego łożu śmierci pewnie dopisała, ale zabrakło dwojga ludzi, którym ocalił życie tamtej zimy w Kolorado. Wendy Torrance miała usprawiedliwienie; umarła przed nim. Za to jej syn…

Czy siedział w jakiejś spelunie, opity whisky i zasłuchany w muzykę country z szafy grającej, kiedy Dick opuszczał ten świat? A może spędził tę noc w areszcie, zatrzymany za zakłócanie porządku w stanie nietrzeźwym?

Przyczyną śmierci był atak serca. Dan przewinął artykuł z powrotem do góry i sprawdził datę: dziewiętnasty stycznia 1999. Człowiek, który ocalił życie jemu i jego matce, nie żył od prawie piętnastu lat. Z tej strony pomoc nie nadejdzie.

Za plecami usłyszał ciche skrzypienie kredy o tablicę. Przez chwilę siedział w bezruchu, ze stygnącym jedzeniem i laptopem przed sobą. Wreszcie powoli się odwrócił.

Kreda leżała na półce pod tablicą, a mimo to na czarnej desce powstawał obraz. Prymitywny, lecz dający się rozpoznać. Rękawica baseballowa. Na niej kreda Abry – niewidzialna, ale wciąż cicho skrzypiąca – narysowała znak zapytania.

– Muszę to przemyśleć – powiedział.

W tej chwili zabrzęczał interkom. Doktor Sen był wzywany do pacjenta.

Rozdział IX

Głosy naszych umarłych przyjaciół

1

Studwuletnia Eleanor Ouellette była jesienią 2013 roku najstarszą pensjonariuszką Rivington House, tak starą, że jej nazwisko nigdy się nie zamerykanizowało. Kazała wymawiać je nie „Łyl--let", tylko bardziej dystyngowanie, z francuska „Uuu-lej". Dan czasem nazywał ją Panna U-La-La, co nieodmiennie wywoływało jej uśmiech. Ron Stimson, jeden z czterech lekarzy składających codzienne wizyty w hospicjum, kiedyś powiedział Danowi, że Eleanor to dowód, że życie bywa silniejsze od śmierci. „Ma niewydolną wątrobę, płuca zniszczone wskutek osiemdziesięciu lat palenia, raka jelita grubego – który postępuje w ślimaczym tempie, ale jest wysoce złośliwy – i ściany serca cienkie jak koci wąs. A mimo to trwa".

Jeśli Azreel miał rację (a z dotychczasowych doświadczeń Dana wynikało, że nie mylił się nigdy), długoletni pobyt Eleanor na tym świecie zbliżał się do końca, w żadnym razie jednak nie wyglądała jak kobieta u progu śmierci. Kiedy Dan wszedł, siedziała prosto w łóżku i głaskała kota. Włosy miała pięknie ondulowane – fryzjerka była u niej poprzedniego dnia – a jej różowa koszula nocna wyglądała jak zawsze nienagannie; przydawała odrobiny koloru bezkrwistym policzkom, dół był rozpostarty wokół patykowatych nóg niczym suknia balowa.

Dan położył dłonie na policzkach i zatrzepotał rozczapierzonymi palcami.

– *Ooh-la-la! Une belle femme! Je suis amoreux!*

Przewróciła oczami, przekrzywiła głowę i uśmiechnęła się do niego.

– Maurice Chevalier to ty nie jesteś, ale lubię cię, *cher*. Jesteś wesoły, co ważne, jesteś zuchwały, co ważniejsze i co najważniejsze, masz śliczny tyłek. Tyłek mężczyzny to tłok, który napędza świat, a twój jest palce lizać. W moich najlepszych latach zakorkowałabym go kciukiem, a potem schrupała cię żywcem. Najchętniej na brzegu basenu hotelu Le Meridien w Monte Carlo, przy zachwyconej publiczności nagradzającej brawami moje działania na obu frontach, przednim i tylnym.

Przedstawiana jej ochrypłym, ale melodyjnym głosem, ta wizja była urocza raczej niż wulgarna. Papierosowa chrypka Eleanor wydawała się Danowi głosem szansonistki, która wszystko widziała i wszystko przeżyła, jeszcze zanim armia niemiecka wiosną 1940 roku przedefilowała przez Champs-Élysées. Jej czas może przeminął; ona nie. I choć fakt faktem, wyglądała jak trzy ćwierci do śmierci mimo słabego koloru rzucanego na jej twarz przez umiejętnie dobraną koszulę nocną, wyglądała zawsze tak samo od 2009 roku, kiedy to wprowadziła się do pokoju numer 15 w Rivington Jeden. Tylko obecność Azziego wskazywała, że ten wieczór jest inny.

– Na pewno byłabyś rewelacyjna – powiedział.

– Spotykasz się z jakimiś damami, *cher*?

– W tej chwili nie. – Z jednym wyjątkiem, a ona jest dużo za młoda na *amour.*

– Szkoda. Bo z upływem lat to… – Uniosła kościsty palec wskazujący, po czym go zgięła. – …zmienia się w to. Zobaczysz.

Uśmiechnął się i usiadł na jej łóżku. Tak jak siadał na tak wielu łóżkach.

– Jak się czujesz, Eleanor?

– Nieźle. – Popatrzyła za Azziem, który zeskoczył z łóżka i wyśliznął się za drzwi. Spełnił już swoją powinność. – Miałam wielu gości. Twój kot trochę się ich bał, ale wytrzymał aż do twojego przyjścia.

– On nie jest moim kotem, Eleanor. Należy do całego domu.

– Nie – powiedziała, jakby straciła zainteresowanie tym tematem – jest twój.

Dan wątpił, czy Eleanor miała choćby jednego gościa poza Azreelem. Nie tego wieczora, nie w zeszłym tygodniu ani miesiącu, nie przez ostatni rok. Była sama na tym świecie. Nawet sędziwy księgowy, który przez wiele lat zajmował się jej finansami i raz na kwartał przywlekał się do niej z aktówką wielkości bagażnika saaba, przeniósł się już na łono Abrahama. Panna U-La-La twierdziła, że ma rodzinę w Montrealu, „ale za mało pieniędzy mi zostało, żeby opłacało się mnie odwiedzać, *cher*".

– Kto więc u ciebie był? – Sądził, że mogła mieć na myśli Ginę Weems albo Andreę Bottstein, pielęgniarki, które tego wieczora pełniły dyżur w Rivington Jeden. Albo może Poul Larson, flegmatyczny, ale poczciwy sanitariusz, którego Dan uważał za przeciwieństwo Freda Carlinga, wpadł do niej na słówko.

– Jak mówiłam, wielu. Nawet teraz przechodzą przez pokój. Niekończąca się parada. Uśmiechają się, kłaniają, dziecko wywija językiem jak pies ogonem. Niektórzy mówią. Znasz poetę Jorgosa Seferisa?

– Nie, *madame*. – Czy rzeczywiście był tu ktoś jeszcze oprócz nich? Miał powód, by wierzyć, że to jest możliwe, ale nie wyczuwał niczyjej obecności. Inna sprawa, że nie zawsze mu się to udawało.

– Pan Seferis zapytuje: „Czy to głosy naszych umarłych przyjaciół, czy tylko dźwięk gramofonu?". Najsmutniejsze są dzieci. Był tu chłopiec, który wpadł do studni.

– Naprawdę?

– Tak, i kobieta, która zabiła się sprężyną z łóżka.

Nie wyczuwał niczyjej obecności, ani trochę. Czy spotkanie z Abrą mogło wyczerpać jego moc? Owszem, istniała taka możliwość, a poza tym jasność przychodziła i odchodziła falami, których rytmu nigdy nie potrafił wyznaczyć. Nie sądził jednak, by tak było w tym przypadku. Uznał, że Eleanor pewnie popada w demencję. Albo go nabiera. Nie można było tego wykluczyć. Z Eleanor U-La-La była niezła figlara. Ktoś – może Oscar Wilde? – podobno zażartował na łożu śmierci: „Albo zniknę ja, albo ta tapeta".

– Masz zaczekać – powiedziała Eleanor. Teraz w jej głosie nie było wesołości. – Ktoś przyjdzie. Pierwszym zwiastunem będą światła. Mogą wystąpić inne zakłócenia. Otworzą się drzwi. I wtedy zjawi się gość.

Dan spojrzał z powątpiewaniem na drzwi na korytarz, które już były otwarte. Nigdy ich nie zamykał, żeby Azzie mógł wyjść, kiedy zechce. Co też zwykle czynił, gdy tylko zjawiał się Doktor Sen, by przejąć po nim pałeczkę.

– Eleanor, przynieść ci zimnego soku?

– Chętnie napiłabym się, gdyby był cza... – zaczęła i wtedy życie uciekło z jej twarzy jak woda z dziurawej miski. Oczy

Eleanor utkwione były w jakimś punkcie nad głową Dana, usta otworzyły się szeroko. Policzki jej się zapadły, podbródek osunął się na wychudłą pierś. Górna płyta sztucznej szczęki ześliznęła się po dolnej wardze i zwisła w niepokojącym szerokim uśmiechu.

Kurde, szybko poszło, pomyślał.

Ostrożnie wsunął palec pod płytę protezy i wyjął ją. Warga rozciągnęła się i odskoczyła z cichym „pyk!". Dan położył protezę na stoliku nocnym, zaczął się podnosić, po czym usiadł z powrotem. Czekał na tę czerwoną mgiełkę, którą stara pielęgniarka z Tampy nazywała tchnieniem... jakby dusza uchodziła z człowieka razem z powietrzem.

„Masz zaczekać", powiedziała.

Poszukał umysłu Abry, ale nie znalazł nic. Może to dobrze. Może już podjęła starania, żeby zablokować dostęp do swoich myśli. A może jego wrażliwość go opuściła. Jeśli tak, to nic. Wróci. Przynajmniej dotąd zawsze wracała.

Zastanawiał się (nie pierwszy raz), dlaczego nigdy nie widział much na twarzach gości Rivington House. Może dlatego, że nie było takiej potrzeby. W końcu miał Azziego. Czy Azzie widział coś tymi swoimi mądrymi zielonymi ślepiami? Może nie muchy, ale coś? Na pewno.

„Czy to głosy naszych umarłych przyjaciół, czy tylko dźwięk gramofonu?".

Tak cicho było tego wieczoru na tym piętrze, a pora jeszcze tak wczesna! Nikt nie rozmawiał w świetlicy na końcu korytarza. Nie grał telewizor ani radio. Dan nie słyszał skrzypienia tenisówek Poula ani zniżonych głosów Giny i Andrei w dyżurce pielęgniarek. Nie dzwonił żaden telefon. A co się tyczy jego zegarka...

Dan uniósł go. Nic dziwnego, że nie słyszał tykania. Zegarek stanął.

Jarzeniówka pod sufitem wyłączyła się, pozostawiając tylko światło lampki na stoliku. Jarzeniówka zapaliła się z powrotem, lampka zamigotała i zgasła. Lampka rozbłysła znowu, po czym zgasła razem z jarzeniówką. Ciemno... jasno... ciemno.

– Jest tu ktoś?

Dzbanek zagrzechotał o stolik nocny i znieruchomiał. Wyjęta z ust zmarłej proteza kłapnęła niepokojąco. Dziwna fala przebiegła po pościeli na łóżku Eleanor, jakby smyrgnęło pod nią jakieś spłoszone stworzonko. Ciepły podmuch musnął policzek Dana przelotnym pocałunkiem i ustał.

– Kto tu? – Serce wciąż biło mu miarowo, ale każde jego uderzenie czuł w szyi i nadgarstkach. Włosy na jego karku wydawały się grube, sztywne. Nagle zrozumiał, co Eleanor widziała w swoich ostatnich chwilach: paradę

(ducholudków)

umarłych, którzy wchodzili do jej pokoju przez jedną ścianę i wychodzili przez drugą. Wychodzili? Nie, odchodzili. Nie znał Seferisa, ale znał Audena: „Śmierć zabiera tych, co w pieniądzach się pławią, tych, co do rozpuku bawią, i przez naturę wyposażonych dorodnie". Widziała ich wszystkich, a oni teraz byli tutaj...

Tyle że wcale ich tu nie było. Duchy, które widziała Eleanor, odeszły, a ona wraz z nimi. Kazała mu zaczekać. Czekał.

Drzwi na korytarz powoli się zamknęły. Otworzyły się drzwi łazienki.

Z martwych ust Eleanor Ouellette dobyło się jedno słowo:

– *Danny.*

2

Wjeżdżając do miasteczka Sidewinder, mija się tablicę z napisem WITAMY NA SZCZYCIE AMERYKI! Nie jest on zgodny z prawdą, nie całkiem, ale i nie tak bardzo od niej odległy. Trzydzieści kilometrów od punktu, w którym Zbocze Wschodnie przechodzi w Zachodnie, od szosy odbija wijąca się ku północy gruntowa droga. Wypalony w drewnie łukowaty napis nad jej wylotem głosi: WITAMY NA KEMPINGU BLUEBELL! ZOSTAŃ NA TROCHĘ, PRZYJACIELU!

Stara dobra zachodnia gościnność, można by pomyśleć na jego widok, miejscowi jednak wiedzą, że droga ta przeważnie jest zamknięta, a wówczas u jej zagrodzonego wylotu wisi inna, mniej przyjazna tablica: NIECZYNNE DO ODWOŁANIA. To, jak ten kemping zarabia na swoje utrzymanie, jest zagadką dla mieszkańców Sidewinder, którzy chcieliby, by Bluebell otwarty był przez wszystkie dni w roku, kiedy drogi w górach są przejezdne. Wspominają z rozrzewnieniem czasy, gdy interesy w mieście kwitły dzięki hotelowi Panorama, i mieli nadzieję, że kemping przynajmniej częściowo wypełni lukę po nim (choć zdają sobie sprawę, że Ludzie z Kamperów nie mają takich pieniędzy, jakie Ludzie z Hotelu pompowali w lokalną gospodarkę). Tak się nie stało. Panuje powszechne przekonanie, że Bluebell to oaza podatkowa jakiejś bogatej korporacji, biznes, który z założenia ma tracić pieniądze.

Jest to oaza, owszem, ale korporacją, której zapewnia schronienie, jest Prawdziwy Węzeł, i w czasie, gdy jego członkowie przebywają na terenie Bluebell, jedynymi samochodami turystycznymi na wielkim parkingu są ich kampery, nad którymi góruje wielki earthcruiser Rose Kapelusz.

Tego wrześniowego wieczora dziewięcioro Prawdziwych zebrało się w wysokim, uroczo rustykalnym budynku znanym jako Dom Turysty Panorama. Kiedy kemping był czynny, Dom Turysty pełnił funkcję restauracji, która serwowała dwa posiłki dziennie, śniadanie i kolację. Przyrządzali je Krótki Eddie i Duża Mo (dla ćwoków Ed i Maureen Higginsowie). Żadne z nich nie dorównywało kulinarnymi umiejętnościami Dickowi Hallorannowi – a kto mu dorównywał! – ale raczej trudno sknocić specjały, które lubią Ludzie z Kamperów: klops, makaron z serem, klops, naleśniki polane syropem klonowym, klops, potrawkę z kurczaka, klops, zapiekankę z tuńczykiem i klops w sosie grzybowym. Po kolacji uprzątano stoły i grano w bingo lub karty. W weekendy urządzano tańce. Takie zabawy odbywały się tylko wtedy, gdy kemping był czynny.

Tego wieczora, kiedy oddalony o trzy strefy czasowe na wschód Dan Torrance siedział obok martwej kobiety i czekał na gościa – w Domu Turysty Panorama zajmowano się innymi sprawami.

Jimmy Liczykrupa siedział u szczytu stołu ustawionego na środku wypolerowanego parkietu z klonu ptasie oczko. Przed sobą miał włączonego powerbooka, na którego pulpicie widniało zdjęcie jego rodzinnego miasta, leżącego – traf chciał – w sercu Karpat. (Jimmy lubił żartować, że jego dziadek kiedyś podjął gościną młodego londyńskiego adwokata, niejakiego Jonathana Harkera).

Wokół niego, wpatrzeni w ekran, zgromadzili się Rose, Papa Kruk, Barry Kitajec, Jadowita Andi, Charlie Szton, Annie Fartuch, Doug Diesel i Dziadzio Flick. Żadne z nich nie chciało stać obok Dziadzia, który śmierdział tak, jakby w jego majtkach stała się mała katastrofa i zapomniał umyć jej skutki (co ostatnimi czasy zdarzało się coraz częściej). Sprawa jednak była ważna, więc jakoś znosili jego bliskość.

Jimmy Liczykrupa był niepozornym gościem z zakolami i sympatyczną, choć cokolwiek małpią twarzą. Wyglądał na jakieś pięćdziesiąt lat, co stanowiło jedną trzecią jego rzeczywistego wieku.

– Sprawdziłem na Google'u Lickety-Spliff i, zgodnie z oczekiwaniami, nie znalazłem nic ciekawego. Jeśli was to interesuje, *lickety-spliff* w młodzieżowym slangu oznacza robić coś bardzo wolno, zamiast bardzo szybko…

– Nie, nie interesuje nas to – powiedział Doug Diesel. – I tak nawiasem mówiąc, trochę od ciebie zajeżdża, Dziadziu. Nie obraź się, ale kiedy się ostatnio podcierałeś?

Dziadzio Flick spojrzał na Douga i obnażył zęby – z pościeranym szkliwem i pożółkłe, ale jego własne.

– Twoja żona podtarła mnie dziś rano, Deez. Swoją twarzą. Trochę to obrzydliwe, ale zdaje się, że kręcą ją takie…

– Zamknijcie się obaj – powiedziała Rose. Jej głos był matowy i niegroźny, lecz Doug i Dziadzio lękliwie się od niej odsunęli z minami skarconych uczniaków. – Mów dalej, Jimmy. Byle do rzeczy. Chcę mieć konkretny plan, i to jak najszybciej.

– Reszta i tak będzie kręcić nosami, czy plan będzie konkretny, czy nie – stwierdził Kruk. – Powiedzą, że w tym roku par nam nie brakowało. To zdarzenie w kinie, pożar kościoła w Little Rock, zamach terrorystyczny w Austin. Nie wspominając o Juárez. Miałem wątpliwości co do sensu wyjazdu za południową granicę, ale dobrze nam zrobił.

„Dobrze" to za mało powiedziane. Juárez zyskało sobie miano światowej stolicy morderstw, na które zapracowało prawie trzema tysiącami zabójstw rocznie. Wiele ofiar ginęło po torturach.

Atmosfera w mieście była przebogata. Nie była to czysta para i trochę się od niej przewracało w żołądku, ale głód zaspokajała.

– Od tej ichniej fasoli dostałem sraczki – powiedział Charlie Szton – lecz przyznaję, urodzaj był.

– To był dobry rok, zgadzam się – przytaknęła Rose – ale nie możemy na okrągło jeździć do Meksyku; za bardzo rzucamy się w oczy. Tam jesteśmy bogatymi *Americanos*. Tutaj zlewamy się z otoczeniem. A czy nie macie już dość życia z roku na rok? Ciągłej tułaczki, ciągłego liczenia zbiorników? To jest co innego. Żyła złota.

Nikt nie odpowiedział. Była ich przywódczynią i koniec końców wykonają każde jej polecenie, ale nie rozumieli, czemu robi tyle zamieszania wokół tej dziewczyny. To nic. Zrozumieją, kiedy ją spotkają. A gdy będą ją mieli pod kluczem, gdy będzie im dostarczać parę praktycznie na zawołanie, sami zapragną paść Rose do nóg i ucałować jej stopy. Kto wie, może nawet im na to pozwoli.

– Mów dalej, Jimmy, ale przejdźże wreszcie do rzeczy.

– Jestem pewien, że to, co wychwyciłaś, to przerobiona nazwa „Lickety-Split". Nazwa sieci małych sklepów w Nowej Anglii. W sumie jest ich siedemdziesiąt trzy, od Providence do Presque Isle. Nastolatek z iPadem rozgryzłby to w dwie minuty. Wydrukowałem adresy wszystkich i ściągnąłem ich zdjęcia z Whirl 360. Znalazłem sześć sklepów z widokiem na góry. Dwa w Vermoncie, dwa w New Hampshire, dwa w Maine.

Jego torba na laptopa leżała pod krzesłem. Chwycił ją, chwilę grzebał w bocznej kieszeni, wyjął teczkę i podał ją Rose.

– To nie zdjęcia tych sklepów, tylko górskich widoków z dzielnic, w których one stoją. Też ściągnięte z Whirl 360, który jest dużo lepszy od Google Earth, i dzięki Ci, Boże, za takie wścibskie programiki. Obejrzyj te pejzaże i zobacz, czy któryś wygląda znajomo. Jeśli żaden, postaraj się chociaż część definitywnie wyeliminować.

Rose otworzyła teczkę i powoli przejrzała zdjęcia. Dwa przedstawiające Góry Zielone w Vermoncie od razu odłożyła na bok. Jeden z pejzaży w Maine też jej nie pasował: pokazywał tylko jedną górę, a ona w swojej wizji widziała cały ich łańcuch. Pozostałe trzy oglądała dłużej. Wreszcie oddała je Jimmy'emu Liczykrupie.

– Któryś z tych.

Odwrócił zdjęcia na drugą stronę.

– Fryeburg, Maine... Madison, New Hampshire... Anniston, New Hampshire. Masz przeczucie, o które z tych trzech miast może chodzić?

Rose znów wzięła zdjęcia do ręki, po czym uniosła te z widokiem Gór Białych z Fryeburga i Anniston.

– Myślę, że to albo to, ale jeszcze się upewnię.

– Jak? – spytał Kruk.

– Złożę jej wizytę.

– Jeśli wszystko, co mówisz, jest prawdą, to może być niebezpieczne.

– Zrobię to, kiedy będzie spała. Młode dziewczyny mają głęboki sen. Nie pozna, że u niej byłam.

– Jesteś pewna, że to konieczne? Te trzy miasta są w miarę blisko siebie. Moglibyśmy je wszystkie obskoczyć.

– Tak! – krzyknęła Rose. – Będziemy jeździć po ulicach i mówić ludziom „Szukamy dziewczyny z tych okolic, ale nie możemy jej namierzyć naszymi zwykłymi metodami, więc prosimy o pomoc. Nie zauważyliście państwo przypadkiem gimnazjalistki z darem przewidywania albo czytania w myślach?".

Papa Kruk westchnął, wcisnął swoje wielkie dłonie głęboko do kieszeni i spojrzał na Rose.

– Przepraszam – powiedziała. – Jestem trochę spięta. Chcę to załatwić i mieć to z głowy. I nie musicie się o mnie martwić. Potrafię o siebie zadbać.

3

Dan patrzył na świętej pamięci Eleanor Ouellette. Otwarte oczy, które zaczynały się szklić. Małe dłonie zwrócone ku górze. Otwarte usta. W nich była tylko bezczasowa cisza śmierci.

– Kim jesteś? – Z myślą: Jakbym tego nie wiedział. Czyż sam nie pragnął poznać odpowiedzi na nurtujące go pytania?

– *Wyrosłeś na porządnego człowieka.* – Wargi się nie poruszały, w słowach nie było śladu emocji. Może śmierć pozbawiła jego starego przyjaciela ludzkich uczuć; jakże wielka byłaby to strata. A może to był ktoś inny, kto tylko udawał Dicka.

– Jeśli jesteś Dickiem, udowodnij to. Powiedz mi coś, co tylko on i ja możemy wiedzieć.

Cisza. Ale wciąż wyczuwał czyjąś obecność. I wreszcie:

– *Zapytałeś mnie, czemu pani Brant chce spodni mężczyzny w szarej liberii.*

Dan w pierwszej chwili nie miał pojęcia, o co chodzi. A potem sobie przypomniał. To wspomnienie leżało na jednej z wysokich półek, na których trzymał wszystkie złe wspomnienia z Panoramy. I swoje skrytki, oczywiście. Pani Brant wymeldowywała się z hotelu w dniu, w którym przyjechał do Panoramy z rodzicami, i kiedy chłopak w szarej liberii przyprowadził jej wóz, Danny usłyszał jej myśl: Chciałabym wskoczyć w jego spodnie.

– *Byłeś tylko małym chłopcem z wielkim radiem w głowie. Było mi cię żal. Bałem się też o ciebie. I miałem rację, że się bałem, prawda?*

W tych słowach pobrzmiewało słabe echo życzliwości i poczucia humoru jego starego przyjaciela. To był Dick. Na pewno. Dan spojrzał w oszołomieniu na zmarłą kobietę. Światła znów się zapaliły i zgasły. Dzbanek z wodą raz jeszcze zadrżał.

– *Nie mogę zostać długo, synu. Pobyt tutaj sprawia mi ból.*

– Dick, jest pewna mała dziewczynka...

– *Abra.* – Prawie westchnienie. – *Jest taka jak ty. Historia kołem się toczy.*

Ona sądzi, że szuka jej pewna kobieta. Kobieta, która nosi kapelusz. Staroświecki cylinder. I czasem ma tylko jeden długi ząb u góry. Kiedy jest głodna. Tak powiedziała mi Abra.

– *Zapytaj, o co chcesz zapytać, synu. Nie mogę tu zostać. Ten świat to dla mnie już tylko sen o śnie.*

– Są też inni. Przyjaciele kobiety w cylindrze. Abra widziała ich z latarkami. Kim oni są?

Znowu cisza. Ale Dick wciąż z nim był. Odmieniony, lecz obecny. Dan czuł go w swoich zakończeniach nerwowych, w mrowieniu przebiegającym jak prąd elektryczny po wilgotnych powierzchniach oczu.

– *To puste diabły. Są chorzy i nie zdają sobie z tego sprawy.*

– Nie rozumiem.

– *I dobrze. Gdybyś ich kiedykolwiek spotkał... gdyby choć zwietrzyli cię z daleka... dawno byś nie żył, wykorzystany i porzucony jak zgniecione opakowanie. To spotkało tego, kogo Abra nazywa małym baseballistą. I wielu innych. Dzieci, które jaśnieją, są ich zwierzyną, ale sam się tego domyśliłeś, prawda? Puste diabły to rak na skórze świata. Niegdyś jeździli na wielbłądach przez pustynię; niegdyś przemierzali wschodnią Europę w karawanach. Żywią się krzykami i poją bólem. Przeżyłeś straszne chwile w Panoramie, Danny, ale przynajmniej los oszczędził ci spotkania tych ludzi. Teraz, kiedy ta dziwna kobieta upatrzyła sobie tę dziewczynkę, nie spoczną, dopóki jej nie dopadną. Może ją zabiją. Może przemienią. A może ją zatrzymają i będą wykorzystywać dotąd, aż ją zużyją do cna, a to byłoby najgorsze ze wszystkiego.*

– Nie rozumiem.

– *Wybiorą z niej całą treść. Sprawią, że stanie się pusta jak oni.*

– Z martwych ust dobyło się jesienne westchnienie.

– Dick, co ja mam, do licha, zrobić?

– *Daj tej dziewczynce to, czego chce.*

– Gdzie są te puste diabły?

– *W twoim dzieciństwie, skąd pochodzi każdy diabeł. Nic więcej nie wolno mi powiedzieć.*

– Jak mam ich powstrzymać?

– *Musisz ich zabić. To jedyne wyjście. Zmuś ich, żeby zjedli własną truciznę. Jak to zrobisz, znikną.*

– Ta kobieta w kapeluszu, ta dziwna kobieta… jak ona się nazywa? Wiesz to może?

Z głębi korytarza dobiegł stukot ściągaczki do podłóg i pogwizdywanie Poula Larsona. Atmosfera w pokoju się zmieniła. Coś, co było w stanie kruchej równowagi, zostało z niej wytrącone.

– *Zwróć się do przyjaciół. Tych, którzy wiedzą, kim jesteś. Wydaje mi się, że wyrosłeś na porządnego człowieka, synu, ale wciąż masz dług.*

– Nastąpiła pauza, a potem głos, który był i nie był głosem Dicka Halloranna, przemówił po raz ostatni, tonem suchego rozkazu: – *Spłać go.*

Czerwona mgiełka uniosła się z oczu, nosa i otwartych ust Eleanor. Wisiała nad zmarłą przez może pięć sekund, po czym zniknęła. Światła paliły się nieprzerwanym blaskiem. Dzbanek z wodą stał nieruchomo. Dick odszedł. Dan został sam z trupem.

Puste diabły.

Chyba nigdy nie słyszał straszliwszego określenia. Miało ono jednak sens… jeśli poznało się prawdziwe oblicze Panoramy. To było miejsce pełne diabłów, ale przynajmniej diabły te były martwe. W odróżnieniu od kobiety w cylindrze i jej przyjaciół.

„Wciąż masz dług. Spłać go".

Tak. Zostawił małego chłopca w obwisłej pielusze i koszulce Braves na pastwę losu. Abrze tego nie zrobi.

4

Zaczekał przy dyżurce pielęgniarek na karawan z domu pogrzebowego Geordie & Sons i odprowadził zakryte ciało na noszach do tylnych drzwi Rivington Jeden. Potem wrócił do swojego pokoju. Usiadł i wyjrzał na Cranmore Avenue, teraz całkowicie wymarłą. Nocny wiatr zrywał z dębów przedwcześnie pożółkłe liście i niósł je, roztańczone, kręcące piruety, w głąb ulicy. Po drugiej stronie miejskiego skweru dwa mocne pomarańczowe reflektory oświetlały równie wymarłe Minimiasto.

„Zwróć się do przyjaciół. Tych, którzy wiedzą, kim jesteś".

Billy Freeman wiedział, prawie od samego początku, bo leciuteńko jaśniał. A jeśli Dan miał dług, to Billy też, bo większa i silniejsza jasność Dana ocaliła mu życie.

Choć nie powiedziałbym mu o tym tymi słowami, pomyślał Dan. Nie musiał.

No i był jeszcze John Dalton, który zgubił zegarek i który, traf chciał, był lekarzem Abry. Co powiedział Dick martwymi ustami Eleanor U-La-La? „Historia kołem się toczy".

Co się tyczy tego, o co poprosiła Abra, tu sprawa była jeszcze łatwiejsza. Jednak żeby to zdobyć… z tym mogły być pewne kłopoty.

5

Kiedy Abra obudziła się w niedzielę rano, w skrzynce miała maila z adresu <u>dtor36@nhml.com</u>.

Abro, rozmawiałem z pewnym przyjacielem przy użyciu wspólnej nam obojgu umiejętności i jestem przekonany, że grozi Ci niebezpieczeństwo. Chcę omówić Twoją sytuację z innym przyjacielem, kimś, kogo znasz: Johnem Daltonem. Nie zrobię tego bez Twojej zgody. Sądzę, że John i ja możemy odszukać przedmiot, który narysowałaś na mojej tablicy.

Założyłaś już sobie alarm przeciwwłamaniowy? Możliwe, że szukają Cię pewni ludzie, i jest niezwykle ważne, by Cię nie znaleźli. Musisz być ostrożna. Wszystkiego dobrego i UWAŻAJ NA SIEBIE. Skasuj tego maila.

Wujek D.

Bardziej przekonał ją sam fakt, że wysłał do niej maila, niż jego treść, bo wiedziała, że nie lubił komunikować się w ten sposób; bał się, że rodzice zajrzą do jej skrzynki i pomyślą, że koresponduje z jakimś zwyrodnialcem.

Gdyby tylko wiedzieli, z jakimi zwyrodnialcami naprawdę miała do czynienia!

Była przerażona, a przy tym – teraz, kiedy świeciło słońce i żadna piękna wariatka w cylindrze nie podglądała jej przez okno – mocno podekscytowana. Czuła się jak bohaterka jednego z tych romansowych horrorów, które pani Robinson z biblioteki szkolnej wzgardliwie nazywała „porno dla podlotków". Dziewczyny z tych książek romansowały z wilkołakami, wampirami, nawet zombi, ale prawie nigdy się nie przemieniały w te istoty.

Fajnie też, że miała dorosłego obrońcę, zwłaszcza że był nim przystojny mężczyzna, swoim niechlujnym wdziękiem nieco przypominający jej Jaxa z *Synów anarchii*, serialu, który potajemnie oglądały z Em na komputerze.

Przeniosła mail od wujka Dana nie do kosza, tylko do niszczarki wiadomości, zwanej przez jej przyjaciółkę Emmę „nuklearnym wysypiskiem chłopaków". (Jakbyś kiedyś jakiegoś miała, pomyślała Abra złośliwie). Potem wyłączyła komputer i zamknęła pokrywę. Nie odpisała. Nie musiała. Wystarczyło, że zamknęła oczy.

Myk-myk.

Wiadomość wysłana. Abra poszła wziąć prysznic.

6

Kiedy Dan wrócił z poranną kawą, na tablicy była nowa wiadomość.

Możesz powiedzieć doktorowi Johnowi, ale NIE MOIM RODZICOM.

Nie. Nie jej rodzicom. Przynajmniej na razie. Dan jednak nie miał wątpliwości – zorientują się, że coś jest grane, i to pewnie prędzej raczej niż później. Rozbroi tę minę (albo ją wysadzi), kiedy przyjdzie na to czas. Na razie miał inne sprawy do załatwienia, poczynając od rozmowy telefonicznej.

Odebrało dziecko i kiedy poprosił do telefonu Rebeccę, usłyszał stukot upuszczonej słuchawki, a potem odległy, oddalający się krzyk: „Baa-bciu! Do ciebie!". Po kilku sekundach odezwała się Rebecca Clausen.

– Cześć, Becka, tu Dan Torrance.

– Jeśli dzwonisz w sprawie pani Ouellette, dostałam rano maila od...

– Nie o to chodzi. Muszę wziąć parę dni wolnego.

– Doktor Sen chce urlopu? Nie wierzę. Ostatniej wiosny praktycznie musiałam wykopać cię za drzwi, żebyś trochę odpoczął od pracy, a i tak przychodziłeś co najmniej raz dziennie. To sprawa rodzinna?

Dan pomyślał o teorii względności Abry i przytaknął.

Rozdział X
Szklane bibeloty

1

David Stone stał w szlafroku przy blacie kuchennym i ubijał jajka w misce, kiedy zadzwonił telefon. Na górze huczał prysznic. Jeśli Abra pozostanie wierna swojemu coniedzielnemu porannemu rytuałowi, będzie tak huczał, aż skończy się ciepła woda.

Spojrzał na wyświetlacz. Telefon był z kierunkowym 617, ale następne cyfry nie składały się na znany mu numer z Bostonu, ten, który łączył z telefonem stacjonarnym w apartamencie babci jego żony.

– Słucham?

– Och, David, jak dobrze, że cię złapałam. – To była Lucy. Wydawała się zupełnie wykończona.

– Gdzie jesteś? Dlaczego nie dzwonisz z komórki?

– W szpitalu Massachusetts General, dzwonię z automatu. Nie wolno tu używać komórek, wszędzie wiszą zakazy.

– Z Momo wszystko w porządku? I z tobą?

– Ze mną tak. Co do Momo, jest w stabilnym stanie… na razie… ale przez pewien czas było z nią bardzo źle. – Przełknięcie śliny. – I nadal jest. – Wtedy Lucy się rozkleiła. To nie był zwykły płacz; to był rozdzierający szloch.

David czekał. Był zadowolony, że Abra jest pod prysznicem, i miał nadzieję, że ciepłej wody starczy na długo. Wyglądało na to, że sprawa jest poważna.

Wreszcie Lucy odzyskała mowę.

– Tym razem złamała rękę.

– Aha. Rozumiem. To wszystko?

– Nie, to nie wszystko! – prawie krzyknęła na niego tym swoim tonem mówiącym „dlaczego faceci są tacy głupi?", którego serdecznie nie znosił, tym, który, jak sobie tłumaczył, odziedziczyła po włoskich przodkach. Przez myśl mu nie przeszło, że czasem rzeczywiście potrafił być dość głupi.

Wziął głęboki oddech dla uspokojenia.

– Powiedz, co się stało, kochanie.

Opowiedziała mu, z dwiema przerwami spowodowanymi kolejnymi wybuchami płaczu. David za każdym razem cierpliwie czekał, aż się opanuje. Była wykończona, ale nie chodziło tylko o to. Głównie, zdał sobie sprawę, po prostu powoli godziła się w sercu z tym, co jej rozum wiedział od wielu tygodni: jej Momo naprawdę umrze. I być może nie spokojną śmiercią.

Concetta, której sen ostatnio był już tylko najpłytszą drzemką, obudziła się po północy i musiała skorzystać z ubikacji. Zamiast wezwać Lucy i poprosić, żeby przyniosła basen, próbowała wstać i pójść do łazienki o własnych siłach. Udało jej się zwiesić nogi z łóżka i usiąść prosto, ale wtedy dostała zawrotów głowy i upadła na lewą rękę. Kość nie tyle się złamała, ile roztrzaskała na kawałki. Lucy, wymęczona tygodniami nocnej opieki pielęgniarskiej, do której nie była w żaden sposób przygotowana, obudziła się na krzyk babci.

– Nie wzywała pomocy – powiedziała Lucy – i właściwie nie

krzyczała. To nie był krzyk, to był przeraźliwy wrzask, jakby lisa, który stracił łapę w tych strasznych sidłach.

– Kochanie, to musiało być okropne.

Gdy tak stała we wnęce na parterze, w której były automaty z przekąskami i – *mirabile dictu* – kilka sprawnych telefonów, cała obolała i zlana schnącym potem (czuła swój zapach i na pewno nie była to woda toaletowa Light Blue Dolce & Gabbana), z łupiącą w głowie pierwszą od czterech lat migreną, Lucia Stone wiedziała, że za nic nie zdoła mu przekazać słowami, jak okropne to naprawdę było. Jakie to było paskudne odkrycie. Człowiekowi wydaje się, że rozumie podstawowy fakt – kobieta starzeje się, kobieta słabnie, kobieta umiera – a potem stwierdza, że to nie takie proste. Przekonuje się o tym, kiedy znajduje autorkę wielu najwybitniejszych wierszy swojej epoki leżącą w kałuży własnych sików i wrzeszczącą na wnuczkę, żeby zrobiła coś, by przestało boleć, zróbże coś, och, *madre de Cristo,* zrób coś, żeby nie bolało. Kiedy widzi niegdyś gładkie przedramię powykręcane jak zmięta ścierka do naczyń i słyszy, jak poetka nazywa je tym kurestwem, a potem mówi, że pragnie umrzeć, bo wtedy ból minie.

Czy możesz powiedzieć mężowi, że byłaś półprzytomna i sparaliżowana strachem, że zrobisz coś nie tak? Czy możesz powiedzieć mu o tym, jak ona drapała cię po twarzy, kiedy próbowałaś ją ruszyć, i wyła niczym rozjechany pies? Czy możesz wyrazić słowami, co czułaś, kiedy zostawiłaś swoją ukochaną babcię na podłodze i poszłaś wezwać pogotowie, a potem siedziałaś koło niej, czekając na karetkę, i poiłaś ją przez zgiętą słomkę wodą z oxycodonem? Co czułaś, gdy karetka nie przyjeżdżała i nie przyjeżdżała, a ty myślałaś o tej piosence Gordona Lightfoota *The Wreck of the „Edmund Fitzgerald",* tej, w której pada pytanie, czy ktoś wie, gdzie podziewa się miłość Boga, kiedy fale zmieniają minuty w godziny? Fale zalewające Momo były falami bólu i nieubłaganie nadciągały jedna za drugą, topiły ją.

Gdy znów zaczęła krzyczeć, Lucy wsunęła obie ręce pod jej plecy i dźwignęła ją na łóżko niewprawnym podrzutem, który, była tego pewna, będzie czuła w ramionach i krzyżu przez wiele dni, jeśli nie tygodni. Musiała zamknąć uszy na rozpaczliwe krzyki Momo: „Zostaw mnie, chcesz mnie zabić?!". Potem usiadła oparta plecami o ścianę, zdyszana, ze strąkami włosów przylepionymi do policzków, podczas gdy Momo łkała, tuliła do siebie potwornie zdeformowaną rękę i pytała, dlaczego Lucia robi jej krzywdę i za co los tak ją karze.

Wreszcie przyjechała karetka i jakiś mężczyzna – Lucy nie znała jego imienia, ale błogosławiła go w swoich nieskładnych modlitwach – zrobił Momo zastrzyk, który ją uśpił. Czy możesz powiedzieć mężowi, że pragnęłaś, by ten zastrzyk ją zabił?

– To było okropne, fakt. – Na tym poprzestała. – Dobrze, że Abra nie chciała przyjechać w ten weekend.

– Chciała, ale miała dużo zadane i wczoraj stwierdziła, że musi iść do biblioteki. Musiało chodzić o coś ważnego, bo sama wiesz, jak zawsze suszy mi głowę, żebym ją zabrał na mecz. – Plótł piąte przez dziesiąte. Jak skończony głupiec. Ale co innego miał powiedzieć? – Lucy, tak strasznie mi przykro, że musiałaś przejść przez to sama.

– Po prostu… gdybyś mógł usłyszeć jej krzyk. Wtedy może byś zrozumiał. Nigdy więcej nie chcę słyszeć takiego krzyku. Zawsze w każdej sytuacji była taka opanowana… nie traciła głowy, gdy wszyscy wpadali w panikę…

– Wiem…

– I żeby potem skończyć w takim stanie, w jakim była w nocy...
Jedynymi słowami, jakie pamiętała, były „pizda", „gówno", „szczo-
chy", „kurwa", *meretrice* i...

– Nie myśl o tym, kochanie. – Na górze ucichł prysznic. Wytarcie się i wskoczenie w niedzielne ciuchy zajmie Abrze kilka minut;
wkrótce córka zbiegnie na dół, z rozwianymi połami koszuli i fru-
wającymi sznurówkami tenisówek.

Ale Lucy nie była gotowa przestać o tym myśleć.

– Pamiętam wiersz, który kiedyś napisała. Nie zacytuję go słowo
w słowo, ale zaczyna się mniej więcej tak: „Bóg jest koneserem
rzeczy kruchych i ozdabia swój chmurny punkt widzenia bibelotami
z najdelikatniejszego szkła". Dawniej wydawało mi się, że to zbyt
konwencjonalnie ładny obraz jak na wiersz Concetty Reynolds,
prawie cukierkowaty.

I oto ona, jego Abba-Daba-Du – ich Abba-Daba-Du – ze skórą
zarumienioną od prysznica.

– Wszystko w porządku, tatusiu?

David uniósł dłoń: Zaczekaj chwilę.

– Teraz wiem, o co jej tak naprawdę chodziło, i już nigdy nie
będę w stanie przeczytać tego wiersza.

– Przyszła Abby, skarbie – powiedział sztucznie wesołym głosem.

– To dobrze. Muszę z nią porozmawiać. Nie będę już ryczeć,
więc o to się nie martw, ale nie możemy jej przed tym chronić.

– Może chociaż przed tym, co najgorsze? – spytał delikatnie.
Abra stała przy stole, jej mokre włosy związane były w dwa kucyki, w których wyglądała, jakby znów miała dziesięć lat. Patrzyła
na niego z poważną miną.

– Może – przytaknęła Lucy. – Dłużej nie dam rady, Davey.

Nawet gdyby ktoś codziennie przychodził mi pomagać. Myślałam, że podołam, ale okazuje się, że nie. Niedaleko od nas, we Frazier, jest hospicjum. Powiedziała mi o nim pielęgniarka z rejestracji. Pewnie szpitale trzymają listy tego typu instytucji na takie okazje. Ta nazywa się Rivington House. Zadzwoniłam tam przed telefonem do ciebie i dziś zwolniło się u nich miejsce. Widać w nocy Bóg zrzucił następny bibelot ze swojego kominka.

– Chetta jest przytomna? Rozmawiałaś z nią o…

– Ocknęła się parę godzin temu, ale była skołowana. Przeszłość mieszała się jej ze współczesnością jak w sałatce.

To wszystko działo się w czasie, gdy ja twardo spałem, pomyślał David ze wstydem. I bez wątpienia śniłem o mojej książce.

– Kiedy zacznie kontaktować… a zakładam, że tak się stanie… powiem jej, najdelikatniej jak się da, że decyzja nie należy do niej. Idzie do hospicjum i już.

– W porządku. – Gdy Lucy coś postanowiła, tak naprawdę postanowiła, najlepiej było zejść jej z drogi i pozwolić, żeby dopięła swego.

– Tato? Z mamą wszystko w porządku? A z Momo?

Abra wiedziała, że jej mama ma się dobrze, a Momo nie. Większość z tego, co Lucy mówiła przez telefon, usłyszała, kiedy stała pod prysznicem. Szampon i łzy ściekały po policzkach. Nauczyła się jednak przylepiać uśmiech do twarzy, dopóki ktoś nie powie jej wprost, że pora zrobić smutną minę. Była ciekawa, czy jej nowy znajomy Dan też musiał zdobyć tę umiejętność w dzieciństwie. Na pewno.

– Chia, Abby chyba chce z tobą porozmawiać.

Lucy westchnęła.

– Daj ją – powiedziała.

David podał słuchawkę córce.

2

O drugiej po południu tej niedzieli Rose Kapelusz wywiesiła na drzwiach swojego wielkiego samochodu turystycznego kartkę NIE PRZESZKADZAĆ CHYBA ŻE TO ABSOLUTNIE KONIECZNE. Najbliższe godziny miała starannie zaplanowane. Nie będzie dziś nic jadła, pić będzie tylko wodę. Zamiast porannej kawy zaaplikowała sobie środek wymiotny. Kiedy przyjdzie pora, by wniknąć do umysłu dziewczyny, będzie czysta jak pusta szklanka.

Nierozpraszana potrzebami fizjologicznymi, będzie mogła zdobyć wszystkie niezbędne informacje: nazwisko dziewczyny, gdzie dokładnie jest, ile wie i – co najważniejsze – z kim mogła rozmawiać. Od czwartej po południu do dziesiątej wieczorem Rose będzie leżeć nieruchomo na swoim podwójnym łóżku w earthcruiserze, patrzeć w sufit i medytować. Kiedy jej umysł będzie tak czysty jak jej ciało, nabierze pary z jednego ze zbiorników w schowku – wystarczy jeden niuch – i znów zakręci światem tak, by znalazła się w dziewczynie, a dziewczyna w niej. O pierwszej w nocy czasu wschodniego zwierzyna będzie twardo spać i Rose będzie mogła do woli szperać w jej myślach. Może nawet uda się zaszczepić w niej sugestię: Przyjadą pewni ludzie. Pomogą ci. Pójdziesz z nimi.

Ale jak przed dwustu laty zauważył Bobbie Burns, ten farmer poeta z dawno minionej epoki, najmyślniejsze plany myszy i ludzi często w gruzy się walą i ledwie powiedziała pierwsze słowa mantry odprężającej, ktoś załomotał do drzwi.

– Precz! – krzyknęła. – Nie widzisz kartki?

– Rose, jest ze mną Orzech! – zawołał Kruk. – Myślę, że ma to, czego chciałaś, ale potrzebuje twojej zgody, a każda chwila jest na wagę złota.

Przez chwilę leżała nieruchomo, po czym wypuściła powietrze ze złością i wstała. Chwyciła pamiątkowy T-shirt z Sidewinder (DAJ BUZIAKA NA DACHU ŚWIATA!) i wciągnęła go przez głowę. Sięgał jej do połowy ud. Otworzyła drzwi.

– Oby to było coś dobrego.

– Możemy przyjść później – powiedział Orzech. Był niskim mężczyzną z łysą czaszką i szorstkimi kępami siwych włosów sterczącymi nad czubkami uszu. W dłoni trzymał kartkę papieru.

– Nie trzeba, tylko się streszczaj.

Usiedli przy stole w saloniku połączonym z kuchnią. Rose wyrwała kartkę z ręki Orzecha i obrzuciła ją spojrzeniem. Widniał na niej jakiś skomplikowany wzór chemiczny złożony z sześcio-kątów. Nic jej to nie mówiło.

– Co to jest?

– Mocny środek uspokajający – wyjaśnił Orzech. – Nowy i czysty. Jimmy zdobył ten wzór od naszego człowieka w Agencji Bezpieczeństwa Narodowego. To ją uśpi bez ryzyka przedawkowania.

– Wydaje się, że tego właśnie nam trzeba. – Rose wiedziała, że powinna okazać więcej entuzjazmu. – Ale czy to nie mogło poczekać do jutra?

– Przepraszam, przepraszam – wymamrotał Orzech potulnie.

– A ja nie – rzucił Kruk. – Jak chcesz szybko i sprawnie dorwać tę dziewczynę, będę musiał nie tylko zdobyć ten środek, ale i zorganizować jego wysyłkę do jednej z naszych skrytek pocztowych.

Prawdziwi mieli ich setki w całej Ameryce, większość w placówkach Mail Boxes Etc. i UPS. Jeśli zamierzali z którejś skorzystać, musieli to zaplanować z wielodniowym wyprzedzeniem, bo podróżowali tylko kamperami. Prawdziwi prędzej poderżnęliby sobie gardła, niż wsiedli do środków transportu publicznego.

Mogli wynająć samolot, ale źle znosili latanie; wszyscy bez wyjątku cierpieli na chorobę wysokościową. Orzech sądził, że to dlatego, że mają zupełnie inne układy nerwowe niż ćwoki. Rose przede wszystkim obawiała się pewnego układu nerwowego finansowanego z kieszeni podatników. Bardzo nerwowego. Po jedenastym września Departament Bezpieczeństwa Wewnętrznego drobiazgowo kontrolował nawet prywatne samoloty, a pierwsza zasada przetrwania Prawdziwego Węzła głosiła: nigdy nie rzucać się w oczy.

Dzięki sieci autostrad międzystanowych kampery zawsze zaspokajały ich potrzeby transportowe i tak samo będzie teraz. Mały oddział wypadowy, z kierowcami zmieniającymi się za kółkiem co sześć godzin, mógł dotrzeć z Sidewinder do północnej Nowej Anglii w niespełna trzydzieści godzin.

– W porządku – powiedziała udobruchana. – Co mamy przy I-90 w stanie Nowy Jork lub Massachusetts?

Kruk nie zawahał się, nie zająknął ani nie zastrzegł, że będzie to musiał sprawdzić.

– EZ Mail Services w Sturbridge w Massachusetts.

Trzepnęła palcami krawędź kartki z niezrozumiałym wzorem chemicznym, którą Orzech trzymał w ręku.

– Niech wyślą to tam. Przez co najmniej trzech pośredników, żeby nikt nie powiązał tego z nami. Jak najdłuższą drogą.

– Starczy na to czasu? – spytał Kruk.

– Nie widzę powodu do pośpiechu. – Rose później miała pożałować tych słów. – Wyślijcie to na południe, potem na Środkowy Zachód, i dopiero stamtąd do Nowej Anglii. Byleby było w Sturbridge w czwartek. Skorzystajcie z Express Mail, nie FedExu czy UPS.

– Da się zrobić – skwitował Kruk. Bez wahania.

Rose odwróciła się do lekarza Prawdziwych.

– Obyś miał rację, Orzech. Jeśli przedawkujesz i uśpisz ją na stałe, dopilnuję, żebyś został pierwszym wygnanym Prawdziwym od czasu Little Big Horn.

Orzech lekko zbladł. Dobrze. Nie miała zamiaru nikogo wygnać, ale wciąż była zła, że jej przeszkodzili.

– Dostarczymy ten środek do Sturbridge, a Orzech będzie wiedział, co z nim zrobić – podsumował Kruk. – Żaden kłopot.

– Nie ma niczego prostszego? Czegoś, co dałoby się zdobyć gdzieś tutaj?

– Nie – odparł Orzech – chyba że chcemy, żeby odwaliła nam tu Michaela Jacksona. Ten środek jest bezpieczny i działa szybko. Jeśli dziewczyna ma tak wielką moc, im szybsze działanie, tym dla nas...

– Dobrze, dobrze, rozumiem. To wszystko?

– Jeszcze jedno – powiedział Orzech. – To pewnie mogłoby poczekać, ale...

Wyjrzała przez okno i, Boże, ty widzisz, a nie grzmisz, oto nadciągał Jimmy Liczykrupa. Zasuwał przez parking obok Domu Turysty Panorama, też z jakąś kartką. Po co w ogóle wywiesiła na drzwiach prośbę NIE PRZESZKADZAĆ? Czemu nie zaproszenie WSZYSCY WCHODŹCIE?

Rose zebrała cały swój podły nastrój, wsadziła go do wora, wór schowała w głębi umysłu i uśmiechnęła się dzielnie.

– O co chodzi?

– Dziadzio Flick nie trzyma już kakałka – stwierdził Kruk.

– Od dwudziestu lat go nie trzyma – zauważyła Rose. – Nie chce nosić pieluch, a ja go do tego nie zmuszę. Ani ja, ani nikt inny.

– Tym razem jest inaczej – dodał Orzech. – Ledwo zwleka

się z łóżka. Baba i Czarnooka Sue się nim opiekują, ale w jego kamperze śmierdzi tak, że głowę urywa…

– Wyjdzie z tego. Nakarmimy go parą. – Ale nie podobała jej się mina Orzecha. Tommy Bryka odszedł przed dwoma laty i według rachuby czasu Prawdziwych, równie dobrze mogło się to stać dwa tygodnie temu. Teraz Dziadzio Flick?

– Rozum mu wysiada – powiedział Kruk wprost. – I… – Spojrzał na Orzecha.

– Petty była z nim dziś rano i mówi, że chyba wpadł w cykl.

– Chyba? – Rose nie chciała w to wierzyć. – Widział to ktoś jeszcze? Baba? Sue?

– Nie.

Wzruszyła ramionami, jakby chciała powiedzieć „a widzisz". Zanim mogli kontynuować tę dyskusję, zapukał Jimmy i tym razem była zadowolona, że jej przerwano.

– Wlazł!

Jimmy wsadził głowę do środka.

– Na pewno nie przeszkadzam?

– Na pewno! Może przy okazji sprowadzisz tu tancerki i orkiestrę dętą? Kurczę, przecież ja tylko chciałam sobie pomedytować po kilku przyjemnych godzinach rzygania.

Kruk patrzył na nią z lekkim wyrzutem i może na to zasługiwała – co tam może, na pewno, w końcu ci ludzie tylko wykonywali robotę na rzecz Prawdziwych, którą sama im zleciła – ale zrozumiałby, gdyby sam musiał objąć stery. Ani chwili dla siebie, jeśli nie zagrozi im się śmiercią. A w wielu przypadkach nawet nie wtedy.

– Mam coś, co powinnaś zobaczyć – rzekł Jimmy. – A skoro i tak już są tu Kruk i Orzech, pomyślałem sobie, że…

– Wiem, co sobie pomyślałeś. O co chodzi?

– Szukałem w Internecie wiadomości o tych dwóch miastach, na których się skupiłaś, Fryeburgu i Anniston. Znalazłem coś w „Manchester Union-Leader". W numerze z zeszłego czwartku. Może to nic takiego.

Wzięła kartkę. Wiadomością dnia była wymuszona cięciami budżetowymi likwidacja drużyny futbolowej w jakiejś szkole na zadupiu. Pod spodem zamieszczono krótszy artykuł, zakreślony przez Jimmy'ego.

„KIESZONKOWE TRZĘSIENIE ZIEMI" W ANNISTON

Jak małe może być trzęsienie ziemi? Bardzo małe, jeśli wierzyć mieszkańcom Richland Court, krótkiej ulicy w Anniston, która kończy się na brzegu rzeki Saco. Późnym wtorkowym popołudniem kilkoro z nich doniosło o wstrząsie, od którego zadrżały szyby i podłogi, a z półek pospadały szklane naczynia. Dane Borland, emeryt zamieszkały przy końcu ulicy, wskazuje pęknięcie przecinające w poprzek jego świeżo wyasfaltowany podjazd. „Jeśli trzeba dowodu, proszę bardzo", mówi.

Choć Instytut Badań Geologicznych w Wrentham w stanie Massachusetts twierdzi, że we wtorek po południu nie odnotowano w Nowej Anglii żadnych wstrząsów tektonicznych, Matt i Cassie Renfrew skorzystali z okazji, by wyprawić „przyjęcie z okazji trzęsienia ziemi", w którym uczestniczyła prawie cała ulica.

Andrew Sittenfeld z Instytutu Badań Geologicznych uważa, że wstrząsy, które odczuli mieszkańcy Richland Court, mogły być skutkiem przepływu dużej ilości wody przez kanalizację bądź przelotu samolotu wojskowego pokonującego barierę dźwięku. Pan Renfrew śmieje się, słysząc te spekulacje. „Wiemy, co czuliśmy – mówi. – To było trzęsienie ziemi. I tak naprawdę tylko na nim zyskaliśmy. Szkody były nieduże, a nadarzyła się okazja do dobrej zabawy".

(Andrew Gould)

Rose przeczytała to dwa razy i podniosła głowę. Oczy jej błyszczały.

– Dobra robota, Jimmy.

Uśmiechnął się szeroko.

– Dzięki. To ja już was zostawię.

– Zabierz ze sobą Orzecha, musi zajrzeć do Dziadzia. Kruk, zostań na chwilę.

Kiedy wyszli, Papa Kruk zamknął drzwi.

– Myślisz, że ta dziewczyna wywołała to trzęsienie ziemi w New Hampshire?

– Tak. Nie jestem pewna na sto procent, ale na co najmniej osiemdziesiąt. A teraz, kiedy mam miejsce, na którym mogę się skupić... i miasto, i konkretną ulicę... dużo łatwiej mi będzie ją w nocy odszukać.

– Gdybyś zaszczepiła jej w głowie sugestię, żeby sama do nas przyszła, Rosie, może nawet nie musielibyśmy jej uśpić.

Uśmiechnęła się i znów pomyślała, że Kruk nie zdaje sobie sprawy, z jak niezwykłą osobą mają do czynienia. Później pomyśli: *Też tego nie wiedziałam. Tylko mi się zdawało, że wiem.*

– Każdemu wolno mieć nadzieję, jak sądzę. Ale jak już dostaniemy ją w swoje ręce, potrzebne nam będzie coś trochę bardziej wyrafinowanego od środka odurzającego, nawet najbardziej nowoczesnego. Jakiś cudowny lek, który sprawi, że będzie grzeczna i potulna, dopóki sama nie dojdzie do wniosku, że w jej interesie jest z nami współpracować.

– Zabierzesz się z nami, kiedy pojedziemy ją zgarnąć?

Rose do tej pory sądziła, że tak, lecz teraz zawahała się na myśl o Dziadziu Flicku.

– Jeszcze nie wiem.

O nic nie pytał – za co była mu wdzięczna – tylko odwrócił się w stronę drzwi.

– Dopilnuję, żeby nikt więcej ci nie przeszkadzał.

– Dobrze. I każ Orzechowi dokładnie przebadać Dziadzia... dokładnie, to znaczy od gęby po zadek. Jeśli naprawdę wpadł w cykl, chcę o tym wiedzieć jutro, jak tylko wyjdę z transu. – Otworzyła skrytkę w podłodze i wyjęła jeden ze zbiorników. – I daj mu to, co w tym zostało.

Kruk był w szoku.

– Wszystko? Rose, jeśli wpadł w cykl, nie ma sensu.

– Daj mu to i już. Mieliśmy dobry rok, o czym niektórzy z was ostatnio ciągle mi przypominają. Możemy sobie pozwolić na odrobinę rozrzutności. Poza tym Prawdziwy Węzeł ma tylko jednego dziadzia, który pamięta czasy, kiedy Europejczycy czcili drzewa, nie apartamenty w górach. Zrobimy wszystko, żeby go nie stracić. Nie jesteśmy dzikusami.

– Ćwoki mogłyby być innego zdania.

– Dlatego są ćwokami. Idź już.

3

Po wakacjach Minimiasto w niedziele było czynne do trzeciej po południu. Tego popołudnia, za piętnaście szósta, trzej olbrzymi siedzieli na ławkach przy końcu miniaturowej Cranmore Avenue, górując nad miniaturową apteką i miniaturowym kinem Music Box (przez którego okno w sezonie turystycznym można było oglądać miniaturowe urywki filmów wyświetlane na miniaturowym ekranie). John Dalton przyszedł na spotkanie w czapce Red Sox, którą położył na głowie miniaturowego posągu Helen Rivington na miniaturowym placu przed miniaturowym ratuszem.

– Na pewno im kibicowała – powiedział. – W tych stronach kibicują im wszyscy. Tylko tacy banici jak ja zachowują w sercu trochę miejsca dla Yankees. Co mogę dla ciebie zrobić, Dan? Jestem tu, zamiast jeść kolację z rodziną. Moja żona to wyrozumiała kobieta, ale jej cierpliwość ma swoje granice.

– Puściłaby cię ze mną na parę dni do Iowa? – spytał Dan.
– Na mój koszt, oczywiście. Muszę w ramach dwunastego kroku złożyć wizytę wujkowi, który zabija się gorzałą i kokainą. Rodzina błaga mnie o interwencję, a sam nie mogę tego zrobić.

W AA nie ma żadnych reguł, jest za to wiele tradycji (które de facto są regułami). Jedna z najbardziej żelaznych zakazuje odwiedzania czynnego alkoholika w pojedynkę, chyba że rzeczony alkoholik jest bezpiecznie zamknięty w szpitalu, na odwykówce albo w lokalnym wariatkowie. Spotkanie sam na sam z dużym prawdopodobieństwem skończyłoby się wspólną popijawą lub wspólnym ćpaniem. Nałóg, jak mawiał Casey Kingsley, to dar na całe życie.

Dan spojrzał na Billy'ego Freemana i uśmiechnął się.

– Chcesz coś powiedzieć? Wal śmiało.

– Sądzę, że nie masz wujka. Nie jestem pewien, czy w ogóle została ci jakaś rodzina.

– To wszystko? Nie jesteś pewien?

– Cóż… nigdy o nich nie mówisz.

– Wielu ludzi ma rodziny, o których nic nie mówią. Ale ty wiesz, że ja nie mam nikogo, prawda?

Billy nie odpowiedział, wyraźnie się speszył.

– Danny, nie mogę jechać do Iowa – odezwał się John. – Mam zapisanych pacjentów aż do weekendu.

Dan wciąż patrzył w skupieniu na Billy'ego. Włożył rękę do kieszeni, chwycił coś i wyciągnął przed siebie zaciśniętą pięść.

– Co tu mam?

Billy speszył się jeszcze bardziej. Zerknął na Johna, zobaczył, że na jego pomoc nie ma co liczyć, i przeniósł wzrok z powrotem na Dana.

– John wie, co potrafię – powiedział Dan. – Raz mu pomogłem i wie, że pomogłem też paru innym ludziom z Programu. Jesteś wśród przyjaciół.

Billy myślał przez chwilę.

– Możliwe, że to moneta, ale sądzę, że to jeden z tych twoich medali z AA – rzekł w końcu. – Tych, które dają za każdy kolejny rok trzeźwości.

– Ten jest za który rok?

Billy zawahał się, wpatrzony w zaciśniętą pięść Dana.

– Pozwól, że ci pomogę – wtrącił John. – Przestał pić wiosną 2001 roku, więc jeśli nosi przy sobie medalion, to pewnie za Rok Dwunasty.

– Tak by się wydawało, ale nie. – Billy się skoncentrował, dwie głębokie bruzdy wyryły się w jego czole wokół oczu. – Myślę, że to... siódemka?

Dan otworzył dłoń. Na medalionie widniało wielkie VI.

– Kurde – zmartwił się Billy. – Zwykle takie rzeczy zgaduję.

– Niewiele ci zabrakło – zauważył Dan. – I to nie zgadywanie, tylko jasność.

Billy wyjął papierosy, spojrzał na siedzącego obok lekarza i schował je z powrotem.

– Skoro tak twierdzisz.

– Pozwól, że powiem ci coś o tobie, Billy. Kiedy byłeś mały, niczego się przed tobą nie dało ukryć. Wiedziałeś, kiedy twoja matka jest w dobrym humorze i możesz wydębić od niej dodatkowego dolca czy dwa. Wiedziałeś też, kiedy twój tata ma zły nastrój i lepiej nie wchodzić mu w drogę.

– Na pewno wiedziałem, że w niektóre wieczory lepiej nie grymasić, że na kolację jest duszone mięso z wczoraj – rzekł Billy.

– Uprawiałeś hazard?

– Grałem na wyścigach w Salem. Sporo zarobiłem. Potem, w wieku dwudziestu kilku lat, jakoś przestałem trafiać. Był taki miesiąc, że musiałem prosić o prolongatę czynszu, i to mnie wyleczyło z zakładów.

– Tak, ten dar z wiekiem słabnie, ale w pewnym stopniu masz go do dziś.

– Twój jest silniejszy – stwierdził Billy. Teraz już bez wahania.

– To naprawdę istnieje, co? – powiedział John. To nie było pytanie; to było spostrzeżenie.

– W tym tygodniu masz tylko jedną wizytę, której sumienie nie pozwala ci opuścić ani przekazać komuś innemu – powiedział Dan. – Chodzi o dziewczynkę z rakiem żołądka. Nazywa się Felicity...

– Frederika – poprawił go John. – Frederika Bimmel. Leży w szpitalu w Merrimack Valley. Jestem umówiony na konsultację z onkologiem i jej rodzicami.

– W sobotę rano.

– Tak. W sobotę rano. – Spojrzał na Dana ze zdumieniem.

– Jezu. Jezu Chryste. To, co masz… pojęcia nie miałem, że to jest aż tak silne.

– W czwartek odstawię cię z powrotem do domu. Najpóźniej w piątek.

Chyba że nas aresztują, pomyślał. Wtedy wyjazd może się przedłużyć. Zerknął na Billy'ego, żeby sprawdzić, czy wychwycił tę niezbyt optymistyczną myśl. Nic na to nie wskazywało.

– O co chodzi?

– O inną twoją pacjentkę. Abrę Stone. Jest taka jak Billy i ja, John, ale pewnie już to wiesz. Tylko dużo, dużo potężniejsza. Ja mam o wiele większą moc niż Billy, a w porównaniu z nią jestem jak wróżka z lunaparku.

– O mój Boże, te łyżki!

Dan początkowo nie zrozumiał, ale zaraz sobie przypomniał.

– Powiesiła je na suficie.

John wybałuszył na niego oczy.

– Wyczytałeś to w moich myślach?

– Wyjaśnienie jest trochę bardziej banalne, niestety. Powiedziała mi o tym.

– Kiedy? Kiedy?!

– Dojdziemy do tego, ale jeszcze nie teraz. Najpierw spróbujmy naprawdę poczytać ci w myślach. – Dan wziął Johna za rękę. To pomogło; kontakt fizyczny prawie zawsze pomagał. – Jej rodzice przyszli do ciebie, kiedy była mała. A może nie rodzice, tylko ciotka albo babcia. Niepokoili się o nią, jeszcze zanim ozdobiła kuchnię sztućcami, bo w ich domu występowały różne paranormalne zjawiska. Coś w związku z fortepianem… Billy, pomóż mi.

Billy chwycił wolną dłoń Johna. Dan wziął Billy'ego za rękę, zamykając krąg. Miniseans w Minimieście.

– Muzyka Beatlesów – rzekł Billy. – Na fortepianie zamiast na gitarze. To było... nie wiem. Przez jakiś czas doprowadzało ich to do obłędu.

John tylko patrzył na niego.

– Słuchaj – odezwał się Dan – masz jej zgodę na to, żeby o tym mówić. Ona tego chce. Zaufaj mi, John.

John Dalton rozmyślał przez prawie całą minutę. Potem powiedział im wszystko, z jednym wyjątkiem.

Ta historia z *Simpsonami* na wszystkich kanałach była po prostu zbyt dziwna.

4

Skończywszy swoją opowieść, John zadał oczywiste pytanie: Skąd Dan zna Abrę Stone?

Dan wyjął z tylnej kieszeni mały, sfatygowany notes. Na okładce widniało zdjęcie fal rozbijających się o cypel i sentencja NIC WIELKIEGO NIE POWSTAJE NAGLE.

– Kiedyś nosiłeś to przy sobie, dobrze kojarzę? – spytał John.

– Tak. Wiesz, że Casey K. to mój sponsor, prawda?

John przewrócił oczami.

– Jakże mógłbym zapomnieć, skoro ile razy otwierasz usta na spotkaniu, zaczynasz od: „Jak mawia mój sponsor, Casey K.".

– Nikt nie lubi mądrali.

– Moja żona lubi – stwierdził John. – Bo jestem seksownym mądralą.

Dan westchnął.

– Zajrzyj do notesu.

John przewertował kartki.

– To lista spotkań. Z 2001 roku.

– Casey kazał mi zaliczyć dziewięćdziesiąt w dziewięćdziesiąt dni i wszystkie zapisywać. Spójrz na notatkę z ósmego spotkania.

Doktor John Dalton ją odszukał. Spotkanie w kościele metodystów we Frazier. Sam rzadko na nim bywał, ale je znał. Pod datą, skreślone ozdobnymi literami, widniało słowo ABRA.

Spojrzał na Dana z niezupełnym niedowierzaniem.

– Skontaktowała się z tobą, kiedy miała dwa miesiące?!

– Widzisz, że zaraz pod spodem jest data następnego spotkania, więc nie mogłem dopisać jej imienia później, żeby ci zaimponować. Chyba że sfałszowałem cały notes, a w Programie jest wiele osób, które mnie z nim widziały.

– Ze mną włącznie – mruknął John.

– Tak, z tobą włącznie. W tamtych czasach zawsze miałem notes w jednej ręce i kawę w drugiej. To były moje kocyki bezpieczeństwa. Nie wiedziałem wtedy, kto to jest Abra, i mało mnie to obchodziło. To był tylko przypadkowy kontakt, jakich wiele. Jakby dziecko w kolebce wyciągnęło rękę i dotknęło twojego nosa.

Potem, dwa–trzy lata później, napisała jedno słowo na tablicy z listą pacjentów, którą trzymam w swoim pokoju. Słowo „cześć". I od tej pory co jakiś czas odzywała się do mnie. Jakby dla podtrzymania kontaktu. Nie wiem, czy w ogóle zdawała sobie sprawę, że to robi. Ale wiedziała, że gdzieś tam jestem. I dlatego kiedy potrzebowała pomocy, zwróciła się do mnie.

– Jakiego rodzaju pomocy potrzebuje? Jakie ma kłopoty? – John zwrócił się do Billy'ego. – Wiesz coś o tym?

Billy pokręcił głową.

– Pierwszy raz słyszę o tej dziewczynie. W ogóle rzadko bywam w Anniston.

– Kto powiedział, że Abra mieszka w Anniston?

Billy wskazał kciukiem Dana.

– On. Prawda?

John odwrócił się do Dana.

– No dobra. Załóżmy, że mnie przekonałeś. Powiedz wszystko od początku do końca.

Dan opowiedział im o koszmarze Abry o małym baseballiście. O postaciach świecących na niego latarkami. O kobiecie z nożem, która zlizywała krew chłopca ze swoich dłoni. O tym, jak dużo później Abra znalazła zdjęcie tego chłopca w „Shopperze".

– I jakim cudem udało jej się to wszystko zobaczyć? Bo ten dzieciak, którego zabili, też, jak ty to nazywasz, jaśniał?

– Jestem prawie pewien, że dzięki temu nawiązali kontakt. Musiał wzywać pomocy, kiedy go torturowali. Abra wezwanie odebrała i to wytworzyło między nimi więź.

– Która przetrwała nawet po śmierci Brada Trevora?

– Myślę, że za drugim razem wyczuła nie jego, tylko coś, co do niego należało... jego rękawicę baseballową. I weszła w kontakt z jego zabójcami, bo jeden z nich ją włożył. Abra nie wie, jak to robi, ja też nie. Jedno wiem na pewno: ma wielką moc.

– Tak jak ty.

– Słuchaj dalej – powiedział Dan. – Tym ludziom... jeśli to są ludzie... przewodzi kobieta, która tak okrutnie zamordowała małego baseballistę. Kiedy Abra znalazła zdjęcie Brada Trevora na stronie z zaginionymi dziećmi w lokalnej gazecie, jeszcze tego samego dnia wniknęła do głowy tej kobiety. A ta kobieta do głowy Abry. Przez kilka sekund jedna widziała świat oczami drugiej i vice versa. – Uniósł dłonie, zacisnął pięści i obrócił je. – Zamieniły się miejscami. Abra uważa, że ci ludzie mogą po

347

nią przyjść, i jestem tego samego zdania. Bo może być dla nich niebezpieczna.

– To nie wszystko, prawda? – spytał Billy.

Dan patrzył na niego wyczekująco.

– Ludzie, którzy potrafią robić te numery z jasnością czy jak to nazwać, coś w sobie mają, zgadza się? Coś, czego chcą tamci. Coś, co mogą zdobyć, tylko zabijając.

– Tak sądzę, owszem. – Właściwie Dan był tego pewien.

– Czy ta kobieta wie, gdzie jest Abra? – spytał John.

– Abra sądzi, że nie, ale trzeba pamiętać, że ma zaledwie trzynaście lat. Może się mylić.

– A Abra wie, gdzie jest ta kobieta?

– Wie tylko, że kiedy nastąpił ten kontakt… to współwidzenie, robiła zakupy w supermarkecie Sam's. To znaczy, że musiała wtedy być gdzieś na zachodzie, ale sklepy tej sieci są w co najmniej dziewięciu stanach.

– Włącznie z Iowa?

Dan pokręcił głową.

– W takim razie nie rozumiem, po co mielibyśmy tam jechać – zniecierpliwił się John.

– Żeby znaleźć tę rękawicę – powiedział Dan. – Abra sądzi, że jeśli weźmie ją do ręki, zdoła namierzyć człowieka, który ją na chwilę włożył. Nazywa go Barrym Kufają.

John siedział ze spuszczoną głową i myślał. Dan mu nie przeszkadzał.

– Zgoda – powiedział lekarz wreszcie. – To obłęd, ale kupuję to. Biorąc pod uwagę to, co wiem o przeszłości Abry, i moje własne doświadczenia z tobą, właściwie trudno, żeby było inaczej. Ale skoro ta kobieta nie wie, gdzie jest Abra, może rozsądniej byłoby zostawić sprawy własnemu biegowi? Nie wywoływać wilka z lasu i tak dalej?

– Sęk w tym, że ten wilk już został wywołany – powiedział Dan.

– Te

(puste diabły)

dziwolągi chcą jej z tego samego powodu, dla którego chcieli Trevora; jestem pewien, że Billy co do tego ma rację. Poza tym wiedzą, że ona stanowi dla nich zagrożenie. Mówiąc żargonem AA, jest w stanie złamać ich anonimowość. I kto wie, jakimi środkami dysponują. Chciałbyś, żeby twoja pacjentka żyła w strachu miesiąc po miesiącu, może nawet rok po roku, stale wyczekując chwili, kiedy zjawi się jakaś paranormalna Rodzina Mansona i porwie ją z ulicy?

– Pewnie, że nie.

– Abra mówi, że ci dranie żerują na dzieciach takich jak ona. Na dzieciach takich, jaki byłem ja. Dzieciach, które jaśnieją. – Wbił posępny wzrok w twarz Johna Daltona. – Jeśli to prawda, trzeba ich powstrzymać.

– Skoro nie jadę do Iowa, co mam robić? – zapytał Billy.

– Ujmijmy to tak – powiedział Dan. – W najbliższym tygodniu poznasz Anniston na wylot. Mało tego, jeśli Casey da ci wolne, zamieszkasz tam w motelu.

5

Rose wreszcie weszła w trans. Najtrudniej było oderwać się od obaw o Dziadzia Flicka, ale w końcu zostawiła je za sobą. Wzniosła się ponad nie. Teraz krążyła wewnątrz siebie i powtarzała te prastare słowa – *sabbatha hanti, lodsam hanti, cahanna risone hanti* – raz za razem, prawie nie ruszając ustami. Było za wcześnie, żeby wybrać się na poszukiwania tej nieznośnej dziewczyny, ale teraz, kiedy została sama, a wokół niej i w niej panowała zupełna cisza, nie spieszyło jej się. Medytacja sama w sobie sprawiała jej przyjemność. Rose powoli, skrupulatnie zbierała swoje narzędzia i koncentrowała uwagę.

Sabbatha hanti, lodsam hanti, cahanna risone hanti – słowa, które były stare w czasach, kiedy Prawdziwy Węzeł podróżował po Europie wozami konnymi, handlując torfem na opał i błyskotkami. Pewnie były stare, kiedy Babilon był młody. Dziewczyna ma wielką moc, ale Prawdziwi są wszechpotężni i Rose nie przewidywała większych problemów. Dziewczyna będzie spała, a ona niepostrzeżenie pomyszkuje w jej głowie, wykradnie informacje i podrzuci sugestie jak małe ładunki wybuchowe. Nie jednego robaka, tylko całe ich gniazdo. Niektóre dziewczyna może wykryje i unieszkodliwi.

Innych nie.

6

Tego wieczora, po odrobieniu lekcji, Abra przegadała z mamą przez telefon prawie czterdzieści pięć minut. Rozmowa toczyła się niejako na dwóch płaszczyznach. Na pierwszej, tej zewnętrznej, mówiły o tym, jak Abrze minął dzień, co ją czeka w nadchodzącym tygodniu i o jej przebraniu na zabawę z okazji Halloween; omawiały plany przeniesienia Momo na północ, do hospicjum we Frazier (które Abra wciąż w myśli nazywała hop-stacją); Lucy podała córce najświeższe informacje o stanie Momo, który określiła jako „nie najgorszy w tych okolicznościach".

Na drugiej, wewnętrznej płaszczyźnie Abra wsłuchiwała się w dręczącą Lucy obawę, że w jakiś sposób zawiodła swoją babcię, i w prawdę o stanie Momo, przerażonej, otumanionej, cierpiącej. Próbowała przesyłać matce kojące myśli: Nie smuć się, mamo, i: Kochamy cię, mamo, i: Robiłaś wszystko, co mogłaś, dopóki mogłaś. Chciałaby wierzyć, że choć część z nich dotarła do adresatki, ale nie łudziła się. Miała wiele umiejętności – wspaniałych i przerażających jednocześnie – lecz nie potrafiła zmienić temperatury emocjonalnej drugiego człowieka.

Czy Dan potrafiłby to zrobić? Możliwe. Miała wrażenie, że posługiwał się tym elementem swojej jasności, by pomagać ludziom z hop-stacji. Gdyby naprawdę to umiał, może pomógłby też Momo, kiedy ją tam przywiozą. Dobrze by było.

Zeszła na dół w różowej flanelowej piżamie, którą dostała od Momo na Gwiazdkę. Jej ojciec oglądał mecz Red Sox i pił piwo ze szklanki. Cmoknęła go w nos (zawsze mówił, że tego nie znosi, ale wiedziała, że tak naprawdę trochę to lubił) i powiedziała, że idzie do łóżka.

– *La* praca domowa *est complète, mademoiselle?*

– Tak, tato, ale „praca domowa" po francusku to *devoirs*.

– Dobrze wiedzieć, dobrze wiedzieć. Co u twojej matki? Pytam, bo porozmawiałem z nią może półtorej minuty, zanim wyrwałaś mi telefon.

– Wszystko w porządku. – Abra wiedziała, że to prawda, ale wiedziała też, że „w porządku" to pojęcie względne. Ruszyła w stronę korytarza, po czym odwróciła się. – Powiedziała, że Momo jest jak szklany bibelot. – Tak naprawdę tego nie powiedziała, nie na głos, ale to pomyślała. – Że wszyscy tacy jesteśmy.

Dave wyłączył dźwięk w telewizorze.

– Cóż, może to i prawda, lecz niektórzy z nas są wykonani z zadziwiająco trwałego szkła. Pamiętaj, twoja Momo stała na półce cała i zdrowa przez wiele, wiele lat. A teraz chodź tu do mnie, Abba-Daba-Du, i przytul tatusia. Nie wiem, czy ci tego trzeba, ale mnie tak, zdecydowanie.

7

Dwadzieścia minut później już leżała w łóżku. Na komodzie jarzył się Pan Puchatek, lampka nocna zachowana z wczesnego dzieciństwa. Abra poszukała Dana i znalazła go w świetlicy, w której były puzzle, czasopisma, stół do ping-ponga i wielki telewizor na ścianie. Grał w karty z dwoma pensjonariuszami hop-stacji.

(rozmawiałeś z doktorem Johnem?)

(tak pojutrze jedziemy do Iowa)

Tej myśli towarzyszył obrazek przedstawiający stary dwupłat. Lecieli nim dwaj mężczyźni w staroświeckich pilotkach, szalikach i goglach. Abra się uśmiechnęła.

(jeśli przywieziemy ci)

Obrazek rękawicy baseballowej. Rękawica małego baseballisty wyglądała inaczej, ale Abra wiedziała, o co chodzi.

(nie przestraszysz się)

(nie)

Oby nie. Strasznie będzie wziąć do ręki rękawicę martwego chłopca, ale będzie musiała to zrobić.

8

W świetlicy Rivington Jeden pan Braddock patrzył na Dana z mieszanką bezbrzeżnej irytacji i lekkiego zdziwienia, jaką tylko ludzie starzy i będący na pograniczu demencji potrafią przekonująco okazać.

– Wyrzucisz coś, Danny, czy będziesz tak siedział i gapił się w kąt, aż lodowce się roztopią?

(dobranoc Abro)

(dobranoc Dan pozdrów ode mnie Tony'ego)

– Danny? – Pan Braddock zastukał opuchniętymi knykciami w stół. – Danny Torrance, zgłoś się! Danny Torrance, odbiór!

(nie zapomnij włączyć alarmu)

– Hu-hu, Danny – powiedziała Cora Willingham.

Dan spojrzał na nich.

– Wyrzuciłem już czy jeszcze nie?

Pan Braddock spojrzał na Corę i przewrócił oczami; ona odpowiedziała tym samym.

– A moje córki myślą, że to ja tracę rozum – stwierdziła.

9

Abra nastawiła budzik w iPadzie, bo nazajutrz nie tylko miała szkołę, ale i przypadała na nią kolej, żeby zrobić śniadanie – planowała jajecznicę z grzybami, papryką i serem Monterey Jack. Pamiętała też o alarmie, o którym mówił Dan. Zamknęła oczy i skupiła się. Jej czoło przecięły bruzdy. Jedna dłoń wysunęła się spod pościeli i zaczęła ocierać wargi. To, co zamierzała zrobić, było trudne, lecz może się opłaci.

Alarm dobra rzecz, ale jeśli kobieta w kapeluszu przyjdzie, jeszcze lepsza może być pułapka.

Po jakichś pięciu minutach jej czoło się wygładziło, a dłoń opadła z ust. Abra przewróciła się na bok i podciągnęła kołdrę pod brodę. Zasypiając, wyobrażała sobie siebie na białym rumaku, w zbroi wojowniczki. Puchatek patrzył na nią ze swojego miejsca na komodzie, jak co dzień od czasu, kiedy Abra miała cztery lata, i rzucał słabą poświatę na jej lewy policzek, jedyną oprócz włosów widoczną część jej ciała.

W swoich snach galopowała po bezkresnych łąkach pod czterema miliardami gwiazd.

10

Rose medytowała do wpół do drugiej w nocy. Pozostali Prawdziwi (z wyjątkiem Annie Fartuch i Dużej Mo, które czuwały przy Dziadziu Flicku) już głęboko spali, kiedy uznała, że jest gotowa. W jednej dłoni trzymała wydrukowane z komputera zdjęcie przedstawiające niezbyt imponujące centrum Anniston w stanie New Hampshire. W drugiej miała jeden ze zbiorników. Choć w środku była już tylko resztka pary, nie wątpiła, że tyle wystarczy. Położyła palce na zaworze, szykując się do jego odkręcenia.

Jesteśmy Prawdziwym Węzłem i trwamy: *Sabbatha hanti*.

Jesteśmy wybrani: *Lodsam hanti*.

Szczęście jest z nami: *Cahanna risone hanti*.

– Weź to i zrób z tego dobry użytek, Rosie, dziecino – powiedziała. Odkręciła zawór. Z wylotu uleciało krótkie tchnienie srebrzystej pary. Wciągnęła ją do ust, opadła na poduszkę i puściła zbiornik, który ze stłumionym łoskotem wylądował na dywanie. Przysunęła do oczu zdjęcie Main Street w Anniston. Jej ramię i dłoń prawie zniknęły, więc fotografia zdawała się wisieć w powietrzu. Niedaleko od Main Street, na uliczce, która zapewne nazywa się Richland Court, mieszka ta dziewczynka. O tej porze na pewno twardo śpi, ale gdzieś w jej myślach jest Rose Kapelusz. Dziewczynka najprawdopodobniej nie wie, jak Rose Kapelusz wygląda (tak jak Rose nie wie, jak wygląda ta dziewczynka… przynajmniej na razie), lecz potrafi ją wyczuć. Poza tym wie, na co Rose wczoraj patrzyła w sklepie Sam's. To punkt zaczepienia, wrota do jej myśli.

Rose wpatrywała się w zdjęcie Anniston nieruchomym, sennym wzrokiem, ale tak naprawdę szukała stoiska mięsnego w sklepie Sam's, gdzie KAŻDE MIĘSO JEST PIERWSZEJ KLASY. Szukała samej siebie. I, ku swojemu zadowoleniu, szybko siebie odnalazła. Na początku był tylko ślad dźwiękowy: muzyka puszczana w supermarkecie. Potem wózek na zakupy. Dalej wciąż panowała ciemność. To nic; wkrótce pojawi się reszta. Rose podążyła w stronę muzyki, która niosła się echem z oddali.

Ciemność, ciemność, ciemność i wreszcie światło, początkowo słabe, potem coraz jaśniejsze. Pojawiła się alejka w supermarkecie, która zaraz zmieniła się w korytarz i Rose wiedziała, że już jest prawie u celu. Serce zabiło jej mocniej.

Leżąc na łóżku, zamknęła oczy, żeby dziewczyna niczego nie zobaczyła, gdyby jakimś cudem – mało prawdopodobne, ale nie niemożliwe – połapała się, co się dzieje. Rose poświęciła kilka sekund na to, by powtórzyć sobie podstawowe cele: nazwisko, dokładne miejsce pobytu, ile wie, komu mogła coś powiedzieć.

(obróć się, świecie)

Zebrała siły i pchnęła. Tym razem uczucie obrotu nie było zaskoczeniem, w pełni nad nim panowała. Jeszcze przez chwilę była na tym korytarzu łączącym ich umysły, po czym znalazła się w wielkim pokoju, w którym mała dziewczynka z warkoczykami jeździła na rowerze i nuciła jakąś nonsensowną piosenkę. To był sen tej dziewczyny i Rose go oglądała. Ale miała coś ważniejszego do roboty. Ściany pokoju nie były prawdziwymi ścianami, tylko rzędami szuflad. Teraz, kiedy się tu dostała, mogła otwierać je do woli. Dziewczynka bezpiecznie śniła w głowie Rose, śniła o tym, jak w wieku pięciu lat jeździła na swoim pierwszym rowerze. I bardzo dobrze. Śnij spokojnie, mała księżniczko.

Dziecko przejechało obok niej, nucąc „la-la-la". Nie widziało niczego. Do roweru doczepione były kółka treningowe, ale pojawiały się i znikały. Rose domyśliła się, że księżniczka śni o dniu, kiedy wreszcie nauczy się jeździć bez nich. To piękny dzień w życiu każdego dziecka.

Ciesz się swoim rowerkiem, moja droga, a ja w tym czasie dowiem się wszystkiego o tobie.

Pewnym ruchem otworzyła jedną z szuflad.

Gdy sięgnęła do środka, zaryczał ogłuszający alarm i w całym pokoju oślepiająco rozbłysły reflektory, które zalały ją nie tylko światłem, ale i żarem. Po raz pierwszy od wielu, wielu lat Rose Kapelusz, kiedyś znana jako Rose O'Hara z hrabstwa Antrim w Irlandii Północnej, była zupełnie zaskoczona. Zanim mogła cofnąć rękę, szuflada się zatrzasnęła. Ból był potworny. Krzyknęła i szarpnęła się do tyłu, ale szuflada mocno trzymała.

Cień Rose wyrósł na ścianie. I nie był sam. Obejrzała się i zobaczyła nadciągającą dziewczynę. Tylko że już nie była dzieckiem. Przeistoczyła się w młodą kobietę w osłaniającym rozkwitłą pierś skórzanym napierśniku ze smokiem i niebieskiej opasce na włosach.

Rower zmienił się w białego rumaka. Jego oczy, tak jak oczy wojowniczki, płonęły.

Wojowniczka miała w rękach kopię.

(wróciłaś Dan mówił że wrócisz i wróciłaś)

A potem – co niewiarygodne u ćwoka, nawet takiego z wielką ilością pary – zadowolenie.

(TO DOBRZE)

Dziecko, które nie było już dzieckiem, przez cały ten czas czyhało na nią. Dziewczyna zwabiła ją w pułapkę, zamierzała ją zabić… i pewnie mogła tego dokonać, bo Rose całkowicie się przed nią odsłoniła.

Rose zmusiła się do najwyższego wysiłku i próbowała odeprzeć atak, nie jakąś komiksową kopią, lecz tępym taranem wykutym ze wszystkich lat, które przeżyła na tej ziemi, i z całej swojej siły woli.

(NIE ZBLIŻAJ SIĘ! PRECZ! COKOLWIEK SOBIE MYŚLISZ JESTEŚ TYLKO MAŁYM DZIECKIEM!)

Dorosła wersja dziewczynki – jej awatar – nadciągała nieubłaganie, ale drgnęła, kiedy ta myśl do niej dotarła. Kopia, zamiast w bok Rose, wbiła się w ścianę szuflad zaraz na lewo od niej.

Dziecko (bo przecież jest tylko dzieckiem, powiedziała sobie Rose) ściągnęło rumaka w bok i Rose odwróciła się do więżącej ją szuflady. Położyła wolną rękę nad nią, zaparła się i pociągnęła z całej siły, nie bacząc na ból. Z początku szuflada ani drgnęła. Wreszcie lekko ustąpiła i Rose wyswobodziła nasadę dłoni. Była podrapana i krwawiła.

Działo się coś jeszcze. W głowie czuła dziwne trzepotanie, jakby latał tam ptak. Co znowu, do cholery?

Spodziewając się, że ta pieprzona kopia lada chwila wbije się w jej plecy, szarpnęła ile sił. Uwięziona dłoń wysunęła się do końca i Rose skuliła palce w pięść. W samą porę. Gdyby zaczekała choć ułamek sekundy, odcięłaby je zatrzaskująca się szuflada. Jej paznokcie pulsowały bólem. Nie widziała ich, ale na pewno były sine od uwięzionej pod nimi krwi.

Odwróciła się. Dziewczyna zniknęła. Pokój był pusty. Ale to trzepotanie w głowie trwało. Wręcz się wzmogło. Ból dłoni i nadgarstka nagle stał się nieważny. Nie tylko ona przejechała się na talerzu gramofonu i to, że w świecie rzeczywistym, gdzie leżała na swoim podwójnym łóżku, jej oczy wciąż były zamknięte, nie miało żadnego znaczenia.

Ta nieznośna gówniara była w innym pokoju pełnym szuflad.

W jej pokoju. Jej głowie.

Z włamywacza Rose stała się ofiarą włamania.

(PRECZ PRECZ PRECZ PRECZ)

Trzepotanie nie osłabło; przeciwnie, wzmogło się. Rose odegnała paniczny strach, usiłowała skupić się, ochłonąć, i w pewnym stopniu jej się to udało. Na tyle, żeby znów puścić w ruch talerz gramofonu, mimo że stał się dziwnie ciężki.

(obróć się, świecie)

Kiedy obrót się zakończył, irytujące trzepotanie w jej głowie osłabło, po chwili ustało zupełnie. Dziewczynę przeniosło z powrotem tam, skąd przyszła.

Tyle że to nie tak i sprawa jest o wiele zbyt poważna, żebyś pozwoliła sobie na luksus okłamywania samej siebie, powiedziała sobie Rose. To ty przyszłaś do niej. I wpadłaś w pułapkę. Dlaczego? Bo mimo wszystkiego, co wiedziałaś, zlekceważyłaś ją.

Otworzyła oczy, usiadła prosto i opuściła nogi na dywan. Jedną trąciła pusty zbiornik. Kopnęła go na bok. T-shirt Uniwersytetu Kolorado, w którym się położyła, był wilgotny;

śmierdziała potem. Jakby się w chlewie wytarzała. Spojrzała z niedowierzaniem na podrapaną, posiniaczoną, opuchniętą dłoń. Sine paznokcie już zaczynały czernieć. Oceniała, że co najmniej dwa straci.

– Ale ja nie wiedziałam – powiedziała. – W żaden sposób nie mogłam wiedzieć. – Nie znosiła tej marudnej nuty w swoim głosie. To był głos kwękającej starej baby. – W żaden sposób.

Musiała wyjść z tego cholernego kampera. Może i był największy i najbardziej luksusowy na świecie, ale w tej chwili czuła się w nim jak w trumnie. Ruszyła do drzwi, przytrzymując się mijanych sprzętów, żeby nie stracić równowagi. Zanim wyszła, zerknęła na zegar na desce rozdzielczej. Za dziesięć druga. Wszystko rozegrało się w zaledwie dwadzieścia minut. Niewiarygodne.

Ile się dowiedziała, zanim się od niej uwolniłam? Ile wie?

Nie sposób było to stwierdzić na pewno, ale nawet jeśli wiedziała niewiele, i tak mogła być niebezpieczna. Musieli się gówniarą zająć, i to jak najszybciej.

Rose wyszła w słaby blask wschodzącego księżyca i przez chwilę głęboko oddychała świeżym powietrzem, żeby się uspokoić. Poczuła się trochę lepiej, trochę mniej nieswojo, ale nie mogła zapomnieć o tym trzepotaniu. Tym wrażeniu, że ktoś – co gorsza, ćwok – siedzi w niej i grzebie w jej osobistych rzeczach. Ból był okropny, zaskoczenie, że dała się zwabić w zasadzkę, jeszcze gorsze, ale najciężej było znieść to upokorzenie, to poczucie, że naruszono jej nietykalność. Że ją okradziono.

Zapłacisz za to, księżniczko. Nie wiesz, z kim zadarłaś.

Ktoś się zbliżał. Rose zerwała się z najwyższego stopnia kampera spięta, gotowa na wszystko. Zaraz rozpoznała, że to Kruk. W spodniach od piżamy i kapciach.

– Rose, może lepiej… – Urwał. – Co ci się, do licha, stało w rękę?

– Chrzanić moją rękę – warknęła. – Co tu robisz o drugiej w nocy? Zwłaszcza że wiedziałeś, że jestem zajęta?

– Chodzi o Dziadzia Flicka – powiedział Kruk. – Annie Fartuch mówi, że on umiera.

Rozdział XI

Thome 25

1

Zamiast cygar Alcazar i odświeżacza powietrza o zapachu sosny tego ranka we fleetwoodzie Dziadzia Flicka czuć było gówno, chorobę i śmierć. Panował tłok. Przyszło kilkunastu członków Prawdziwego Węzła, niektórzy zgromadzili się wokół łóżka starca, dużo więcej siedziało albo stało w saloniku, popijając kawę. Reszta została na zewnątrz. Wszyscy wydawali się oszołomieni i niespokojni. Prawdziwi nie byli obyci ze śmiercią.

– Wynocha – rzuciła Rose. – Kruk i Orzech, wy zostańcie.

– Spójrz na niego – wyjąkała Petty Kitajka drżącym głosem. – Te krosty! I wpadł w taki cykl, że ja nie mogę! Ojej, jakie to okropne!

– Idź już – ponagliła Rose łagodnym tonem i ścisnęła ramię Petty, żeby dodać jej otuchy, choć tak naprawdę miała ochotę wywalić ją na kopach. Ta tłusta, leniwa plotkara nadawała się tylko do grzania łóżka Barry'ego, a i to pewnie jej nie wychodziło najlepiej. Rose była zdania, że specjalnością Petty jest raczej zrzędzenie.

– Ruszcie się, ludzie – powiedział Kruk. – Jeśli ma umrzeć, nie potrzebuje do tego publiczności.

– Wyjdzie z tego – stwierdził Sam Harfiarz. – Dziadzio Flick jest twardszy od gotowanej sowy. – Ale objął ramieniem Babę Ruską, która wyglądała na zdruzgotaną, i na chwilę mocno do siebie przycisnął.

Ruszyli się i jedno po drugim zeszli po schodkach do czekających na zewnątrz. Niektórzy na odchodnym jeszcze zerkali przez ramię. Kiedy w środku zostało już tylko ich troje, Rose podeszła do łóżka.

Dziadzio Flick patrzył na nią niewidzącym wzrokiem. Oczy miał wielkie, mokre, pełne bólu. Jego wargi ściągnęły się, odsłaniając dziąsła. Wielkie pęki cienkich białych włosów wypadły na poszwę poduszki. Rozebrane do bokserek, wychudłe ciało znaczyły czerwone kropki, które wyglądały jak pryszcze albo ukąszenia owadów.

Odwróciła się do Orzecha.

– Co to, do cholery? – spytała.

– Plamki Koplika, sądząc z wyglądu. Choć plamki Koplika zwykle pojawiają się w ustach.

– Mów po ludzku.

Orzech przeczesał dłońmi swoje rzedniejące włosy.

– Myślę, że ma odrę.

Rose wybałuszyła oczy, zszokowana, po czym parsknęła śmiechem. Nie chciało jej się tu stać i słuchać tych bzdur; chciała aspiryny, żeby uśmierzyć ból dłoni, pulsujący w rytmie zgodnym z biciem serca. Myślała o tym, jak wyglądały ręce postaci z kreskówek, kiedy ktoś przywalił w nie młotkiem.

– Nie łapiemy chorób ćwoków!

– Cóż... dotąd nie łapaliśmy.

Patrzyła na niego z wściekłością. Chciała swój kapelusz, bez niego czuła się naga, ale został w earthcruiserze.

– Mogę ci tylko powiedzieć, co widzę – dodał Orzech – a widzę odrę.

Odra. No to, kurwa, super.

– To jakieś... brednie!

Wzdrygnął się i w sumie dlaczego nie? Jej głos brzmiał ostro w jej własnych uszach, ale... Boże drogi, odra? Najstarszy członek Prawdziwego Węzła miałby umrzeć na chorobę wieku dziecięcego, której nawet dzieci już nie łapią?

– Ten dzieciak, ten baseballista z Iowa miał kilka krostek, ale przez myśl mi nie przeszło... bo przecież, jak sama mówisz, nie zarażamy się ich chorobami.

– To było lata temu!

– Wiem. Jedyne wyjaśnienie, jakie mi przychodzi do głowy, jest takie, że to było w parze, tak jakby uśpione. Wiesz, są choroby, które całymi latami siedzą cicho i nagle atakują.

– Może ćwoków! – Ciągle do tego wracała.

Orzech tylko pokręcił głową.

– Jeśli Dziadzio to złapał, dlaczego nie zachorowaliśmy wszyscy? – piekliła się. – Przecież te choroby wieku dziecięcego... ospa, odra, świnka... przelatują przez dzieci ćwoków jak gówno przez gęś. Nie, to bez sensu. – Odwróciła się do Papy Kruka i przecząc samej sobie, zapytała: – Co ci do łba strzeliło, żeby ich wpuścić i pozwolić im oddychać tym samym powietrzem co on?

Kruk wzruszył ramionami, ze smutną zadumą wpatrując się w dygoczącego na łóżku starca.

– Realia się zmieniają – powiedział Orzech. – To, że mieliśmy odporność na choroby ćwoków pięćdziesiąt czy sto lat temu, nie znaczy, że mamy ją teraz. Kto wie, może to naturalny proces.

– Chcesz mi wmówić, że to jest coś naturalnego? – Wskazała na Dziadzia Flicka.

– Jeden przypadek nie czyni epidemii. A poza tym przyczyna może być zupełnie inna. Ale jeśli to się znowu zdarzy, będziemy musieli poddać ścisłej kwarantannie każdego, kogo to spotka.

– To coś da?

Długo się wahał.

– Nie wiem. Może wszyscy już zostaliśmy zarażeni. Może to jest jak budzik nastawiony na określoną godzinę albo bomba zegarowa. Według najnowszych teorii naukowych mniej więcej tak starzeją się ćwoki. Żyją sobie z dnia na dzień bez żadnych odczuwalnych zmian i nagle coś się włącza w ich genach. Pojawiają się zmarszczki i ani się jeden z drugim obejrzą, a już muszą chodzić o lasce.

Kruk obserwował Dziadzia.

– Zaczyna się. Kurwa.

Skóra Dziadzia Flicka stała się mleczna. Potem prześwitująca. Kiedy zrobiła się całkowicie przezroczysta, Rose zobaczyła jego wątrobę, skurczone szare wory płuc, pulsujący czerwony węzeł serca. Widziała żyły i tętnice jak drogi i autostrady na swoim samochodowym GPS-ie. Widziała nerwy wzrokowe, które łączyły oczy z mózgiem. Wyglądały jak widmowe nitki.

I nagle wrócił. Jego oczy poruszyły się, napotkały spojrzenie Rosie, zatrzymały się. Wyciągnął rękę i chwycił jej zdrową dłoń. W pierwszym odruchu chciała ją cofnąć – jeśli diagnoza Orzecha była trafna, mógł ją zarazić – ale co tam. Jeśli Orzech miał słuszność, wszyscy i tak już są zarażeni.

– Rose – wyszeptał. – Nie zostawiaj mnie.

– Nigdy w życiu. – Usiadła obok niego na łóżku, splatając palce z jego palcami. – Kruku?

– Tak, Rose.

– Ta przesyłka, którą kazałeś wysłać do Sturbridge... mogą ją tam przechować, co?

– Jasne.

– W porządku, doprowadzimy sprawę do końca. Ale nie możemy za długo czekać. Ta mała jest dużo groźniejsza, niż sądziłam. – Westchnęła. – Dlaczego nieszczęścia zawsze chodzą parami?

– To ona tak ci załatwiła rękę?

Na to pytanie nie chciała odpowiedzieć.

– Nie mogę z wami pojechać, bo teraz już mnie zna. – I pomyślała: A także dlatego, że jeśli diagnoza Orzecha się potwierdzi, będę musiała robić za Matkę Courage dla pozostałych. – Ale musimy ją mieć. To ważne jak nigdy dotąd.

– Bo...?

– Jeśli przechodziła odrę, nabyła na nią odporność. Dzięki temu z jej pary może być wiele korzyści.

– Dzieci w tych czasach są szczepione przeciw wszystkim takim paskudztwom – zauważył Kruk.

Rose skinęła głową.

– To też może nam pomóc.

Dziadzio Flick znów wpadł w cykl. Trudno było na to patrzeć, ale Rose zmusiła się, żeby nie odwracać wzroku. Kiedy narządy staruszka przestały prześwitywać przez jego wiotką skórę, spojrzała na Kruka i uniosła swoją posiniaczoną i podrapaną dłoń.

– Poza tym... trzeba jej dać nauczkę.

2

Kiedy Dan w poniedziałek obudził się w swoim pokoju w wieżycz-ce, miejsce listy pensjonariuszy na jego tablicy znów zajęła wiadomość od Abry. U góry widniała uśmiechnięta buzia. Miała wszystkie zęby na wierzchu, co nadawało jej wyjątkowo radosny wygląd.

Przyszła! Byłam gotowa i dałam jej po łapach!
NAPRAWDĘ!!
Należało jej się, więc HURA!!!
Muszę z tobą porozmawiać, ale nie tak i nie na necie.
Tam gdzie ostatnio 15.00

Dan opadł z powrotem na łóżko, zasłonił oczy i poszukał jej. Szła do szkoły z trzema koleżankami, co wydało mu się samo w sobie niebezpieczne. Nie tylko dla Abry, ale i dla jej koleżanek. Miał nadzieję, że Billy czuwa. Miał też nadzieję, że Billy będzie dyskretny i nie wpadnie w oko jakiemuś nadgorliwemu członkowi patrolu sąsiedzkiego.

(Mogę przyjść John i ja wyjeżdżamy dopiero jutro ale musimy się szybko uwinąć i być ostrożni)

(tak dobrze zgoda)

3

Dan znów siedział na ławce przed obrośniętą bluszczem biblio-teką w Anniston, kiedy z budynku wyłoniła się Abra w czerwonej bluzie szkolnej i wystrzałowych czerwonych tenisówkach. Niosła plecak na jednym ramieniu. Dan miał wrażenie, że od ostatniego spotkania urosła o parę centymetrów.

Pomachała mu ręką.

– Cześć, wujku!

– Cześć. Jak było w szkole?

– Super! Dostałam piątkę z referatu z biologii!

– Siadaj i opowiadaj.

Podeszła do ławki, tak pełna wdzięku i energii, że wręcz zdawała się tańczyć. Błyszczące oczy, rumiane policzki – zdrowa nastolatka po szkole, hulaj dusza, piekła nie ma. Całą sobą pokazywała, że wszystko z nią jest w jak najlepszym porządku. Nie było powodu, by to zaniepokoiło Dana, a mimo to czuł się nieswojo. Jeden bardzo dobry znak: w połowie przecznicy stał nijaki pikap marki Ford, staruszek za kierownicą sączył kawę i czytał jakieś czasopismo. A przynajmniej udawał, że czyta.

(Billy?)

Żadnej odpowiedzi, ale staruszek na chwilę podniósł głowę znad czasopisma i to wystarczyło.

– No dobrze – powiedział Dan zniżonym głosem. – Chcę wiedzieć, co dokładnie się wydarzyło.

Opowiedziała mu o zastawionej przez siebie pułapce i o tym, jak skuteczna się okazała. Dan słuchał ze zdumieniem, podziwem… i narastającym zaniepokojeniem. Bał się, że za bardzo wierzyła we własne możliwości. To była dziecięca pewność siebie, a ludzie, z którymi mieli do czynienia, nie byli dziećmi.

– Mówiłem, żebyś tylko założyła sobie alarm – rzekł z wyrzutem, kiedy skończyła.

– Tak było lepiej. Nie wiem, czy mogłabym ją tak zaatakować, gdybym nie udawała Daenerys z sagi *Pieśń Lodu i Ognia*, ale myślę, że tak. Bo zabiła małego baseballistę i wielu innych. I dlatego, że… – Po raz pierwszy jej uśmiech nieco przygasł.

Kiedy opowiadała wydarzenia tej nocy, Dan widział, jak będzie wyglądała w wieku osiemnastu lat. Teraz widział, jak wyglądała jako dziewięciolatka. – ...Że nie jest człowiekiem. Oni wszyscy nie są ludźmi. Może kiedyś nimi byli, ale już nie są. – Wyprostowała ramiona i odrzuciła włosy do tyłu. – A ja jestem silniejsza. Przekonała się o tym.

(wydawało mi się że odparła twój atak)

Spojrzała na niego z gniewnie nachmurzonym czołem, otarła usta, złapała się na tym i położyła dłoń z powrotem na podołku. Przytrzymała ją drugą ręką. Ten gest wydał mu się jakoś znajomy, lecz w sumie co w tym dziwnego? Przecież nie pierwszy raz tak przy nim robiła. W tej chwili miał większe zmartwienia.

(następnym razem będę gotowa jeśli będzie następny raz)

Może to i prawda. Ale jeśli będzie następny raz, kobieta w kapeluszu też będzie gotowa.

(chcę tylko żebyś była ostrożna)

– Będę. Na pewno. – Oczywiście, wszystkie dzieci tak mówią, żeby udobruchać zatroskanych dorosłych, lecz Danowi mimo to zrobiło się lżej na sercu. Przynajmniej trochę. No i był jeszcze Billy w swoim pikapie z wyblakłym czerwonym lakierem.

Jej oczy znów były roztańczone.

– Dowiedziałam się wielu rzeczy. Dlatego musiałam się z tobą zobaczyć.

– Jakich rzeczy?

– Nie tego, gdzie jest, tak daleko nie zaszłam, ale znalazłam... widzisz, kiedy ona była w mojej głowie, ja byłam w jej. Jakbyśmy się zamieniły, rozumiesz? Było tam pełno szuflad, jak w największym katalogu bibliotecznym na świecie, chociaż może widziałam to tak tylko dlatego, że tak widziała to ona. Gdyby oglądała w mojej głowie monitory komputerowe, może zobaczyłabym monitory komputerowe.

– Do ilu szuflad udało ci się zajrzeć?

– Trzech. Może czterech. Mówią o sobie Prawdziwy Węzeł. Większość z nich to starcy i naprawdę są jak wampiry. Szukają takich dzieci jak ja. I takich, jaki pewnie byłeś ty. Tyle że nie piją ich krwi, tylko wdychają takie coś, co ulatuje, kiedy te szczególne dzieci umierają. – Skrzywiła się z odrazą. – Im bardziej się nad nimi znęcają, tym to jest mocniejsze. Mówią na to para.

– To jest czerwone, prawda? Czerwone albo czerwonaworóżowe?

Był tego pewien, lecz Abra zmarszczyła brwi i pokręciła głową.

– Nie, białe. To taki jasny biały obłok. Nie ma w nim nic czerwonego. I posłuchaj: mogą to przechowywać! Czego nie zużyją, trzymają w takich jakby termosach. Ale są wiecznie nienasyceni. Kiedyś oglądałam taki program o rekinach, wiesz? Mówili w nim, że rekiny zawsze są w ruchu, bo nigdy nie mogą się najeść. Myślę, że tak samo jest z Prawdziwym Węzłem. – Skrzywiła się. – Są okropni, mówię ci.

Biały obłok. Nie czerwony, tylko biały. Tak czy inaczej to musiało być to, co stara pielęgniarka nazywała tchnieniem, tylko w innej postaci. Bo pochodziło od zdrowych młodych ludzi, nie starców umierających na prawie wszystkie choroby, które dostają się ciału w spadku natury? Bo ci młodzi ludzie byli, jak to ujęła Abra, „szczególnymi dziećmi"? Jedno i drugie?

Pokiwała głową.

– Pewnie jedno i drugie.

– No dobra. W tej chwili najważniejsze jest to, że wiedzą o twoim istnieniu. Że ona wie.

– Trochę się boją, co mogę o nich powiedzieć innym, ale nie za bardzo.

– Bo jesteś tylko dzieckiem, a nikt nie wierzy dzieciom.

– Właśnie. – Zdmuchnęła grzywkę z czoła. – Momo uwierzyłaby mi, ale umiera. Idzie do twojej hop-stacji, Dan. Znaczy, do hospicjum. Pomożesz jej, prawda? Jeśli akurat nie będziesz w Iowa?

– Zrobię wszystko, co w mojej mocy. Abro... czy oni przyjdą po ciebie?

– Możliwe, ale jeśli tak, to nie z powodu tego, co wiem, tylko przez to, kim jestem.

Jej wesołość ulotniła się bez śladu. Abra znów potarła usta i gdy opuściła dłoń, jej wargi były rozchylone w gniewnym uśmiechu. Dziewczyna ma charakterek, pomyślał Dan. Wiedział, jak to jest. Sam miał nie lada charakterek. Nieraz narobił sobie przez to kłopotów.

– Ona jednak nie przyjdzie. Ta suka. Wie, że teraz już ją znam i wyczuję ją, jeśli się zbliży, bo jesteśmy tak jakby ze sobą związane. Ale są jeszcze inni. Jeśli po mnie przyjdą, zrobią krzywdę każdemu, kto stanie im na drodze.

Abra wzięła go za ręce i mocno ścisnęła. To zaniepokoiło Dana, lecz nie poprosił, żeby go puściła. W tej chwili czuła potrzebę, żeby dotknąć kogoś, komu ufała.

– Musimy ich powstrzymać, żeby nie mogli zrobić krzywdy mojemu tatusiowi, mojej mamie ani żadnej z moich koleżanek. I żeby już nigdy nie zabili żadnego dziecka.

Danowi mignął przed oczami obraz pochodzący z jej myśli – nie wysłany, tylko niejako wystawiony na pierwszy plan. Był to kolaż zdjęć. Dzieci, dziesiątki dzieci pod nagłówkiem KTOKOLWIEK WIDZIAŁ, KTOKOLWIEK WIE. Zastanawiała się, jak wiele z nich wpadło w ręce Prawdziwego Węzła, jak wiele zostało zamordowanych dla ostatniego tchnienia ich duszy – obrzydliwego przysmaku, jakim żywiła się ta banda – i spoczęło w nieoznakowanych grobach.

– Musisz znaleźć tę rękawicę baseballową. Jeśli dostanę ją do ręki, będę mogła wytropić Barry'ego Kufaję. Na pewno. A cała reszta będzie tam gdzie on. Jeśli nie będziesz mógł ich zabić, przynajmniej doniesiesz o nich policji. Znajdź tę rękawicę, Dan, proszę cię.

– Jeśli jest tam, gdzie mówisz, znajdziemy ją, bez obaw. A tymczasem uważaj na siebie.

– Sądzę, że więcej nie spróbuje wkraść się do mojej głowy. – Na jej twarzy znów pojawił się uśmiech. Dan zobaczył w nim bezwzględną wojowniczkę, którą czasem udawała, Daenerys czy jak jej tam. – A jeśli spróbuje, pożałuje.

Dan postanowił pominąć to milczeniem. Już wystarczająco długo siedzieli razem na tej ławce. Nawet za długo.

– Wprowadziłem z myślą o tobie własne zabezpieczenia. Gdybyś we mnie wejrzała, pewnie mogłabyś zobaczyć jakie, ale wolałbym, żebyś tego nie robiła. Jeśli ktoś jeszcze z tego Węzła spróbuje ci grzebać w głowie… nie kobieta w kapeluszu, tylko ktoś inny… nie będzie mógł się dowiedzieć czegoś, czego nie wiesz.

– Aha. Dobra. – Wiedział, co pomyślała: że ktokolwiek się na to poważy, też tego pożałuje. To pogłębiło jego niepokój.

– Tylko… gdyby coś ci groziło, krzyknij „Billy" z całej mocy. Rozumiesz?

(tak tak samo jak ty kiedyś wzywałeś twojego przyjaciela Dicka)

Lekko podskoczył. Abra się uśmiechnęła.

– Nie podglądałam; to było na wierzchu.

– Rozumiem. A teraz powiedz mi jeszcze jedno, zanim pójdziesz.

– Co?

– Naprawdę dostałaś piątkę z referatu?

4

Za piętnaście ósma tego poniedziałkowego wieczoru Rose usłyszała dwa trzaski w swojej krótkofalówce. To był Kruk.

– Lepiej przyjdź – powiedział. – Zaczęło się.

Prawdziwi otaczali kamper Dziadzia milczącym kręgiem. Rose (teraz już w kapeluszu przekrzywionym pod zwykłym, urągającym grawitacji kątem) przeszła między nimi, po drodze przystając, by uściskać Andi, po czym wdrapała się po stopniach, zapukała i otworzyła drzwi. Orzech stał z Dużą Mo i Annie Fartuch, dwiema pielęgniarkami mimo woli. Kruk siedział w nogach łóżka. Kiedy weszła Rose, wstał. Tego wieczora wyglądał na swoje lata. Zmarszczki okalały jego usta, w czarnych włosach pojawiło się kilka białych nitek.

Musimy nabrać pary, pomyślała Rose. I kiedy będzie po wszystkim, zrobimy to.

Dziadzio Flick wpadł w błyskawiczny cykl: to był przezroczysty, to oblekał się w ciało, to znowu stawał się przezroczysty. Za każdym razem jednak coraz dłużej pozostawał przezroczysty i coraz bardziej zanikał. Wiedział, co się dzieje, Rose poznała to po nim. Oczy miał szeroko otwarte i przerażone; wił się z bólu towarzyszącego zachodzącym w nim przemianom. Rose zawsze gdzieś w głębi ducha zachowywała wiarę w nieśmiertelność Prawdziwych. Owszem, co pięćdziesiąt–sto lat ktoś umierał – jak ten potężny, durny Holender, Hans Nie-Tykaj, porażony kablem elektrycznym zerwanym przez huragan w Arkansas zaraz po drugiej wojnie światowej, Łaciata Katie, która się utopiła, czy Tommy Bryka – ale to były wyjątki. Tych, którzy ginęli, zazwyczaj gubiła własna nieostrożność. Tak zawsze sądziła. Teraz przekonała się, że była tak naiwna jak dzieci ćwoków, które trzymają się kurczowo wiary w Świętego Mikołaja i Królika Wielkanocnego.

Jego ciało znów stało się widoczne. Jęczał, płakał, dygotał.

– Zrób coś, żeby to się skończyło, moja mała Rosie, zrób coś. Boli…

Zanim zdążyła odpowiedzieć – zresztą co tak naprawdę mogłaby rzec? – znów zaczął zanikać, aż nie zostało z niego nic oprócz zarysu kości i wybałuszonych oczu zawieszonych w powietrzu. One były najgorsze.

Próbowała połączyć się z nim myślą i w ten sposób dodać mu otuchy, ale nie znalazła żadnego punktu zaczepienia. Tam, gdzie zawsze był Dziadzio Flick – często zrzędliwy, czasem kochany – teraz szalał już tylko huragan rozbitych obrazów. Wycofała się z niego, wstrząśnięta. Znów pomyślała: To nie może dziać się naprawdę.

– Powinniśmy skrócić jego cierpienia – powiedziała Duża Mo. Wbijała paznokcie w przedramię Annie, która jednak chyba tego nie czuła. – Dać mu zastrzyk albo coś. Orzech, na pewno masz coś takiego w swojej torbie. Na pewno.

– Co by to dało? – Głos Orzecha był ochrypły. – Wcześniej może i tak, ale teraz to się dzieje za szybko. Nie ma już organizmu, w którym środek mógłby krążyć. Jeśli mu coś wstrzyknę w ramię, za pięć sekund to wsiąknie w łóżko. Lepiej zostawić sprawy własnemu biegowi. To już nie potrwa długo.

I miał rację. Rose doliczyła się jeszcze czterech pełnych cykli. W czasie piątego zniknęły nawet kości. Przez chwilę zostały gałki oczne, które najpierw patrzyły na nią, po czym skierowały wzrok na Papę Kruka. Wisiały nad poduszką, wciąż wgłębioną pod ciężarem głowy Dziadzia i poplamioną tonikiem do włosów Wildroot Cream Oil, którego miał niewyczerpane zapasy. Chciwa G kiedyś jej powiedziała, że kupował go na eBayu. Na eBayu, na litość boską!

Wreszcie, powoli, zniknęły też oczy. Tyle że oczywiście tak naprawdę nie zniknęły; Rose wiedziała, że tej nocy zobaczy je w swoich snach. Podobnie jak wszyscy zebrani przy łożu śmierci Dziadzia Flicka. O ile w ogóle zasną.

Czekali, wciąż nie do końca przekonani, że to już, że starzec nie pojawi się znowu niczym duch ojca Hamleta czy Dickensowski Jacob Marley czy kto tam jeszcze, ale był tylko odciśnięty kształt głowy, która zniknęła, plamy po toniku do włosów i oklapłe, uwalane sikami i gównem bokserki.

Mo wybuchnęła niepohamowanym szlochem i wtuliła głowę w obfite piersi Annie Fartuch. Usłyszeli ją zgromadzeni na zewnątrz. Odezwał się jeden głos (Rose nigdy się nie dowiedziała czyj). Do niego dołączył drugi, potem trzeci i czwarty. Wkrótce już wszyscy odmawiali inkantację pod gwiazdami i po plecach Rose zygzakiem przebiegł gwałtowny dreszcz. Wyciągnęła rękę, odszukała dłoń Kruka, ścisnęła ją.

Annie zaczęła powtarzać te prastare słowa razem z pozostałymi. Potem Mo, stłumionym głosem. Orzech. Kruk. Rose Kapelusz odetchnęła głęboko i przyłączyła się do chóru głosów.

Lodsam hanti. Jesteśmy wybrani.

Cahanna risone hanti. Szczęście jest z nami.

Sabbatha hanti, sabbatha hanti, sabbatha hanti.

Jesteśmy Prawdziwym Węzłem i trwamy.

5

Później Kruk przyszedł do jej earthcruisera.

– Nie jedziesz na wschód, co?

– Nie. Zostawiam to w twoich rękach.

– Co teraz?

– Będziemy go opłakiwać, oczywiście. Niestety, możemy dać mu tylko dwa dni.

Tradycyjnie żałoba trwała tydzień; był to czas bez ruchania, bez czczej gadaniny, bez pary. Czas medytacji. Na jego zakończenie zbiorą się w kręgu pożegnalnym i każdy po kolei wyjdzie na środek, żeby podzielić się jakimś wspomnieniem o Dziadziu Jonasie Flicku i ofiarować przedmiot albo od niego otrzymany, albo w taki czy inny sposób z nim związany (Rose wybrała już swój: pierścionek z celtyckim wzorem, który dostała od Dziadzia, kiedy te ziemie należały do Indian, a ona znana była jako Irlandzka Róża). Z chwilą śmierci ciało członka Plemienia znikało, więc pamiątki musiały wystarczyć. Zawijano je w białe płótno i zakopywano.

– Czyli kiedy moja grupa ma wyruszyć? W środę wieczorem czy czwartek rano?

– W środę wieczorem. – Rose chciała jak najszybciej dorwać tę dziewczynę. – Jedźcie prosto do celu. I jesteś absolutnie pewien, że przechowają nam w Sturbridge ten środek usypiający?

– Tak. Możesz być spokojna.

Nie będę spokojna, dopóki nie zobaczę, że ta mała suka leży w pokoju naprzeciwko, naćpana po uszy, skuta kajdankami i pełna pary.

– Kto pojedzie z tobą? Wymień wszystkich po kolei.

– Ja, Orzech, Jimmy Liczykrupa, jeśli nie będzie ci potrzebny…

– Nie, nie będzie. Kto jeszcze?

– Jadowita Andi. A nuż trzeba będzie kogoś uśpić. I Kitajec.

On koniecznie. To nasz najlepszy tropiciel teraz, kiedy Dziadzio odszedł. Nie licząc ciebie, oczywiście.

– Możesz go wziąć, naturalnie, ale znajdziesz ją i bez tropiciela – powiedziała Rose. – Akurat z tym kłopotu nie będzie. I jeden samochód wystarczy. Weźcie winnebago Steve'a Parodajnego.

– Już z nim o tym rozmawiałem.

Skinęła głową z zadowoleniem.

– Jeszcze jedno. W Sidewinder jest mały sklepik o nazwie District X.

Kruk uniósł brwi i wyszczerzył się radośnie.

– Ten pornopałac z dmuchaną lalką w stroju pielęgniarki w witrynie?

– Widzę, że go znasz. – Ton Rose był oschły. – Teraz mnie posłuchaj, Papciu.

Kruk słuchał.

6

Dan i John Dalton wylecieli z lotniska Logan we wtorek rano o wschodzie słońca. W Memphis mieli przesiadkę i wylądowali w Des Moines o jedenastej piętnaście czasu środkowoamerykańskiego. Tam, choć był koniec września, powitała ich iście lipcowa aura.

Przez pierwszą część lotu z Bostonu do Memphis Dan udawał, że śpi, by nie musieć zajmować się wątpliwościami i rozterkami, które wyczuwał w umyśle Johna, rozrastające się jak chwasty. Gdzieś nad stanem Nowy Jork przestał udawać i zasnął naprawdę. Między Memphis a Des Moines John zapadł w sen, i bardzo dobrze. A już w Iowa, kiedy jechali do Freeman wynajętym w Hertzu nierzucającym się w oczy fordem focusem, Dan wyczuł, że John wyzbył się wątpliwości. Przynajmniej na razie. Zastąpiła je ciekawość i nerwowe podniecenie.

– Jak chłopcy szukający skarbu – powiedział Dan. Spał dłużej niż John, więc to on siedział za kierownicą. Po obu stronach przemykały łany wysokiej kukurydzy, o tej porze roku bardziej żółte niż zielone.

John lekko podskoczył.

– Hę?

Dan uśmiechnął się.

– Nie to sobie pomyślałeś? Że jesteśmy jak chłopcy szukający skarbu?

– Nieźle potrafisz człowieka nastraszyć, Danielu.

– Pewnie tak. Przyzwyczaiłem się. – To nie do końca było prawdą.

– Kiedy odkryłeś, że umiesz czytać ludziom w myślach?

– To nie tylko czytanie w myślach. Jasność jest wyjątkowo wszechstronnym darem. O ile to jest dar. Czasem... często mam wrażenie, że to raczej szpecące znamię. Jestem pewien, że Abra powiedziałaby to samo. Kiedy to odkryłem? Odpowiedź brzmi: nigdy. Miałem to zawsze. To element mojego standardowego wyposażenia.

– Pewnie piłeś, żeby to wytłumić.

Tłusty świszcz przechodził niespiesznie, bez lęku przez drogę numer 150. Dan odbił w bok, żeby go wyminąć, i zwierzak zniknął w kukurydzy, wciąż bez pośpiechu. Okolica była ładna, niebo zdawało się głębokie na tysiąc kilometrów, w zasięgu wzroku nie wznosiła się ani jedna góra. New Hampshire mu odpowiadało, zadomowił się tam, sądził jednak, że zawsze będzie się czuł pewniej na równinach. Bezpieczniej.

– Dobrze wiesz, że to nie tak, Johnny. Dlaczego alkoholik pije?

– Bo jest alkoholikiem.

– Brawo. Prosta sprawa. Jak przebijesz się przez cały ten psycho-bełkot, dotrzesz do nagiej prawdy. Piliśmy, bo jesteśmy pijakami.

John zaśmiał się głośno.

– Casey K. skutecznie wyprał ci mózg.

– No i dochodzą jeszcze geny – powiedział Dan. – Casey nie chce o tym słyszeć, ale to fakt. Twój ojciec pił?

– I on, i kochana mamusia. Dzięki nim knajpa na polu golfowym zawsze była na plusie. Pamiętam, jak któregoś dnia matka zdjęła spódniczkę tenisową i wskoczyła z nami, dzieciakami, do basenu. Mężczyźni klaskali. Tata zrywał boki ze śmiechu. Ja nie bardzo. Miałem wtedy dziewięć lat i potem aż do studiów byłem Chłopa-kiem z Mamą Striptizerką. A twoi?

– Moja matka mogła żyć bez alkoholu. Czasem mówiła o sobie „Wendy Dwa Piwa". Za to tata… lampka wina albo puszka budwei-sera i zaczynała się jazda. – Dan zerknął na licznik przebiegu; zostało im jeszcze sześćdziesiąt kilometrów. – Opowiedzieć ci pewną historię? Taką, której dotąd nie opowiedziałem nikomu? Z góry ostrzegam, jest dziwna. Jeśli sądzisz, że jasność sprowadza się do takich błahostek jak telepatia, grubo się mylisz. – Zawiesił głos. – Są inne światy niż ten.

– Czy… hm… widziałeś te inne światy? – Dan nie śledził już myśli Johna, zauważył jednak, że jego towarzysz podróży nieco się zaniepokoił. Jakby przeląkł się, że facet siedzący obok niego zaraz wsadzi dłoń za pazuchę i oświadczy, że jest nowym wcieleniem Napoleona Bonaparte.

– Nie, tylko ludzi, którzy w nich żyją. Abra nazywa ich ducho-ludkami. Chcesz posłuchać czy nie?

– Nie jestem pewien, czy chcę, ale chyba nie mam wyjścia.

Dan nie wiedział, na ile ten pediatra z Nowej Anglii uwierzy w opowieść o zimie spędzonej przez rodzinę Torrance'ów w hotelu Panorama, lecz stwierdził, że to nie ma znaczenia. Wystarczy, że przedstawi ją w tym nijakim samochodzie, pod pogodnym niebem Środkowego Zachodu. Jedna osoba uwierzyłaby mu bez zastrzeżeń, lecz Abra była za młoda, a historia zbyt straszna. Od biedy i John Dalton się nada. Ale od czego zacząć? Od Jacka Torrance'a. Głęboko nieszczęśliwego człowieka, który nie sprawdził się jako nauczyciel, pisarz i mąż. Jak baseballiści nazywają trzykrotne wyautowanie pałkarza? Złotym Sombrero? Ojciec Dana odniósł tylko jeden godny odnotowania sukces: kiedy nastała chwila próby – do której hotel Panorama popychał go od pierwszego dnia ich pobytu – nie zabił swojego synka. Gdyby Dan miał wybrać odpowiednie dla niego epitafium, byłoby to…

– Dan? – ponaglił go John Dalton.

– Mój ojciec się starał. To najlepsze, co mogę o nim powiedzieć. Wszelkie złe duchy w jego życiu pochodziły z butelek. Gdyby poszedł do AA, może wszystko potoczyłoby się inaczej. Ale tego nie zrobił. Moja matka chyba w ogóle nie wiedziała, że coś takiego istnieje, inaczej by mu to zaproponowała. W momencie, kiedy przyjechał do hotelu Panorama, gdzie znajomy załatwił mu pracę dozorcy na zimę, jego zdjęciem można było zilustrować w słowniku hasło „niepijący alkoholik".

– Tam były duchy?

– Tak. Widziałem je. On nie, ale wyczuwał ich obecność. Może też miał coś w rodzaju jasności. Pewnie tak. W końcu wiele ludzkich cech jest dziedzicznych, nie tylko skłonność do alkoholizmu. I te duchy go urabiały. Myślał, że chciały jego, ale to było tylko jeszcze jedno kłamstwo. Tak naprawdę chciały chłopca, który potężnie jaśniał. Tak samo ci z Prawdziwego Węzła chcą Abry.

Urwał na wspomnienie tego, co Dick martwymi ustami Eleanor Ouellette odpowiedział na jego pytanie o to, gdzie są puste diabły. „W twoim dzieciństwie, skąd pochodzi każdy diabeł".

– Dan? Wszystko w porządku?

– Tak – powiedział Dan. – Wiedziałem, że coś z tym cholernym hotelem było nie tak, jeszcze zanim przestąpiłem jego próg. Wiedziałem to nawet wtedy, kiedy we trójkę klepaliśmy biedę w Boulder na Zboczu Wschodnim. Ale mój ojciec potrzebował pracy, żeby dokończyć sztukę, którą wtedy pisał...

7

Kiedy wjeżdżali do Adair, opowiadał Johnowi o tym, jak kocioł Panoramy eksplodował i stary hotel doszczętnie spłonął w szalejącej pożodze. W Adair, choć była to zapadła dziura, znajdował się Holiday Inn Express i Dan zapisał sobie w pamięci jego lokalizację.

– Zameldujemy się tam za parę godzin. Nie możemy szukać skarbu w biały dzień, a poza tym ledwo widzę na oczy. Ostatnio kiepsko sypiam.

– To wszystko naprawdę ci się przydarzyło? – spytał John zgaszonym głosem.

– Tak. – Dan się uśmiechnął. – Dasz wiarę?

– Jeśli znajdziemy rękawicę baseballową w miejscu, które wskazała, będę musiał uwierzyć w wiele rzeczy. Dlaczego mi o tym opowiedziałeś?

– Bo w głębi ducha, pomimo wszystko, co wiesz o Abrze, myślisz, że szaleństwem było tu przyjechać. A poza tym zasługujesz na to, by wiedzieć, że są pewne... moce. Ja już miałem z nimi do czynienia; ty nie. Widziałeś tylko małą dziewczynkę, która potrafi robić magiczne sztuczki typu wieszanie łyżek na suficie. To nie jest zabawa w szukanie skarbu, John. Jeśli Prawdziwy Węzeł dowie się, co knujemy, znajdziemy się na ich celowniku razem z Abrą Stone. Gdybyś postanowił się wycofać, udzieliłbym ci błogosławieństwa i powiedział „idź z Bogiem".

– I pojechałbyś dalej sam.

Dan posłał mu szeroki uśmiech.

– Cóż... zawsze jest Billy.

– Billy ma siedemdziesiąt trzy lata.

– On powiedziałby, że to plus. Lubi mawiać: „Starość ma jedną zaletę – nie musisz się bać, że umrzesz młodo".

John wskazał palcem.

– Wjeżdżamy do Freeman. – Obdarzył Dana słabym, napiętym uśmiechem. – Nie do wiary, że się na to zdecydowałem. A jeśli tej rafinerii etanolu nie będzie? Jeśli od czasu, kiedy Google Earth pstryknęło tę fotkę, została zburzona i na jej miejscu posiano kukurydzę?

– Jest tam nadal – powiedział Dan.

8

I rzeczywiście tam była: szereg brudnoszarych betonowych kloców krytych zardzewiałą blachą falistą. Jeden komin wciąż stał; dwa pozostałe przewróciły się i leżały na ziemi jak połamane węże. Szyby były powybijane, a ściany pokryte wymalowanymi sprejem bohomazami, które wyśmialiby profesjonalni wielkomiejscy graffi-ciarze. Od szosy odchodziła wyboista droga prowadząca na parking porośnięty zbłąkanymi pędami kukurydzy. Wieża ciśnień, którą widziała Abra, wznosiła się nieopodal na tle horyzontu niczym machina wojenna Marsjan rodem z H.G. Wellsa. Wielkie drukowa-ne litery na niej głosiły FREEMAN, IOWA. Szopa ze zniszczonym dachem też była tam, gdzie miała być.

– Zadowolony? – spytał Dan. Jechali w ślimaczym tempie.

– Fabryka, wieża ciśnień, szopa, tablica z zakazem wstępu. Wszyst-ko tak jak opisała.

John wskazał zardzewiałą bramę na końcu drogi dojazdowej.

– A jeśli jest zamknięta? Nie przełaziłem przez siatkę od czasów gimnazjum.

– Nie była zamknięta, kiedy mordercy przywieźli tu tego dzie-ciaka, inaczej Abra by coś powiedziała.

– Jesteś pewien?

Z naprzeciwka nadjeżdżał pikap. Dan lekko przyspieszył i uniósł rękę w geście pozdrowienia. Kierowca – zielona czapka John Deere, ciemne okulary, ogrodniczki – podniósł swoją w odpowiedzi, ale ledwo na nich spojrzał. I dobrze.

– Pytałem, czy…

– Wiem, o co pytałeś – powiedział Dan. – Jeśli jest zamknię-ta, poradzimy sobie. Jakoś. A teraz wracajmy do motelu. Jestem wykończony.

9

John wynajął w Holiday Inn dwa sąsiadujące ze sobą pokoje – zapłacił gotówką – a Dan poszedł do lokalnego sklepu z narzę-dziami. Wybrał szpadel, grabie, dwie motyki, rydel ogrodniczy, dwie pary rękawic i worek marynarski, żeby mieć w czym to wszystko trzymać. Tak naprawdę potrzebny był mu tylko szpadel, ale uznał, że lepiej zrobić większe zakupy.

– Co pana sprowadza do Adair, jeśli wolno zapytać? – zagadnął go kasjer, wbijając na kasę jego nabytki.

– Jestem tu tylko przejazdem. Moja siostra mieszka w Des Moines, w domu z dużym ogródkiem. Większość tych rzeczy pewnie już ma, ale prezenty zawsze nastrajają ją bardziej gościnnie.

– Wiem, jak to jest. I będzie panu wdzięczna za tę motykę o krótkim trzonku. Nie ma bardziej praktycznego narzędzia, a większość ogrodników amatorów nawet nie pomyśli, żeby ją sobie sprawić. Przyjmujemy mastercard, visę…

– Obejdzie się bez plastiku – powiedział Dan, wyciągając portfel. – Tylko poproszę paragon dla Wuja Sama.

– Oczywiście. A jeśli poda mi pan swoje nazwisko i adres… albo adres pańskiej siostry, wyślemy katalog.

– Wie pan co, może nie dzisiaj. – Dan rozłożył na ladzie wachlarzyk banknotów dwudziestodolarowych.

10

O jedenastej wieczorem Dan usłyszał ciche pukanie do drzwi. Otworzył i wpuścił Johna. Pediatra był blady i spięty.

– Przespałeś się? – zapytał.

– Trochę. A ty?

– Jak tylko zasypiałem, zaraz się budziłem. Z nerwów nie mogę usiedzieć na miejscu. Co powiemy, jeśli zatrzyma nas jakiś glina?

– Że słyszeliśmy, że we Freeman jest niezła knajpa, i postanowiliśmy jej poszukać.

– We Freeman nie ma nic oprócz kukurydzy. Jakiegoś miliarda hektarów kukurydzy.

– Nie musimy tego wiedzieć – powiedział Dan łagodnym tonem. – Bawimy tu przejazdem. Poza tym nie zatrzyma nas żaden glina, John. Nikt nas nawet nie zauważy. Ale jeśli chcesz tu zostać...

– Nie po to przejechałem pół kraju, żeby teraz siedzieć w motelu i oglądać Jaya Leno w telewizji. Daj mi tylko skorzystać z toalety. Załatwiłem się, zanim wyszedłem z pokoju, ale teraz znowu muszę. Chryste, ale się denerwuję!

Jazda do Freeman niemiłosiernie się Danowi dłużyła. Odkąd zostawili Adair za sobą, nie napotkali ani jednego samochodu. Farmerzy wcześnie kładą się spać, a ciężarówki omijały te okolice.

Kiedy dotarli do rafinerii etanolu, Dan zgasił reflektory, skręcił na drogę dojazdową i wolno podjechał do zamkniętej bramy. Wysiedli. John zaklął, gdy w fordzie zapaliła się lampka sufitowa.

– Powinienem był to wyłączyć, zanim wyjechaliśmy. Albo rozbić żarówkę, jeśli nie ma wyłącznika.

– Spokojnie – powiedział Dan. – Nie ma tu nikogo, tylko my. – Mimo to serce mocno waliło mu w piersi, kiedy szli w stronę bramy. Jeśli Abra miała rację, tutaj torturowano, zamordowano i pogrzebano małego chłopca. Jeżeli gdzieś miałoby straszyć...

John spróbował otworzyć bramę. Kiedy pchanie nie poskutkowało, pociągnął ją do siebie.

– Nic z tego. Co teraz? Pewnie trzeba będzie przeleźć górą. Jestem gotów spróbować, ale pewnie połamię sobie w cholerę...

– Czekaj. – Dan wyjął z kieszeni kurtki latarkę i poświecił na bramę. Najpierw zobaczył wyłamaną kłódkę, potem grube zwoje drutu nad i pod nią. Wrócił do samochodu i tym razem to on się skrzywił, kiedy zapaliło się światło w bagażniku. A, kij tam. Nie można o wszystkim pamiętać. Wyciągnął swój nowy worek marynarski i zatrzasnął klapę bagażnika. Znów zapadła ciemność.

– Masz. – Podał Johnowi rękawice. – Włóż je. – Drugą parę naciągnął na dłonie, po czym odwiązał drut i powiesił oba kawałki w jednym z oczek siatki, żeby potem o nich nie zapomnieć. – No dobra, chodźmy.

– Znowu chce mi się siku.

– O Jezu. Wytrzymaj.

11

Dan powoli, ostrożnie pojechał na plac załadunkowy za fabryką. W drodze było dużo dziur, niektóre głębokie, wszystkie ledwo dostrzegalne przy zgaszonych światłach. Ostatnie, czego chciał, to wjechać w jedną z nich i rozwalić oś. Nawierzchnia na tyłach fabryki stanowiła mieszankę nagiej ziemi i pokruszonego asfaltu. Piętnaście metrów dalej biegło ogrodzenie, a za nim rozciągały się łany kukurydzy. Plac załadunkowy nie był tak duży jak parking, ale przestrzeni nie brakowało.

– Dan? Skąd będziemy wiedzieć, gdzie...

– Cicho. – Dan opuścił głowę na kierownicę i zamknął oczy.

(Abra)

Nic. Spała, oczywiście. W Anniston była już środa nad ranem. John siedział obok niego i przygryzał wargi.

(Abra)

Jakby coś drgnęło. Może to złudzenie. Dan miał nadzieję, że coś więcej.

(ABRA!)

Oczy otworzyły się w jego głowie. Nastąpiła chwila dezorientacji, podczas której wszystko widział jakby podwójnie, po czym Abra zaczęła patrzeć razem z nim. Plac załadunkowy i gruzy zwalonych kominów nagle stały się wyraźniejsze, mimo że jedynym źródłem światła były gwiazdy.

Ma dużo lepszy wzrok ode mnie, uświadomił sobie Dan.

Wysiadł. John też, ale Dan ledwo to zauważył. Oddał kontrolę nad sobą dziewczynie, która leżała rozbudzona w swoim łóżku tysiąc pięćset kilometrów od niego. Czuł się jak żywy wykrywacz metalu. Tyle że nie metalu szukał... a właściwie szukali.

(podejdź do tego betonowego czegoś)

Dan podszedł do rampy załadunkowej i odwrócił się do niej plecami.

(teraz chodź w tę i we w tę)

Pauza, podczas której szukała sposobu, by lepiej wyjaśnić, czego chce.

(jak w serialu *CSI*)

Ruszył zygzakiem przez plac załadunkowy, piętnaście metrów w lewo, piętnaście w prawo, i tak na zmianę. John, z wyjętym z worka marynarskiego szpadlem w ręku, stał obok samochodu i patrzył.

(tutaj zaparkowali)

Dan znów odbił w lewo. Szedł powoli, co jakiś czas odkopując na bok cegły i kawałki betonu.

(jesteś blisko)

Zatrzymał się. Poczuł nieprzyjemny zapach. Zgniły fetor rozkładu.

(Abro czujesz?)

(tak o Boże Dan)

(spokojnie kochanie)

(za daleko poszedłeś zawróć idź pomału)

Dan obrócił się na pięcie jak żołnierz nieudolnie wykonujący w tył zwrot. Ruszył z powrotem w stronę rampy załadunkowej.

(trochę w lewo w twoją lewą wolniej)

Poszedł we wskazanym kierunku, zatrzymując się po każdym małym kroku. Znów poczuł ten odór, tym razem trochę mocniejszy. Nadnaturalnie wyraźne kontury pogrążonego w ciemności świata nagle zaczęły się rozmywać, bo oczy Dana wypełniły się łzami Abry.

(mały baseballista tutaj stoisz dokładnie nad nim)

Dan odetchnął głęboko i otarł policzki. Dygotał. Nie dlatego, że było mu zimno, tylko przez to, że drżała ona. Siedziała prosto w łóżku, tuliła swojego wymiętoszonego pluszowego królika i trzęsła się jak stary liść na martwym drzewie.

(Abro odejdź)

(Dan czy wszystko)

(tak w porządku ale nie chcę żebyś to oglądała)

Nagle stracił tę niezwykłą ostrość widzenia. Abra zerwała połączenie. I bardzo dobrze.

– Dan! – zawołał John zniżonym głosem. – Wszystko gra?

– Tak. – Jego gardło wciąż było ściśnięte łzami Abry. – Daj ten szpadel.

12

Zajęło im to dwadzieścia minut. Przez pierwsze dziesięć kopał Dan, potem oddał szpadel Johnowi i to on znalazł Brada Trevora. Odwrócił się od dziury w ziemi, zasłaniając usta i nos. Jego słowa były stłumione, ale zrozumiałe.

– No dobra, jest ciało. Jezu!

– Przedtem go nie czułeś?

– Po dwóch latach, tak głęboko zakopane? Mam rozumieć, że ty coś czułeś?

Dan nie odpowiedział, więc John znów odwrócił się w stronę dołu, tym razem jednak bez przekonania. Przez kilka sekund stał zgarbiony, jakby zbierał się, żeby jeszcze popracować szpadlem, po czym wyprostował plecy i się cofnął.

– Nie mogę. Myślałem, że dam radę, ale nie mogę. Nie… Ręce mam jak z waty.

Dan podał mu latarkę. John skierował snop światła w głąb wykopu, na pokrytą zaskorupiałym błotem tenisówkę. Powoli, nie chcąc naruszyć doczesnych szczątków małego baseballisty bardziej niż to konieczne, Dan zaczął odgarniać ziemię po bokach ciała. Powoli ukazywał się kształt ludzkiej sylwetki. Przypominał mu rzeźbienia na sarkofagach, które widział w „National Geographic".

Smród rozkładu był bardzo silny.

Dan cofnął się i przez chwilę szybko, głęboko oddychał. Wreszcie nabrał tyle powietrza do płuc, ile się dało, i wskoczył do płytkiego grobu od tej strony, gdzie spod ziemi sterczały ułożone w V tenisówki Brada Trevora. Przeszedł na kolanach w miejsce, gdzie, na jego wyczucie, była talia chłopca, i wyciągnął rękę po latarkę. John mu ją podał i odwrócił się. Głośno łkał.

Z małą latarką w zębach Dan znów zaczął odgarniać ziemię. Wyłonił się dziecięcy T-shirt, ciasno oblekający zapadniętą pierś. Potem dłonie, właściwie same kości owinięte żółtą skórą, które coś mocno ściskały. Nie bacząc na to, że jego płuca coraz bardziej domagały się powietrza, Dan odgiął palce małego Trevora najdelikatniej jak mógł. Mimo to jeden złamał się z suchym trzaskiem.

Pochowali go z rękawicą baseballową przyciśniętą do piersi. Na starannie nasmarowanej olejem skórze roiły się robaki.

Pod wpływem szoku całe powietrze ze świstem uciekło z płuc Dana, a wraz z wdechem do jego nozdrzy wdarł się fetor zgnilizny. Wyskoczył z grobu w samą porę, by zwymiotować na stertę ziemi wybranej z wykopu zamiast na szczątki Bradleya Trevora, którego jedyną zbrodnią było to, że urodził się z czymś, czego chciało plemię potworów. I co to plemię mu ukradło, gdy to uchodziło z niego razem z ostatnimi rozpaczliwymi krzykami.

13

Pochowali ciało z powrotem – tym razem John odwalił większość roboty – i przykryli prowizorycznym nagrobkiem z kawałów asfaltu. Żaden z nich nie chciał myśleć o lisach czy bezpańskich psach ucztujących na tych nędznych resztkach mięsa, które się zachowały.

Potem wrócili do samochodu i siedzieli w milczeniu. Wreszcie John powiedział:

– Co zrobimy, Danno? Nie możemy go tak zostawić. Ma rodziców. Dziadków. Pewnie braci i siostry. Wszyscy żyją w niepewności.

– Musi tu przez pewien czas zostać. Dość długo, żeby nikt potem nie powiedział: „Kurczę, to anonimowe zgłoszenie przyszło zaraz po tym, jak jakiś obcy facet kupił szpadel w sklepie z narzędziami w Adair". Pewnie tak by się nie stało, ale nie możemy ryzykować.

– Przez pewien czas, to znaczy jak długo?

– Nie wiem. Miesiąc?

John przemyślał to i westchnął.

– Może nawet dwa. Niech jego rodzice przez ten czas dalej myślą, że tylko uciekł z domu. Niech mają jeszcze te dwa miesiące nadziei, zanim złamiemy im serce. – Pokręcił głową. – Gdybym musiał spojrzeć na jego twarz, chyba już nigdy bym oka nie zmrużył.

– Zdziwiłbyś się, z czym człowiek jest w stanie żyć – powiedział Dan. Myślał o pani Massey, która teraz już była bezpiecznie schowana w głębi jego umysłu i nigdy więcej nikogo nie będzie straszyć. Włączył silnik, opuścił szybę po swojej stronie i kilka razy trzepnął rękawicą baseballową o drzwi, żeby oczyścić ją z ziemi. Potem naciągnął ją na rękę i wsunął palce tam, gdzie chłopiec wsuwał swoje w tak wiele słonecznych popołudni. Zamknął oczy. Może pół minuty później uniósł powieki.

– Masz coś?

– „Jesteś Barry. Można na tobie polegać".

– Co to znaczy?

– Nie wiem, ale dam głowę, że to ten sam Barry, którego Abra nazywa Barrym Kufają.

– Nic poza tym?

– Abra wyczuje więcej.

– Jesteś pewien?

Dan pomyślał o tym, jak wyostrzył mu się wzrok, kiedy Abra otworzyła swoje oczy w jego głowie.

– Tak. Poświeć na tę rękawicę, co? Coś tu jest napisane.

John spełnił jego prośbę i w snopie światła ukazał się starannie skreślony dziecięcą ręką napis: **THOME 25**.

– Co to znaczy? – spytał John. – Wydawało mi się, że nazywał się Trevor.

– Jim Thome to baseballista. Zdaje się, że teraz gra w Phillies.

Z numerem 25 na koszulce. – Przez chwilę patrzył na rękawicę, po czym delikatnie położył ją na siedzeniu między nimi. – Był ulubionym graczem tego dzieciaka. Brad nazwał swoją rękawicę na jego cześć. Dopadnę skurwysynów. Przysięgam na Boga Wszechmogącego, dopadnę ich, a wtedy pożałują.

14

Rose Kapelusz jaśniała – jak wszyscy Prawdziwi – lecz nie tak jak Dan czy Billy. Gdy żegnała się z Krukiem, ani ona, ani on nie mieli pojęcia, że dziecko, które uprowadzili przed laty w Iowa, jest w tej chwili odkopywane przez dwóch mężczyzn, którzy już wiedzą o nich zdecydowanie zbyt wiele. Rose mogłaby wychwycić rozmowę na odległość między Danem a Abrą, gdyby była w głębokim transie, ale wtedy, oczywiście, dziewczyna od razu wykryłaby jej obecność. Poza tym pożegnanie odbywające się tego wieczora w earthcruiserze Rose było wyjątkowo intymne.

Leżała z palcami splecionymi pod głową i patrzyła, jak Kruk się ubiera.

– Rozumiem, że byłeś w tym sklepie? W District X?

– Nie ja osobiście, muszę dbać o swoją reputację. Wysłałem Jimmy'ego Liczykrupę. – Kruk uśmiechnął się, zapinając pasek. – Ja w kwadrans załatwiłbym to, czego potrzebowaliśmy, ale jego nie było dwie godziny. Wygląda na to, że Jimmy znalazł nowy dom.

– Cóż, cieszę się. Mam nadzieję, że dobrze się, chłopcy, bawicie. – Próbowała mówić lekkim tonem, ale po dwóch dniach żałoby po Dziadziu Flicku, zwieńczonych spotkaniem w kręgu pożegnalnym, trudno było o choćby odrobinę pogody.

– Nie kupił niczego, co mogłoby się równać z tobą.

Uniosła brwi.

– Urządził ci pokaz przedpremierowy, co, Henry?

– Nie musiał. – Patrzył na nią, nagą, z dłońmi na brzuchu i włosami rozsypanymi w ciemny wachlarz. Była wysoka nawet w pozycji leżącej. Zawsze lubił wysokie kobiety. – Ty jesteś seansem głównym w moim kinie domowym i zawsze nim pozostaniesz.

Tylko jej kadził – ot, typowy dla Kruka bajer – ale to i tak było przyjemne. Wstała i przytuliła się do niego, wplatając dłonie w jego włosy.

– Bądź ostrożny. Przywieź wszystkich z powrotem w komplecie. I przywieź ją.

– Masz to jak w banku.

– Już ruszaj.

– Spokojnie. Będziemy w Sturbridge, kiedy w piątek rano otworzą EZ Mail Services. W New Hampshire w południe. A do tego czasu Barry ją namierzy.

– Byle ona nie namierzyła jego.

– O to się nie martwię.

Dobrze, pomyślała Rose. Ja będę się martwić za nas oboje. Będę się martwić, dopóki nie zobaczę jej ze skutymi rękami i nogami.

– Najpiękniejsze jest to – powiedział Kruk – że jeśli nas mimo wszystko wyczuje i spróbuje postawić barierę zagłuszającą, Barry to wychwyci i namierzy źródło zakłóceń.

– Jeśli się za bardzo wystraszy, może pójść na policję.

Błysnął uśmiechem.

– Tak myślisz? A oni by powiedzieli: „Tak, dziecko, nie wątpimy, że ci straszni ludzie naprawdę chcą cię dopaść. Powiedz nam tylko, czy są z kosmosu, czy to zwyczajne zombi. Żebyśmy wiedzieli, kogo szukać".

– Nie rób sobie żartów i nie traktuj tego lekko. Załatwcie sprawę szybko, po cichu i wracajcie. Tak ma być. Żadnych osób z zewnątrz. Żadnych przypadkowych świadków. Zabijcie rodziców, jeśli będziecie musieli, zabijcie każdego, kto wejdzie wam w drogę, ale zróbcie to dyskretnie.

Kruk, który nie miał pojęcia, że osoby z zewnątrz już są w to zamieszane, zasalutował żartobliwie.

– Wedle rozkazu, kapitanie.

– Idź mi stąd, idioto. Ale najpierw daj jeszcze jednego buziaka. Może z odrobiną tego twojego wymownego języka na dokładkę.

Dał jej, o co poprosiła. Rose trzymała go w ramionach mocno i długo.

15

W drodze powrotnej do motelu w Adair Dan i John prawie się nie odzywali. Szpadel był w bagażniku. Rękawica baseballowa leżała na tylnym siedzeniu, zawinięta w ręcznik z Holiday Inn.

– Nie ma wyjścia, musimy wtajemniczyć rodziców Abry – stwierdził John wreszcie. – Abra będzie niezadowolona, a Lucy i David nie będą chcieli nam uwierzyć, ale tak trzeba.

Dan spojrzał na niego.

– Co ty, czytasz w myślach? – spytał z kamienną twarzą.

John nie, za to Abra owszem i kiedy nagle krzyknęła mu w głowie, Dan był zadowolony, że tym razem John prowadził. Gdyby za kierownicą siedział on, pewnie wylądowaliby na polu jakiegoś farmera.

(NIEEEEE!)

– Abro. – Mówił na głos, żeby John mógł słyszeć choć część tej rozmowy. – Abro, posłuchaj mnie.

(NIE, DAN! MYŚLĄ, ŻE WSZYSTKO ZE MNĄ W PORZĄD-KU! ŻE JESTEM JUŻ PRAWIE NORMALNA!)

– Skarbie, gdyby ci ludzie musieli zabić twoich rodziców, żeby dostać cię w swoje ręce, myślisz, że zawahaliby się? Bo ja jestem pewien, że nie. Zwłaszcza po tym, co dziś znaleźliśmy.

Nie miała na to kontrargumentu i nawet nie próbowała go szukać... ale głowę Dana nagle wypełnił jej smutek i strach. Łzy znów nabiegły mu do oczu i spłynęły po policzkach.

Cholera!

Cholera, cholera, cholera!

16

Wczesny czwartkowy poranek. Winnebago Steve'a Parodajnego, za którego kierownicą w tej chwili siedziała Jadowita Andi, jechało autostradą I-80 na wschód przez zachodnią Nebraskę, nie przekraczając dozwolonej prędkości stu kilometrów na godzinę. Na horyzoncie ukazywały się pierwsze promienie świtu. W Anniston było dwie godziny później. Dave Stone, jeszcze w szlafroku, parzył kawę, kiedy odezwał się telefon. Lucy dzwoniła z apartamentu Concetty na Marlborough Street. Sprawiała wrażenie, jakby była u kresu sił.

– Jeśli nic się nie zmieni na gorsze... choć pewnie tylko takich zmian można się spodziewać... wypiszą Momo ze szpitala na początku przyszłego tygodnia. Wieczorem rozmawiałam z dwoma lekarzami, którzy się nią zajmują.

– Czemu nie zadzwoniłaś, skarbie?

– Byłam zbyt zmęczona. I zbyt zdołowana. Myślałam, że poczuję się lepiej, jak się prześpię, ale prawie oka nie zmrużyłam.

Kochanie, w tym mieszkaniu wszędzie jej pełno. I jej poezji, i jej żywotności...

Głos jej się załamał. David czekał. Byli razem ponad piętnaście lat i wiedział, że kiedy Lucy jest smutna, czasem lepiej czekać, niż mówić.

– Nie wiem, co z tym wszystkim zrobimy. Męczy mnie samo patrzenie na te książki. Są ich tysiące, na regałach i w stosach w jej gabinecie, a dozorca mówi, że drugie tyle leży w magazynie.

– Nie musimy już teraz podejmować decyzji.

– Powiedział, że jest tam też kufer z napisem „Alessandra". Wiesz, to było prawdziwe imię mojej mamy, choć zdaje się, że sama zawsze mówiła o sobie Sandra albo Sandy. Nie wiedziałam, że Momo ma jej rzeczy.

– Jak na kogoś, kto w swojej poezji obnażał całą duszę, Chetta potrafiła być skryta, kiedy chciała.

Lucy zdawała się go nie słyszeć, tylko mówiła dalej tym samym matowym, lekko gderliwym, śmiertelnie zmęczonym tonem.

– Wszystko jest przygotowane, chociaż będę musiała zmienić rezerwację prywatnej karetki, jeśli wypiszą Momo w niedzielę. Co nie jest wykluczone. Dzięki Bogu, że ma porządne ubezpieczenie. Wiesz, to jeszcze z lat, kiedy uczyła na Tufts. Na poezji nie zarobiła nawet centa. Kto dziś w tym posranym kraju zapłaciłby centa, żeby czytać wiersze?

– Lucy...

– Ma ładny pokój w głównym budynku Rivington House... mały apartament. Oglądałam zdjęcia w Internecie. Nie żeby miała z niego długo korzystać. Zaprzyjaźniłam się z oddziałową i według niej Momo jest już jedną nogą w...

– Chia, kocham cię, skarbie.

To zdrobnienie, którym zawsze nazywała ją Concetta, wreszcie ją uciszyło.

– Z całego mojego, przyznaję, niewłoskiego serca i duszy – dodał Dave.

– Wiem i dzięki za to Bogu. Było strasznie ciężko, ale już prawie po wszystkim. Wrócę najpóźniej w poniedziałek.

– Nie możemy się ciebie doczekać.

– Co u was? Jak się ma Abra?

– I u mnie, i u niej wszystko w porządku. – David miał trwać w tym przekonaniu jeszcze przez jakąś minutę.

Usłyszał, że Lucy ziewnęła.

– Chyba wrócę do łóżka na godzinkę–dwie. Myślę, że teraz dam radę zasnąć.

– I słusznie. Ja muszę obudzić Ab, żeby się nie spóźniła do szkoły.

Pożegnali się i kiedy Dave odwrócił się od telefonu, zobaczył, że Abra już wstała. Była jeszcze w piżamie. Miała rozczochrane włosy, czerwone oczy, bladą twarz. Po raz pierwszy od chyba czterech lat przyciskała do piersi Kicusia, starego pluszowego królika.

– Abba-Daba-Du? Kochanie? Źle się czujesz?

Tak. Nie. Nie wiem, pomyślała. Ale ty na pewno poczujesz się źle, kiedy usłyszysz, co ci powiem.

– Muszę z tobą porozmawiać, tatusiu. I nie chcę dzisiaj iść do szkoły. Jutro też nie. I chyba w ogóle w najbliższym czasie. – Zawahała się. – Mam kłopoty.

Pierwsze podejrzenie, jakie mu się nasunęło, było tak okropne, że natychmiast je odpędził, przed Abrą go jednak nie ukrył.

Uśmiechnęła się blado.

– Nie, nie jestem w ciąży. To pewnie jeden zero dla nas.

Chciał do niej podejść, ale na te słowa znieruchomiał pośrodku kuchni i szczęka mu opadła.

– Ty... czy ty...

– Tak, wyczytałam to w twoich myślach. Choć każdy by się domyślił, co ci przyszło do głowy, tatusiu, miałeś to wypisane na twarzy. I to się nazywa jasność, nie czytanie w myślach. Nadal potrafię robić te rzeczy, które tak was przerażały, kiedy byłam mała. Nie wszystkie, ale większość.

– Wiem, że czasem nadal miewasz przeczucia – mówił bardzo powoli. – Oboje z mamą to wiemy.

– To dużo więcej niż tylko przeczucia. Mój przyjaciel Dan i doktor John byli w Iowa...

– John Dalton?

– Tak...

– Co to za Dan? Jakieś dziecko, które leczy się u doktora Johna?

– Nie, to dorosły. – Wzięła ojca za rękę i zaprowadziła do stołu kuchennego. Usiedli, Abra wciąż z Kicusiem w objęciach. – Ale kiedy był mały, był taki jak ja.

– Ab, nic z tego nie rozumiem.

– Są pewni źli ludzie, tatusiu. – Wiedziała, że nie może mu powiedzieć, że są czymś więcej niż ludźmi, czymś gorszym niż ludzie, dopóki nie przyjadą Dan i John i nie pomogą jej tego wyjaśnić. – Chyba chcą mi zrobić krzywdę.

– Czemu ktoś miałby chcieć ci zrobić krzywdę? Głupstwa pleciesz. Co się tyczy tych rzeczy, które robiłaś kiedyś, gdybyś nadal je potrafiła, zauwa...

Szuflada pod rondlami wiszącymi na haczykach gwałtownie się wysunęła, wsunęła i znowu wysunęła. Abra nie umiała już podnosić łyżek siłą woli, ale wystarczył sam ruch szuflady, by Dave zamilkł w pół słowa.

– Kiedy zrozumiałam, jak bardzo się z tego powodu martwicie, jak jesteście przerażeni, zaczęłam to ukrywać. Ale dłużej nie mogę. Dan mówi, że muszę powiedzieć prawdę.

Wtuliła twarz w wytarte futerko Kicusia i rozpłakała się.

Rozdział XII

Mówią na to para

1

John włączył komórkę, gdy tylko późnym popołudniem wyszli z Danem z rękawa na lotnisku Logan. Ledwie zauważył, że ma przeszło tuzin nieodebranych połączeń, telefon zadzwonił mu w ręku. Zerknął na wyświetlacz.

– Stone? – spytał Dan.

– Mam dużo nieodebranych połączeń z tego samego numeru, więc sądzę, że tak.

– Nie odbieraj. Oddzwoń do niego, kiedy będziemy na autostradzie, i wtedy powiedz mu, że będziemy o... – Dan zerknął na zegarek, którego nie przestawił z czasu wschodnioamerykańskiego. – O szóstej. Po przyjeździe wszystko mu powiemy.

John z ociąganiem schował komórkę do kieszeni.

– Przez cały lot miałem nadzieję, że z powodu tej sprawy nie stracę prawa do wykonywania zawodu. Teraz modlę się tylko, żeby przed domem Dave'a Stone'a nie czekały na nas gliny.

Dan, który w drodze powrotnej kilka razy porozumiewał się z Abrą, potrząsnął głową.

– Przekonała go, żeby poczekał, ale w tej rodzinie ostatnio dużo się dzieje i pan Stone jest strasznie skołowany.

John przyjął te słowa z nadzwyczaj posępnym uśmiechem.

– Nie on jeden.

2

Dave Stone siedział z córką na schodkach przed domem, kiedy Dan skręcił na podjazd. Jechał w niezłym tempie; było dopiero wpół do szóstej.

Abra zerwała się, zanim Dave mógł ją przytrzymać, i z rozwianymi włosami pognała ścieżką. Dan zorientował się, że zmierza w jego stronę, i oddał zawiniętą w ręcznik rękawicę Johnowi. Abra padła mu w objęcia. Drżała na całym ciele.

(znalazłeś go znalazłeś go i znalazłeś rękawicę daj mi ją)

– Jeszcze nie – powiedział Dan, stawiając ją na ziemi. – Najpierw musimy to omówić z twoim tatą.

– Co omówić? – Dave chwycił Abrę za nadgarstek i odciągnął od Dana. – Kim są ci źli ludzie, o których ona mówi? I kim, u licha, jest pan? – Przeniósł wzrok na Johna. – Co tu jest grane, na litość boską?

– To jest Dan, tatusiu. Jest taki jak ja. Przecież ci mówiłam.

– Gdzie Lucy? – zapytał John. – Wie o tym?

– Nie odpowiem na żadne pytania, dopóki nie usłyszę, co się dzieje.

– Jest w Bostonie, z Momo – powiedziała Abra. – Tatuś chciał do niej zadzwonić, ale przekonałam go, żeby zaczekał do waszego przyjazdu. – Nie odrywała wzroku od zawiniętej w ręcznik rękawicy.

– Dan Torrance – powiedział Dave. – Tak się pan nazywa?

– Tak.

– Pracuje pan w hospicjum we Frazier?

– Zgadza się.

– Od kiedy spotyka się pan z moją córką? – Na przemian zaciskał i otwierał dłonie. – Poznaliście się w Internecie? Założę się, że tak. – Skierował wzrok na Johna. – Gdybyś nie był lekarzem Abry od jej urodzenia, zadzwoniłbym na policję sześć godzin temu, kiedy nie odebrałeś telefonu.

– Byłem w samolocie – rzekł John Dalton. – Nie mogłem.

– Panie Stone – wtrącił Dan. – Nie znam pańskiej córki tak długo jak John, ale prawie. Pierwszy raz spotkałem ją, kiedy była małym dzieckiem. I to ona skontaktowała się ze mną.

Dave potrząsnął głową. Wydawał się zdezorientowany, wściekły i niezbyt skłonny uwierzyć w choć jedno słowo Dana.

– Wejdźmy do środka – zaproponował John. – Myślę, że możemy wszystko... no, prawie wszystko wyjaśnić, a wtedy będziesz bardzo zadowolony, że tu jesteśmy i że pojechaliśmy do Iowa.

– Szczerze na to liczę, John, ale mam swoje wątpliwości.

Weszli do domu, najpierw Dave obejmujący Abrę ramieniem – w tej chwili wyglądali bardziej jak strażnik z więźniem niż ojciec z córką – za nim John Dalton. Dan, zanim wszedł, spojrzał na drugą stronę ulicy, gdzie stał zardzewiały czerwony pikap. Zobaczył, że Billy pokazuje podniesiony kciuk... a potem ściska oba kciuki. Odpowiedział tym samym gestem.

3

W chwili, kiedy Dave siadał w salonie domu przy Richland
Court ze swoją zdumiewającą córką i jeszcze bardziej zdumiewają-
cymi gośćmi, winnebago wiozące oddział wypadowy Prawdziwych
było na południowy wschód od Toledo. Prowadził Orzech. Andi
Steiner i Barry spali – Andi jak kamień, Barry przewracając się
z boku na bok i mamrocząc pod nosem. Kruk siedział w saloniku i przeglądał „New Yorkera". Tak naprawdę podobały mu się
tylko satyryczne rysunki i małe reklamy różnych dziwnych rzeczy
w rodzaju swetrów z wełny jaka, wietnamskich kapeluszy czy
podrabianych kubańskich cygar.

Jimmy Liczykrupa klapnął obok niego z laptopem w dłoni.

– Szperałem po necie. Musiałem się włamać na parę stron, ale...
pokazać ci coś?

– Jak możesz surfować po Internecie na autostradzie?

Jimmy obdarzył go protekcjonalnym uśmiechem.

– Sieć 4G, mój drogi. To się nazywa nowoczesność.

– Wierzę na słowo. – Kruk odłożył pismo. – Co masz?

– Fotografie szkolne z gimnazjum w Anniston. – Jimmy postukał
w panel dotykowy i na ekranie wyskoczyło zdjęcie. Nie ziarnista fotka
gazetowa, lecz portret w wysokiej rozdzielczości, przedstawiający
dziewczynę w czerwonej sukience z bufiastymi rękawami. Kasztanowo-
brązowe włosy zaplecione w warkocze, uśmiech szeroki i śmiały.

– Julianne Cross – powiedział Jimmy. Znów stuknął w panel
dotykowy i pojawiła się rudowłosa dziewczyna z łobuzerskim
uśmiechem. – Emma Deane. – Następne stuknięcie i na ekranie
ukazała się jeszcze ładniejsza dziewczyna. Niebieskie oczy, blond
włosy opadające na ramiona. Poważna mina, ale i dołki sugerujące
cień uśmiechu. – To Abra Stone.

– Abra?

– Tak, dziś nazywają dzieci, jak im się żywnie podoba. Pamiętasz czasy, kiedy ćwokom wystarczały imiona typu Jane czy Mabel? Gdzieś czytałem, że Sly Stallone nazwał syna Sage Moonblood, słyszałeś kiedyś coś bardziej pojebanego?

– Myślisz, że jedna z tej trójki to dziewczyna Rose.

– Jeśli ma rację, że to małolata, nie widzę innej możliwości. Pewnie Deane albo Stone, te dwie mieszkają na ulicy, na której było to minitrzęsienie ziemi, ale tej Cross też nie można do końca wykluczyć. Jej dom stoi zaraz za rogiem. – Jimmy Liczykrupa przesunął kolistym ruchem palca po panelu dotykowym i trzy zdjęcia ustawiły się w rzędzie. Pod każdym, ozdobnymi zawijasami, napisane było: *PAMIĄTKA SZKOLNYCH LAT.*

Kruk obejrzał fotografie.

– Nikt nie zauważy, że podkradasz zdjęcia nastolatek z Facebooka czy coś? Bo w Ćwokolandzie są strasznie na to wyczuleni.

Jimmy był urażony.

– E tam, z Facebooka. To zdjęcia z archiwum gimnazjum we Frazier, przekopiowane bezpośrednio z ich komputera na mój. – Cmoknął nieprzyjemnie. – I coś ci powiem: nawet gdyby ktoś miał dostęp do komputerów NASA, nie mógłby mnie na tym przyłapać. No i kto tu jest gość?

– Ty – powiedział Kruk. – Chyba.

– Jak myślisz, która to?

– Gdybym musiał wybrać… – Kruk postukał palcem w zdjęcie Abry. – Ma coś w oczach. Jakby były zasnute parą.

Jimmy po krótkim namyśle uznał, że to sprośna aluzja, i zarechotał.

– To pomoże?

– Tak. Mógłbyś wydrukować te zdjęcia i rozdać wszystkim kopie? Najpierw Barry'emu. On jest Naczelnym Tropicielem.

– Już się robi. Mam skaner Fujitsu ScanSnap. Bardzo poręczna maszynka. Kiedyś miałem S1100, ale wymieniłem go, jak wyczytałem w „Computer World", że…

– Po prostu to zrób, dobrze?

– Jasne.

Kruk znów sięgnął po „New Yorkera" i spojrzał na rysunek na ostatniej stronie, ten, w którym trzeba było samemu uzupełnić podpis. Tegotygodniowy przedstawiał starszą panią wchodzącą do baru z niedźwiedziem na łańcuchu. Miała otwarte usta, więc w podpisie musiała być jej wypowiedź. Kruk zamyślił się głęboko, po czym napisał: „No dobra, który palant nazwał mnie pizdą?".

Wygrać pewnie by nie wygrał.

Winnebago jechało przez zapadający zmrok. Siedzący za kierownicą Orzech włączył światła. Na jednej pryczy Barry Kitajec przewrócił się na bok i przez sen podrapał się po nadgarstku. Była na nim czerwona krostka.

4

Trzej mężczyźni siedzieli w milczeniu, podczas gdy Abra poszła na górę wziąć coś ze swojego pokoju. Dave zastanawiał się, czy poczęstować gości kawą – wyglądali na zmęczonych i obaj byli nieogoleni – ale postanowił, że nie zaproponuje im nawet słonego krakersa, dopóki nie uzyska wyjaśnień. Rozmawiał już z Lucy o tym, co zrobią, kiedy w nie tak odległej przyszłości Abra przyjdzie do domu i oznajmi, że jakiś chłopak zaprosił ją na randkę, ale to byli mężczyźni, dorośli mężczyźni i wyglądało na to, że jeden z nich, ten, którego nie znał, od dłuższego czasu spotykał się z jego córką. Przynajmniej w pewnym sensie… i oto właśnie kluczowe pytanie: w jakim sensie?

Zanim odważyli się zacząć rozmowę, która nieuchronnie musiała być niezręczna – i być może pełna jadu – Abra zadudniła tenisówkami na schodach. Weszła do pokoju z egzemplarzem „The Anniston Shopper".

– Spójrz na ostatnią stronę.

Dave odwrócił gazetę i skrzywił się.

– Co to za brązowe plamy?

– Zaschnięte fusy z kawy. Wyrzuciłam tę gazetę do śmieci, ale nie mogłam przestać o niej myśleć, więc wyciągnęłam ją z powrotem. Nie mogłam przestać myśleć o nim. – Wskazała zdjęcie Bradleya Trevora w dolnym rzędzie. – I o jego rodzicach. I braciach, i siostrach, jeśli je miał. – Jej oczy wypełniły się łzami. – Miał piegi, tatusiu. Nie znosił ich, ale matka mu mówiła, że przynoszą szczęście.

– Nie możesz tego wiedzieć – mruknął Dave bez najmniejszego przekonania.

– Ona to wie – stwierdził John – i ty też. Wysłuchaj nas, Dave. Proszę. To ważne.

– Chcę wiedzieć, co pan robił z moją córką – rzekł napastliwie Dave do Dana. – Na razie to mnie interesuje.

Dan jeszcze raz wszystko opowiedział. O tym, jak na spotkaniu AA bezwiednie napisał imię Abry. O pierwszym „cześć" nabazgranym kredą na tablicy. O tym, jak wyraźnie odczuwał obecność Abry tej nocy, kiedy umarł Charlie Hayes.

– Spytałem, czy to ona czasem pisze po mojej tablicy. Nie odpowiedziała słowami, ale usłyszałem krótką melodię graną na fortepianie. Jakiś stary kawałek Beatlesów, zdaje się.

Dave spojrzał na Johna.

– Powiedziałeś mu o tym!

John zaprzeczył ruchem głowy.

– Dwa lata temu na tablicy pojawiła się wiadomość od niej – ciągnął Dan. – „Zabijają małego baseballistę", takiej była treści. Nie wiedziałem, co to znaczy, ona chyba też nie. Na tym może by się skończyło, ale potem zobaczyła to. – Wskazał ostatnią stronę „The Anniston Shopper" z portretami wielkości znaczków pocztowych.

Abra dopowiedziała resztę.

Kiedy skończyła, Dave stwierdził:

– Czyli polecieliście do Iowa, bo tak wam kazała trzynastolatka.

– Niezwykła trzynastolatka – powiedział John. – O niezwykłych umiejętnościach.

– Myśleliśmy, że z tym już koniec. – Dave spojrzał na Abrę z wyrzutem. – Pomijając jakieś tam drobne przeczucia, sądziliśmy, że z tego wyrosła.

– Przepraszam, tatusiu. – Jej głos był niewiele głośniejszy od szeptu.

– Może nie powinna przepraszać. – Dan starał się nie okazać gniewu. – Ukrywała swoje zdolności, bo wiedziała, że pan i pańska żona byście woleli, żeby ich nie miała. Ukrywała je, bo was kocha i chciała być dobrą córką.

– Tak panu powiedziała, domyślam się?

– Nie zamieniliśmy słowa na ten temat. Ale ja z miłości do matki postępowałem tak samo.

Abra spojrzała na niego z ogromną wdzięcznością. Kiedy znów spuściła wzrok, wysłała mu myśl. Coś, co wstydziła się powiedzieć na głos.

– Nie chciała też, żeby wiedzieli o tym jej koledzy i koleżanki.

Myślała, że przestaliby ją lubić. Że baliby się jej. I pewnie miała co do tego rację.

– Nie traćmy z oczu najważniejszego – wtrącił John. – Polecieliśmy do Iowa, owszem. Znaleźliśmy rafinerię etanolu we Freeman, w miejscu wskazanym przez Abrę. Znaleźliśmy ciało chłopca. I jego rękawicę. Napisał na niej nazwisko swojego ulubionego baseballisty i, na pasku, swoje: Brad Trevor.

– Został zamordowany. Tak mam to rozumieć. Przez bandę wędrownych szaleńców.

– Jeżdżą kamperami i winnebago. – Głos Abry był cichy, senny. Mówiąc, patrzyła na zawiniętą w ręcznik rękawicę baseballową. Bała się jej, a jednocześnie chciała ją wziąć. Dan wyraziście odbierał te sprzeczne uczucia. – Mają dziwne, jakby pirackie imiona.

– Jesteś pewna, że ten chłopiec został zamordowany? – spytał Dave niemal płaczliwym tonem.

– Kobieta w kapeluszu zlizywała jego krew ze swoich dłoni. – Abra do tej pory siedziała na schodach. Teraz podeszła do ojca i wtuliła twarz w jego pierś. – Kiedy łaknie krwi, wysuwa taki specjalny ząb. Jak oni wszyscy.

– Ten chłopiec naprawdę był taki jak ty?

– Tak. – Słowa Abry były stłumione, ale zrozumiałe. – Widział swoją dłonią.

– Co to znaczy?

– Na przykład wiedział, jak miotacz rzuci piłkę, bo jego dłoń widziała to z wyprzedzeniem. A kiedy jego mama coś gubiła, kładł tę dłoń na oczach i patrzył przez nią, żeby zobaczyć, gdzie to coś jest. Tak myślę. Nie wiem na pewno, ale ja czasem tak samo używam swojej dłoni.

– I dlatego go zabili?

– Jestem tego pewien – powiedział Dan.

– Dla jakiejś nadprzyrodzonej witaminy? To niedorzeczność!

Milczeli.

– I wiedzą, że Abra jest na ich tropie?

– Tak. – Podniosła głowę. Policzki miała zarumienione i mokre od łez. – Nie wiedzą, jak się nazywam ani gdzie mieszkam, ale wiedzą, że ktoś taki jak ja istnieje.

– W takim razie musimy iść na policję – zdecydował Dave.

– A może... chyba w takiej sytuacji lepsze byłoby FBI. Pewnie z początku trudno im będzie w to uwierzyć, ale jeśli ciało jest tam, gdzie mówicie...

– Nie powiem, że to zły pomysł, dopóki nie zobaczymy, co Abra wyczyta z tej rękawicy baseballowej – powiedział Dan – lecz musi pan poważnie pomyśleć o tym, jakie byłyby tego konsekwencje. Dla mnie, dla Johna, dla pana i pańskiej żony oraz, co najważniejsze, dla Abry.

– Nie bardzo rozumiem, jakie moglibyście mieć z tego powodu kłopoty...

John poruszył się niecierpliwie na krześle.

– Daj spokój, David. Kto znalazł ciało? Kto je odkopał, pogrzebał z powrotem i zabrał dowód, który pewnie miałby kluczowe znaczenie dla śledztwa? Kto przewiózł ten dowód przez pół kraju, żeby ósmoklasistka mogła posłużyć się nim jak planszą Ouija?

Choć Dan początkowo nie miał takiego zamiaru, dorzucił swoje trzy grosze. Było ich troje przeciwko jednemu Davidowi; może czułby się z tym źle w innych okolicznościach, ale nie w tych.

– Pańska rodzina już teraz przechodzi kryzys, panie Stone. Babcia pańskiej żony umiera, pana żona jest zrozpaczona i wyczerpana. Ta historia to będzie prawdziwa bomba i w prasie, i w Internecie. Klan wędrownych morderców przeciwko małej dziewczynce o rzekomych zdolnościach parapsychologicznych. Zaproszą ją do telewizji, pan odmówi, a to tylko podsyci głód mediów. Wasza ulica zmieni się w studio pod gołym niebem, Nancy Grace pewnie wprowadzi się do sąsiedniego domu i po tygodniu–dwóch zacznie się trąbienie, że cała ta historia to jedna wielka mistyfikacja. Pamięta pan, ile było szumu wokół ojca tego chłopca, który rzekomo latał balonem? Tak samo będzie z panem. Tymczasem Ludzie z Kamperów, jak ich nazywa Abra, wciąż gdzieś tam będą.

– Wobec tego kto będzie chronił moją córeczkę, jeśli po nią przyjdą? Wy dwaj? Lekarz i sanitariusz z hospicjum? A może jest pan tylko woźnym?

Nie wiesz jeszcze o siedemdziesięciotrzyletnim konserwatorze zieleni, który czuwa po drugiej stronie ulicy, pomyślał Dan i nie mógł powstrzymać uśmiechu.

– Po trosze jednym i drugim. Panie Stone…

– Skoro tak blisko zaprzyjaźnił się pan z moją córką, proszę mi mówić Dave.

– Dobra. Dave, myślę, że to, jak teraz postąpisz, zależy od tego, czy i na ile możesz być pewien, że policja jej uwierzy. Zwłaszcza kiedy Abra im powie, że Ludzie z Kamperów to wysysające życie wampiry.

– Chryste! – jęknął Dave. – Nie mogę powiedzieć o tym Lucy. Wścieknie się. Z nią nie ma żartów.

– Czyli chyba mamy odpowiedź na pytanie, czy zadzwonić na policję, czy nie – stwierdził John.

Na chwilę zapadła cisza. Gdzieś w domu tykał zegar. Gdzieś na zewnątrz szczekał pies.

– Trzęsienie ziemi – rzekł nagle Dave. – To minitrzęsienie ziemi. To była twoja sprawka, Abby?

– Prawie na pewno – szepnęła.

Dave przytulił córkę, po czym wstał i odwinął rękawicę baseballową z ręcznika, podniósł ją i obejrzał.

– Zakopali go z nią. Porwali go, skatowali, zamordowali, a potem zakopali go z jego rękawicą baseballową.

– Tak – powiedział Dan.

Dave odwrócił się do córki.

– Naprawdę chcesz tego dotknąć, Abro?

Wyciągnęła ręce i powiedziała:

– Nie. Ale daj ją mimo to.

5

David Stone po chwili wahania podał jej rękawicę.

– Jim Thome – powiedziała Abra i choć Dan gotów był postawić całe swoje oszczędności (a po dwunastu latach stałej pracy i stałej trzeźwości miał ich trochę) na to, że nigdy wcześniej nie słyszała tego nazwiska, wymówiła je prawidłowo: „Tou-mej". – Jest w Klubie Sześciuset.

– Zgadza się – przytaknął Dave. – Zdobył ponad sześćset...

– Ciii... – szepnął Dan.

Obserwowali ją. Podniosła rękawicę do twarzy i powąchała (Dan na wspomnienie robaków musiał się powstrzymać, żeby się nie skrzywić).

– Nie Barry Kufaja, Barry Kitajec – powiedziała. – Wcale nie jest Chińczykiem. Nazywają go tak, bo ma skośne oczy. Jest ich... ich... nie wiem... czekajcie...

Przycisnęła rękawicę do piersi jak matka dziecko. Zaczęła szybciej oddychać. Z szeroko otwartych ust wyszedł jęk. Dave zaniepokojony położył dłoń na jej ramieniu. Abra ją strząsnęła.

– Nie, tatusiu, nie! – Zamknęła oczy i przytuliła rękawicę. Czekali.

Wreszcie podniosła powieki.

– Jadą po mnie.

Dan wstał, ukląkł przy Abrze i nakrył ręką jej dłonie.

(ilu ich jest część z nich czy wszyscy)

– Tylko kilku. Barry jest z nimi. Dlatego to widzę. Oprócz niego jest ich jeszcze troje. Może czworo. W tym kobieta z wytatuowanym wężem. Nazywają nas ćwokami. Jesteśmy dla nich ćwokami.

(czy jest kobieta w kapeluszu)

(nie)

– Kiedy tu dotrą? – spytał John. – Wiesz to?

– Jutro. Po drodze muszą się zatrzymać, żeby zabrać… – Zawiesiła głos. Jej oczy rozejrzały się niewidzącym wzrokiem po pokoju. Jedna dłoń wysunęła się spod ręki Dana i zaczęła ocierać usta. Druga ściskała rękawicę. – Muszą… nie wiem… – Z kącików jej oczu pociekły łzy, łzy nie smutku, lecz wysiłku. – Czy to lekarstwo? Czy to… zaraz, zaraz, puść mnie, Dan, muszę…

Cofnął rękę. Rozległ się ostry trzask, strzeliła niebieska iskra wyładowania elektrycznego. Fortepian zagrał niemelodyjną serię nut. Ceramiczne figurki Hummel na stoliczku drżały i stukotały w blat. Abra nasunęła rękawicę na dłoń. I nagle jej oczy otworzyły się szeroko.

– Jeden jest krukiem! Drugi to lekarz i to się dla nich dobrze składa, bo Barry jest chory! Jest chory! – Potoczyła dzikim wzrokiem po ich twarzach i wybuchnęła śmiechem. Na ten dźwięk włosy Danowi stanęły dęba na karku. Pomyślał, że tak śmieją się wariaci, kiedy za długo nie dostają leków. Musiał wytężyć całą siłę woli, żeby nie zerwać rękawicy z jej dłoni. – Ma odrę! Złapał odrę od Dziadzia Flicka i niedługo wpadnie w cykl! To przez tego pierdolonego bachora! Pewnie nie był szczepiony! Musimy powiedzieć Rose! Musimy…

Dan uznał, że dość już tego. Zerwał rękawicę z jej dłoni i cisnął ją na drugi koniec pokoju. Fortepian ucichł. Figurki jeszcze chwilę grzechotały, po czym znieruchomiały, jedna na samej krawędzi stoliczka. Dave wpatrywał się w córkę z otwartymi ustami. John zerwał się na nogi, ale sprawiał wrażenie, jakby nie mógł zrobić ani kroku.

– Abro, ocknij się.

Patrzyła na Dana wielkimi, pustymi oczami.

(wracaj do nas Abro wszystko w porządku)

Jej barki, podniesione prawie do uszu, stopniowo się rozluźniły. Wypuściła powietrze i opadła na obejmujące ją ramię ojca. Jej T-shirt miał ciemne plamy od potu.

– Abby? – spytał Dave. – Abba-Daba-Du? Nic ci nie jest?

– Nie, ale nie nazywaj mnie tak. – Zaczerpnęła powietrza i wypuściła je kolejnym przeciągłym westchnieniem. – Boże, ale było ostro. – Spojrzała na ojca. – To nie ja powiedziałam brzydkie słowo, tato, to jeden z nich. Zdaje się, że Kruk. Jest przywódcą tych, którzy tu jadą.

Dan usiadł na kanapie obok Abry.

– Na pewno wszystko w porządku?

– Tak. Na razie. Ale nigdy więcej nie chcę dotykać tej rękawicy. Oni nie są tacy jak my. Wyglądają jak ludzie i zdaje się, że kiedyś ludźmi byli, ale teraz mają gadzie myśli.

– Mówiłaś, że Barry ma odrę. Pamiętasz?

– Barry, tak. Ten, na którego wołają Kitajec. Pamiętam wszystko. Strasznie mi się chce pić.

– Przyniosę ci wody – zaoferował się John.

– Nie, czegoś z cukrem. Proszę.

– W lodówce jest cola – powiedział Dave. Pogłaskał Abrę po włosach, potem po policzku i wreszcie po karku. Jakby chciał się upewnić, że jego córka wciąż tu z nim jest.

Zaczekali, aż John wróci z puszką coli. Abra chwyciła ją, napiła się łapczywie i beknęła.

– Przepraszam. – Zachichotała.

Dan jeszcze nigdy tak się nie ucieszył, słysząc czyjś chichot.

– John, odra jest groźna dla dorosłych, zgadza się?

– Pewnie. Może prowadzić do zapalenia płuc, nawet ślepoty w wyniku uszkodzenia rogówki.

– A do śmierci?

– Też, ale rzadko.

– Z nimi jest inaczej – powiedziała Abra – bo zwykle nie chorują. A mimo to Barry jest chory. Mają się po drodze zatrzymać, żeby odebrać przesyłkę. To musi być lekarstwo dla niego. W zastrzykach.

– O co chodziło z tym wpadaniem w cykl? – spytał Dave.

– Nie wiem.

– Jeśli Barry jest chory, może to ich powstrzyma? – John był pełen nadziei. – Zrobią w tył zwrot i wrócą, skąd przyjechali.

– Raczej nie. Możliwe, że już się od niego zarazili, i o tym wiedzą. Nie mają nic do stracenia, a wszystko do zyskania, tak mówi Kruk. – Napiła się jeszcze coli. – Wiedzą, na jakiej ulicy mieszkam. I chyba jednak znają moje nazwisko. Możliwe, że mają nawet zdjęcie. Nie jestem pewna. Barry ma mocno namieszane w głowie. Ale uważają, że... że jeśli ja nie mogę złapać odry...

– To twoja esencja może ich uleczyć – dokończył Dan. – A przynajmniej zaszczepić pozostałych.

– Nie nazywają tego esencją – zauważyła Abra. – Mówią na to para.

Dave mocno klasnął w dłonie.

– Dość tego. Dzwonię na policję. Niech aresztują tych ludzi.

– Nie możesz – ucięła Abra matowym głosem pogrążonej w depresji pięćdziesięciolatki.

Dave już wyjął komórkę z kieszeni, ale jej nie rozłożył.

– Dlaczego nie?

– Będą mieli przekonujące wytłumaczenie, dlaczego jadą do New Hampshire, i dokumenty, do których nie można się przyczepić. Poza tym są bogaci. Naprawdę bogaci, tak jak bogate są banki, koncerny naftowe i Wal-Mart. Nawet jeśli tym razem się wycofają, kiedyś wrócą. Zawsze wracają po to, czego chcą. Zabijają ludzi, którzy stają im na drodze, i tych, którzy próbują się na nich poskarżyć, a jeśli trzeba, wykupują się z kłopotów. – Odstawiła colę na stolik i objęła ojca. – Proszę, tatusiu, nie mów nikomu. Wolałabym, żeby mnie zabrali, niż żeby zrobili krzywdę mamie albo tobie.

– Ale w tej chwili jest ich tylko czworo lub pięcioro – powiedział Dan.

– Tak.

– Gdzie reszta? Wiesz to już?

– Na kempingu, który nazywa się Bluebell. Albo Bluebird. Są jego właścicielami. Niedaleko stamtąd jest miasto. Tam właśnie jest ten supermarket Sam's. Miasto nazywa się Sidewinder. Jest tam Rose i reszta Prawdziwych. Tak o sobie mówią i... Dan? Co się stało?

Nie odpowiedział. Odebrało mu mowę, przynajmniej chwilowo. Wspominał głos Dicka Halloranna dobywający się z martwych ust Eleanor Ouellette. Spytał wtedy Dicka, gdzie są puste diabły, i dopiero teraz jego odpowiedź stała się zrozumiała.

„W twoim dzieciństwie".

– Dan, co się z tobą dzieje? – Głos Johna zdawał się dochodzić z daleka. – Jesteś biały jak prześcieradło.

To wszystko było w dziwny sposób logiczne. Od samego początku – jeszcze zanim go w ogóle zobaczył – wiedział, że hotel Panorama to złe miejsce. Teraz już zniknął z powierzchni ziemi, doszczętnie spłonął, ale kto mógł zagwarantować, że razem z nim spaliło się całe zło? Na pewno nie on. W dzieciństwie nawiedzały go widma, którym udało się uciec.

Ten ich kemping stoi tam, gdzie stał hotel, uświadomił sobie. I prędzej czy później będę tam musiał wrócić. To też wiem. Pewnie prędzej raczej niż później. Ale najpierw...

– Nic mi nie jest – powiedział.

– Chcesz coli? – spytała Abra. – Cukier rozwiązuje wiele problemów, tak przynajmniej uważam.

– Potem. Mam pewien pomysł. Dość mglisty, ale może we czwórkę wspólnymi siłami przekształcimy go w plan.

6

Jadowita Andi zatrzymała wóz na przeznaczonej dla ciężarówek części parkingu przy autostradzie pod Westfield w stanie Nowy Jork. Orzech poszedł do sklepu kupić sok Barry'emu, który gorączkował i skarżył się na silny ból gardła. Kruk w tym czasie zadzwonił do Rose. Odebrała po pierwszym sygnale. Pospiesznie zameldował, jak wygląda sytuacja, i czekał na reakcję.

– Co słychać w tle? – spytała.

Kruk westchnął i przesunął dłonią w górę nieogolonego policzka.

– To Jimmy Liczykrupa. Płacze.

– Każ mu się zamknąć. Powiedz mu, że baseballiści nie płaczą.

Kruk przekazał polecenie, z pominięciem osobliwego żartu Rose. Jimmy, który właśnie ocierał twarz Barry'ego zwilżoną ściereczką, jakoś zdołał stłumić swój głośny i (Kruk musiał to przyznać) irytujący szloch.

– Już lepiej – powiedziała Rose.

– Co mamy zrobić?

– Daj mi sekundę, próbuję pomyśleć.

To, że Rose musiała „próbować" pomyśleć, zaniepokoiło Kruka prawie tak bardzo jak czerwone krostki, które obsypały Barry'ego, ale posłusznie trzymał iPhone'a przy uchu i nic nie mówił. Pocił się. Od gorączki, czy po prostu było tu gorąco? Obejrzał swoje ręce, wypatrując czerwonych plamek, i żadnej nie znalazł. Na razie.

– Mieścicie się w czasie? – spytała Rose.

– Na razie tak. Mamy nawet lekki zapas.

Rozbrzmiały dwa głośne stuknięcia w drzwi. Andi wyjrzała na zewnątrz i otworzyła.

– Kruku? Jesteś tam? – odezwała się Rose.

– Tak. Przyszedł Orzech z sokiem. Barry'ego strasznie boli gardło.

– Spróbuj tego – powiedział Orzech do Barry'ego, zdejmując nakrętkę. – Jabłkowy. Zimny, prosto z lodówki. Ulży twojej gardzieli, zobaczysz.

Barry podniósł się na łokciach i przełknął, kiedy Orzech nachylił małą szklaną butelkę do jego ust. Krukowi trudno było na to patrzeć. Kiedyś widział karmione butelką jagnięta; Barry pił jak one, słabo, nieporadnie.

– Może mówić, Kruku? Jeśli tak, daj mu telefon.

Kruk odepchnął Jimmy'ego łokciem i usiadł obok Barry'ego.

– To Rose. Chce z tobą rozmawiać.

Próbował trzymać telefon przy uchu Barry'ego, ale Kitajec wyrwał mu go z ręki. Najwyraźniej sok dodał mu nieco sił; sok albo aspiryna, którą wmusił w niego Orzech.

– Rose – wychrypiał. – Przykro mi, że tak wyszło, skarbie. – Słuchał, kiwając głową. – Wiem. Rozumiem. Ja… – Jeszcze chwilę posłuchał. – Nie, jeszcze nie, ale… tak. Mogę. Jasne. Ja ciebie też kocham. Już go daję. – Oddał telefon Krukowi i zwalił się na stos poduszek. Chwilowy zastrzyk energii przestał działać.

– Jestem – powiedział Kruk.

– Wpadł już w cykl?

Kruk zerknął na Barry'ego.

– Nie.

– Dzięki Bogu choć za to. Mówi, że wciąż może ją namierzyć. Oby miał rację. Jeśli nie da rady, będziecie musieli ją znaleźć sami. Musimy mieć tę dziewczynę.

Kruk wiedział, że miała swoje powody, by chcieć tego dzieciaka – może Julianne, może Emmę, prawdopodobnie Abrę – i to mu w zupełności wystarczało, ale gra szła o wyższą stawkę. Może o przetrwanie Prawdziwych. W czasie narady toczonej szeptem w tylnej części winnebago Orzech wytłumaczył Krukowi, że dziewczyna pewnie nigdy nie przechodziła odry, bo w dzieciństwie została zaszczepiona, lecz dzięki temu jej para może ich ochronić. Nie była to stuprocentowa gwarancja, ale kurczę, lepsza taka niż żadna.

– Kruk? Powiedz coś, kotku.

– Znajdziemy ją. – Spojrzał wymownie na komputerowego speca Prawdziwych. – Jimmy zawęził krąg podejrzanych do trzech dziewczyn, wszystkie mieszkają blisko siebie. Mamy zdjęcia.

– To znakomicie. – Na chwilę zamilkła, a kiedy znów się odezwała, jej głos był niższy, cieplejszy i być może leciuteńko drżący. Jakby się bała, myślał Kruk z ciężkim sercem. Nie o siebie, lecz o Prawdziwy Węzeł, który miała obowiązek chronić. – Wiesz, że nie kazałabym wam jechać dalej z chorym Barrym, gdyby to nie było absolutnie konieczne.

– Uhm.

– Dorwijcie ją, uśpijcie w cholerę, przywieźcie tutaj. Dobrze?

– Dobrze.

– Jeśli wszyscy zachorujecie, jeśli uznacie, że musicie ją przetransportować samolotem…

– To go wynajmiemy. – Ale ta perspektywa przerażała Kruka. Nawet gdyby ktoś z nich wsiadł do samolotu zdrowy, wysiadłby z niego chory: z zaburzeniami równowagi, słuchem przytępionym przez miesiąc czy nawet dłużej, dygoczący jak w febrze, wymiotujący. Poza tym, oczywiście, po rejsach lotniczych zostawał ślad w papierach. To nie było korzystne dla pasażerów wiozących ze sobą odurzoną, uprowadzoną dziewczynkę. No ale tonący brzytwy się chwyta.

– Ruszajcie już – powiedziała Rose. – Opiekuj się moim Barrym. I resztą.

– U was wszyscy zdrowi?

– Jasne. – Rose się rozłączyła, zanim mógł zadać następne pytanie. To nic. Czasem i bez telepatii można poznać, że ktoś kłamie. Nawet ćwoki to wiedzą.

Rzucił telefon na stolik i mocno klasnął w dłonie.

– No dobra, tankujemy i w drogę. Następny przystanek: Sturbridge, Massachusetts. Orzech, zostań z Barrym. Ja poprowadzę wóz przez najbliższe sześć godzin, potem twoja kolej, Jimmy.

– Chcę do domu – rzekł ponuro Jimmy Liczykrupa. Miał jeszcze coś dodać, ale gorąca dłoń złapała go za nadgarstek, ledwie otworzył usta.

– Nie mamy wyboru – wykrztusił Barry. Jego oczy, choć roziskrzone gorączką, patrzyły w pełni przytomnie. W tej chwili Kruk był z niego bardzo dumny. – Żadnego wyboru, chłoptasiu komputerowy, więc bądź mężczyzną. Dobro Prawdziwych stoi na pierwszym miejscu. Zawsze.

Kruk usiadł za kierownicą i przekręcił kluczyk.

– Jimmy – powiedział. – Chodź no na chwilę. Pogadamy.

Jimmy Liczykrupa usiadł w fotelu pasażera.

– Te trzy dziewczyny… ile mają lat? – zapytał Kruk. – Wiesz to może?

– To i nie tylko to. Kiedy ściągałem zdjęcia, przy okazji włamałem się do ich dokumentacji szkolnej. Jak się powiedziało A, trzeba powiedzieć B, nie? Deane i Cross mają czternaście lat. Ta Stone jest o rok młodsza. Przeskoczyła jedną klasę w podstawówce.

– To może wskazywać, że ma parę – zauważył Kruk.

– Uhm.

– I wszystkie mieszkają w tej samej dzielnicy.

– Zgadza się.

– To może wskazywać, że są koleżankami.

Jimmy miał oczy opuchnięte od łez, ale się zaśmiał.

– Uhm. Jak to dziewczyny. Wszystkie trzy pewnie malują się tą samą szminką i wzdychają do tych samych zespołów. Do czego zmierzasz?

– Do niczego – powiedział Kruk. – Po prostu zbieram informacje. Informacja to władza, tak przynajmniej mówią.

Dwie minuty później winnebago Steve'a Parodajnego już wjeżdżało z powrotem na autostradę I-90. Kiedy wskazówka prędkościomierza doszła do setki, Kruk włączył tempomat i się odprężył.

7

Dan wyłuszczył im w skrócie swój pomysł. Czekał na reakcję Dave'a Stone'a, który długo siedział obok córki ze spuszczoną głową i dłońmi splecionymi między kolanami.

– Tatusiu, powiedz coś – poprosiła Abra.

Dave podniósł głowę.

– Kto chce piwo?

Dan i John wymienili szybkie, zdumione spojrzenia i podziękowali.

– A ja tak. Tak naprawdę chcę podwójnego jacka danielsa, ale nawet bez zasięgania waszej opinii, panowie, zakładam, że sączenie whisky może być dziś niewskazane.

– Ja przyniosę, tato.

Abra pobiegła w podskokach do kuchni. Usłyszeli trzask odciąganej zawleczki i syk uchodzącego gazu – dźwięki, które obudziły w Danie wspomnienia, wiele z nich zdradliwie szczęśliwych. I pragnienie, oczywiście. Wróciła z puszką coorsa i wysoką szklanką.

– Mogę nalać?

– Proszę bardzo.

Dan i John przyglądali się z niemą fascynacją, jak Abra przechyla szklankę i nalewa piwo po ściance, żeby była jak najmniejsza pianka, wszystko to z niewymuszoną wprawą wytrawnego barmana. Szklankę podała ojcu, puszkę postawiła na podkładce obok niego. Dave upił długi łyk, zamknął oczy.

– Ależ to dobre – westchnął.

Nie wątpię, pomyślał Dan i napotkał spojrzenie Abry. Jej twarz, zwykle tak otwarta, była nieodgadniona i w tej chwili nie mógł odczytać skrytych za nią myśli.

– To, co proponujecie, jest szalone, ale ma swoje zalety – powiedział Dave. – Główną z nich byłoby to, że mógłbym zobaczyć te… istoty… na własne oczy. A tego mi chyba trzeba, bo… pomimo wszystko, co od was usłyszałem… nie jestem w stanie w nie uwierzyć. Nawet pomimo tej rękawicy i ciała, które podobno znaleźliście.

Abra już chciała się odezwać, lecz ojciec uciszył ją uniesieniem dłoni.

– Wierzę, że wy w nie wierzycie – ciągnął. – Wszyscy troje. I wierzę, że jakaś grupa niebezpiecznych szaleńców rzeczywiście może… powtarzam: może… szukać mojej córki. Przystałbym na pański plan bez wahania, panie Torrance, gdyby nie wymagał udziału Abry. Nie posłużę się moim dzieckiem jako przynętą.

– Nie będzie takiej potrzeby. – Dan wspominał chwilę, kiedy obecność Abry na placu załadunkowym za rafinerią etanolu zmieniła go w swego rodzaju psa poszukującego zwłok, i to, jak wzrok mu się wyostrzył, gdy Abra otworzyła swoje oczy wewnątrz jego głowy. Nawet płakał wtedy jej łzami, choć zapewne nie wykazałoby tego żadne badanie DNA.

Zresztą kto wie, pomyślał.

– Jak to? – zdziwił się Dave.

– Twoja córka nie musi być z nami, żeby być z nami. Taka już jest wyjątkowa. Abro, mogłabyś pójść jutro po szkole do jakiejś koleżanki? Może nawet zostać u niej na noc?

– Jasne. Do Emmy Deane. – Poznał po błysku podniecenia w jej oczach, że już rozumiała, do czego zmierzał.

– Zły pomysł – zaprotestował Dave. – Nie zostawię jej bez opieki.

– Abra była pod opieką przez cały czas, kiedy byliśmy w Iowa – wtrącił John.

Brwi Abry powędrowały do góry, szczęka lekko opadła. Dan był zadowolony, kiedy to zobaczył. To dowodziło, że spełniła jego prośbę i nie grzebała mu w głowie, choć bez wątpienia mogła to robić, gdy tylko chciała.

Wyjął komórkę i wcisnął guzik szybkiego wybierania numeru.

– Billy? Wejdź, włącz się do zabawy.

Trzy minuty później do domu Stone'ów wszedł Billy Freeman. Był w dżinsach, czerwonej flanelowej koszuli, wiszącej mu prawie po kolana, i czapce Kolei Minimiasta, którą zdjął, zanim uścisnął dłonie Dana i Abry.

– Pomogłeś mu, gdy chorował na brzuch – powiedziała Abra, odwracając się do Dana. – Pamiętam to.

– A jednak grzebałaś mi w głowie – stwierdził Dan.

Zaczerwieniła się.

– Nie naumyślnie. Nigdy. Czasem po prostu… to zdarza się samo.

– Skąd ja to znam.

– Z całym szacunkiem, panie Freeman – rzekł David Stone – ale jest pan trochę za stary na ochroniarza, a tu chodzi o moją córkę.

Billy uniósł połę koszuli, odsłaniając pistolet automatyczny w sfatygowanej czarnej kaburze.

– Colt jeden-dziewięć-jeden-jeden – powiedział. – Pełny automat. Z drugiej wojny światowej. Też stary, ale można na nim polegać.

– Abro, jak myślisz, czy te istoty giną także od kul, nie tylko na choroby wieku dziecięcego? – spytał John.

– O tak. Oni nie są ducholudkami. Są prawdziwi jak my.

John spojrzał na Dana.

– Zgaduję, że nie masz broni? – spytał.

– Nie.

– Mam strzelbę myśliwską – wtrącił się Billy. – Chcesz, to ci pożyczę.

– Może nie wystarczyć – powiedział Dan.

Billy się zamyślił.

– No dobra, znam gościa w Madison. Skupuje i sprzedaje większe rzeczy. Czasem dużo większe.

– O Jezu! Coraz gorzej! – jęknął David.

Dan się ożywił.

– Billy, moglibyśmy zarezerwować „Riv" na jutro, gdybyśmy chcieli urządzić sobie piknik o zachodzie słońca w Cloud Gap?

– Jasne. Wielu ludzi tak robi, zwłaszcza po wakacjach, kiedy stawki lecą w dół.

Abra się uśmiechnęła. To był uśmiech gniewny, Dan już go widział. Był ciekaw, czy ci z Prawdziwego Węzła nie rozmyśliliby się, gdyby wiedzieli, że ich cel ma taki uśmiech w swoim repertuarze.

– Dobrze – powiedziała. – Bardzo dobrze.

– O czym mówicie? – Dave wydawał się oszołomiony i lekko wystraszony.

Abra zignorowała go. Zwróciła się do Dana.

– Należy im się. – Otarła usta stuloną dłonią, jakby chciała zetrzeć z nich ten uśmiech, ale kiedy cofnęła rękę, wciąż tam był; spod ściągniętych warg wystawały czubki zębów. Zacisnęła pięść.

– Należy im się za to, co zrobili małemu baseballiście.

Część trzecia

Sprawy życia i śmierci

Rozdział XIII

Cloud Gap

1

Placówka EZ Mail Services mieściła się w pasażu handlowym między kawiarnią Starbucks a sklepem z częściami samochodowymi. Kruk wszedł parę minut po dziesiątej, wylegitymował się dokumentem na nazwisko Henry Rothman, pokwitował odbiór przesyłki wielkości pudełka na buty i wyszedł z nią pod pachą. Mimo klimatyzacji w winnebago cuchnęło chorobą Barry'ego, ale przyzwyczaili się do tego smrodu i już prawie go nie czuli. Na przesyłce widniał adres zwrotny należący do hurtowni artykułów wodno-kanalizacyjnych z Flushing w stanie Nowy Jork. Taka hurtownia rzeczywiście istniała, lecz akurat ten towar z niej nie pochodził. Kruk, Jadowita i Jimmy Liczykrupa patrzyli, jak Orzech przecina taśmę scyzorykiem i odgina klapy pudełka. Najpierw wyjął plastikową wyściółkę, potem podwójną warstwę bawełnianej waty. Pod spodem, osadzona w styropianie, tkwiła duża, nieopatrzona etykietą butelka wypełniona płynem słomkowego koloru, a także osiem strzykawek, osiem strzałek i prosty pistolet.

— Kurde, tyle tego, że można by wysłać całą jej klasę do Śródziemia — stwierdził Jimmy.

– Rose ma dużo szacunku dla tej małej *chiquita*. – Kruk wyjął pistolet na strzałki z przegródki w styropianie, obejrzał go, schował z powrotem. – Weźmiemy z niej przykład.

– Kruku! – zawołał Barry głosem zduszonym i ochrypłym. – Chodź no!

Kruk zostawił zawartość pudełka Orzechowi i podszedł do łóżka. Chorego pokrywały setki jaskrawoczerwonych krost, oczy miał tak opuchnięte, że ledwo się otwierały, spocone włosy lepiły się do czoła, ale był dużo silniejszy od Dziadzia Flicka. Jeszcze nie wpadł w cykl.

– Dobrze się czujecie? – spytał Barry. – Żadnej gorączki? Żadnych krost?

– Tak. Nie przejmuj się nami, musisz odpoczywać. Może się prześpij.

– Wyśpię się po śmierci, a jeszcze nie umarłem. – Przekrwione oczy Barry'ego błyszczały. – Słyszę ją.

Kruk bez namysłu chwycił go za rękę. Zapisał sobie w pamięci, żeby potem umyć dłoń gorącą wodą i dużą ilością mydła. Chociaż co to da? Wszyscy na zmianę odprowadzali Barry'ego do kibla. Wszyscy oddychali tym samym co on powietrzem.

– Wiesz, która to z tych trzech dziewczyn? Masz jej nazwisko?

– Nie.

– Wie, że po nią jedziemy?

– Nie. Przestań pytać i daj mi powiedzieć, co wiem. Myśli o Rose, dzięki temu ją namierzyłem, ale nie myśli o niej po imieniu. „Kobieta w kapeluszu z jednym długim zębem", tak ją nazywa. Ta mała… – Barry przechylił się na bok i zakaszlał w wilgotną chusteczkę. – Ta mała się jej boi.

– I słusznie – powiedział Kruk ponuro. – Coś jeszcze?

– Kanapki z szynką. Faszerowane jajka.

Kruk czekał.

– Jeszcze nie jestem pewien, ale myślę, że… planuje piknik. Może z rodzicami. Pojadą… zabawkowym pociągiem? – Barry zmarszczył brwi.

– Jakim zabawkowym pociągiem? Gdzie?

– Nie wiem. Wychwycę to, kiedy będziemy bliżej. Na pewno. – Dłoń Barry'ego obróciła się w ręce Kruka i nagle ścisnęła tak mocno, że prawie zabolało. – Ona może mi pomóc, Papciu. Jeśli wytrzymam, a ty ją dopadniesz… zadasz jej wystarczająco silny ból, żeby wypuściła trochę pary… wtedy może…

– Może. – Kruk spojrzał w dół i zobaczył, tylko przez sekundę, kości w ściskających jego dłoń palcach Barry'ego.

2

W ten piątek Abra była w szkole niezwykle cicha. Choć zazwyczaj tryskała wigorem i usta jej się nie zamykały, ta nagła odmiana nie zdziwiła nikogo z kadry pedagogicznej. Rano pan Stone zadzwonił do szkolnej pielęgniarki z prośbą o przekazanie nauczycielom Abry, by tego dnia traktowali ją ulgowo. Nie chciała opuścić lekcji, ale poprzedniego dnia przyszły złe wiadomości o jej prababci.

– Jeszcze nie całkiem się z tym pogodziła – zakończył Dave.

Abra tego dnia tak naprawdę skupiała się na przebywaniu w dwóch miejscach naraz. To było jak jednoczesne klepanie się po głowie i głaskanie po brzuchu: zrazu trudne, lecz dużo łatwiejsze, jak już człowiek złapie właściwy rytm.

Trochę musiała zostać we własnym ciele, by odpowiadać na pytania nauczycieli (od pierwszej klasy wręcz nałogowo zgłaszała się na ochotnika, dziś jednak drażniło ją, gdy była wywoływana do odpowiedzi, mimo że siedziała z dłońmi starannie splecionymi na ławce), rozmawiać na długiej przerwie z koleżankami i poprosić trenera Renniego, by zwolnił ją z wuefu i puścił do biblioteki.

– Boli mnie brzuch – powiedziała, co w żargonie gimnazjalnym było eufemistycznym określeniem miesiączki.

Po szkole, u Emmy, była równie cicha, ale to nikomu nie wadziło. Emma pochodziła z rodziny moli książkowych i akurat po raz trzeci czytała trylogię *Igrzyska śmierci* Suzanne Collins. Pan Deane po powrocie z pracy próbował zagadywać Abrę, ale odpowiadała monosylabami i kiedy pani Deane posłała mu ostrzegawcze spojrzenie, dał za wygraną i zagłębił się w lekturze najnowszego „The Economist".

Abra zauważyła jak przez mgłę, że Emma odkłada książkę i pyta ją, czy chce wyjść na podwórko, ona jednak prawie całą sobą była z Danem: widziała jego oczami, czuła jego dłonie i stopy na sterach małej lokomotywy „Helen Rivington", miała w ustach smak kanapki z szynką, którą jadł, i lemoniady, którą ją popijał. Kiedy Dan rozmawiał z jej ojcem, tak naprawdę mówiła ona. A doktor John gdzie? Na końcu pociągu, więc tym samym żadnego doktora Johna z nimi nie ma. Są tylko we dwoje w kabinie maszynisty, ojciec z córką pocieszający się wzajemnie po otrzymaniu złych wiadomości o Momo, pełna sielanka.

Od czasu do czasu wracała myślami do kobiety w kapeluszu, tej, która zakatowała małego baseballistę na śmierć, a potem zlizywała jego krew zdeformowanymi, wygłodniałymi ustami. Tych wspomnień nijak nie mogła odpędzić, ale czy to w sumie miało znaczenie? Chyba nie. Jeśli Barry był z nią w kontakcie telepatycznym, jej strach przed Rose nie powinien go zdziwić, prawda?

Podejrzewała, że tropiciel Prawdziwego Węzła nie dałby jej się nabrać, gdyby był zdrowy, ale Barry ciężko chorował. Nie wiedział, że znała imię Rose. Do głowy mu nie przyszło, by się zastanowić, dlaczego dziewczyna, która będzie mogła dostać prawo jazdy dopiero w 2015 roku, prowadzi pociąg z Minimiasta przez las na zachód od Frazier. Zresztą nawet gdyby to go zdziwiło, pewnie doszedłby do wniosku, że w tej kolejce maszynista jest niepotrzebny.

Pomyślałby, że to zabawka.

– ...scrabble?

– Hmmm? – Odwróciła się do Emmy, niepewna, gdzie właściwie są. Potem zobaczyła, że trzyma w rękach piłkę do koszykówki. Aha, podwórko. Grają w króla.

– Pytam, czy chcesz zagrać w scrabble ze mną i moją mamą, bo tutaj to my się zanudzimy.

– Wygrywasz, zgadza się?

– A jak! Trzeci raz z rzędu. Jesteś tu w ogóle?

– Przepraszam, martwię się o moją Momo, to dlatego. Może być scrabble. – Właściwie był to doskonały pomysł. Emma i jej mama zastanawiały się nad każdym ruchem tak długo jak żaden inny gracz w znanym wszechświecie i chybaby się posrały, gdyby ktoś zasugerował grę na czas. To będzie dla Abry doskonała okazja, żeby jeszcze bardziej zminimalizować swoją obecność w ich domu. Barry był chory, ale nie martwy, i gdyby zaczął podejrzewać, że Abra stosuje coś w rodzaju telepatycznego brzuchomówstwa, mógłby się zorientować, gdzie naprawdę ją znajdzie.

Jeszcze tylko trochę, myślała. Wkrótce się ze sobą spotkają. Boże, spraw, żeby wszystko dobrze poszło.

Kiedy Emma zajęła się uprzątaniem gratów ze stołu w pokoju rekreacyjnym, a pani Deane rozkładaniem planszy, Abra przeprosiła i powiedziała, że musi się załatwić. Co do tego nie kłamała, zanim jednak poszła do łazienki, szybko wskoczyła do salonu i wyjrzała przez okno. Billy siedział w pikapie po drugiej stronie ulicy. Kiedy zauważył drgnienie zasłon, uniósł kciuk. Abra odpowiedziała tym samym gestem. Potem ta jej mała cząstka, która tu była, poszła do łazienki, podczas gdy cała reszta siedziała w kabinie maszynisty „Helen Rivington".

Urządzimy piknik, posprzątamy po sobie, obejrzymy zachód słońca i wrócimy do domu.

(urządzimy piknik, posprzątamy po sobie, obejrzymy zachód słońca i)

Do jej myśli gwałtownie wdarło się coś nieprzyjemnego. Mężczyzna i dwie kobiety. Mężczyzna miał orła na plecach, kobiety tatuaże na krzyżu. Abra widziała te szczegóły, bo ci ludzie uprawiali nago seks na brzegu basenu przy dźwiękach durnego starego disco. Kobiety wydawały sztuczne jęki. Skąd to się, do licha, wzięło?

Szok wywołany widokiem tego, co robiła ta trójka, wytrącił ją z kruchej równowagi i przez chwilę była całą sobą w jednym miejscu, była tutaj. Ostrożnie przyjrzała się raz jeszcze temu, co zobaczyła, i zorientowała się, że postacie ludzi nad basenem są niewyraźne. Nieprawdziwe. Prawie jak ducholudki. A dlaczego? Bo Barry sam już prawie był ducholudkiem i nie miał ochoty oglądać ludzi uprawiających seks na brzegu...

Zastanawiała się, czy ci ludzie są w telewizji.

Czy Barry Kitajec wiedział, że obserwowała go przy oglądaniu jakiegoś pornosa? Jego i pozostałych? Nie była pewna, ale sądziła, że nie. Wzięli jednak taką możliwość pod uwagę. O tak. Na wypadek gdyby z nimi była, próbowali ją zaszokować, zmusić, żeby uciekła, ujawniła się albo jedno i drugie.

– Abra! – zawołała Emma. – Jesteśmy gotowe do gry!

Gra już się toczy, gra dużo poważniejsza niż scrabble, pomyślała Abra.

Musiała wrócić do równowagi, i to szybko. Mniejsza o pornosa z kiepską muzyką disco. Jest w małym pociągu. Prowadzi mały pociąg. To specjalna gratka dla niej. Dobrze się bawi.

Urządzimy piknik, posprzątamy po sobie, obejrzymy zachód słońca i wrócimy do domu. Boję się kobiety w kapeluszu, ale nie za bardzo, bo nie ma mnie w domu, jadę z tatą do Cloud Gap.

– Abra! Co, wpadłaś do sedesu?

– Idę! – zawołała. – Tylko umyję ręce!

Jestem z tatą. Jestem z tatą i to wszystko.

Patrząc na swoje odbicie w lustrze, Abra szepnęła:

– Tego się trzymaj.

3

Jimmy Liczykrupa był za kierownicą, kiedy wjechali na parking w Bretton Woods, niedaleko Anniston, miasta, w którym mieszkała ta dziewczyna. Tylko że tam jej nie było. Według Barry'ego pojechała do mieściny o nazwie Frazier, kawałek dalej na południowy wschód. Na piknik z tatą. Ulotniła się. Niewiele jej to pomoże.

Jadowita włożyła do odtwarzacza pierwszą płytę DVD. Film nosił tytuł *Przygody Kenny'ego na basenie.*

– Niech mała patrzy i się uczy – powiedziała i wcisnęła „play".

Orzech siedział obok Barry'ego i poił go sokiem... kiedy mógł. Barry już na dobre wpadł w cykl. Nie interesował go sok, a tym bardziej *ménage à trois* na brzegu basenu. Patrzył na ekran tylko dlatego, że takie dostał polecenie. Z każdym kolejnym powrotem do postaci cielesnej coraz głośniej stękał.

– Kruku – powiedział. – Chodź no, Papciu.

Kruk natychmiast przypadł do niego, odtrącając Orzecha łokciem.

– Bliżej – szepnął Barry i Kruk po krótkim wahaniu nachylił się ku niemu. Wziął nawet Barry'ego za rękę, choć bardzo łatwo było sobie wyobrazić obłażące go zarazki ćwoków.

Barry otworzył usta, lecz zanim mógł cokolwiek powiedzieć, wpadł w następny cykl. Jego skóra najpierw stała się mleczna, potem przezroczysta. Kruk widział jego mocno zaciśnięte zęby, oczodoły, w których tkwiły przepełnione bólem oczy, i – co najgorsze – ciemne zakamarki mózgu. Czekał, trzymając dłoń, która nie była już dłonią, tylko zlepkiem kości. Gdzieś daleko wciąż grała ta brzękliwa muzyka disco. Muszą być naćpani, pomyślał Kruk. Inaczej nie dałoby się pieprzyć przy takiej muzyce.

Powoli, powoli Barry Kitajec znów oblókł się w ciało. Tym razem krzyczał, powracając, pot wystąpił mu na czoło, a wraz z nim czerwone krostki, teraz tak błyszczące, że wyglądały jak krople krwi.

Zwilżył usta i powiedział:

– Posłuchaj mnie.

Kruk słuchał.

4

Dan usilnie starał się opróżnić głowę z myśli, by mogła ją wypełnić Abra. Prowadził „Riv" do Cloud Gap tyle razy, że było to dla niego czynnością wręcz automatyczną. John jechał z tyłu, w wagonie służbowym, z bronią (dwa pistolety automatyczne i strzelba myśliwska Billy'ego). Co z oczu, to z głowy. Prawie.

Człowiek nie zatraca się całkowicie nawet we śnie, ale obecność Abry była tak silna, że aż to Dana trochę przerażało. Gdyby została w jego głowie wystarczająco długo i dalej nadawała z taką mocą, wkrótce zacząłby szukać po sklepach modnych sandałów i torebek. I wzdychać do przystojniaków z zespołu 'Round Here.

Pomogło to, że – w ostatniej chwili – przekonała go, żeby wziął ze sobą Kicusia, jej pluszowego królika.

– Wtedy będę miała się na czym skupić – powiedziała, nieświadoma, jak oni wszyscy, że pewien nie całkiem będący człowiekiem dżentelmen znany ćwokom jako Barry Smith zrozumiałby ją doskonale. Nauczył się tej sztuczki od Dziadzia Flicka i wiele razy ją stosował.

Pomogło też to, że Dave Stone nieprzerwanie opowiadał historie z życia rodziny, z których wielu Abra jeszcze nie słyszała. A mimo to Dan nie był przekonany, że ich fortel powiódłby się, gdyby tropiciel się nie rozchorował.

– Inni nie są w stanie cię namierzyć? – spytał ją, kiedy omawiali plan.

– Kobieta w kapeluszu mogłaby, nawet z drugiego końca kraju, ale trzyma się z boku. – Ten niepokojący uśmiech wtedy znów wykrzywił usta Abry i odsłonił czubki jej zębów. W tamtej chwili wyglądała na starszą. – Rose się mnie boi.

Abra nie była stale w jego głowie. Od czasu do czasu czuł, że go opuszcza i szybuje myślami w przeciwną stronę – och, jak ostrożnie – do tego, kto był na tyle nieroztropny, by przymierzyć rękawicę Bradleya Trevora. Powiedziała, że tamci zatrzymali się w mieście o nazwie Starbridge (Dan był przekonany, że chodzi o Sturbridge) i tam zjechali z autostrady, by podążyć bocznymi drogami ku źródłu sygnału emitowanego przez jej świadomość.

Potem zjedli lunch w przydrożnej kafejce, bez pośpiechu, przeciągając ostatni etap podróży. Teraz już wiedzieli, dokąd ona zmierza, i zdecydowali pozwolić jej tam dotrzeć, bo Cloud Gap to ustronne miejsce. Sądzili, że Abra tylko ułatwia im zadanie, i bardzo dobrze, ale utrzymywanie ich w tym przekonaniu to była delikatna robota, coś w rodzaju telepatycznego zabiegu z użyciem lasera.

Była jedna niepokojąca chwila, kiedy głowę Dana wypełniła jakaś scena pornograficzna – seks grupowy na brzegu basenu czy coś w tym stylu – jednak niemal od razu zniknęła. Uznał, że przypadkiem zajrzał do podświadomości Abry, gdzie – jeśli wierzyć doktorowi Freudowi – czyhają najprzeróżniejsze pierwotne obrazy. Tej hipotezy później pożałuje, choć nie będzie czynił sobie wyrzutów z jej powodu; nauczył się nie szperać w najbardziej osobistych sprawach innych ludzi.

Trzymał wolant „Riv" jedną dłonią. Druga leżała na wyłysiałym pluszowym króliku, którego miał na kolanach. Po obu stronach przemykał gęsty las, drzewa rozpalały się bogactwem kolorów. Na miejscu po jego prawej ręce – tak zwanym fotelu konduktora – Dave nieustannie opowiadał swojej córce historie z życia rodziny i przy okazji zgrabnie wyprowadził co najmniej jeden szkielet z szafy.

– Kiedy wczoraj rano rozmawiałem z twoją mamą przez telefon, powiedziała mi, że w piwnicy budynku Momo jest kufer. Podpisany „Alessandra". Wiesz, o kogo chodzi, prawda?

– Babcia Sandy – powiedział Dan. Chryste, nawet jego głos wydawał się wyższy. Młodszy.

– Właśnie. Teraz powiem ci coś, czego być może nie wiesz, i jakby co, nie usłyszałaś tego ode mnie. Jasne?

– Tak, tatusiu. – Dan poczuł, że jego usta wygięły się w łuk, gdy oddalona o kilkadziesiąt kilometrów Abra spojrzała z uśmiechem na swój zestaw liter w scrabble'u: S P O N D L A.

– Twoja babcia Sandy skończyła w Albany Uniwersytet Stanu Nowy Jork i odbywała praktyki nauczycielskie w prywatnej szkole, no nie? W Vermoncie, Massachusetts albo New Hampshire, nie pamiętam gdzie dokładnie. Po upływie połowy z obowiązkowych ośmiu tygodni zrezygnowała. Przez jakiś czas została tam jednak, może dorabiała gdzieś na pół etatu, jako kelnerka albo ktoś taki, i na pewno bywała na wielu koncertach i imprezach. Była…

5

(rozrywkową dziewczyną)

Te słowa skojarzyły się Abrze z tą trójką maniaków seksualnych na brzegu basenu, obłapiających i obśliniających się przy dźwiękach starej muzyki disco. Fuj. Niektórzy mają bardzo dziwne wyobrażenie o tym, czym jest rozrywka.

– Abro? – To była pani Deane. – Twoja kolej, kochanie.

Gdyby musiała długo trwać w tym stanie, załamałaby się nerwowo. O ileż łatwiej byłoby jej w domu, gdzie byłaby sama. Tłumaczyła to ojcu, on jednak nie chciał o tym słyszeć. Choć przecież pan Freeman miałby na nią oko.

Skorzystała z leżącego na planszy G, by ułożyć słowo GOLAS.

– Dzięki, Abbo-Żabo, upatrzyłam sobie to miejsce – powiedziała Emma. Obróciła planszę i wpiła się w nią wzrokiem w godnym egzaminu końcowego skupieniu, które miało potrwać jeszcze pięć minut. Co najmniej. Może nawet dziesięć. I zakończyć się ułożeniem jakiegoś żałosnego słowa typu BUT czy KOT.

Abra wróciła do „Riv". To, co mówił jej ojciec, było nawet ciekawe, choć wiedziała na ten temat więcej, niż przypuszczał.

(Abby?)

– Abby? Słuchasz?

– Jasne – przytaknął Dan, a Abra dopowiedziała w myślach: Musiałam tylko zrobić sobie krótką przerwę, żeby ułożyć słowo.

– To ciekawe.

– Momo mieszkała wtedy na Manhattanie i kiedy Alessandra do niej przyjechała tamtego czerwca, była w ciąży.

– W ciąży z mamą?

– Zgadza się, Abba-Daba-Du.

– Czyli mama była nieślubnym dzieckiem?

Kompletne zaskoczenie, może ociupinkę przerysowane. Dan, który był w tej dziwnej sytuacji, że jednocześnie uczestniczył w tej rozmowie i jej się przysłuchiwał, uświadomił sobie coś, co wydało mu się wzruszające, a zarazem słodko komiczne: Abra doskonale wiedziała, że jej mama jest dzieckiem z nieprawego łoża. Lucy powiedziała jej o tym przed rokiem. Abra udawała, że nic nie wie, by – dziwne, ale prawdziwe – chronić niewinność swojego ojca.

– Otóż to, kochanie. Ale to nie zbrodnia. Czasem ludzie… nie wiem, jak to określić… gubią się. Z drzew genealogicznych wyrastają różne dziwne gałęzie i nie ma powodu, żeby to przed tobą ukrywać.

– Babcia Sandy umarła parę miesięcy po narodzinach mamy, prawda? W wypadku samochodowym.

– Tak. Momo tamtego popołudnia miała tylko pilnować Lucy, a skończyło się na tym, że ją wychowała. Dlatego są sobie tak bliskie i dlatego twojej mamie tak ciężko pogodzić się z tym, że Momo jest stara i chora.

– Z kim babcia Sandy zaszła w ciążę? Wyznała to komuś?

– Wiesz co – powiedział Dave – to ciekawe pytanie. Jeśli tak,

Momo zachowała to dla siebie. – Wskazał do przodu, na drogę przecinającą las. – Zobacz, kochanie, jesteśmy prawie na miejscu!

Mijali tablicę z napisem PLAC PIKNIKOWY CLOUD GAP 3 KM.

7

Oddział Kruka na krótko zatrzymał się w Anniston, żeby zatankować paliwo, ale było to w dolnej części Main Street, co najmniej półtora kilometra od Richland Court. Kiedy wyjeżdżali z miasta – za kierownicą siedziała Jadowita, a na ekranie telewizora leciało odtwarzane z DVD epickie widowisko pod tytułem *Imprezowe studentki* – Barry przywołał do siebie Jimmy'ego Liczykrupę.

– Musicie dodać gazu – powiedział Barry. – Już prawie dojechali. Ich cel to miejsce o nazwie Cloud Gap. Powiedziałem wam to?

– Tak. – Jimmy już miał poklepać Barry'ego po dłoni, ale się rozmyślił.

– Zaraz rozłożą się z piknikiem. Powinniście uderzyć, kiedy będą siedzieć i jeść.

– Załatwimy to – obiecał Jimmy. – I zdążymy jeszcze wycisnąć z niej dość pary, żeby ci pomóc. Rose na pewno nie będzie miała nic przeciwko.

– Dla mnie jest już za późno. Dla ciebie może nie.

– Hę?

– Spójrz na swoje ręce.

Jimmy spojrzał i zobaczył, że na miękkiej białej skórze po wewnętrznej stronie łokci wykwitły pierwsze krostki. Na ich widok zaschło mu w ustach. Czerwona śmierć.

– O Chryste, zaczyna się! – jęknął Barry i nagle jego ubrania się zapadały, bo ciała już nie było. Jimmy zobaczył, że Kitajec przełknął ślinę... po czym jego gardło zniknęło.

– Odsuń się – powiedział Orzech. – Dopuść mnie do niego.

– Tak? I co zrobisz? Już po nim.

Jimmy poszedł na przód wozu i zwalił się na fotel pasażera zwolniony przez Kruka.

– Pojedź drogą 14-A dookoła Frazier – polecił. – Tamtędy będzie szybciej niż przez centrum. Dojedziesz do Saco River Road...

Jadowita postukała w GPS.

– Mam wszystko zaprogramowane. Myślisz, że jestem ślepa albo głupia?

Jimmy ledwo ją słyszał. Wiedział tylko, że nie może umrzeć. Był za młody, żeby umrzeć, zwłaszcza teraz, kiedy komputery lada dzień miały zyskać nowe, niesamowite możliwości. A sama myśl o wpadnięciu w cykl, o miażdżącym bólu przy każdym powrocie do ciała...

Nie. Nie. Absolutnie. Wykluczone.

Piękne jesienne słońce wpadało ukosem przez wielkie przednie szyby winnebago. Jesień była ulubioną porą roku Jimmy'ego i zamierzał razem z resztą Prawdziwego Węzła dożyć następnej. I następnej. I jeszcze następnej. Na szczęście miał ze sobą odpowiednich ludzi, żeby to sobie zapewnić. Papa Kruk był odważny, zaradny i przebiegły. Prawdziwi nie pierwszy raz znaleźli się w tarapatach. Z tych też ich wyciągnie.

– Wypatruj drogowskazu na plac piknikowy Cloud Gap. Nie przegap go. Barry mówi, że już prawie dojechali.

– Jimmy, głowa mnie boli, kiedy cię słucham – powiedziała Jadowita. – Będziemy na miejscu za godzinę, może wcześniej.

– Gaz do dechy – rzucił Jimmy Liczykrupa.

Jadowita Andi uśmiechnęła się szeroko i spełniła jego prośbę.

Kiedy skręcali na Saco River Road, Barry Kitajec wypadł z cyklu. Zostało po nim tylko ubranie. Jeszcze ciepłe od gorączki, która go spaliła.

8

(Barry nie żyje)

Kiedy ta myśl dotarła do Dana, nie było w niej przerażenia. Ani nawet krzty współczucia. Tylko satysfakcja. Abra Stone może i wyglądała jak zwyczajna amerykańska dziewczyna, ładniejsza od niektórych i mądrzejsza od większości, ale skrywała w sobie – i to niezbyt głęboko – młodą normańską wojowniczkę o ognistej, żądnej krwi duszy. Szkoda, że nie ma sióstr ani braci, pomyślał Dan. Broniłaby ich własną piersią.

Zredukował biegi do jedynki i pociąg wyjechał z gęstego lasu na skraj ogrodzonej siatką przepaści. W dole Saco lśniła złocistym blaskiem w zachodzącym słońcu. Porastający strome skarpy las płonął oranżem, czerwienią, żółcią i purpurą. Po niebie, wydawało się na wyciągnięcie ręki, przepływały puszyste chmury.

Zasyczały hamulce pneumatyczne i mały pociąg stanął przy tablicy STACJA CLOUD GAP. Dan zgasił diesla. Przez chwilę nie miał pojęcia, co powiedzieć. Abra wyręczyła go jego własnymi ustami.

– Dzięki, że pozwoliłeś mi prowadzić, tatusiu. Teraz czas na grabież. – W pokoju rekreacyjnym Deane'ów właśnie ułożyła to słowo. – To znaczy piknik.

– Jeszcze jesteś głodna? Przecież tyle jadłaś po drodze – droczył się Dave.

– Powinieneś się cieszyć, że nie jestem anorektyczką.

– Szczerze mówiąc, cieszę się.

Dan kątem oka zobaczył Johna Daltona. Szedł z pochyloną głową przez plac piknikowy, bezszelestnie stąpając po grubej sosnowej ściółce. W jednej ręce niósł pistolet, w drugiej strzelbę Billy'ego Freemana. Rzucił okiem przez ramię i zniknął pośród drzew otaczających parking. Latem na małym placyku i przy stołach piknikowych byłoby pełno ludzi. W to popołudnie dnia powszedniego pod koniec września w Cloud Gap oprócz ich trzech nie było żywej duszy.

Dave spojrzał na Dana. Dan skinął głową. Ojciec Abry – agnostyk z przekonania, ale katolik z metryki – zrobił znak krzyża w powietrzu i poszedł za Johnem w drzewa.

– Tak tu pięknie, tatusiu – powiedział Dan. Jego niewidzialna pasażerka teraz rozmawiała z Kicusiem, bo tylko on został. Dan usadowił wymiętoszonego, łysiejącego, jednookiego królika na jednym ze stołów piknikowych, po czym wrócił do pierwszego wagonika po wiklinowy koszyk. – Nie fatyguj się – rzekł do pustej polany. – Ja go przyniosę, tatusiu.

9

W pokoju rekreacyjnym Deane'ów Abra odsunęła się z krzesłem od stołu i wstała.

– Znowu muszę do łazienki. Niedobrze mi. Potem chyba pójdę do domu.

Emma przewróciła oczami, ale pani Deane była pełna współczucia.

– Och, skarbie, dostałaś… wiesz czego?

– Tak, i jest bardzo ciężka.

– Masz wszystko, czego ci trzeba?

– W plecaku. Dam sobie radę. Przepraszam.

– No jasne – powiedziała Emma. – Wygrywa, to przerywa grę.

– Emma! – krzyknęła jej matka.

– Nic się nie stało, pani Deane. W króla ona wygrała. – Z ręką przyciśniętą do brzucha Abra weszła po schodach na górę. Miała nadzieję, że nie wypadła zbyt sztucznie. Znów wyjrzała na zewnątrz, zobaczyła pikapa pana Freemana, ale tym razem nie pokazała mu podniesionego kciuka. Weszła do łazienki, zamknęła drzwi na zamek i usiadła na opuszczonej klapie sedesu. Jakaż to była ulga, nie musieć już kontrolować tak wielu różnych części swojego ja. Barry umarł; Emma i jej mama były na dole; została już tylko Abra w tej łazience i Abra w Cloud Gap. Zamknęła oczy.

(Dan)

(jestem)

(nie musisz już udawać, że jesteś mną)

Poczuła jego ulgę i uśmiechnęła się. Wujek Dan starał się, jak mógł, ale nie nadawał się na dziewczynę.

Ciche, nieśmiałe pukanie do drzwi.

– Laska? – Emma. – Nic ci nie jest? Przepraszam, jeśli byłam wredna.

– Nie jest źle, ale pójdę do domu, wezmę motrin i się położę.

– Myślałam, że zostaniesz na noc.

– Nic mi nie będzie.

– Twój tata chyba wyjechał, nie?

– Pozamykam wszystkie drzwi, dopóki nie wróci.

– Hm… odprowadzić cię?

– Nie trzeba.

Chciała być sama, żeby móc otwarcie okazać radość, kiedy Dan, jej ojciec i doktor John załatwią te istoty. Bo je załatwią, na pewno. Teraz, kiedy Barry umarł, jego towarzysze są ślepi. Nie ma żadnego zagrożenia.

10

Nawet najlżejszy podmuch nie poruszał wielobarwnymi liśćmi i teraz, gdy „Riv" nie była na chodzie, na placu piknikowym Cloud Gap panowała prawie zupełna cisza. Mącił ją tylko stłumiony szept rzeki w dole, wrzask kruka i odgłos zbliżającego się silnika. Oni. Ci, których przysłała kobieta w kapeluszu. Rose. Dan uniósł wieko koszyka z jednej strony, włożył rękę do środka i chwycił glocka 22, którego załatwił mu Billy – z jakiego źródła, nie wiedział i nic go to nie obchodziło. Liczyło się tylko to, że można było z tej broni wypalić piętnaście razy bez przeładowywania, a jeśli piętnaście kul nie wystarczy, no to będzie miał przerąbane. Powróciło widmowe wspomnienie o ojcu, obraz Jacka Torrance'a mówiącego z tym swoim czarującym, krzywym uśmiechem na twarzy: „Jeśli to nie poskutkuje, nie wiem, co ci powiedzieć". Dan spojrzał na starego pluszaka Abry.

– Gotowy, Kicusiu? Mam nadzieję. Mam nadzieję, że obaj jesteśmy gotowi.

11

Billy Freeman siedział zgarbiony za kierownicą pikapa, ale wyprostował się pospiesznie, kiedy z domu Deane'ów wyszła Abra. Jej koleżanka – Emma – stała w drzwiach. Przybiły piątkę na pożegnanie. Abra ruszyła przez ulicę do swojego domu stojącego cztery posesje dalej. Tego nie było w planach i kiedy zerknęła na Billy'ego, rozłożył ręce w geście pytającym „co jest?".

Uśmiechnęła się i szybko podniosła oba kciuki. Sądziła, że wszystko jest w porządku, tyle zrozumiał bez trudu, ale widząc ją samą na zewnątrz, poczuł się nieswojo, mimo że dziwolągi były trzydzieści kilometrów na południe stąd. Dziewczyna była obdarzona wielką mocą i być może wiedziała, co robi, ale przecież miała dopiero trzynaście lat.

Billy patrzył, jak szła ścieżką do drzwi domu, z plecakiem na plecach, i szukała w kieszeni klucza. Przechylił się w bok i wcisnął guzik otwierający schowek, w którym leżał jego glock 22. Pistolety pożyczył od byłego członka lokalnej sekcji Świętych Drogi. Za młodu czasem z nimi jeździł, ale nigdy się do nich nie przyłączył. Ogólnie tego nie żałował, ale rozumiał, co ludzi do takich klubów ciągnie. Duch koleżeństwa. Pewnie Dan i John podobnie postrzegali picie.

Abra weszła do domu i zamknęła drzwi. Billy nie wyjął ze schowka glocka ani telefonu komórkowego – jeszcze nie – ale i go nie zamknął. Miał złe przeczucia. Może za sprawą tego, co Dan nazywał jasnością. Abra powinna była zostać z koleżanką.

Powinna była trzymać się planu.

12

„Jeżdżą kamperami i winnebago", powiedziała Abra i winnebago wjechało na parking, na którym kończyła się droga dojazdowa do Cloud Gap. Dan trzymał dłoń w koszyku. Teraz, kiedy przyszła ta chwila, był w miarę spokojny. Obrócił koszyk jednym końcem w stronę samochodu turystycznego i kciukiem odbezpieczył glocka.

Drzwi winnebago się otworzyły, niedoszli porywacze wysiedli jeden po drugim.

Abra powiedziała też, że mają dziwne imiona – pirackie imiona – przybysze jednak wyglądali w oczach Dana jak zwyczajni ludzie. Mężczyźni byli podstarzałymi jegomościami, jakich zwykle się widzi pyrkających po kraju w kamperach; kobieta była młoda i ładna, o typowo amerykańskiej urodzie czirliderki, która dziesięć lat po ukończeniu szkoły i może po urodzeniu dziecka czy dwóch wciąż zachowuje świetną figurę. Mogła być córką jednego z tych mężczyzn. Miał chwilę zawahania. Bądź co bądź, to miejsce przyciągało turystów, a w Nowej Anglii zaczynał się sezon dla miłośników barw jesieni. Miał nadzieję, że John i David wstrzymają ogień; byłoby fatalnie, gdyby ci ludzie okazali się Bogu ducha winnymi...

Wtedy zobaczył grzechotnika obnażającego kły na lewym ramieniu kobiety i strzykawkę w jej prawej dłoni. Strzykawkę miał też mężczyzna idący tuż obok niej. A za pasem tego, kto szedł na czele, tkwiło coś, co bardzo przypominało pistolet. Zatrzymali się tuż za brzozowymi palami wyznaczającymi wejście na plac piknikowy. Mężczyzna idący przodem rozwiał wszelkie wątpliwości Dana, wyciągając ten swój pistolet. Nie wyglądał jak normalna broń. Był za cienki.

– Gdzie dziewczyna?

Ręką, której nie trzymał w koszyku, Dan wskazał pluszowego królika.

– On będzie wam musiał wystarczyć.

Mężczyzna z dziwnym pistoletem był niski, z głębokimi zakolami nad twarzą dobrotliwego księgowego, z miękkim, dobrze wypasionym brzuchem wylewającym mu się zza pasa. Miał na sobie spodnie chinos i T-shirt z napisem BÓG NIE ODLICZA

OD DANEGO CZŁOWIEKOWI CZASU GODZIN SPĘDZO-
NYCH NA WĘDKOWANIU.

– Mam do ciebie pytanie, kotku – powiedziała kobieta.

Dan uniósł brwi.

– Słucham.

– Nie jesteś zmęczony? Nie chce ci się spać?

Chciało mu się, i to bardzo. Jego powieki nagle stały się ciężkie jak z ołowiu. Dłoń trzymająca pistolet zaczęła się rozluźniać.
Jeszcze dwie sekundy i chrapałby z głową na zrytym inicjałami
blacie stołu piknikowego. Ale wtedy krzyknęła Abra.

(GDZIE KRUK?! NIE WIDZĘ KRUKA!)

13

Dan poderwał się, jak to zwykle bywa, kiedy zasypiającego
człowieka coś mocno wystraszy. Dłoń w koszyku piknikowym
drgnęła, glock wypalił i w powietrze wzbiła się chmura kawałków
wikliny. Kula chybiła, ale ludzie z winnebago podskoczyli i senność
Dana prysnęła, jak na złudzenie przystało. Kobieta z tatuażem węża
i mężczyzna z głową okoloną włosami koloru prażonej kukurydzy
odskoczyli do tyłu, lecz ten z dziwnie wyglądającym pistoletem
rzucił się do ataku, wrzeszcząc:

– Bierzcie go! Bierzcie go!

– To sobie weźcie, porywacze, kurwa wasza mać! – krzyknął
Dave Stone. Wyszedł spomiędzy drzew i zaczął strzelać. Większość pocisków chybiła, ale jeden trafił Orzecha w szyję i lekarz
Prawdziwych padł na sosnową ściółkę. Strzykawka wysunęła się
z jego palców.

14

Przewodzenie Plemieniu wiązało się z obowiązkami, ale i korzyściami. Jedną z nich był gigantyczny earthcruiser Rose, sprowadzony porażającym kosztem z Australii, a następnie przystosowany do ruchu prawostronnego. Inną to, że kiedy tylko chciała, miała całą damską salę prysznicową na kempingu Bluebell dla siebie. Po wielu miesiącach w drodze nic nie mogło przebić długiego gorącego prysznica w wielkim, wyłożonym kafelkami pomieszczeniu, gdzie można było wyciągnąć ręce w bok czy nawet sobie potańczyć, gdyby człowieka wzięła na to ochota. I gdzie ciepła woda nie kończyła się po czterech minutach.

Rose lubiła gasić światła i brać prysznic po ciemku. Stwierdziła, że wtedy najlepiej jej się myśli, i z tego właśnie powodu poszła pod natrysk zaraz po niepokojącym telefonie, który odebrała o pierwszej po południu lokalnego czasu. Wciąż była przekonana, że wszystko jest w porządku, chociaż z wolna kiełkowały w niej wątpliwości niby mlecze na dotąd nienagannie wypielęgnowanym trawniku. Jeśli dziewczyna była jeszcze bardziej cwana, niż przypuszczali… albo jeśli wzięła sobie kogoś do pomocy…

Nie. Niemożliwe. Miała parę, to na pewno – tyle, ile nie miał nikt – ale była tylko dzieckiem. I ćwokiem. Tak czy tak, Rose na razie nie pozostawało nic innego, jak tylko czekać na rozwój wydarzeń.

Po piętnastu relaksujących minutach wyszła spod prysznica, wytarła się, owinęła puszystym ręcznikiem kąpielowym i wróciła do swojego kampera z ubraniami w ręku. Krótki Eddie i Duża Mo sprzątali placyk do grillowania po kolejnym wyśmienitym lunchu. Nie ich wina, że nikomu nie dopisywał apetyt po tym, jak dwu następnym Prawdziwym wyskoczyły te cholerne czerwone krostki. Pomachali do niej. Rose podniosła rękę, by odwzajemnić gest, kiedy w jej głowie eksplodowała wiązka dynamitu. Runęła na ziemię, spodnie i koszula wypadły jej z dłoni. Ręcznik kąpielowy się rozwinął.

Ledwo to zauważyła. Coś się stało z oddziałem wypadowym. Coś złego. Kiedy tylko trochę oprzytomniała, sięgnęła do kieszeni zmiętych dżinsów po komórkę. Jeszcze nigdy tak mocno (i tak gorzko) nie żałowała, że Papa Kruk nie umie porozumiewać się telepatycznie na duże odległości, ale – z kilkoma wyjątkami, do których zaliczała się ona – ten dar wydawał się zarezerwowany dla parodajnych ćwoków, takich jak ta dziewczyna z New Hampshire.

Biegli ku niej Eddie i Mo, a za nimi Długi Paul, Cicha Sarey, Charlie Szton i Sam Harfiarz. Rose wcisnęła guzik szybkiego wybierania numeru. Oddalony o tysiąc pięćset kilometrów od niej telefon Kruka wydał tylko pół sygnału.

„Halo, dodzwoniłeś się do Henry'ego Rothmana. Nie mogę w tej chwili odebrać, ale jeśli zostawisz numer i krótką wiadomość"…

Pieprzona poczta głosowa. Co znaczyło, że albo rozmawiał przez telefon, albo go wyłączył. Rose stawiała, że to drugie. Naga, klęcząca na ziemi, z piętami wbijającym się w jej długie uda, palnęła się dłonią w czoło.

Kruk, gdzie jesteś? Co robisz? Co się dzieje?

15

Mężczyzna w spodniach chinos i T-shircie wypalił ze swojego dziwnego pistoletu do Dana. Rozległo się sapnięcie sprężonego powietrza i w plecy Kicusia wbiła się strzałka. Dan wyjął glocka ze szczątków koszyka piknikowego i strzelił po raz drugi. Facet dostał w pierś i ze stęknięciem poleciał do tyłu. Z dziury na plecach koszuli trysnęły drobne kropelki krwi.

Została jeszcze Andi Steiner. Odwróciła się i widząc, że Dave Stone zamarł w oszołomieniu, rzuciła się na niego, ściskając strzykawkę w garści jak sztylet. Jej koński ogon kołysał się jak wahadło. Krzyczała. Dan miał wrażenie, że wszystko dzieje się w zwolnionym tempie, wszystkie kształty się wyostrzyły. Zdążył zobaczyć, że na końcu igły wciąż tkwi plastikowa osłonka, i pomyśleć: Co to za pajace? Odpowiedź, oczywiście, była taka, że wcale nie są pajacami, tylko myśliwymi, którzy nie przywykli do tego, że zwierzyna stawia im opór. Trudno się dziwić, skoro polowali głównie na dzieci, i to takie, które niczego nie podejrzewały.

Dave stał bez ruchu przed pędzącą ku niemu wyjącą harpią. Może miał pusty magazynek; bardziej prawdopodobne było to, że ta jedna seria strzałów wyczerpała jego siły. Dan uniósł broń, ale nie nacisnął spustu. Za duże było zagrożenie, że zamiast Kobiety z Tatuażem trafi ojca Abry.

Wtedy spomiędzy drzew wybiegł John i wpadł całym impetem na plecy Dave'a, popychając go na nadbiegającą kobietę. Jej krzyki (wściekłości? przerażenia?) urwały się, wyparte z gardła przez falę gwałtownie wyrzuconego z płuc powietrza. Oboje runęli na ziemię. Strzykawka poleciała w bok. Kiedy Kobieta z Tatuażem rzuciła się po nią na czworakach, John uderzył ją w skroń kolbą strzelby myśliwskiej Billy'ego. To był cios zadany z całej siły, spotęgowany adrenaliną. Chrupnęła złamana szczęka. Rysy twarzy kobiety wykrzywiły się w lewo, oko wybałuszyło się ze zdumieniem. Przewróciła się i przeturlała na plecy. Krew ciurkała z kącików jej ust. Dłonie na przemian zaciskały się i otwierały.

John wypuścił strzelbę z rąk.

– Nie chciałem tak mocno walnąć! – krzyknął zszokowany.

– Chryste, tak bardzo się bałem!

– Spójrz na tego poczochranego – powiedział Dan. Podniósł się na nogi, które wydawały się za długie i nie całkiem obecne.

– Spójrz na niego, John.

Orzech leżał w kałuży krwi i trzymał się ręką za rozerwaną szyję. Wpadł w szybki cykl. Jego ubranie na przemian zapadało się i wybrzuszało. Krew cieknąca przez palce pojawiała się i znikała. Podobnie jak same palce. Facet zmienił się w żywe, obłędne zdjęcie rentgenowskie.

John cofnął się, zasłaniając dłońmi usta i nos. Dan wciąż miał wrażenie, że wydarzenia toczą się w zwolnionym tempie, wciąż widział wszystko wyraźnie jak nigdy. Zdążył zobaczyć, że krew i blond kosmyk Kobiety z Tatuażem na kolbie remingtona też to pojawiają się, to znikają. Skojarzyło mu się to z tym, jak jej koński ogon kołysał się niczym wahadło w chwili, kiedy

(Dan gdzie Kruk GDZIE KRUK???)

rzuciła się na ojca Abry. Abra powiedziała im, że Barry wpadł w cykl. Teraz wiedział, co miała na myśli.

– Z tym w koszulce wędkarskiej dzieje się to samo – powiedział Dave Stone. Głos tylko lekko mu drżał i Dan stwierdził, że chyba już wie, po kim jego córka odziedziczyła swój silny charakter. Nie miał jednak czasu o tym myśleć. Abra przestrzegała go, że nie załatwili całej bandy.

Popędził sprintem do winnebago. Drzwi wciąż były otwarte. Wbiegł po stopniach, rzucił się na pokrytą wykładziną podłogę i wyrżnął głową w nogę stołu jadalnego, aż iskry zatańczyły mu przed oczami. W filmach nigdy tak się nie dzieje, pomyślał i przeturlał się w bok, przygotowany, że zaraz dostanie kulkę, kopa albo zastrzyk od tego, kto został w samochodzie jako straż tylna. Tego, którego Abra nazywała Krukiem. Może jednak łowcy nie byli zupełnie głupi i nieostrożni.

A może tak. Winnebago było puste.

Czy raczej wydawało się puste.

Dan zerwał się na nogi i przebiegł przez małą kuchenkę. Minął łóżko noszące ślady długiego użytkowania. Jego świadomość zarejestrowała fakt, że w samochodzie potwornie cuchnie mimo włączonej klimatyzacji. Była szafa, ale drzwi na szynie stały otworem i w środku nie zobaczył nic oprócz ubrań. Schylił się, wypatrując nóg. Nie było nóg. Przeszedł na tył winnebago i stanął obok drzwi łazienki.

Pomyślał: Znowu akcja jak w filmie; pociągnął drzwi do siebie i przykucnął. Kibel winnebago był pusty i to Dana nie zaskoczyło. Gdyby ktoś próbował się tam ukryć, już by nie żył. Zabiłby go sam smród.

(może ktoś rzeczywiście tu umarł na przykład Kruk o którego pytasz)

Abra natychmiast odpowiedziała, panicznie przerażona. Nadawała z taką mocą, że rozproszyła jego własne myśli.

(nie to Barry umarł GDZIE KRUK ZNAJDŹ KRUKA)

Dan wyszedł z winnebago. Obaj mężczyźni, którzy polowali na Abrę, zniknęli; zostały tylko ich ubrania. Kobieta – ta, która próbowała go uśpić – jeszcze żyła, ale ledwo, ledwo. Doczołgała się do stołu piknikowego, na którym stał rozwalony wiklinowy koszyk, i leżała oparta o jedną z ław. Patrzyła na Dana, Johna i Dave'a oczami osadzonymi w zdeformowanej twarzy. Z jej nosa i ust lała się krew, tworząca czerwoną kozią bródkę, wsiąkała w bluzkę. Dan podszedł do kobiety. Na jego oczach skóra jej twarzy rozpłynęła się, a ubrania opadły na rusztowanie szkieletu. Nietrzymające się już na barkach ramiączka stanika oklapły smętnie. Z miękkich części ciała zostały tylko oczy patrzące na Dana. Po chwili jednak skóra odtworzyła się, ubranie wybrzuszyło. Zwisające ramiączka stanika na powrót werżnęły się w barki, lewe zakneblowało grzechotnika, by nie mógł kąsać. Kości palców ściskających pogruchotaną szczękę oblekły się w ciało.

– Wyruchaliście nas – powiedziała Jadowita Andi. – Daliśmy się wyruchać bandzie ćwoków. Nie do wiary.

Dan wskazał na Dave'a.

– Ten ćwok to ojciec dziewczyny, którą chcieliście porwać. Jeśli cię to ciekawi.

Jadowita z wysiłkiem zdobyła się na uśmiech. Jej zęby ociekały krwią.

– Wiesz, gdzie to mam? Dla mnie to jeszcze jeden kutas jakich wiele. Nawet papież ma takiego i wszyscy wsadzacie je, gdzie popadnie. Jebani faceci. Musicie wygrać, co? Zawsze musicie wy…

– Gdzie ostatni z was? Gdzie Kruk?

Andi zakaszlała. Krew pieniła się w kącikach jej warg. Kiedyś błądziła, potem została odnaleziona, w ciemnym kinie przez boginię z burzą ciemnych włosów na głowie. Teraz umierała, ale nie zmieniłaby niczego. Lata między prezydentem byłym aktorem a czarnym prezydentem były dobre; ta jedna magiczna noc z Rose jeszcze lepsza. Uśmiechnęła się promiennie do stojącego nad nią wysokiego przystojniaka. Uśmiechanie się sprawiało ból, ale wytrzymała.

– A, on. Jest w Reno. Pierdoli tancerki.

Znów zaczęła znikać. Dan usłyszał szept Johna Daltona:

453

– O Boże, krwotok podpajęczynówkowy. Ja go naprawdę widzę.

Dan czekał cierpliwie, ciekaw, czy Kobieta z Tatuażem wróci. W końcu, z przeciągłym jękiem dobywającym się spomiędzy zaciśniętych, zakrwawionych zębów, zmaterializowała się znowu. Cykl wydawał się jeszcze bardziej bolesny od ciosu, który go spowodował, ale Dan sądził, że ma na to lekarstwo. Oderwał dłoń Kobiety z Tatuażem od pogruchotanej szczęki i wbił palce w jej policzek. Czuł, jak kości czaszki przemieszczają się pod jego naporem; jakby naciskał popękaną ściankę wazonu, która trzyma się na kilku kawałkach taśmy klejącej. Tym razem Kobieta z Tatuażem nie poprzestała na jęku. Wyła i słabo drapała Dana palcami. Nie zważał na to.

– Gdzie Kruk?

– W Anniston! Wysiadł w Anniston! Proszę, nie bij już, tatusiu! Proszę, zrobię wszystko, co zechcesz!

Dan pomyślał o tym, co te potwory zrobiły Bradowi Trevorowi w Iowa, o tym, jak torturowały jego i Bóg wie ilu innych, i poczuł nieodpartą pokusę, żeby urwać tej krwiożerczej suce dolną szczękę. Żeby tłuc jej krwawiącą, rozbitą czaszkę jej własną żuchwą dotąd, aż i czaszka, i szczęka znikną.

A potem – co w tych okolicznościach było niedorzeczne – pomyślał o dziecku w koszulce Braves sięgającym po resztkę koki rozsypaną na błyszczącej okładce kolorowego magazynu. „Ciuciejki", powiedział ten chłopczyk. Kobieta z Tatuażem niczym, zupełnie niczym go nie przypominała, ale mógł tak sobie powtarzać bez końca, a to i tak by nic nie dało. Gniew nagle go opuścił, pozostawiając tylko wstręt, słabość i pustkę.

„Nie bij już, tatusiu".

Wstał, wytarł dłoń w koszulę i poszedł jak otępiały w stronę „Riv".

(Abro jesteś tam)

(tak)

Już nie tak spanikowana. To dobrze.

(każ mamie twojej koleżanki zadzwonić na policję i powiedzieć że grozi ci niebezpieczeństwo Kruk jest w Anniston)

Za nic w świecie nie chciał wciągać policji w sprawy, było nie było, nadprzyrodzone, ale w tej chwili nie widział innego wyjścia.

(nie jestem)

Zanim mogła dokończyć, jej myśl zagłuszył wściekły kobiecy wrzask.

(TY MAŁA SUKO)

I nagle Dan zobaczył kobietę w kapeluszu, tym razem nie we śnie, tylko na jawie. Jej obraz palił jego oczy: przerażająco piękna istota, naga, z mokrymi włosami wijącymi się na ramionach jak węże Meduzy. Rozdziawiła usta i piękno zniknęło bez śladu. Została tylko czarna dziura z jednym sterczącym pożółkłym zębem.

(COŚ TY ZROBIŁA)

Dan zachwiał się i oparł dłonią o pierwszy wagonik pasażerski „Riv", żeby się nie przewrócić. Świat zawirował mu w głowie. Kobieta w kapeluszu zniknęła i wokół niego pojawiły się zatroskane twarze.

Przypomniał sobie opowieść Abry o tym, jak świat się obrócił tego dnia, kiedy znalazła zdjęcie Brada Trevora w „The Anniston Shopper"; jak ni z tego, ni z owego zorientowała się, że patrzy oczami kobiety w kapeluszu, a kobieta w kapeluszu jej oczami. Teraz zrozumiał, na czym to polega. To samo działo się w tej chwili i tym razem także on w tym uczestniczył.

Rose leżała na ziemi. Widział szeroki pas wieczornego nieba w górze. Ludzie, którzy otaczali ją ciasnym kręgiem, to bez wątpienia jej plemię morderców dzieci. To widziała Abra.

Pytanie: co widziała Rose?

16

Jadowita wpadła w cykl i wróciła. Całe jej ciało trawił palący ból. Spojrzała na klęczącego przed nią mężczyznę.

– Mogę coś dla ciebie zrobić? – spytał John. – Jestem lekarzem.

Mimo bólu Jadowita się zaśmiała. Ten lekarz, jeden z ludzi, którzy dopiero co zastrzelili lekarza Prawdziwych, teraz chciał jej pomóc. Co powiedziałby o tym Hipokrates?

– Wpakuj mi kulkę, durniu. Nic innego mi nie przychodzi do głowy.

Ten ofermowaty, który zastrzelił Orzecha, podszedł do lekarza.

– Należałoby ci się – powiedział Dave. – Myślałaś, że pozwolę, byście zabrali mi córkę? Żebyście ją torturowali i zabili tak jak tego biednego chłopca w Iowa?

Wiedzieli o tym? Jak to możliwe? Nie miało to już jednak znaczenia, przynajmniej dla Andi.

– Wy zarzynacie świnie, krowy i owce. Czym to się różni od tego, co robimy my?

– Moim skromnym zdaniem zabijanie ludzi to coś zupełnie innego – stwierdził John. – Może jestem naiwny i sentymentalny.

Usta Jadowitej były pełne krwi i jakichś grudek. To pewnie zęby. To też nie miało znaczenia. Koniec końców może taka śmierć jest lżejsza niż to, co musiał wycierpieć Barry. Na pewno szybsza.

Jednak jeden szczegół wymagał sprostowania. Żeby nie było żadnych wątpliwości.

– To my jesteśmy ludźmi. Wy… tylko ćwokami.

Dave uśmiechnął się, ale jego oczy patrzyły twardo.

– A jednak to ty leżysz przed nami z ziemią we włosach i w zakrwawionej bluzce. Mam nadzieję, że w piekle wygrzejesz się za wszystkie czasy.

Jadowita poczuła, że zbliża się następny cykl. Przy odrobinie szczęścia będzie ostatni, na razie jednak kurczowo trzymała się swojej cielesności.

– Nie rozumiecie, jak ze mną było. Przedtem. I jak to jest z nami. Została nas tylko garstka i jesteśmy chorzy. Mamy…

– Wiem, co macie – uciął Dave. – Pieprzoną odrę. Oby zeżarła od środka cały ten wasz nędzny Prawdziwy Węzeł.

– Nie mamy wpływu na to, kim jesteśmy, tak jak wy – mówiła dalej. – Na naszym miejscu postępowalibyście tak samo.

John powoli pokręcił głową z boku na bok.

– Nigdy. Przenigdy.

Jadowita wpadła w cykl. Zdołała jednak wydusić z siebie jeszcze cztery słowa.

– Jebani faceci. – Ostatnie tchnienie, ostatnie spojrzenie oczu osadzonych w rozmywającej się twarzy. – Jebane ćwoki.

I zniknęła.

17

Dan powoli, ostrożnie podszedł do Johna i Dave'a. Przytrzymywał się stołów piknikowych, żeby nie stracić równowagi. Bezwiednie wziął do ręki pluszowego królika Abry. Rozjaśniało mu się w głowie, lecz niekoniecznie był to powód do zadowolenia.

– Musimy wracać do Anniston, i to jak najszybciej. Nie mogę namierzyć Billy'ego. Przedtem go wyczuwałem, teraz zniknął.

– A Abra? – spytał Dave. – Co z Abrą?

Dan nie chciał na niego spojrzeć – twarz Dave'a wyrażała nagi strach – ale się do tego zmusił.

– Też zniknęła. Razem z kobietą w kapeluszu. Obie zamilkły.

– Co to znaczy? – Dave złapał Dana obiema rękami za koszulę. – Co… to… znaczy?

– Nie wiem.

To była prawda, lecz prawdą było też to, że się bał.

Rozdział XIV

Kruk

1

– Chodź no, Papciu – powiedział Barry Kitajec. – Bliżej.

To było zaraz po tym, jak Jadowita puściła pierwszy z pornosów kupionych w Sidewinder. Kruk podszedł do Barry'ego, nawet trzymał go za rękę, kiedy umierający wpadł w kolejny cykl. A gdy powrócił...

– Posłuchaj mnie. Ona rzeczywiście nas obserwuje. Tylko że kiedy zaczął się ten pornol...

Trudno to było wytłumaczyć komuś, kto nie miał tego telepatycznego radaru, tym bardziej że wyjaśnienia płynęły z ust śmiertelnie chorego, ale Kruk ogólnie zrozumiał, o co chodzi. Widok świntuchów baraszkujących na brzegu basenu zgodnie z przewidywaniami Rose zaszokował dziewczynę, lecz skutkiem nie było tylko to, że przestała ich szpiegować i się wycofała. Przez krótką chwilę Barry miał wrażenie, że wyczuwa jej obecność w dwóch miejscach naraz. Wciąż była z ojcem w miniaturowym pociągu, który wiózł ich tam, gdzie mieli sobie urządzić piknik, ale w chwili, kiedy przeżyła szok, mignął drugi, widmowy obraz, zupełnie niezrozumiały. W nim siedziała na opuszczonej klapie sedesu w łazience.

– Może zobaczyłeś wspomnienie – powiedział Kruk. – Mogło tak być?

– Tak – odparł Barry. – Ćwoki mają różne zwariowane myśli. Najpewniej to nic takiego. Ale przez chwilę to było tak, jakby była bliźniaczkami, rozumiesz?

Kruk nie całkiem rozumiał, lecz skinął głową.

– Tylko że jeśli nie taka jest przyczyna, może robi nam jakiś numer. Pokaż mapę.

Jimmy Liczykrupa miał na laptopie mapę New Hampshire. Kruk przysunął go do oczu Barry'ego.

– Ona jest tutaj – powiedział Barry, stukając palcem w ekran. – W drodze do tego Cloud Glen, z tatą.

– Gap – poprawił go Kruk. – Cloud Gap.

– Jeden chuj. – Barry przesunął palcem na północny wschód. – A źródło tego widmowego sygnału było tutaj.

Kruk wziął laptopa i spojrzał przez kroplę bez wątpienia zakażonego potu, którą Barry zostawił na ekranie.

– W Anniston? To jej rodzinne miasto, Bar. Pewnie zostawiła w nim pełno śladów psychicznych. Jak martwy naskórek.

– Jasne. Wspomnienia. Marzenia. Różne takie pierdoły. Jak mówiłem.

– I teraz to zniknęło.

– Tak, ale… – Barry złapał Kruka za nadgarstek. – Jeśli jest tak silna, jak twierdzi Rose, może faktycznie robi nam numer. Odstawia coś w rodzaju brzuchomówstwa.

– Spotkałeś kiedyś parodajnego, który by coś takiego potrafił?

– Nie, ale zawsze musi być ten pierwszy raz. Jestem prawie pewien, że jedzie na piknik ze swoim ojcem, a ty musisz zdecydować, czy „prawie pewien" wystarczy…

Wtedy Barry znów wpadł w cykl i dłużej nie dało się z nim sensownie rozmawiać. Kruk stanął w obliczu trudnej decyzji. To była jego misja i sądził, że sobie poradzi, lecz stał za nią plan i – co ważniejsze – obsesja Rose. Jeśli pokpi sprawę, będzie miał przechlapane.

Zerknął na zegarek. Trzecia po południu tu, w New Hampshire, czyli w Sidewinder pierwsza. Na kempingu Bluebell pewnie kończą lunch, więc Rose powinna mieć wolną chwilę. To przesądziło. Zadzwonił. Po trosze spodziewał się, że go wyśmieje i nazwie starą babą, ale tak się nie stało.

– Wiesz, że nie możemy już w pełni ufać Barry'emu – powiedziała – lecz tobie ufam. Co ci mówi instynkt?

Instynkt nie mówił mu nic w jedną ani w drugą stronę; dlatego do niej zadzwonił. Powiedział jej to i czekał.

– Zostawiam decyzję tobie – stwierdziła. – Tylko nie zawal sprawy.

Wielkie dzięki, kochana Rosie, pomyślał… i miał nadzieję, że tego nie wychwyciła.

Usiadł ze złożonym telefonem komórkowym w dłoni i kołysany z boku na bok ruchem winnebago, wdychał fetor choroby Barry'ego, ciekaw, kiedy na swoich rękach, nogach i piersi zobaczy pierwsze krostki. Wreszcie poszedł na przód i położył dłoń na ramieniu Jimmy'ego.

– W Anniston się zatrzymaj.

– Dlaczego?

– Bo wysiadam.

2

Papa Kruk patrzył, jak wyjeżdżają ze stacji Gas 'n Go w dolnej części Main Street w Anniston, i walczył z pokusą, by, dopóki byli w zasięgu, wysłać do Jadowitej myśl (nie potrafił porozumiewać się telepatycznie na większe odległości): Wracajcie po mnie, to pomyłka.

A jeśli to nie pomyłka?

Kiedy pojechali, pożądliwie łypnął okiem na żałośnie krótki szereg używanych samochodów na sprzedaż wystawionych przed myjnią sąsiadującą ze stacją benzynową. Cokolwiek się wydarzy w Anniston, będzie musiał załatwić sobie jakiś środek transportu. Miał w portfelu dość gotówki, żeby kupić coś, czym dotrze w umówione miejsce spotkania pod Albany przy autostradzie I-87; problemem był czas. Zawarcie umowy kupna samochodu zajmie minimum pół godziny, co mogło być za długo. Dopóki nie nabierze pewności, że to fałszywy alarm, musi po prostu improwizować i polegać na swoim darze przekonywania. Jeszcze nigdy go nie zawiódł.

Znalazł jednak dość czasu, by wpaść do sklepiku na stacji, gdzie kupił czapkę Red Sox. Kiedy wejdziesz między kibiców Soxów, musisz ubierać się jak oni. Chwilę zastanawiał się nad kupnem okularów przeciwsłonecznych, ale zrezygnował. Dzięki telewizji wysportowany czterdziestolatek w ciemnych okularach niektórym się kojarzy z płatnym zabójcą. Czapka musi wystarczyć.

Poszedł Main Street do biblioteki, przed którą Abra i Dan kiedyś odbyli naradę wojenną. W holu głównym, pod zachętą POZNAJ NASZE MIASTO, wisiał szczegółowy plan Anniston. Kruk odświeżył sobie w pamięci położenie ulicy, przy której mieszkała ta dziewczyna.

– Niezły był wczoraj mecz, co? – spytał jakiś mężczyzna z naręczem książek.

Kruk przez chwilę nie miał pojęcia, o co mu chodzi, potem jednak przypomniał sobie o nowej czapce.

– Jasne – przytaknął, nie odrywając oczu od planu.

Zaczekał, aż kibic Soxów się oddali, zanim wyszedł. Nie miał ochoty gadać o baseballu. Nudny sport, jego zdaniem.

3

Richland Court była krótką uliczką, wzdłuż której ciągnęły się urokliwe piętrowe i parterowe domy. Kończyła się rondem do zawracania. W drodze z biblioteki Kruk wziął sobie darmową gazetę „The Anniston Shopper". Teraz stał na rogu, oparty o dogodnie ulokowany dąb, i udawał, że czyta. Dąb osłaniał go; to dobrze, bo mniej więcej w połowie ulicy stał czerwony pikap, w którym ktoś siedział za kierownicą. Wóz był stary, z jakimiś narzędziami na skrzyni ładunkowej i czymś, co wyglądało jak glebogryzarka, więc może gość był ogrodnikiem – ludzi mieszkających przy takiej ulicy byłoby na niego stać – ale jeśli tak, dlaczego siedział i nic nie robił?

Może kogoś pilnował?

Teraz Kruk był zadowolony z tego, że potraktował słowa Barry'ego poważnie. Co teraz robić? Mógł zadzwonić do Rose i poprosić o radę, lecz z ich ostatniej rozmowy było tyle pożytku, co z rzutu monetą.

Wciąż stał na poły ukryty za pięknym starym dębem i zastanawiał się nad swoim następnym posunięciem, kiedy interweniowała opatrzność, jak zawsze bardziej sprzyjająca Prawdziwemu Węzłowi niż ćwokom. Drzwi domu w połowie długości ulicy otworzyły się i wyszły dwie dziewczyny. Kruk miał dobry wzrok jak ptak, któremu zawdzięczał swoje imię, i od razu rozpoznał w nich dwie z trzech dziewczyn ze zdjęć na komputerze Jimmy'ego. Ta w brązowej spódniczce to Emma Deane. Ta w czarnych spodniach to Abra Stone.

Zerknął na pikapa. Kierowca, też stary, do tej pory siedział zgarbiony za kierownicą. Teraz się wyprostował. Zwarty i gotowy, jak mawiają ćwoki. Czujny. Czyli dziewczyna jednak wycięła im numer. Kruk nie wiedział jeszcze, która z nich dwóch ma parę, ale jednego był pewien: ekipa w winnebago szuka wiatru w polu.

Wyjął komórkę, lecz jeszcze patrzył, jak dziewczyna w czarnych spodniach idzie ścieżką w stronę ulicy. Dziewczyna w spódnicy odprowadziła ją wzrokiem i wróciła do środka. Dziewczyna w spodniach – Abra – przeszła na drugą stronę Richland Court i wtedy mężczyzna w pikapie rozłożył ręce w geście mówiącym: „co jest?". W odpowiedzi podniosła kciuki: „Bez obaw, wszystko gra". Poczucie triumfu uderzyło Krukowi do głowy jak haust whisky. Poznał odpowiedź na swoje pytanie. To Abra Stone miała parę. Bez żadnych wątpliwości. Była pilnowana, a za jej ochroniarza robił stary pryk w całkiem porządnym pikapie. Takim, którym Kruk na pewno da radę zawieźć pewną młodą pasażerkę aż do Albany.

Wcisnął guzik, pod którym miał zakodowany numer Jadowitej, i nie był zaskoczony, kiedy wyświetlił się komunikat NIE MOŻNA ZREALIZOWAĆ POŁĄCZENIA. Cloud Gap to lokalny punkt widokowy i Boże broń, by jakieś wieże telefonii komórkowej psuły turystom zdjęcia. Ale to nic. Jeśli nie poradzi sobie ze starcem i małolatą, pora przejść na emeryturę. Wyłączył telefon. Przez najbliższe dwadzieścia parę minut i tak nie chciał z nikim rozmawiać, z Rose włącznie.

Jego misja, jego odpowiedzialność.

Miał cztery napełnione strzykawki, dwie w lewej kieszeni lekkiej kurtki, dwie w prawej. Przybierając na twarz swój najlepszy uśmiech Henry'ego Rothmana – ten, który pokazywał światu, kiedy rezerwował kempingi lub motele dla Prawdziwych – wyszedł zza drzewa i niespiesznie ruszył w głąb ulicy. W lewej dłoni wciąż trzymał złożoną „The Anniston Shopper". Prawa, schowana w kieszeni kurtki, ostrożnie zdejmowała plastikową osłonkę z jednej z igieł.

4

– Przepraszam pana, chyba zabłądziłem. Może pan wskaże mi drogę.

Billy Freeman był podenerwowany, spięty, pełen niejasnych złych przeczuć... mimo to dał się zwieść temu pogodnemu głosowi i promiennemu uśmiechowi mówiącemu „możesz mi ufać". Tylko przez dwie sekundy, ale to wystarczyło. Kiedy sięgnął do schowka, poczuł lekkie ukłucie z boku szyi.

Robal mnie ugryzł, pomyślał, po czym osunął się na bok i jego oczy wywróciły się białkami do góry.

Kruk otworzył drzwi i odepchnął kierowcę, waląc jego głową w okno od strony pasażera. Przeniósł bezwładne nogi Billy'ego nad dźwignią zmiany biegów, zamknął schowek, żeby było trochę więcej miejsca, wsunął się za kierownicę i zatrzasnął drzwi. Odetchnął głęboko i rozejrzał się, gotów na wszystko, ale nie było nic, na co musiałby być gotowy. Richland Court ucinała sobie popołudniową drzemkę – bardzo miło z jej strony.

Kluczyk tkwił w stacyjce. Kruk zapalił silnik i radio huknęło prostackim rykiem Toby'ego Keitha: Boże, błogosław Amerykę i lej piwo, brachu. Kiedy wyciągnął rękę, żeby to wyłączyć, cały świat na chwilę zniknął w straszliwym białym błysku. Kruk miał niewielkie umiejętności telepatyczne, był za to mocno związany ze swoim plemieniem; jego członkowie w pewnym sensie stanowili komórki jednego organizmu i któraś z tych komórek właśnie umarła. Cloud Gap to nie była tylko zmyłka; to była pieprzona zasadzka.

Zaraz pojawił się następny biały błysk i po chwili jeszcze jeden. Oni wszyscy?

Dobry Boże, wszyscy troje? To chyba niemożliwe… prawda?

Odetchnął głęboko raz, potem drugi. Zmusił się, by spojrzeć prawdzie w oczy. Tak, to było możliwe. A jeśli tak, wiedział, kto jest temu winien.

Pierdolona parodajna dziewczyna.

Spojrzał na dom Abry. Zupełna cisza. Dzięki Bogu choć za to. Dotąd zamierzał podjechać pikapem pod sam dom, teraz jednak uznał, że to zły pomysł, przynajmniej na razie. Wysiadł, wsadził głowę do samochodu i złapał nieprzytomnego dziadygę za koszulę i pasek. Wciągnął go z powrotem za kierownicę i przy okazji obszukał. Nie znalazł broni. Szkoda. Nie miałby nic przeciwko temu, żeby być uzbrojonym.

Zapiął staremu piernikowi pas bezpieczeństwa, żeby nie osunął się na kierownicę i nie zatrąbił klaksonem. Potem poszedł ulicą do domu dziewczyny. Bez pośpiechu. Gdyby zobaczył jej twarz w jednym z okien – albo choć najlżejsze drgnienie zasłony – zerwałby się do sprintu, ale nic się nie ruszało.

Była szansa, że mimo wszystko zdoła dopiąć swego, lecz te straszliwe białe błyski zepchnęły wszelkie kalkulacje na drugi plan. Głównie chciał dorwać w swoje ręce tę nędzną sukę, która sprawiła im tak wiele kłopotów, i trząść nią jak workiem z kartoflami.

Abra poszła krokiem lunatyka w głąb przedpokoju. Stone'owie mieli pokój rodzinny w piwnicy, ale właściwym rodzinnym pokojem, ich bezpieczną przystanią była kuchnia i bez namysłu tam się skierowała. Stała oparta rozczapierzonymi dłońmi o stół, przy którym jadła z rodzicami tysiące posiłków, i patrzyła szeroko otwartymi, pustymi oczami w okno nad zlewem. Tak naprawdę nie było jej tutaj. Była w Cloud Gap i patrzyła, jak tamci wysiadają z winnebago: Jadowita, Orzech i Jimmy Liczykrupa. Znała ich imiona od Barry'ego. Ale coś było nie tak. Jednego brakowało.

(GDZIE KRUK DAN NIE WIDZĘ KRUKA!)

Żadnej odpowiedzi, bo Dan, jej ojciec i doktor John byli zajęci. Wykończyli tamtych, jednego po drugim: najpierw Orzecha – to robota jej taty, brawo – potem Jimmy'ego Liczykrupę, na końcu Jadowitą. Każdej śmiertelnej ranie towarzyszyły głuche łupnięcia głęboko w jej głowie. Łupnięcia te, jakby ciężkiego młotka raz po raz walącego w dębową deskę, były straszliwe – bo każde z nich oznaczało czyjąś śmierć – ale nie całkiem nieprzyjemne. Bo...

Bo na to zasługują, zabijają dzieci i nie można ich powstrzymać w żaden inny sposób. Tylko że...

(Dan gdzie Kruk? GDZIE KRUK???)

Teraz ją usłyszał. Dzięki Bogu. Zobaczyła winnebago. Dan myślał, że Kruk jest w środku, i może miał rację. Mimo to...

Pospieszyła w głąb przedpokoju i wyjrzała przez jedno z okien obok drzwi wejściowych. Na chodniku nie było nikogo, pan Freeman wciąż siedział w swoim samochodzie, tak jak się umówili. Nie widziała jego twarzy, bo słońce świeciło na przednią szybę, ale widziała, że był za kierownicą, a to znaczyło, że wszystko jest w porządku.

Prawdopodobnie.

(Abro jesteś tam)

Dan. Ależ miło go usłyszeć. Żałowała, że nie ma go tutaj z nią, lecz był w jej głowie, a to prawie równie dobre.

(tak)

Na wszelki wypadek jeszcze raz zerknęła na pusty chodnik i pikapa pana Freemana, upewniła się, że drzwi wejściowe są zamknięte na zamek, i ruszyła z powrotem do kuchni.

(każ mamie twojej koleżanki zadzwonić na policję i powiedzieć że grozi ci niebezpieczeństwo Kruk jest w Anniston)

Zatrzymała się na środku przedpokoju. Jak zawsze w nerwowych chwilach, bezwiednie podniosła dłoń i zaczęła trzeć usta. Dan nie wiedział, że wyszła od Deane'ów. Bo i skąd? Był bardzo zajęty.

(nie jestem)

Nie dokończyła. Głos Rose Kapelusz huknął w jej głowie, wymazując wszystkie myśli.

(TY MAŁA SUKO COŚ TY ZROBIŁA)

Znajomy korytarz między drzwiami wejściowymi a kuchnią zaczął uciekać jej sprzed oczu. Kiedy ostatnio zdarzył się ten obrót, była przygotowana. Teraz nie. Próbowała to powstrzymać, ale nie mogła. Jej dom zniknął. Anniston zniknęło. Leżała na ziemi i patrzyła w niebo. Uprzytomniła sobie, że utrata tych trzech w Cloud Gap dosłownie zwaliła Rose z nóg, i przez chwilę czuła okrutną radość. Szukała czegoś, czym mogłaby się obronić. Miała mało czasu.

6

Ciało Rose leżało rozwalone w połowie drogi między prysznicami a Domem Turysty Panorama, ale jej umysł był w New

Hampshire i plądrował głowę tej dziewczyny. Tym razem nie zjawiła się żadna zrodzona z marzeń, zbrojna w kopię wojowniczka na rumaku, o nie. Tym razem była tylko zaskoczona sikorka i stara Rosie, a Rosie łaknęła zemsty. Zabije dziewczynę tylko w ostateczności, ta mała suka była na to zdecydowanie zbyt cenna, ale może dać jej przedsmak tego, co czeka ją w przyszłości. Tego, co już przecierpieli przyjaciele Rose. W umysłach ćwoków jest mnóstwo miękkich, niechronionych miejsc i znała je wszystkie doskona…

(WYNOCHA SUKO ZOSTAW MNIE W SPOKOJU BO CIĘ KURWA ZABIJĘ!)

Zupełnie jakby granat hukowy eksplodował jej za oczami. Rose szarpnęła się i krzyknęła. Duża Mo, która wyciągała do niej ręce, cofnęła się zaskoczona. Rose tego nie zauważyła, w ogóle jej nie widziała. Ciągle lekceważyła moc tej dziewczyny. Usiłowała się utrzymać w jej umyśle, ale ta mała suka ni mniej, ni więcej, tylko ją stamtąd wypychała. Niewiarygodne, irytujące i przerażające, lecz prawdziwe. Co gorsza, ręce Rose same z siebie podnosiły się do twarzy. Gdyby nie przytrzymali ich Mo i Krótki Eddie, ta mała wydrapałaby Rose oczy jej własnymi palcami.

Przynajmniej na razie musiała dać za wygraną, wycofać się. Zanim jednak to zrobiła, zobaczyła oczami dziewczyny coś, co przepełniło ją ulgą. To był Papa Kruk. W jednej dłoni trzymał strzykawkę.

7

Abra włożyła w to całą siłę woli, jaką zdołała zebrać, i choć wykrzesała jej z siebie więcej niż tego dnia, kiedy wyruszyła na poszukiwania Brada Trevora, więcej niż kiedykolwiek w życiu, to ledwo wystarczyło. Gdy już zaczynała myśleć, że nie zdoła wykurzyć kobiety w kapeluszu ze swojej głowy, świat znów ruszył. To ona nim obracała, ale to było takie trudne – jakby pchać wielkie kamienne koło. Niebo i twarze patrzące na nią z góry uciekły jej sprzed oczu. Nastąpiła chwila ciemności, w czasie której była

(pomiędzy)

nigdzie, po czym znów zobaczyła przedpokój w swoim domu. Tyle że już nie była sama. Jakiś człowiek stał w drzwiach kuchni.

Nie, nie człowiek. Kruk.

– Cześć, Abro – powiedział z uśmiechem i skoczył na nią.

Wciąż oszołomiona po starciu z Rose, nie próbowała odepchnąć go siłą umysłu. Po prostu odwróciła się i uciekła.

8

W chwilach największego stresu Dan Torrance i Papa Kruk byli bardzo podobni do siebie, choć żaden miał się nigdy o tym nie przekonać. Spojrzenie Kruka nabrało tej samej klarowności, ogarnęło go to samo wrażenie, że wszystko dzieje się w cudownie zwolnionym tempie. Zauważył gumową różową bransoletkę na lewym nadgarstku Abry i miał czas pomyśleć: Walka z rakiem piersi. Zobaczył, jak plecak dziewczyny przechylił się w lewo, kiedy ona sama odbiła w prawo, i wiedział, że jest pełen książek. Miał nawet dość czasu, żeby podziwiać jej rozwiane włosy ciągnące się za nią jasną smugą.

Dogonił ją przy drzwiach, kiedy próbowała przekręcić zamek. Gdy objął lewym ramieniem jej szyję i pociągnął ją do siebie, poczuł, że dziewczyna próbuje – niepewnie, słabo – odepchnąć go siłą swojego umysłu.

Nie całą zawartość strzykawki, pomyślał. Tyle mogłoby ją zabić, waży pewnie nie więcej niż sześćdziesiąt kilo.

Szamotała się, wierciła, ale Kruk zdołał wbić igłę tuż pod jej obojczykiem. Nie musiał uważać, żeby nie wstrzyknąć pełnej dawki, bo dziewczyna w tej samej chwili poderwała lewą rękę, trafiając go w prawą dłoń. Strzykawka spadła na podłogę i odturlała się na bok. Ale opatrzność sprzyja Prawdziwym bardziej niż ćwokom, tak było zawsze i tak było teraz. To, co wstrzyknął, wystarczyło. Poczuł, że słabe macki oplatające jego umysł rozluźniają ucisk. Ręce jej opadły bezwładnie. Patrzyła na niego zszokowanymi, pustymi oczami.

Poklepał ją po ramieniu.

– Wybierzemy się na przejażdżkę. Poznasz nowych, ciekawych ludzi.

Nie do wiary, ale zdobyła się na uśmiech. Uśmiech dość przerażający jak na dziewczynę tak młodą, że gdyby schowała włosy pod czapką, mogłaby uchodzić za chłopaka.

– Te potwory, które nazywasz przyjaciółmi, nie żyją. Oneee…

Ostatnie słowo ledwo wymamrotała, po czym nogi się pod nią ugięły. Kruka korciło, żeby dać jej gruchnąć na podłogę – niech ma za swoje – ale oparł się pokusie i przytrzymał ją pod pachami. Bądź co bądź, była cennym mieniem.

Mieniem Prawdziwych.

9

Do środka dostał się tylnymi drzwiami, otworzywszy praktycznie bezużyteczny zamek jednym szybkim ruchem platynowej karty American Express Henry'ego Rothmana, ale nie miał zamiaru wyjść tą samą drogą. Na końcu spadzistego podwórka była tylko wysoka siatka, a za nią rzeka. Poza tym jego środek transportu czekał z drugiej strony domu. Wyniósł Abrę przez kuchnię do pustego garażu. Oboje rodzice w pracy, być może... albo w Cloud Gap, gdzie napawają się swoim triumfem nad Andi, Jimmym i Orzechem. Na razie miał to głęboko gdzieś; ci, którzy pomogli dziewczynie, mogą poczekać. Przyjdzie i na nich czas.

Wsunął jej bezwładne ciało pod stół, na którym leżało parę narzędzi jej ojca. Potem wcisnął guzik otwierający drzwi garażu i wyszedł, pamiętając o tym, by przykleić do twarzy szeroki uśmiech starego dobrego Henry'ego Rothmana. Kluczem do przetrwania w świecie ćwoków było to, by zawsze wyglądać jak ktoś, kto jest u siebie. I kto zawsze ma dobry humor. Kruk raźnym krokiem poszedł do pikapa i znów przesunął dziadygę, tym razem na środek siedzenia. Kiedy odpalił wóz i skręcił na podjazd Stone'ów, na jego ramię opadła głowa Billy'ego.

– Nie za bardzo się spoufalamy, staruszku? – spytał Kruk i ze śmiechem wjechał czerwonym pikapem do garażu.

Jego przyjaciele zginęli, sytuacja była straszliwie niebezpieczna, ale, jakby tytułem rekompensaty, po raz pierwszy od niepamiętnych czasów czuł się pełen życia, a zmysły miał wyostrzone jak nigdy; świat buchał kolorami i dźwięczał niczym kamerton. Miał ją, na Boga. Pomimo całej jej dziwnej mocy i wszystkich paskudnych sztuczek, dopadł ją. A teraz zawiezie ją Rose. Jako swoisty dowód miłości.

– Główna wygrana – powiedział i w euforii rąbnął dłonią w deskę rozdzielczą.

Zdjął Abrze plecak, zostawił pod warsztatem i usadowił ją w samochodzie. Zapiął pasy bezpieczeństwa obu uśpionym pasażerom. Jasne, przeszło mu przez myśl, żeby skręcić dziadowi kark i zostawić jego ciało w garażu, ale kto wie, może stary piernik się przyda. O ile ten środek go nie zabije, rzecz jasna. Kruk poszukał pulsu na porośniętej siwym zarostem starej szyi i wyczuł go. Bił powoli, ale mocno. W przypadku dziewczyny nie było żadnych wątpliwości; siedziała z głową opartą o okno pasażera i widział, że szyba zaparowała od jej oddechu. Doskonale.

Kruk poświęcił chwilę na to, by zinwentaryzować swój stan posiadania. Nie miał pistoletu – członkowie Prawdziwego Węzła nigdy nie podróżowali z bronią – miał za to jeszcze dwie pełne strzykawki ze środkiem na lulu. Nie wiedział, na jak długo wystarczą, ale dziewczyna jest najważniejsza. Przeczuwał, że okres przydatności dziadygi może bardzo szybko dobiec końca. No cóż, ćwoki przychodzą, ćwoki odchodzą.

Wyjął komórkę i tym razem wcisnął guzik, pod którym zakodował numer Rose. Odebrała w chwili, kiedy już godził się z myślą, że będzie musiał zostawić wiadomość. Mówiła powoli, bełkotliwie. Trochę jak pijana.

– Rose? Co z tobą?

– Dziewczyna dała mi w kość ciut bardziej, niż się spodziewałam, ale nic mi nie jest. Już jej nie słyszę. Powiedz mi, że ją masz.

– Tak, i smacznie śpi. Nie chcę się nadziać na jej przyjaciół. Od razu ruszam na zachód i nie mam czasu się bawić w studiowanie map. Potrzebne mi boczne drogi, którymi mógłbym pojechać przez Vermont do Nowego Jorku.

– Slim Lizus się tym zajmie.

– Musisz natychmiast wysłać mi kogoś na spotkanie, koniecznie z czymś, co sprawi, że Panna Dynamit dalej będzie grzeczna. Niech weźmie wszystko, co tylko macie, bo mnie została nędzna resztka. Zajrzyj do zapasów Orzecha. Na pewno coś tam ma…

– Nie mów mi, co mam robić – warknęła. – Lizus będzie wszystko koordynował. Znasz drogę na tyle, żeby poradzić sobie przynajmniej na początku?

– Tak. Rosie, kochanie, ten plac piknikowy to była zasadzka. Dziewczyna wyprowadziła nas w pole. Co będzie, jeśli jej przyjaciele wezwą gliny? Jadę starym F-150 z dwoma zombi w szoferce. Równie dobrze mógłbym mieć wytatuowane na czole PORYWACZ.

Ale mówiąc to, uśmiechał się szeroko. Na drugim końcu zapadła cisza. Kruk siedział za kierownicą w garażu Stone'ów i czekał.

Wreszcie Rose powiedziała:

– Jeśli zobaczysz za sobą radiowóz na sygnale albo blokadę z przodu, uduś dziewczynę i wyssij z niej tyle pary, ile zdołasz. Potem oddaj się w ręce policji. Zadbamy o ciebie, wiesz o tym.

Tym razem to Kruk zamilkł.

– Jesteś pewna, że to najlepsze rozwiązanie, skarbie? – spytał w końcu.

– Tak. – Mówiła kamiennym głosem. – Jest odpowiedzialna za śmierć Jimmy'ego, Orzecha i Jadowitej. Opłakuję ich wszystkich, ale najbardziej szkoda mi Andi, bo sama ją przemieniłam i zdążyła tylko zakosztować naszego życia. No i jest jeszcze Sarey...

Zawiesiła głos i westchnęła. Kruk milczał. Tak naprawdę nie było nic do powiedzenia. W początkach swojego pobytu wśród Prawdziwych Andi Steiner była z wieloma kobietami – żadna niespodzianka, nowi po nabraniu pary byli wyjątkowo jurni – ale przez ostatnie dziesięć lat ona i Cicha Sarey tworzyły szczęśliwy związek i nie widziały świata poza sobą. Pod pewnymi względami Andi wydawała się bardziej córką Cichej Sarey niż jej kochanką.

– Sarey jest niepocieszona – powiedziała Rose – a Czarnooka

Susie rozpacza po Orzechu. Dziewczyna odpowie za to, że odebrała nam tych troje. Tak czy inaczej jej życie jako ćwoka dobiegło końca. Jeszcze jakieś pytania?

Kruk nie miał żadnych.

10

Nikt nie zwracał większej uwagi na Papę Kruka i jego śpiących pasażerów, kiedy wyjechali z Anniston starą Granite State Highway, kierując się na zachód. Z kilkoma godnymi odnotowania wyjątkami (najgorsze były bystrookie starsze panie i małe dzieci) Ameryka ćwoków była nad podziw mało spostrzegawcza nawet w dwunastym roku Mrocznej Ery Terroryzmu. „Jeśli coś zobaczysz, powiedz coś" to cholernie chwytliwy slogan, najpierw jednak trzeba coś zobaczyć.

Kiedy dotarli do Vermontu, zapadał zmrok i z samochodów mijających ich z naprzeciwka widać było tylko przednie światła Kruka, który specjalnie jechał na długich. Slim Lizus dzwonił już trzy razy, żeby go pilotować. Prowadził Kruka głównie bocznymi, często nieoznakowanymi drogami. Zapewnił go też, że Doug Diesel, Brudny Phil i Annie Fartuch wyruszyli mu naprzeciw. Jechali caprice'em rocznik 2006, który wyglądał jak rupieć, ale miał pod maską czterysta koni mechanicznych. Nic się nie stanie, jeśli przekroczą dozwoloną prędkość; zabrali ze sobą legitymacje Departamentu Bezpieczeństwa Wewnętrznego, które, dzięki świętej pamięci Jimmy'emu Liczykrupie, nie wzbudzą niczyich podejrzeń.

Bliźnięta Little, Groszek i Strączek, korzystali z należących do Prawdziwych nowoczesnych urządzeń do łączności satelitarnej, by prowadzić nasłuch radiostacji policyjnych na północnym wschodzie, i jak dotąd nie wyłapali żadnego komunikatu o uprowadzeniu młodej dziewczyny. Dobra, ale niezaskakująca wiadomość. Przyjaciele dość bystrzy, by zastawić pułapkę, zapewne byli dość bystrzy, by wiedzieć, co spotkałoby ich sikorkę, gdyby narobili rabanu.

Zadzwonił jakiś inny telefon. Dźwięk dzwonka był stłumiony. Nie odrywając oczu od jezdni, Kruk wyciągnął rękę nad uśpionymi pasażerami, sięgnął do schowka i wymacał komórkę. Starego pryka, na pewno. Podniósł ją do oczu. Nie wyświetliło się imię, więc dzwoniącego nie było w pamięci telefonu, ale przed numerem widniał kierunkowy z New Hampshire. Czyżby jeden z tych, którzy zastawili zasadzkę, chciał wiedzieć, czy z Billym i dziewczyną wszystko w porządku? Bardzo możliwe. Kruk zastanowił się, czy odebrać, i uznał, że lepiej nie. Potem jednak sprawdzi, czy dzwoniący zostawił wiadomość. Informacja to władza.

Kiedy znów przechylił się w bok, żeby włożyć komórkę z powrotem do schowka, jego palce musnęły metal. Schował telefon i wyjął pistolet automatyczny. Dodatkowa nagroda, a przy tym szczęśliwe znalezisko. Gdyby dziadyga ocknął się zbyt wcześnie, mógłby sięgnąć po broń.

Kruk wsunął glocka pod miejsce kierowcy, po czym zamknął schowek.

Broń to też władza.

11

Było zupełnie ciemno i jechali drogą numer 108 przez Góry Zielone, kiedy Abra zaczęła się budzić. Kruk, wciąż niesamowicie pełen życia, wciąż z nadzwyczajnie wyostrzonymi zmysłami, wcale się tym nie zmartwił. Po pierwsze, był jej ciekaw. Po drugie, wskaźnik paliwa zbliżał się do zera i ktoś będzie musiał napełnić bak.

Nie było jednak sensu ryzykować.

Prawą ręką wyjął z kieszeni jedną z zachowanych strzykawek i trzymał ją na udzie. Zaczekał, aż dziewczyna otworzy oczy – wciąż łagodne i mętne. Wtedy powiedział:

– Dobry wieczór, młoda damo. Jestem Henry Rothman. Rozumiesz mnie?

– Jesteś… – Abra odchrząknęła, zwilżyła usta, spróbowała znowu. – Nie jesteś żaden Henry. Jesteś Kruk.

– Czyli rozumiesz. To dobrze. Jesteś trochę zamulona, domyślam się, i taka pozostaniesz, bo tak mi pasuje. Ale nie będzie potrzeby cię zupełnie uśpić, jeśli tylko będziesz grzeczna. Rozumiemy się?

– Dokąd jedziemy?

– Do Hogwartu, na Międzynarodowy Turniej Quidditch. Kupię ci tam magicznego hot doga i magiczną watę cukrową. Odpowiedz na moje pytanie. Będziesz grzeczna?

– Tak.

– Taka natychmiastowa zgoda mile łechcze ucho, ale wybacz, że w nią do końca nie uwierzę. Zanim spróbujesz zrobić coś głupiego, czego potem pożałujesz, muszę podać ci kilka ważnych informacji. Widzisz tę igłę w moim ręku?

– Tak. – Abra, wciąż z głową opartą o szybę, spojrzała w dół, na strzykawkę. Jej oczy zamknęły się i otworzyły. Bardzo powoli. – Pić mi się chce.

– Ani chybi od tego specyfiku. Nie mam nic do picia, wyjeżdżaliśmy w pewnym pośpiechu…

– Zdaje się, że w plecaku mam kartonik soku. – Ochryple. Cicho i powoli. Oczy wciąż otwierała z dużym wysiłkiem po każdym mrugnięciu.

– Obawiam się, że plecak został w twoim garażu. Możesz sobie kupić coś do picia w następnej mieścinie, do której zawitamy... jeśli będziesz grzeczną małą Złotowłosą. Jeśli będziesz niegrzeczną małą Złotowłosą, przez całą noc łykać będziesz tylko swoją ślinę. Rozumiemy się?

– Tak...

– Jeśli poczuję, że szperasz mi w głowie... tak, wiem, że to potrafisz... albo jeśli spróbujesz zwrócić na siebie uwagę, kiedy się zatrzymamy, dam zastrzyk temu staremu dżentelmenowi. W połączeniu z tym, co już mu zaaplikowałem, to zabije go na amen jak Amy Whinehouse. To też jest jasne?

– Tak. – Znów oblizała wargi, po czym potarła je dłonią. – Nie rób mu krzywdy.

– To zależy tylko od ciebie.

– Dokąd mnie zabierasz?

– Złotowłosa... Skarbie...

– Co? – Spojrzała na niego, mrugając półprzytomnie.

– Bądź już cicho.

– Hogwart – powiedziała. – Wata... cukrowa. – Tym razem, kiedy zamknęła oczy, jej powieki już się nie podniosły. Zaczęła lekko pochrapywać. To był ulotny dźwięk, całkiem przyjemny dla ucha. Kruk nie sądził, że udawała, ale na wszelki wypadek dalej trzymał strzykawkę przy nodze starego piernika. Jak Gollum kiedyś powiedział o Frodo Bagginsie, podstępny jest, ssskarbie. Bardzo podstępny.

12

Abra nie zasnęła zupełnie; wciąż słyszała silnik pikapa, ale był gdzieś daleko. Gdzieś ponad nią. Przypomniały jej się te upalne letnie popołudnia, kiedy jeździła z rodzicami nad jezioro Winnipesaukee, i to, jak zanurzając głowę w wodzie, słyszała odległy warkot motorówek. Wiedziała, że została porwana i że powinna się tym martwić, ale ogarniał ją spokój, czuła się przyjemnie zawieszona między snem a jawą. Tylko ta suchość w ustach i gardle była okropna. Jej język był jak pas zakurzonej wykładziny.

Muszę coś zrobić. Wiezie mnie do kobiety w kapeluszu i muszę coś zrobić. Inaczej zabiją mnie, tak jak zabili małego baseballistę.

Coś wymyślę. Jak już się napiję. I jeszcze trochę pośpię…

Warkot silnika przeszedł w odległy pomruk i nagle przez jej zamknięte powieki przebiło się światło. Po chwili dźwięk ucichł zupełnie. Kruk szturchnął ją w nogę. Najpierw lekko, potem mocniej. Tak mocno, że zabolało.

– Wstawaj, Złotowłosa. Potem jeszcze sobie pośpisz.

Z trudem uniosła powieki i skrzywiła się, rażona jasnym światłem. Stali obok dystrybutorów paliwa. W górze świeciły jarzeniówki. Osłoniła oczy od blasku. Teraz nie tylko chciało jej się pić, ale i bolała ją głowa. Zupełnie jakby…

– Co cię tak bawi, Złotowłosa?

– Hę?

– Uśmiechasz się.

– Już wiem, czemu tak się czuję. Mam kaca.

Kruk uśmiechnął się szeroko.

– Ano rzeczywiście, i nawet nie miałaś okazji potańczyć z abażurem na głowie. Jesteś na tyle przytomna, żeby mnie zrozumieć?

– Tak. – Przynajmniej tak sądziła. Och, ale to łupanie w skroniach. Okropność.

– Weź to.

Wyciągnął lewą rękę i podsunął coś Abrze pod nos. W prawej wciąż trzymał strzykawkę z igłą spoczywającą obok nogi pana Freemana.

Zmrużyła oczy. To była karta kredytowa. Wzięła ją ręką, która wydawała się zbyt ciężka. Powieki zaczęły jej opadać i wtedy od Kruka dostała w twarz. Otworzyła szeroko oczy, zaszokowana. Jeszcze nikt nigdy jej nie uderzył, przynajmniej nikt dorosły. Oczywiście, jeszcze nigdy nie została porwana.

– Au! Au!

– Wysiadaj. Postępuj zgodnie z instrukcją na dystrybutorze… bystry z ciebie dzieciak, na pewno dasz radę. Nalej do pełna. Potem odwieś pistolet dystrybutora na miejsce i wsiadaj. Jeśli zrobisz to wszystko jak grzeczna mała Złotowłosa, podjedziemy do automatu. – Wskazał przeciwległy narożnik sklepu. – Będziesz mogła sobie kupić dużą colę. Albo wodę, co wolisz. Jeśli będziesz niegrzeczną małą Złotowłosą, zabiję starego, a potem pójdę do sklepu i załatwię chłopaka za kasą. Żaden kłopot. Twój przyjaciel miał pistolet, który teraz mam ja. Zabiorę cię ze sobą, żebyś mogła zobaczyć, jak małolatowi rozrywa głowę. To zależy tylko od ciebie, jasne? Rozumiesz?

– Tak. – Abra była już trochę bardziej przytomna. – A mogę kupić i colę, i wodę?

Jego uśmiech tym razem był przeszeroki i przeurodziwy. Mimo sytuacji, w jakiej się znalazła, mimo bólu głowy, nawet mimo otrzymanego policzka Abrze uśmiech ten wydał się czarujący. Domyślała się, że Kruk potrafił nim zauroczyć wiele osób, zwłaszcza kobiety.

– Jesteś trochę zachłanna, ale to nie zawsze wada. Zobaczymy, czy będziesz grzeczna.

Odpięła pas bezpieczeństwa – udało się dopiero za trzecim podejściem. Zanim wysiadła, powiedziała:

– Przestań nazywać mnie Złotowłosą. Znasz moje imię, a ja twoje.

Trzasnęła drzwiami i zanim mógł odpowiedzieć, ruszyła do dystrybutora (zataczając się lekko). Miała nie tylko parę, ale i ikrę. Prawie ją podziwiał. Lecz, zważywszy na to, co spotkało Jadowitą, Orzecha i Jimmy'ego, na „prawie" się kończyło.

13

Z początku Abra nie mogła odczytać instrukcji, bo litery dwoiły się i rozmywały. Przymrużyła powieki i napis się wyostrzył. Kruk ją obserwował. Czuła jego oczy na swoim karku jak dwa ciepłe ciężarki.

(Dan?)

Nic. Nie była zaskoczona. Jak mogła liczyć na to, że nawiąże kontakt z Danem, kiedy ledwo była w stanie zrozumieć instrukcję obsługi tego durnego dystrybutora? Tak słabo to jeszcze nigdy nie jaśniała.

W końcu udało jej się puścić paliwo, choć kiedy za pierwszym razem próbowała zapłacić kartą Kruka, włożyła ją odwrotnie i musiała zacząć od nowa. Tankowanie dłużyło się w nieskończoność, lecz gumowa osłona pistoletu tłumiła smród oparów benzyny i nocny chłód trochę Abrę otrzeźwił. Na niebie wisiały miliardy gwiazd. Zwykle zachwycały ją swoim pięknem i mnogością, ale kiedy patrzyła na nie tego wieczora, czuła tylko lęk. Były daleko. Nie widziały jej.

Kiedy bak był pełny, przeczytała zmrużonymi oczami wiadomość, która wyświetliła się w okienku dystrybutora, i odwróciła się do Kruka.

– Chcesz paragon?

– Myślę, że jakoś pokuśtykamy dalej bez niego, nie? – I znów ten olśniewający uśmiech, taki, który sprawia ci radość, jeśli to ty jesteś jego przyczyną. Abra mogła się założyć, że Kruk ma dużo dziewczyn.

Nie, ma tylko jedną, pomyślała. Kobieta w kapeluszu jest jego dziewczyną. Rose. Gdyby miał inną, Rose zabiłaby ją. Rozszarpałaby na strzępy.

Powlokła się z powrotem do pikapa i wsiadła.

– Świetnie się spisałaś – powiedział Kruk. – Wygrywasz główną nagrodę: colę i wodę. A zatem… co masz do powiedzenia swojemu papciowi?

– Dziękuję – odparła Abra markotnie. – Ale nie jesteś moim papciem.

– Wiesz, mógłbym nim być. Potrafię być bardzo dobrym papciem dla dziewczynek, które są dla mnie dobre. Tych, które umieją się zachować. – Podjechał do automatu i dał jej banknot pięciodolarowy. – Kup mi fantę, jeśli jest. Jeśli nie, colę.

– Pijecie napoje gazowane jak normalni ludzie?

Przybrał komicznie urażoną minę.

– Gdy nas ranicie, czyż nie krwawimy? Gdy nas łaskoczecie, czyż się nie śmiejemy?

– Szekspir, zgadza się? – Znów otarła usta. – *Romeo i Julia*

– *Kupiec wenecki*, głuptaku – powiedział Kruk… ale z uśmiechem. – Założę się, że nie znasz dalszego ciągu.

Pokręciła głową. Błąd. To wzmogło łupanie w głowie, które już zaczynało słabnąć.

– Gdy nas trujecie, czyż nie umieramy? – Postukał igłą w nogę pana Freemana. – Pomedytuj o tym, kiedy pójdziesz po picie.

14

Przyglądał jej się uważnie, gdy stała przy automacie. Stacja benzynowa znajdowała się na zalesionych peryferiach jakiejś małej mieściny i istniało zagrożenie, że mała stwierdzi „chrzanić dziadygę" i ucieknie w las. Pomyślał o pistolecie, lecz zostawił go na miejscu. Była tak zamulona, że dogoniłby ją bez trudu. Zresztą nawet nie spojrzała w kierunku drzew. Wsunęła banknot pięciodolarowy do automatu i wzięła napoje, jeden po drugim, z przerwą na pociągnięcie dużego łyka wody. Wróciła i otworzyła drzwi od strony pasażera, ale nie wsiadła. Wskazała budynek stacji.

– Muszę się wysikać.

Kruka zamurowało. Tego nie przewidział, a powinien. Dostała narkotyk i jej organizm musiał oczyścić się z toksyn.

– Nie możesz trochę wytrzymać? – Pomyślał, że kilka kilometrów dalej zatrzyma się w jakiejś zatoczce. Niech dziewczyna idzie w krzaki. Jeśli tylko będzie widział czubek jej głowy, wszystko będzie cacy.

Ale ona pokręciła głową. Oczywiście.

Zastanowił się.

– No dobra, słuchaj. Możesz skorzystać z damskiej ubikacji, jeśli jest otwarta. Jeśli nie, będziesz musiała się odlać za budynkiem. Za nic się nie zgodzę, żebyś poszła do kasjera po klucz.

– A jeśli pójdę sikać za budynek, pewnie będziesz mnie podglądał. Zbok.

– Na pewno jest tam kontener na śmieci albo coś, za czym będziesz mogła przycupnąć. Serce mi pęknie, jeśli nie zobaczę twojej cudnej małej pupci, ale spróbuję jakoś przeżyć. A teraz wsiadaj.

– Przecież mówiłeś...

– Wsiadaj, bo znów zacznę cię nazywać Złotowłosą.

Wsiadła i Kruk podjechał pod same drzwi ubikacji, prawie je blokując.

– Teraz wyciągnij rękę.

– Po co?

– Nie gadaj, tylko to zrób.

Niechętnie wyciągnęła rękę. Chwycił ją. Na widok strzykawki Abra zaczęła się wyrywać.

– Nie bój się, to będzie tylko kropelka. Nie możemy dopuścić, żebyś snuła jakieś nieprzyzwoite myśli, no nie? Albo wysyłała je innym. To się stanie tak czy inaczej, więc po co robić przedstawienie?

Przestała się wyrywać. Łatwiej było ulec. Poczuła lekkie ukłucie na grzbiecie dłoni i Kruk ją puścił.

– No już, idź. Zrób psi-psi, tylko szybko. Jak mówi ta stara piosenka country, przed nami daleka droga, a czasu mało.

– Nie znam żadnej takiej piosenki.

– Nie dziwię się. Nawet nie odróżniasz *Kupca weneckiego* od *Romea i Julii*.

– Jesteś złośliwy.

– Nie muszę taki być – powiedział.

Wysiadła i przez chwilę tylko stała obok samochodu, oddychając głęboko.

– Abra?

Spojrzała na niego.

– Nie próbuj się zamknąć w środku. Wiesz, kto by za to zapłacił, prawda? – Poklepał nogę Billy'ego Freemana.

Wiedziała.

Jeszcze chwilę temu zaczynała myśleć jasno, teraz jednak znów mąciło jej się w głowie. Straszny człowiek – jeśli „człowiek" to dobre słowo – skryty za tym czarującym uśmiechem. I do tego przebiegły. O wszystkim pomyślał. Nacisnęła klamkę w drzwiach ubikacji. Ustąpiły. Przynajmniej nie będzie musiała sikać w krzakach; to już coś. Weszła do środka, zamknęła drzwi i załatwiła, co miała do załatwienia. Potem tylko siedziała na sedesie ze zwieszoną głową, a świat wirował jej przed oczami. Przypomniała sobie, jak była w łazience u Emmy, kiedy jeszcze naiwnie wierzyła, że wszystko się dobrze skończy. Wydawało się, że to było tak dawno temu.

Muszę coś zrobić…

Była jednak zamroczona, kręciło jej się w głowie.

(Dan)

Wysłała tę myśl z całą mocą, jaką mogła z siebie wykrzesać… a nie było jej dużo. Kiedy Kruk się zniecierpliwi? Wpadła w rozpacz odbierającą resztki woli oporu. Chciała tylko zapiąć spodnie, wsiąść z powrotem do pikapa i znowu zasnąć. Mimo to spróbowała raz jeszcze.

(Dan! Dan proszę cię!)

I czekała na cud.

Zamiast niego był tylko krótki sygnał klaksonem. Przesłanie było oczywiste – czas minął.

Rozdział XV

Zamiana

1

Przypomnisz sobie o tym, o czym zapomniano.

Po zasadzce w Cloud Gap te słowa prześladowały Dana jak urywek irytującej piosenki, który utkwił ci w głowie i nie chce stamtąd wyjść, taki, który nucisz, nawet wlokąc się do ubikacji w środku nocy. One też były irytujące, ale nie do końca nonsensowne. Z jakiegoś powodu kojarzyły mu się z Tonym.

Przypomnisz sobie o tym, o czym zapomniano.

Nie było mowy, żeby pojechali winnebago Prawdziwego Węzła po swoje samochody zaparkowane przy stacji Minimiasto na skwerze miejskim we Frazier. Nawet gdyby się nie obawiali, że ktoś ich zauważy przy wysiadaniu z tego auta albo że zostawią w środku ślady, żaden nie zgodziłby się na takie rozwiązanie – nie musieli nad tym głosować, by to wiedzieć. Wewnątrz winnebago cuchnęło czymś więcej niż chorobą i śmiercią; cuchnęło złem. Dan miał jeszcze jeden powód. Nie wiedział, czy członkowie Prawdziwego Węzła powracają jako ducholudki, ale nie chciał się o tym przekonać.

Wrzucili więc pozostałe po Prawdziwych ubrania i narkotykowe akcesoria do Saco, gdzie wszystko to, co nie utonie, nurt poniesie do Maine, i wrócili tak, jak przyjechali, kolejką „Helen Rivington".

David Stone padł na fotel konduktora i widząc, że Dan wciąż trzyma pluszowego królika Abry, wyciągnął po niego rękę. Dan oddał go bez większego sprzeciwu i zauważył, co ojciec Abry ma w drugiej dłoni: blackberry.

– Co zamierzasz?

Dave spojrzał na las przemykający po obu stronach wąskiego toru, a potem na Dana.

– Jak tylko złapię zasięg, zadzwonię do Deane'ów. Jeśli nikt nie odbierze, zadzwonię na policję. Jeśli ktoś odbierze i Emma albo jej matka powiedzą, że Abry nie ma, zadzwonię na policję. O ile same jeszcze tego nie zrobiły. – Jego spojrzenie było chłodne, taksujące i bynajmniej nie przyjazne, ale przynajmniej jako tako panował nad panicznym strachem o córkę i Dan go za to szanował. – Pana obarczam odpowiedzialnością za to, co się stało, panie Torrance. To był pański plan. Pański szalony plan.

Nie było co zwracać mu uwagi na to, że wszyscy na ten szalony plan przystali. Czy że on i John martwią się milczeniem Abry prawie tak mocno jak jej ojciec. W gruncie rzeczy ten człowiek miał rację.

Przypomnisz sobie o tym, o czym zapomniano.

Czy to kolejne wspomnienie z Panoramy? Tak się Danowi zdawało. Ale dlaczego teraz? Dlaczego tutaj?

– Dave, ona prawie na pewno została uprowadzona – włączył się do rozmowy John Dalton. Siedział w pierwszym wagoniku za lokomotywą. Ostatnie promienie zachodzącego słońca przebijały się przez drzewa i migotały na jego twarzy. – Jeśli tak się stało i zgłosisz to policji, jak myślisz, co spotka Abrę?

Niech Bóg cię błogosławi, pomyślał Dan. Gdybym ja to powiedział, zapewne nie chciałby mnie słuchać. Bo w gruncie rzeczy jestem obcym człowiekiem, który zmawiał się z jego córką. Nigdy nie da się do końca przekonać, że nie ja wpakowałem ją w ten bajzel.

– Co innego możemy zrobić? – spytał Dave. Załkał i wtulił twarz w pluszową zabawkę. Jego kruchy spokój prysnął. – Co ja powiem żonie? Że strzelałem do ludzi w Cloud Gap i w tym czasie jakieś straszydło ukradło nam córkę?

– Po kolei – powiedział Dan. Nie sądził, by slogany AA typu „Odpuść sobie, dopuść Boga" czy „Nie przejmuj się" trafiły w tej chwili do ojca Abry. – Rzeczywiście, kiedy złapiesz sygnał, powinieneś zadzwonić do Deane'ów. Sądzę, że ich zastaniesz i że nic się nie stało.

– Na jakiej podstawie?

– Kiedy ostatnim razem kontaktowałem się z Abrą, powiedziałem jej, żeby kazała mamie koleżanki zadzwonić na policję.

Dave zamrugał.

– Naprawdę? Czy mówisz tak tylko, żeby kryć swój tyłek?

– Naprawdę. Abra zaczęła odpowiadać. Powiedziała „nie jestem" i wtedy straciłem z nią kontakt. Myślę, że chciała dać znać, że nie jest już u Deane'ów.

– Żyje? – Dave złapał Dana za łokieć lodowatą ręką. – Czy moja córka jeszcze żyje?

– Nie miałem od niej żadnych wiadomości, ale jestem pewien, że tak.

– Co innego miałbyś powiedzieć – szepnął Dave. – To się nazywa krycie własnego tyłka, nie?

Dan powstrzymał cisnącą się na usta ripostę. Gdyby zaczęli się sprzeczać, nikłe szanse odnalezienia Abry spadłyby do zera.

– To logiczne – powiedział John. Choć wciąż blady, wciąż z lekko drżącymi rękami, mówił spokojnym głosem lekarza zwracającego się do pacjenta. – Martwa na nic się nie zda temu, który ocalał. Temu, który ją porwał. Żywa jest zakładnikiem. Poza tym chcą ją dla...

– Dla jej esencji – dokończył Dan. – Tego, co nazywają parą.

– Jeszcze jedno – dorzucił John. – Co powiesz glinom o ludziach, których zabiliśmy? Że pojawiali się i znikali, aż w końcu rozpłynęli się w powietrzu? I że potem pozbyliśmy się ich... ich pozostałości?

– Nie do wiary, że dałem się w to wciągnąć. – Dave wykręcał królika w rękach. Wkrótce stara zabawka rozerwie się i wypełniacz wylezie na wierzch.

– Słuchaj, Dave – powiedział John. – Dla dobra swojej córki musisz myśleć trzeźwo. Ona wpakowała się w to w chwili, kiedy zobaczyła w „Shopperze" zdjęcie tego chłopca i próbowała ustalić, co się z nim stało. Jak tylko ta, jak ją Abra nazywa, kobieta w kapeluszu dowiedziała się o jej istnieniu, było prawie nieuchronne, że zacznie jej szukać. Nie wiem nic o tej parze i bardzo niewiele o tym, co Dan nazywa jasnością, ale wiem, że tacy ludzie jak ci, z którymi mamy do czynienia, nie zostawiają świadków. A w przypadku tego chłopca z Iowa twoja córka była świadkiem.

– Zadzwoń do Deane'ów, ale udawaj, że chodzi o coś błahego – dodał Dan. Osaczali Dave'a tak jak on i Casey Kingsley czasem osaczali czynnych alkoholików w trakcie interwencji. Nie znosił tego ani wtedy, ani teraz, lecz nie było innego wyjścia. Gra szła o życie Abry.

– Błahego? Błahego? – Dave Stone wyglądał jak człowiek, który próbuje wymówić szwedzkie słowo.

– Powiedz, że chcesz spytać Abrę, czy masz coś kupić w sklepie, chleb, mleko lub coś w tym stylu. Jeśli odpowiedzą, że poszła do domu, powiesz, że nie ma sprawy, zadzwonisz do niej na numer domowy.

– I co potem?

Dan nie wiedział. Wiedział tylko, że musi pomyśleć. O tym, o czym zapomniano.

John wiedział.

– Wtedy spróbujesz zadzwonić do Billy'ego Freemana.

Kiedy na telefonie pojawiła się pierwsza kreska, już zmierzchało i reflektor „Riv" wycinał świetlisty stożek na leśnej drodze. Dave zadzwonił do Deane'ów. Choć kurczowo ściskał teraz już zupełnie zdeformowanego Kicusia i wielkie krople potu ściekały mu po twarzy, Dan miał wrażenie, że wypadł całkiem nieźle. Czy Abby mogłaby podejść na chwilę do telefonu i powiedzieć mu, czy potrzebują czegoś ze sklepu? Hm? Naprawdę? W takim razie zadzwoni do niej do domu. Posłuchał jeszcze chwilę, powiedział, że tak, nie omieszka, i rozłączył się. Spojrzał na Dana oczami jak dwie obwiedzione bielą jamy.

– Pani Deane chciała, żebym spytał Abrę, jak się czuje. Podobno poszła do domu, bo skarżyła się na bóle miesiączkowe. – Zwiesił głowę. – Nawet nie wiedziałem, że już dostała okresu. Lucy nic nie mówiła.

– Niektórych rzeczy ojcowie nie muszą wiedzieć – powiedział John. – Teraz zadzwoń do Billy'ego.

– Nie mam jego numeru. – Zaśmiał się pojedynczym HA! – Ale z nas oddział pościgowy.

Dan wyrecytował go z pamięci. Przed nimi przerzedzały się drzewa i widać już było blask latarni wzdłuż głównej arterii Frazier.

Dave wstukał numer. Długo słuchał i wreszcie się rozłączył.

– Poczta głosowa.

Milczeli, kiedy „Riv" wyjechała spomiędzy drzew na ostatni trzykilometrowy odcinek trasy do Minimiasta. Dan raz jeszcze spróbował nawiązać kontakt z Abrą, wyrzucając z siebie swój wewnętrzny głos z całą mocą, jaką zdołał zebrać. Nie było odzewu. Ten, którego nazywała Krukiem, pewnie ją jakoś uśpił. Kobieta z Tatuażem miała strzykawkę. Kruk prawdopodobnie też.

Przypomnisz sobie o tym, o czym zapomniano.

Źródło tej myśli było w najgłębszej głębi jego umysłu, tam gdzie trzymał skrytki zawierające wszystkie straszne wspomnienia o hotelu Panorama i zasiedlających go duchach.

– Chodziło o kocioł.

Dave zerknął na niego z fotela konduktora.

– Hę?

– Nic.

System ogrzewania w hotelu Panorama był przedpotopowy. Bez regularnego spuszczania pary ciśnienie wzrastało do poziomu grożącego rozerwaniem kotła i wysadzeniem całego hotelu w powietrze. Pogrążający się w szaleństwie Jack Torrance o tym zapomniał, ale jego mały synek został ostrzeżony. Przez Tony'ego.

Czy to kolejne ostrzeżenie, czy tylko irytujący środek mnemotechniczny przywołany przez stres i poczucie winy? Bo prawda była taka, że Dan czuł się winny. John miał rację, Abra tak czy tak stałaby się celem Prawdziwych, ale uczucia skutecznie opierają się racjonalnemu myśleniu. Plan był jego, nie wypalił, i on za to odpowiada.

Przypomnisz sobie o tym, o czym zapomniano.

Czy to głos jego starego przyjaciela, próbujący powiedzieć mu coś o ich obecnej sytuacji, czy tylko dźwięk gramofonu?

2

Dave i John pojechali do domu Stone'ów razem. Dan ruszył za nimi własnym samochodem, zadowolony, że został sam ze swoimi myślami. Nie żeby to pomagało. Był prawie pewien, że ma coś na wyciągnięcie ręki, coś ważnego, ale nie mógł tego uchwycić. Próbował nawet przyzwać Tony'ego, czego nie robił od szkolnych lat. Nic z tego.

Na Richland Court nie było już pikapa Billy'ego. Dana to nie zdziwiło. Oddział Prawdziwych przyjechał winnebago. Jeśli wysadzili Kruka w Anniston, był pieszo i potrzebował samochodu.

Garaż stał otwarty. Dave nie czekał, aż wóz Johna całkiem się zatrzyma, tylko wyskoczył i wbiegł do środka, wołając Abrę. Oświetlony reflektorami suburbana jak aktor na scenie, podniósł coś z podłogi i wydał z siebie ni to jęk, ni to krzyk. Gdy Dan zrównał się z samochodem Johna, zobaczył, że Dave ma w ręku plecak Abry.

Wtedy chwyciła go pokusa, by się napić, jeszcze silniejsza niż tego wieczoru, kiedy zadzwonił do Johna z parkingu kowbojskiej knajpy, silna jak nigdy w ciągu tych wszystkich lat, które upłynęły od chwili, kiedy na swoim pierwszym spotkaniu dostał biały żeton. Pokusa, żeby wrzucić wsteczny, ignorując okrzyki towarzyszy, i pojechać z powrotem do Frazier. Był tam bar Bull Moose. Wiele razy go mijał, zawsze snując typowe rozważania trzeźwiejącego alkoholika: Jak jest w środku? Jakie mają piwo z beczki? Jakie kawałki są w szafie grającej? Jaka whisky jest na półkach, a jaka pod ladą? Są laski? I jak smakowałby ten pierwszy drink? Czy smakowałby domem? Czy poczułby się tam, jakby nareszcie wrócił na swoje miejsce? Mógłby poznać odpowiedź na przynajmniej część tych pytań, zanim Dave Stone wezwałby policję i gliny zabrałyby go na przesłuchanie w sprawie zniknięcia pewnej dziewczynki.

„Przyjdzie czas – powiedział mu Casey w tych pierwszych, trudnych dniach – kiedy psychiczne mechanizmy obronne cię zawiodą i między tobą a drinkiem stać będzie już tylko Siła Wyższa".

Danowi nie przeszkadzało to gadanie o Sile Wyższej, bo miał na ten temat informacje z pierwszej ręki. Bóg pozostawał niepotwierdzoną hipotezą, ale że istnieje inny wymiar rzeczywistości, to wiedział na pewno. Jak Abra, widział ducholudków na własne oczy. Dlatego owszem, mógł istnieć i Bóg. Dan tyle razy zaglądał do świata poza tym światem, że wydawało się to wręcz prawdopodobne... chociaż co to za Bóg, który siedzi bezczynnie, kiedy ludziom dzieje się taka krzywda?

Jakbyś ty pierwszy zadał takie pytanie, pomyślał.

Casey Kingsley kazał mu padać na kolana dwa razy dziennie, rano, by prosić o pomoc, wieczorem, by dziękować. „To pierwsze trzy kroki: ja nie mogę, Bóg może, chyba Mu pozwolę. Nie myśl o tym za dużo".

Nowicjuszom nieskorym do usłuchania tej rady Casey opowiadał historię o reżyserze Johnie Watersie. W jednym z jego wczesnych filmów, *Różowe flamingi*, obsadzony w głównej roli transwestyta Divine zjada kawałek psiej kupy z trawnika na przedmieściu. Lata później Watersa wciąż wypytywano o ten wiekopomny moment w historii kina. Kiedyś w końcu puściły mu nerwy. „To był tylko mały kawałek psiego gówna – powiedział dziennikarzowi – a zrobił z Divine gwiazdę".

„Dlatego padnij na kolana i proś o pomoc, nawet jak nie masz na to ochoty – zawsze mówił Casey na zakończenie tej historii. – W końcu to tylko mały kawałek psiego gówna".

Dan nie mógł uklęknąć za kierownicą samochodu, ale poza tym przyjął tę samą pozycję co podczas porannych i wieczornych modłów – zamknięte oczy, dłoń przyciśnięta do ust, jakby po to, by nie dopuścić do nich nawet strużki kuszącej trucizny, która zniszczyła mu dwadzieścia lat życia.

Boże, pomóż mi powstrzymać się od pi…

I w tej chwili przyszło olśnienie.

Zrodziło się z czegoś, co Dave powiedział w drodze do Cloud Gap. Ze wspomnienia gniewnego uśmiechu Abry (Dan był ciekaw, czy Kruk widział już ten uśmiech). Przede wszystkim jednak z dotyku jego dłoni przyciskającej wargi do zębów.

– O mój Boże – wyszeptał. Wysiadł z samochodu i nogi ugięły się pod nim. A jednak padł na kolana, ale zaraz wstał i pobiegł do garażu, gdzie dwaj mężczyźni wpatrywali się w porzucony plecak Abry.

Złapał Dave'a Stone'a za ramię.

– Zadzwoń do żony. Powiedz, że do niej przyjedziesz.

– Będzie chciała wiedzieć, o co chodzi – zauważył Dave. Jego drżące usta i spuszczony wzrok dobitnie wskazywały, jak bardzo pragnął uniknąć tej rozmowy. – Zatrzymała się w mieszkaniu Chetty. Powiem jej… Chryste, nie wiem, co jej powiem.

Dan nie puszczał jego ramienia, przeciwnie, ściskał je coraz mocniej, aż wreszcie Dave podniósł oczy.

– Pojedziemy do Bostonu we trzech. John i ja mamy tam inną sprawę do załatwienia.

– Jaką inną sprawę? Nie rozumiem.

Dan rozumiał. Nie wszystko, ale prawie.

3

Pojechali suburbanem Johna. Dave siedział w fotelu pasażera. Dan leżał z tyłu z głową na bocznym oparciu i nogami na podłodze.

– Lucy próbowała ze mnie wyciągnąć, co się stało – powiedział Dave. – Wyraźnie się przestraszyła. I oczywiście uznała, że to coś w związku z Abrą, bo w pewnym stopniu ma te same umiejętności co ona. Zawsze to wiedziałem. Powiedziałem jej, że Abby nocuje u Emmy. Wiecie, ile razy okłamałem żonę przez wszystkie lata małżeństwa? Na palcach jednej ręki mógłbym policzyć, w dodatku trzy z tych kłamstw dotyczyły tego, ile przegrałem na partyjkach pokera, które szef mojego wydziału organizuje w czwartkowe wieczory. Nie spraw takiego kalibru. I już za trzy godziny mi się za to dostanie.

Dan i John oczywiście wiedzieli, co powiedział Lucy o Abrze i jak bardzo wzburzyły ją tłumaczenia męża, że sprawa jest zbyt ważna i złożona, by mówić o niej przez telefon. Obaj siedzieli z nim w kuchni, kiedy zadzwonił do żony. Czuł jednak potrzebę, żeby teraz z nimi porozmawiać. Podzielić się z nimi, mówiąc żargonem AA. John wziął na siebie udzielanie wszystkich niezbędnych odpowiedzi typu „uhm", „wiem" i „rozumiem".

W którymś momencie Dave zamilkł i spojrzał na tylne siedzenie.

– Chryste Panie, ty śpisz?!

– Nie – powiedział Dan, nie otwierając oczu. – Próbuję się skontaktować z twoją córką.

To zakończyło monolog Dave'a. Ciszę mącił już tylko szum opon suburbana jadącego drogą numer 16 na południe przez kolejne małe miasteczka. Ruch był niewielki i kiedy z dwóch pasów zrobiły się cztery, John przyspieszył do dziewięćdziesięciu na godzinę.

Dan nie próbował wzywać Abry; nie był pewien, czy to by poskutkowało. Zamiast tego usiłował całkowicie otworzyć swój umysł. Zmienić się w stację nasłuchową. Nigdy dotąd nie robił czegoś takiego i skutek był dziwny. Jakby miał na uszach najmocniejsze słuchawki na świecie. Słyszał nieprzerwany, niski szmer; sądził, że to gwar ludzkich myśli. Był w stałej gotowości, na wypadek gdyby gdzieś pośród tego jednostajnego poszumu rozległ się jej głos. Tak naprawdę tego nie oczekiwał, ale cóż innego mógł zrobić?

Zaraz za pierwszym punktem poboru opłat na autostradzie Spaulding Turnpike, już tylko dziewięćdziesiąt kilometrów od Bostonu, wreszcie ją usłyszał.

(Dan)

Ciche. Ledwo wyczuwalne. W pierwszej chwili pomyślał, że to urojenie – myślenie życzeniowe – ale mimo to zwrócił się w kierunku tego szeptu, starając się skupić całą swoją uwagę w jednym punkcie jak snop światła ze szperacza. I znów to usłyszał, tym razem trochę głośniejsze. To nie złudzenie. To ona.

(Dan proszę cię!)

Była odurzona, to na pewno, a Dan nigdy jeszcze nie robił czegoś takiego jak to, co musiał zrobić w tej chwili... za to Abra owszem. Będzie musiała mu pokazać, na czym to polega, czy jest naćpana, czy nie.

(Abro pchnij musisz mi pomóc)

(pomóc jak pomóc)

(zamienimy się)

(???)

(pomóż mi zakręcić światem)

4

Dave siedział w fotelu pasażera i wygrzebywał z uchwytu na kubek drobniaki do zapłaty za przejazd następnym odcinkiem autostrady, kiedy za jego plecami odezwał się Dan.

– Daj mi jeszcze minutę, muszę zmienić tampon!

John szarpnął kierownicą. Suburbanem zarzuciło.

– Co u licha?

Dave odpiął pas, ukląkł na fotelu i obejrzał się na człowieka leżącego na tylnym siedzeniu. Kiedy wypowiedział imię Abry, Dan otworzył oczy.

– Nie, tatusiu, nie teraz, muszę pomóc… muszę spróbować… – Ciało Dana wykręciło się w bok, dłoń uniosła się, otarła usta gestem, który Dave widział tysiące razy, i opadła. – Powiedz mu, że mówiłam, żeby mnie tak nie nazywał. Powiedz mu…

Dan jęknął. Jego dłonie podrygiwały bezwolnie.

– Co się dzieje?! – krzyknął John. – Co mam robić?!

– Nie wiem. – Dave włożył rękę między siedzenia, chwycił jedną z rozedrganych dłoni i mocno ścisnął.

– Jedź – powiedział Dan. – Po prostu jedź.

I wtedy ciało na tylnym siedzeniu zaczęło się wić i rzucać. Abra krzyknęła głosem Dana.

5

Odszukał łączący ich korytarz, podążając za leniwym nurtem jej myśli. Zobaczył kamienne koło, bo wyobraziła je sobie Abra, ale była zdecydowanie zbyt słaba i zdezorientowana, żeby je obrócić. Wkładała całą siłę w utrzymywanie połączenia z nim. Żeby on mógł wniknąć w jej umysł, a ona w jego. Dan wciąż jednak był prawie całym sobą w suburbanie, widział światła mijanych samochodów przemykające po podsufitce. Jasno… ciemno… jasno… ciemno…

To koło było takie ciężkie.

Nagle gdzieś rozległo się łomotanie i czyjś głos.

– Pospiesz się, Abro. Czas minął. Musimy ruszać.

To ją przeraziło i wykrzesała z siebie jeszcze trochę mocy. Koło ruszyło, wciągając go w głąb łączącej ich pępowiny. To było najdziwniejsze uczucie, jakiego Dan kiedykolwiek doznał, wprawiające w euforię mimo grozy sytuacji.

Gdzieś w oddali usłyszał głos Abry:

– Daj mi jeszcze minutę, muszę zmienić tampon!

Sufit suburbana Johna uciekał mu sprzed oczu. Była ciemność, wrażenie, że znalazł się w tunelu, i miał czas pomyśleć: Jeśli się zgubię, nigdy nie zdołam się stąd wydostać. Skończę w jakimś szpitalu psychiatrycznym uznany za nieuleczalnego katatonika.

Potem jednak świat wsunął się z powrotem na swoje miejsce, lecz to nie było to samo miejsce. Suburban zniknął. Dan znalazł się w śmierdzącej ubikacji z brudnymi niebieskimi płytkami na podłodze i wywieszoną obok umywalki informacją TYLKO ZIMNA WODA PRZEPRASZAMY. Siedział na sedesie.

Zanim mógł choćby pomyśleć o tym, żeby wstać, drzwi otworzyły się z takim hukiem, że część starych płytek popękała, i do środka wpadł mężczyzna. Wyglądał na jakieś trzydzieści pięć lat, miał kruczoczarne włosy sczesane z czoła i kanciastą, grubo ciosaną twarz, która jednak była w pewien sposób urodziwa. W dłoni trzymał pistolet.

– Zmienić tampon, jasne! Gdzieś ty go miała, Złotowłosa, w kieszeni spodni? Ani chybi, bo twój plecak jest daleko stąd.

(powiedz mu że mówiłam żeby mnie tak nie nazywał)

Dan powiedział:

– Mówiłam, żebyś mnie tak nie nazywał.

Kruk zatrzymał się, wpatrzony w dziewczynę siedzącą na sedesie. Kołysała się lekko. Tak nią bujało od narkotyku. Jasne. Ale dlaczego miała taki dziwny głos? To też przez narkotyk?

– Co z twoim głosem? Zupełnie się zmienił.

Dan próbował wzruszyć ramionami dziewczyny i udało mu się tylko lekko unieść jedno z nich. Kruk chwycił rękę Abry i poderwał Dana na nogi Abry. To zabolało, więc krzyknął.

Gdzieś – wiele kilometrów stamtąd – słaby głos zawołał: „Co się dzieje?! Co mam robić?!".

– Jedź – nakazał Johnowi Dan, podczas gdy Kruk wyciągał go za drzwi. – Po prostu jedź.

– Och, pewnie, pojadę. – Kruk wepchnął Abrę do pikapa obok chrapiącego Billy'ego Freemana. Potem złapał ją za włosy, okręcił je wokół pięści i pociągnął. Dan krzyknął głosem Abry, świadom, że to nie całkiem jej głos. Prawie, ale nie do końca. Kruk słyszał tę różnicę, ale nie wiedział, co ona oznacza. Kobieta w kapeluszu zrozumiałaby, co jest grane; to ona mimowolnie pokazała Abrze tę sztuczkę z zamianą umysłów. – Ale zanim ruszymy, wyjaśnijmy coś sobie. Koniec z kłamstwami, rozumiemy się? Kiedy następnym razem okłamiesz swojego papcia, ten stary piernik, co tu chrapie koło mnie, będzie zimnym trupem. I nie od narkotyku, o nie. Zjadę na polną drogę i wpakuję mu kulkę w brzuch. Tak, żeby to trochę potrwało. Żebyś mogła słuchać jego krzyków. Rozumiesz?

– Tak – szepnął Dan.

– Mam taką, kurwa, nadzieję, bo nigdy dwa razy nie powtarzam.

Kruk trzasnął drzwiami i szybko przeszedł na drugą stronę samochodu. Dan zamknął oczy Abry. Myślał o łyżkach na przyjęciu urodzinowym. O otwieraniu i zamykaniu szuflad – o tym też. Abra była zbyt słaba fizycznie, żeby mocować się z mężczyzną, który w tej chwili siadał za kierownicą i zapalał silnik, lecz miała w sobie innego rodzaju siłę. Gdyby mógł znaleźć źródło tej siły… siły, która przeniosła łyżki, otwierała szuflady i grała melodie w powietrzu… siły, która pozwoliła jej pisać po jego tablicy z odległości kilkudziesięciu kilometrów… gdyby mógł je znaleźć i przejąć kontrolę nad tą siłą…

Tak jak Abra kiedyś wyobraziła sobie kopię i rumaka wojowniczki, tak teraz Dan przywołał w myśli obraz szeregu przełączników na ścianie sterowni. Niektóre sterowały rękami, niektóre nogami, niektóre wzruszeniem ramion. Ważniejsze jednak były inne przełączniki. Powinien być w stanie je znaleźć; przynajmniej częściowo miał takie samo oprzyrządowanie jak ona.

Pikap ruszył, najpierw do tyłu, potem w bok. Po chwili znów znaleźli się na jezdni.

– Bardzo dobrze – powiedział Kruk ponuro. – Idź spać. Co ty tam właściwie chciałaś wykombinować? Wskoczyć do sedesu i spuścić się z wodą…?

Jego słowa ucichły, bo Dan w tej chwili znalazł przełączniki, których szukał. Te specjalne, z czerwonymi pokrętłami. Nie wiedział, czy istnieją naprawdę i rzeczywiście są połączone z mocami Abry, czy tylko uprawia jakąś gimnastykę umysłową. Wiedział tylko, że musi spróbować.

Niech się stanie jasność, pomyślał i przekręcił je wszystkie.

6

Pikap Billy'ego Freemana był dziesięć, może dwanaście kilometrów na zachód od stacji benzynowej i toczył się drogą numer 108 przez pogrążoną w ciemności vermoncką prowincję, kiedy

Kruk po raz pierwszy poczuł ten ból. Zupełnie jakby wokół lewego oka miał małą srebrną obręcz, zimną, wpijającą się w oczodół. Podniósł rękę, żeby dotknąć tego miejsca, ale zanim to zrobił, ból przesunął się w prawo i zmroził grzbiet jego nosa jak zastrzyk nowokainy. A potem opasał jego drugie oko. Jakby miał metalowe okulary.

Albo kajdanki na oczach.

Zaczęło mu dzwonić w lewym uchu, lewy policzek nagle odrętwiał. Odwrócił głowę i zobaczył, że dziewczyna patrzy na niego. Jej oczy były szeroko otwarte, nieruchome. Nie wyglądały jak oczy człowieka naćpanego. Ba, nie wyglądały jak jej oczy. Wydawały się starsze. Mądrzejsze. I tak zimne, jak zimna była jego twarz.

(zatrzymaj wóz)

Kruk wcześniej nałożył osłonkę na igłę i schował strzykawkę, ale wciąż miał w ręku pistolet, który wyjął spod siedzenia, kiedy uznał, że dziewczyna za długo siedzi w kiblu. Uniósł go, zamierzając wymierzyć w starego piernika i kazać jej przestać robić to, co robiła, lecz rękę miał odrętwiałą, jakby zanurzył ją w lodowatej wodzie. Pistolet stał się ciężki: najpierw ważył ze dwa kilo, potem pięć, potem chyba z piętnaście. Co najmniej piętnaście. Prawa noga Kruka zsunęła się z pedału gazu, a lewa ręka obróciła kierownicą. Pikap zjechał z drogi i potoczył się po miękkim poboczu – wolno, coraz wolniej – nieuchronnie zbliżając się do rowu.

– Co ty mi robisz?

– To, na co zasługujesz. Papciu.

Wóz uderzył w przewróconą brzozę, złamał ją na pół i stanął. Dziewczyna i stary piernik byli zapięci pasami, Kruk nie. Poleciał do przodu, na kierownicę, wciskając klakson. Kiedy spojrzał w dół, zobaczył, że pistolet dziadygi obraca się w jego garści. Że lufa bardzo powoli kieruje się ku niemu. To nie powinno się było stać. Narkotyk miał temu zapobiec. I zapobiegł, do cholery jasnej! Ale wtedy, w ubikacji, coś się zmieniło. Ktokolwiek teraz skrywał się za tymi oczami, był trzeźwy jak świnia.

I przerażająco silny.

Rose! Rose, jesteś mi potrzebna!

– Wątpię, czy cię słyszy – powiedział głos, który nie należał do Abry. – Może i masz jakieś zdolności, sukinsynu, ale telepatą jesteś marnym. Myślę, że kiedy chcesz pogadać ze swoją dziewczyną, korzystasz z telefonu.

Wytężając wszystkie siły, Kruk zaczął odwracać glocka w stronę dziewczyny. Teraz pistolet zdawał się ważyć trzydzieści kilo. Ścięgna szyi Kruka naprężyły się jak postronki. Krople potu perliły się na jego czole. Jedna spłynęła mu do oka, powodując piekący ból. Zamrugał, żeby ją usunąć.

– Zastrzelę... twojego... przyjaciela – zdołał z siebie wydusić.

– Nie – powiedział ten ktoś w Abrze. – Nie pozwolę ci.

Kruk jednak widział, że dziewczyna musi się mocno wytężać, i to dało mu nadzieję. Włożył wszystkie siły w to, by wymierzyć lufę w brzuch nieprzytomnego starucha, i już-już prawie się udało, gdy pistolet zaczął się obracać z powrotem ku niemu. Teraz słyszał, że mała suka ciężko dyszy. Kurczę, on też dyszał. Jak dwaj maratończycy zbliżający się ramię w ramię do linii mety.

Drogą przejechał samochód. Nie zwolnił. Żadne z nich tego nie zauważyło. Patrzyli na siebie.

Kruk opuścił lewą dłoń i schwycił pistolet obiema rękami. Teraz trochę łatwiej było go odwrócić. Jeszcze chwila i przełamie opór tej suki, na Boga. Ale jego oczy! Jezu!

– Billy! – krzyknęła Abra. – Billy, może byś tak pomógł!

Billy prychnął. Uniósł powieki.

– Co…

To na chwilę wytrąciło Kruka z koncentracji. Jego napór osłabł i lufa pistoletu znów powędrowała ku niemu. Dłonie miał zimne, takie zimne. Te metalowe obręcze wrzynały się w jego oczy, jeszcze trochę i zrobią z nich galaretę.

Pistolet wypalił w chwili, kiedy wylot lufy był między nim a dziewczyną. Kula wyrwała dziurę w desce rozdzielczej tuż nad radiem. Billy ocknął się raptownie, machając rękami jak człowiek, który usiłuje otrząsnąć się z koszmaru. Jedna dłoń uderzyła Abrę w skroń, druga Kruka w pierś. Wnętrze samochodu wypełniła niebieska mgiełka i swąd spalonego prochu.

– Co to było? Co to, do cholery, by…

– Nie, suko! Nie! – warknął Kruk.

Skierował pistolet z powrotem w stronę Abry i w tej chwili poczuł, że dziewczyna słabnie. To od tego ciosu w głowę. Kruk widział przerażenie w jej oczach. Ogarnęła go drapieżna radość.

Muszę ją zabić. Nie mogę dać jej drugiej szansy. Ale nie strzałem w głowę. W brzuch. Potem wyssę z niej pa…

Billy uderzył go ramieniem w bok. Pistolet poderwał się i znów wypalił, tym razem robiąc dziurę w suficie tuż nad głową Abry. Zanim Kruk mógł opuścić broń, silne dłonie chwyciły go za ręce. Zdążył jeszcze uprzytomnić sobie, że jego przeciwnik dotąd wykorzystywał tylko drobną część swojej mocy. Paniczny strach uwolnił wielką, może nawet niezmierzoną rezerwę. Tym razem, kiedy pistolet skierował się ku Krukowi, jego nadgarstki złamały się jak wiązki gałązek. Przez chwilę widział wpatrzone w niego czarne oko i zdążył pomyśleć:

(Rose kocham)

Nastąpił oślepiający błysk, a potem zapadła ciemność. Cztery sekundy później z Papy Kruka zostało tylko ubranie.

7

Steve Parodajny, Baba Czerwona, Krzywy Dick i Chciwa G grali bez entuzjazmu w kanastę w bounderze Chciwej i Brudnego Phila, kiedy zaczęły się wrzaski. Wszyscy czworo, i bez tego spięci – jak cały Prawdziwy Węzeł – natychmiast rzucili karty i pobiegli do drzwi.

Prawdziwi wyłaniali się z kamperów i samochodów turystycznych, żeby zobaczyć, co się dzieje, i zamierali na widok Rose Kapelusz. Stała w oślepiającym żółtobiałym blasku reflektorów otaczających Dom Turysty Panorama. Oczy miała dzikie. Szarpała się za włosy jak starotestamentowy prorok nawiedzony straszliwą wizją.

– Ta pierdolona gówniara zabiła mojego Kruka! – wrzeszczała. – Zabiję ją! ZABIJĘ JĄ I POŻRĘ JEJ SERCE!

Padła na kolana i zaczęła szlochać w dłonie.

Prawdziwy Węzeł stał w oszołomieniu. Nikt nie wiedział, co powiedzieć ani co zrobić. Wreszcie podeszła do niej Cicha Sarey. Rose odepchnęła ją gwałtownie. Sarey upadła na plecy, wstała i bez wahania do niej wróciła. Tym razem Rose podniosła wzrok i zobaczyła swoją niedoszłą pocieszycielkę, kobietę, która tego niewiarygodnego wieczoru też straciła kogoś bliskiego. Przytuliła ją tak mocno, że Prawdziwi usłyszeli trzask kości. Sarey nie opierała się jednak i po dłuższej chwili obie kobiety wstały, pomagając sobie nawzajem. Rose przeniosła wzrok z Cichej Sarey na Dużą Mo, potem na Ciężką Mary i Charliego Sztona. Sprawiała wrażenie, jakby widziała ich pierwszy raz w życiu.

– Chodź, Rosie – powiedziała Mo. – Przeżyłaś szok. Musisz się poło…

– NIE!

Odsunęła się od Cichej Sarey i uderzyła się dłońmi w policzki z taką siłą, że spadł jej kapelusz. Schyliła się po niego i kiedy znów rozejrzała się po Prawdziwych, jej oczy patrzyły już bardziej przytomnie. Myślała o Dougu Dieslu i ekipie, którą wysłała po Papę i dziewczynę.

– Muszę się skontaktować z Deezem. Kazać jemu, Philowi i Annie zawrócić. Musimy być razem. Musimy nabrać pary. Dużo. Jak już się nasycimy, dorwiemy tę sukę.

Byli zaniepokojeni, niepewni. Widok tych przelęknionych oczu i tępo rozdziawionych gąb ją rozwścieczył.

– Zwątpiliście we mnie?! – zapytała. Cicha Sarey chyłkiem podeszła do niej i stanęła u jej boku. Rose odepchnęła ją tak mocno, że Sarey omal znów się nie przewróciła. – Ktokolwiek we mnie wątpi, niech wystąpi naprzód.

– Nikt w ciebie nie zwątpił, Rose – powiedział Steve Parodajny – ale może lepiej zostawmy ją w spokoju. – Mówił ostrożnie i unikał spojrzenia Rose. – Jeśli Kruk naprawdę odszedł, to już pięciu zabitych. Nigdy nie straciliśmy pięciu Prawdziwych w jeden dzień. Nie straciliśmy nawet dw…

Rose zrobiła krok naprzód i Steve natychmiast się cofnął, chowając głowę w ramiona jak dziecko spodziewające się ciosu.

– Chcecie uciec przed jedną małą parodajną dziewczyną? Chcecie wziąć nogi za pas i uciec przed ćwokiem?

Nikt nie kwapił się do odpowiedzi, zwłaszcza Steve, ale Rose wyczytała prawdę z ich oczu. Chcieli uciec. Naprawdę. Mieli za sobą wiele dobrych lat. Tłustych lat. Lat łatwych łowów. Teraz natknęli się na kogoś, kto nie tylko miał nadzwyczajny zasób pary, ale i wiedział, kim naprawdę są i czym się zajmują. Zamiast pomścić Papę Kruka – który wraz z Rose przeprowadził ich i przez dobre, i przez złe czasy – woleli podkulić ogony i uciec ze skomleniem. W tej chwili chciała ich wszystkich zabić. Wyczuli to i odsunęli się jeszcze dalej, ustępując jej pola.

Wszyscy oprócz Cichej Sarey, która patrzyła na Rose jak zahipnotyzowana, z dolną szczęką zwisającą jak na zawiasie. Rose chwyciła ją za chude ramiona.

– Nie, Rosie! – pisnęła Mo. – Nie rób jej krzywdy!

– A ty co powiesz, Sarey? Ta mała jest odpowiedzialna za śmierć kobiety, którą kochałaś. Chcesz uciec?

– Ni. – Sarey zadarła głowę i spojrzała prosto w oczy Rose. Nawet teraz, kiedy wszyscy na nią patrzyli, Sarey wyglądała niemal jak cień.

– Chcesz, żeby za to zapłaciła?

– Ta – powiedziała Sarey. A potem: – Cem siemsty.

Miała cichy głos (głos, który był, a jakby go nie było) i wadę wymowy, ale wszyscy ją usłyszeli i zrozumieli.

Rose popatrzyła po pozostałych.

– Zwracam się do tych, którzy nie chcą tego, czego chce Sarey, tych, którzy najchętniej padliby na brzuchy i odpełzli…

Odwróciła się do Dużej Mo i chwyciła jej tłuste ramię. Mo pisnęła ze strachu i zaczęła się wyrywać. Rose przytrzymała ją i podniosła jej rękę, żeby wszyscy mogli zobaczyć pokrywające ją czerwone krostki.

– Czy odpełzniecie od tego?

Cofnęli się jeszcze o krok–dwa, mamrocząc coś pod nosami.

– To jest w nas – powiedziała Rose.

– Większość z nas jest zdrowa! – krzyknęła Smukła Terri Pick-ford. – Ja jestem zdrowa! Ani jednej krosty! – Wyciągnęła swoje gładkie ręce przed siebie, żeby wszystkim pokazać.

Rose zwróciła płonące, wypełnione łzami oczy na Smukłą.

– Na razie. Ale jak długo jeszcze?

Smukła nie odpowiedziała, lecz odwróciła twarz.

Rose objęła Cichą Sarey ramieniem i powiodła wzrokiem po pozostałych.

– Orzech powiedział, że ta dziewczyna to nasza jedyna nadzieja, by pokonać tę chorobę, zanim dopadnie wszystkich. Ktoś ma lepszy pomysł? Jeśli tak, słucham.

Nikt się nie odezwał.

– Zaczekamy, aż wrócą Deez, Annie i Brudny Phil, a potem nabierzemy pary, jak jeszcze nigdy. Opróżnimy zbiorniki.

Reakcją na te słowa były zaskoczone spojrzenia i – znów – nie-spokojne mamrotanie. Co, myślą, że zwariowała? Proszę bardzo. Nie tylko odra trawiła Prawdziwy Węzeł, ale i strach, a on był dużo gorszy.

– Kiedy będziemy w komplecie, zbierzemy się w kręgu. Sta-niemy się silni. *Lodsam hanti,* jesteśmy wybrani… zapomnieliście o tym? *Sabbatha hanti,* jesteśmy Prawdziwym Węzłem i trwamy. Powiedzcie to razem ze mną. – Omiotła ich wzrokiem. – Powiedz-cie to.

Powiedzieli to, biorąc się za ręce, łącząc się w krąg. „Jesteśmy Prawdziwym Węzłem i trwamy". W ich oczach pojawiło się trochę determinacji. Trochę wiary. Bądź co bądź, tylko kilkoro z nich miało krosty; jeszcze był czas.

Rose i Cicha Sarey podeszły do kręgu. Smukła i Baba rozstąpiły się, żeby zrobić im miejsce, ale Rose zaprowadziła Sarey na środek.

W blasku reflektorów dwie kobiety rzucały wokół liczne cienie, rozchodzące się promieniście jak szprychy w kole.

– Kiedy będziemy silni… kiedy znów staniemy się jednością… znajdziemy ją i schwytamy. Obiecuję wam to jako wasza przywódczyni. I nawet jeśli jej para nie uleczy zżerającej nas choroby, to będzie koniec tej parszywej…

Wtedy dziewczyna przemówiła w jej głowie. Rose nie widziała gniewnego uśmiechu Abry Stone, ale go czuła.

(nie musisz do mnie przychodzić, Rose)

8

Na tylnym siedzeniu suburbana Johna Daltona Dan Torrance wyraźnie wypowiedział głosem Abry cztery słowa:

– Ja przyjdę do ciebie.

9

Billy Freeman spojrzał na dziewczynę, która rozdwoiła się, zlała w jedno, znów się rozdwoiła. Przesunął dłonią po twarzy. Miał ciężkie powieki, jego myśli były jak sklejone ze sobą. Nic z tego nie rozumiał. To już nie był dzień i z całą pewnością nie byli na ulicy Abry.

– Kto strzela? I kto mi nasrał w usta? Jezu!

– Billy, musisz się obudzić. Musisz…

„Musisz prowadzić", chciał powiedzieć Dan, ale Billy Freeman nie był w stanie zasiąść za kółkiem. Nie w najbliższym czasie. Oczy znów mu się zamykały, powieki opadały nierównocześnie. Dan szturchnął staruszka łokciem Abry i znów ściągnął na siebie jego uwagę. Przynajmniej na chwilę.

Reflektory nadjeżdżającego samochodu zalały światłem wnętrze pikapa. Dan wstrzymał oddech Abry, ale ten wóz nawet nie zwolnił. Może samotna kobieta, może komiwojażer, któremu się spieszyło do domu. Zły Samarytanin, kimkolwiek był, i bardzo dobrze, ale następnym razem mogło im się tak nie poszczęścić. Ludzie z prowincji zwykle są skorzy do pomocy. I wścibscy.

– Nie zasypiaj.

– Kim jesteś? – Billy usiłował skupić wzrok na tym dzieciaku, ale nie był w stanie. – Bo głos masz nie jak Abra.

– To skomplikowane. Na razie skup się na tym, żeby nie zasnąć.

Dan wysiadł, okrążył pikapa i podszedł do drzwi kierowcy. Po drodze kilka razy się potknął. Jej nogi były za krótkie, do cholery. Miał tylko nadzieję, że to nie potrwa dość długo, żeby się do nich przyzwyczaił.

Ubrania Kruka leżały na siedzeniu. Na brudnym dywaniku stały jego płócienne buty z wystającymi skarpetami. Krew i mózg, które zbryzgały koszulę i kurtkę, zniknęły razem z nim, lecz zostały mokre plamy. Dan zebrał te wszystkie rzeczy i po chwili namysłu dodał do nich pistolet. Nie chciał się go pozbywać, ale gdyby zatrzymała ich policja…

Zaniósł cały ten majdan do rowu i przykrył starymi liśćmi. Potem wziął kawałek obalonej brzozy, w którą uderzył pikap, i zaciągnął go na miejsce pochówku. Ciężko było to zrobić rękami Abry, ale jakoś sobie poradził.

Odkrył, że nie może ot tak wsiąść do szoferki; musiał podciągnąć się na kierownicy. A kiedy w końcu za kierownicą usiadł, nogi dziewczyny ledwo dosięgały pedałów. Kurwa.

Billy zachrapał przepotężnie i Dan znów dźgnął go łokciem. Jego towarzysz otworzył oczy i rozejrzał się.

– Gdzie jesteśmy? Czy ten facet podał mi jakieś prochy? – A potem: – To ja jeszcze pośpię.

W którymś momencie tej ostatniej, toczonej na śmierć i życie walki o pistolet, na podłogę spadła nieotwarta butelka coli. Dan schylił się, chwycił ją, po czym znieruchomiał z ręką Abry na zakrętce, przypominając sobie, co się dzieje z gazowanym napojem, kiedy zostanie mocno wstrząśnięty. Gdzieś z oddali odezwała się Abra

(ojej)

i uśmiechała się, ale to nie był ten gniewny uśmiech. I dobrze, pomyślał Dan.

10

„Nie dajcie mi zasnąć", powiedział głos dobywający się z ust Dana, więc John skręcił na zjazd do centrum handlowego Newington Mall i zatrzymał wóz na parkingu najdalszym od sklepu Kohl's. Tam razem z Dave'em chodzili z ciałem Dana w tę i we w tę, podtrzymując je z obu stron. Był jak pijak u kresu ciężkiej nocy – głowa co pewien czas opadała mu na pierś i podrywała się z powrotem. Obaj próbowali z niego wyciągnąć, co się stało, co działo się w tej chwili i gdzie to się działo, ale Abra tylko kręciła głową Dana.

– Kruk dał mi zastrzyk w dłoń, zanim puścił mnie do łazienki. Resztę widziałam jak przez mgłę. A teraz ciii… muszę się skupić.

Na trzecim szerokim okrążeniu suburbana usta Dana wykrzywiły się w uśmiechu, a z gardła dobył się chichot bardzo podobny do chichotu Abry. Dave spojrzał pytająco na Johna, oddzielonego od niego ciałem ich powłóczącego nogami, potykającego się podopiecznego. John wzruszył ramionami i pokręcił głową.

– Ojej – powiedziała Abra. – Cola.

11

Dan przechylił butelkę i zdjął zakrętkę. Coca-cola trysnęła silnym strumieniem w twarz Billy'ego, który krztusił się i prychał, chwilowo w pełni przytomny.

– Jezu, mała! Po coś to zrobiła?

– Podziałało, nie? – Dan podał mu spienioną colę. – Resztę wlej w siebie. Zawiera kofeinę. Przykro mi, ale nie możesz zasnąć, obojętne, jak bardzo tego chcesz.

Podczas gdy Billy przypiął się do butelki, Dan wychylił się w bok i wymacał dźwignię regulującą ustawienie siedzenia. Pociągnął ją jedną ręką, a drugą szarpnął za kierownicę. Siedzenie podjechało do przodu. Ten nagły ruch sprawił, że Billy oblał sobie brodę colą (i wypowiedział przy tym słowa zazwyczaj nieużywane przez dorosłych przy młodych dziewczynach z New Hampshire), ale teraz nogi Abry sięgały pedałów. Ledwo, ledwo. Dan wrzucił wsteczny i powoli cofnął wóz ukosem w stronę szosy. Kiedy wjechali na asfalt, odetchnął z ulgą. Utknięcie w rowie przy mało uczęszczanej drodze w Vermoncie niezbyt sprzyjałoby ich zamiarom.

– Wiesz, co robisz? – spytał Billy.

– Tak. Robię to od lat… chociaż miałem krótką przerwę, kiedy Floryda postanowiła odebrać mi prawo jazdy. Byłem wtedy co prawda w innym stanie, ale kary za łamanie przepisów drogowych uznawane są wszędzie. To zmora pijaków podróżujących po naszym pięknym kraju.

– Jesteś Dan.

– Przyznaję się do winy – powiedział Dan, patrząc na drogę znad kierownicy. Żałował, że nie może sobie podłożyć pod tyłek jakiejś książki, lecz cóż, żadnej nie było. Jakoś sobie musi poradzić. Wrzucił bieg i ruszył.

– Skąd się wziąłeś w tej dziewczynie?

– Nie pytaj.

Kruk powiedział coś (a może tylko pomyślał, Dan nie był pewien) o polnych drogach i rzeczywiście, jakieś sześć kilometrów dalej zobaczyli drożynę, u której wylotu wisiała przybita do sosny rustykalna drewniana tabliczka: WESOŁY DOMEK BOBA I DOT. Trudno o bardziej polną drogę. Dan skręcił na nią – ręce Abry były wdzięczne za wspomaganie kierownicy – i zapalił długie światła. Jakieś pół kilometra dalej drogę przegradzał gruby łańcuch, na którym wisiała druga tablica, już mniej rustykalna: ZAKAZ WSTĘPU. I bardzo dobrze. To oznaczało, że Bob i Dot nie postanowili wyrwać się na weekend do swojego wesołego domku, a odległość pół kilometra od szosy wystarczy, by razem z Billym mógł liczyć na odrobinę prywatności. Był jeszcze jeden plus: przepust, z którego ciurkała woda.

Zgasił światła i silnik, po czym odwrócił się do Billy'ego.

– Widzisz ten przepust? Opłucz sobie twarz z coli. Porządnie się pochlap. Musisz być możliwie najbardziej przytomny.

– Jestem przytomny.

– Niewystarczająco. Postaraj się nie zmoczyć koszuli. A kiedy skończysz, uczesz się. Będziesz musiał się pokazać ludziom.

– Gdzie jesteśmy?

– W Vermoncie.

– Gdzie ten facet, który mnie porwał?

– Nie żyje.

– I niech mu ziemia ciężką będzie! – krzyknął Billy. Potem, po chwili namysłu: – Co z ciałem? Gdzie jest?

Doskonałe pytanie, ale Dan nie chciał na nie odpowiedzieć. Pragnął tylko mieć to już za sobą. Był wyczerpany i skołowany jak nigdy.

– Nie ma go. Nic więcej nie musisz wiedzieć.

– Jak to…

– Nie teraz. Obmyj twarz, potem pochodź trochę po tej drodze. Machaj rękami, oddychaj głęboko i otrzeźwiej, na ile możesz.

– Łeb mi pęka.

Dana to nie dziwiło.

– Kiedy wrócisz, dziewczyna pewnie znów będzie dziewczyną, co znaczy, że będziesz musiał usiąść za kółkiem. Jak już poczujesz się wystarczająco trzeźwy, żeby nie budzić podejrzeń, pojedziesz do najbliższego miasta z motelem i tam się zatrzymasz. Podróżujesz z wnuczką, jasne?

– Tak – powiedział Billy. – Z moją wnuczką. Abby Freeman.

– Jak tam będziecie, zadzwoń do mnie na komórkę.

– Bo będziesz tam… tam, gdzie jest reszta ciebie.

– Zgadza się.

– To jest kurewsko poplątane, stary.

– Tak – przyznał Dan. – To prawda. Naszym zadaniem jest to odplątać.

– No dobra. Jakie jest najbliższe miasto?

– Nie mam pojęcia. Nie chcę, żebyście mieli wypadek, Billy. Jeśli nie dasz rady otrzeźwieć na tyle, żeby przejechać trzydzieści––czterdzieści kilometrów i zameldować się w motelu, nie budząc podejrzeń faceta w recepcji, ty i Abra będziecie musieli spędzić noc w samochodzie. Wygodnie nie będzie, ale powinno być bez-piecznie.

Billy otworzył drzwi od strony pasażera.

– Daj mi dziesięć minut. Mogę udawać trzeźwego. Nie byłby to pierwszy raz. – Puścił oko do dziewczyny za kierownicą. – Pracuję dla Caseya Kingsleya. Tępi picie, pamiętasz?

513

Dan patrzył, jak Billy idzie do przepustu i przy nim klęka, po czym zamknął oczy Abry.

Na parkingu przed Newington Mall Abra zamknęła oczy Dana.

(Abra)

(jestem)

(jesteś przytomna)

(tak prawie)

(musimy jeszcze raz obrócić koło możesz mi pomóc)

Tym razem mogła.

13

– Puśćcie mnie, chłopaki – powiedział Dan. Znów mówił własnym głosem. – Nic mi nie jest. Chyba.

John i Dave puścili jego ramiona, gotowi go przytrzymać, gdyby się zachwiał, ale stał pewnie na nogach. Pierwsze, co zrobił, to dokładnie się obmacał: włosy, twarz, pierś, nogi. Potem skinął głową.

– Uhm. Jestem tutaj. – Rozejrzał się. – Czyli gdzie?

– Pod Newington Mall – odparł John. – Jakieś dziewięćdziesiąt kilometrów od Bostonu.

– No dobra, ruszajmy w dalszą drogę.

– A Abra? – zapytał Dave. – Co z Abrą?

– Wszystko gra. Jest tam, gdzie jej miejsce.

– Jej miejsce jest w domu – powiedział Dave z aż za wyraźną nutą wyrzutu w głosie. – W jej pokoju. Gdzie siedziałaby na czacie z koleżankami albo słuchała na iPodzie tych głupków z 'Round Here.

Ona jest w domu, pomyślał Dan. Jeśli ciało człowieka to jego dom, tam właśnie jest.

– Billy się nią opiekuje.

– Co z tym, kto ją porwał? Tym Krukiem?

Dan zatrzymał się przy tylnych drzwiach suburbana.

– Nie musisz się już nim przejmować. Teraz naszym zmartwieniem jest Rose.

14

Motel Crown znajdował się tuż za granicą stanu, w Crownville w stanie Nowy Jork. Była to rudera, przed którą mrugał neon WO NE POKO E i SZE OKI WYB R KANA ÓW KAB ÓWKI! Tylko cztery auta stały na około trzydziestu miejscach parkingowych. Recepcjonista, zwalista góra sadła z kucykiem spływającym do połowy pleców, przeciągnął wizę Billy'ego przez czytnik i dał mu klucze do dwóch pokojów, nie odrywając oczu od telewizora, na którego ekranie dwie kobiety oddawały się forsownym amorom na aksamitnej czerwonej sofie.

– Są ze sobą połączone? – spytał Billy. I, patrząc na kobiety:

– Pytam o pokoje.

– Tak, tak, wszystkie się łączą, wystarczy otworzyć drzwi.

– Dzięki.

Podjechał wzdłuż zabudowań i zaparkował przy numerach 23 i 24. Abra twardo spała skulona na siedzeniu, z ramieniem pod głową. Billy otworzył oba pokoje, uchylił łączące je drzwi, włączył światła. Warunki dość obskurne, ale nie tragiczne. Teraz chciał już tylko wnieść dziewczynę do środka i sam położyć się spać. Najchętniej na jakieś dziesięć godzin. Rzadko czuł się staro, lecz tego wieczora brzemię wieku przygniatało go jak nigdy.

Abra lekko się przebudziła, kiedy kładł ją na łóżku.

– Gdzie jesteśmy?

– W Crownville w stanie Nowy Jork. Jesteśmy bezpieczni. Będę w pokoju obok.

– Chcę do taty. I do Dana.

– Niebawem ich zobaczysz. – Miał nadzieję, że się co do tego nie myli.

Jej powieki opadły, po czym powoli się uniosły.

– Rozmawiałam z tą kobietą. Tą suką.

– Naprawdę? – Nie miał pojęcia, o co jej chodzi.

– Wie, co zrobiliśmy. Poczuła to. I to bolało. – Oczy Abry na chwilę zapłonęły ostrym blaskiem. To tak jakby zobaczyć błysk słońca u kresu zimnego, pochmurnego dnia w lutym, pomyślał Billy. – Dobrze jej tak.

– Idź spać, skarbie.

To mroźne zimowe światło wciąż biło z jej bladej, zmęczonej twarzy.

– Wie, że po nią przyjdę.

Billy chciał odgarnąć jej włosy z twarzy, lecz a nuż by go ugryzła? Pewnie niepotrzebnie się bał, ale... ten blask w jej oczach. Tak samo czasem wyglądała jego matka, zwykle tuż przed tym, jak traciła nerwy i przetrzepywała skórę jednemu z dzieci.

– Rano poczujesz się lepiej. Chciałbym wrócić już teraz... twój tata na pewno też by tego chciał... ale nie jestem w stanie dłużej prowadzić. Szczęście, że dojechałem tutaj i nie wpadłem po drodze do rowu.

– Chciałabym porozmawiać z mamą i tatą.

Matka i ojciec Billy'ego – którzy nawet w najlepszych chwilach nie byli kandydatami na Rodziców Roku – dawno nie żyli, a on sam chciał tylko się przespać. Spojrzał tęsknie przez otwarte drzwi na łóżko w drugim pokoju. Już wkrótce, ale jeszcze nie teraz. Wyjął i rozłożył telefon komórkowy. Dwa sygnały i już rozmawiał z Danem. Po dłuższej chwili oddał telefon Abrze.

– Twój ojciec. Rozmawiaj, ile chcesz.

Abra chwyciła komórkę.

– Tata? Tata? – Łzy nabiegły jej do oczu. – Tak, nic mi… przestań, tato, nic mi nie jest. Tylko jestem taka śpiąca, że ledwo mogę… – Otworzyła szeroko oczy, gdy uderzyła ją pewna myśl. – A u was wszystko w porządku?

Słuchała. Billy'emu opadły powieki i poderwał je z wysiłkiem. Dziewczyna głośno płakała i był z tego poniekąd zadowolony. Łzy ugasiły ten blask w jej oczach.

Oddała telefon.

– To Dan. Chce jeszcze z tobą porozmawiać.

Wziął komórkę i słuchał. Wreszcie powiedział:

– Abro, Dan chce wiedzieć, czy twoim zdaniem te oprychy jeszcze kogoś tu mają. Kogoś, kto byłby dość blisko, żeby dotrzeć tutaj tej nocy.

– Nie. Zdaje się, że Kruk miał się z kilkoma spotkać, ale oni są jeszcze daleko stąd. I nie mogą nas namierzyć… – Ziewnęła potężnie. – Nie mogą bez jego pomocy. Powiedz Danowi, że nic nam nie grozi. I niech koniecznie przekaże to mojemu tacie.

Billy powtórzył jej słowa Danowi. Kiedy się rozłączył, Abra leżała skulona na łóżku, z kolanami przy piersi, pochrapując cicho. Billy przykrył ją wyjętym z szafy kocem, podszedł do drzwi i założył łańcuch. Po krótkim namyśle na wszelki wypadek podstawił krzesło pod gałkę. „Przezorny zawsze ubezpieczony", mawiał jego ojciec.

Rose ze skrytki w podłodze wyjęła zbiornik. Klęcząc między przednimi siedzeniami earthcruisera, otworzyła go i objęła ustami syczącą pokrywę. Szczęka opadła jej aż do piersi i dolna część głowy zmieniła się w ciemną jamę, z której sterczał jeden ząb. Oczy, zwykle skośne ku górze, opadły w kącikach i pociemniały. Twarz stała się posępną maską pośmiertną, pod którą wyraźnie rysowała się czaszka.

Kiedy Rose skończyła nabierać pary, odłożyła zbiornik na miejsce i usiadła za kierownicą. Patrzyła prosto przed siebie. „Nie musisz do mnie przychodzić – ja przyjdę do ciebie". Tak powiedziała. Tak ośmieliła się powiedzieć do niej, Rose O'Hary, Rose Kapelusz. A zatem była nie tylko silna. Była silna i mściwa. Gniewna.

– Proszę bardzo, kochanie – powiedziała. – I trwaj w swoim gniewie. Im większy twój gniew, tym większa będzie twoja brawura. Przyjdź do ciotuni Rose.

Coś trzasnęło. Spojrzała w dół i zobaczyła, że odłamała dolną połowę kierownicy earthcruisera. Para to siła. Dłonie Rose krwawiły. Odrzuciła poszarpany plastikowy łuk na bok, podniosła ręce do twarzy i zaczęła je oblizywać.

Rozdział XVI

O czym zapomniano

1

Gdy tylko Dan złożył telefon, Dave powiedział:

– Zabierzmy Lucy i jedźmy po nią.

Dan pokręcił głową.

– Mówi, że nic im nie grozi, i jej wierzę.

– Jest pod wpływem narkotyku – zauważył John. – Może mieć kłopoty z właściwą oceną sytuacji.

– Była na tyle przytomna, żeby pomóc mi załatwić tego, którego nazywa Krukiem, i jestem przekonany, że wie, co mówi. Niech odeśpią skutki narkotyku, którym naszpikował ich ten bydlak. My mamy inne sprawy do załatwienia. Ważne sprawy. Proszę was o odrobinę zaufania. Już wkrótce będziesz ze swoją córką, Davidzie. Na razie jednak posłuchaj mnie uważnie. Podrzucimy cię do mieszkania babci twojej żony. Przywieziesz żonę do szpitala.

– Nie wiem, czy mi uwierzy, kiedy jej powiem, co się dzisiaj wydarzyło. Nie wiem, na ile będę przekonujący, kiedy sam nie mogę w to uwierzyć.

– Powiedz jej, że wyjaśnienia muszą poczekać, aż będziemy wszyscy razem. Z Momo Abry włącznie.

– Wątpię, czy cię do niej wpuszczą. – Dave zerknął na zegarek. – Godziny wizyt dawno się skończyły, a ona jest ciężko chora.

– Personel nie przywiązuje wielkiej wagi do regulaminu wizyt, kiedy pacjenci są bliscy końca.

Dave spojrzał na Johna, który wzruszył ramionami i rzekł:

– On pracuje w hospicjum. Myślę, że wie, co mówi.

– Może być nieprzytomna... – Dave wahał się wyraźnie.

– Nie martwmy się na zapas.

– Co Chetta w ogóle ma z tym wspólnego? Przecież nic o tym nie wie!

Dan powiedział:

– Jestem prawie pewien, że wie więcej, niż przypuszczasz.

2

Wysadzili Dave'a pod apartamentowcem na Marlborough Street. Patrzyli z samochodu, jak wchodzi po stopniach, przygląda się zamontowanym w dwóch rzędach guzikom domofonu i wciska jeden z nich.

– Wygląda jak dziecko, które wie, że idzie do szopy dostać lanie w goły tyłek – powiedział John. – To wystawi ich małżeństwo na cholernie ciężką próbę, bez względu na to, jak się skończy.

– Kiedy zdarza się klęska żywiołowa, nikt nie jest temu winien.

– Wytłumacz to Lucy Stone. Pomyśli: Zostawiłeś córkę samą i porwał ją jakiś wariat. W głębi ducha zawsze będzie tak myśleć.

– Może Abra jej to wyperswaduje. Na razie zrobiliśmy wszystko, cośmy mogli, i jak dotąd nie idzie nam najgorzej.

– Ale to jeszcze nie koniec.

– Bynajmniej.

Dave drugi raz wcisnął guzik domofonu i kiedy zajrzał do małego holu, z windy wybiegła Lucy Stone. Miała napiętą, bladą twarz. Gdy tylko otworzyła drzwi wejściowe, Dave zaczął coś mówić. Ona też. Złapała go za ramiona i wciągnęła – ostrym szarpnięciem – do środka.

– O rany – powiedział John cicho. – To mi przypomina aż za wiele nocy, kiedy wtaczałem się do domu pijany o trzeciej nad ranem.

– Albo ją przekona, albo nie – stwierdził Dan. – My mamy inną sprawę do załatwienia.

3

Dan Torrance i John Dalton przyjechali do szpitala Massachusetts General tuż po wpół do jedenastej. O tej porze oddział intensywnej terapii był w letargu. Pod sufitem korytarza, rzucając cień o kształcie meduzy, smętnie szybował sflaczały balonik z helem ozdobiony wielobarwnym napisem WRACAJ DO ZDROWIA. Dan poszedł do dyżurki pielęgniarek, wyjaśnił, że pracuje w hospicjum, do którego pani Reynolds ma zostać przeniesiona, pokazał swoją kartę identyfikacyjną z hospicjum imienia Helen Rivington i przedstawił Johna Daltona jako lekarza rodziny pani Reynolds (nie całkiem prawda, ale i nie kłamstwo).

– Musimy ją zbadać przed przewiezieniem i chcą przy tym być jej bliscy. Wnuczka pani Reynolds z mężem. Przepraszam, że o tak późnej porze, lecz inaczej się nie dało. Niedługo tu będą.

– Poznałam Stone'ów – powiedziała siostra przełożona. – Przemili ludzie. Zwłaszcza Lucy bardzo się troszczy o babcię. Concetta to niezwykła kobieta. Czytałam jej wiersze, są piękne. Ale jeśli panowie liczycie, że coś wam powie, spotka was zawód. Zapadła w śpiączkę.

Zobaczymy, pomyślał Dan.

– I... – Pielęgniarka spojrzała na Johna z powątpiewaniem.

– Cóż... nie mnie o tym mówić...

– Śmiało – zachęcił ją John. – Nie spotkałem jeszcze siostry przełożonej, która by nie wiedziała, jak się sprawy naprawdę mają.

Uśmiechnęła się do niego i znów spojrzała na Dana.

– Słyszałam wiele dobrego o hospicjum imienia Rivington, ale bardzo wątpię, czy Concetta tam trafi. Nawet jeśli dożyje poniedziałku, nie wiem, czy jest sens ją stąd zabierać. Może bardziej humanitarnie byłoby pozwolić jej zakończyć swoją wędrówkę tutaj. Jeśli pozwalam sobie na zbyt wiele, przepraszam.

– Nie ma za co – powiedział Dan – i weźmiemy to pod uwagę. John, mógłbyś zejść na dół i przyprowadzić Stone'ów, kiedy przyjadą? Mogę zacząć bez was.

– Jesteś pewien...

– Tak – uciął Dan, patrząc mu prosto w oczy. – Jestem pewien.

– Leży w sali dziewiątej – powiedziała siostra przełożona. – To separatka na końcu korytarza. Gdybym była potrzebna, proszę wcisnąć dzwonek.

4

Nazwisko Concetty widniało na drzwiach, ale przegródka na zalecenia lekarza była pusta, a umieszczony nad łóżkiem monitor czynności życiowych nie pokazywał nic optymistycznego. Dan wszedł w dobrze mu znane aromaty: odświeżacza powietrza, środka odkażającego i śmiertelnej choroby. Ten ostatni był ostrym zapachem, śpiewającym mu w głowie jak skrzypce, które potrafią grać tylko jedną nutę. Ściany obwieszone były zdjęciami, z których wiele przedstawiało Abrę w różnych latach. Na jednym z nich grupka maluchów patrzyła z rozdziawionymi ustami, jak magik wyciąga białego królika z kapelusza. Dan był pewien, że powstało podczas tego słynnego przyjęcia urodzinowego w Dniu Łyżek.

Zdjęcia te otaczały chudą jak szkielet kobietę, która spała z otwartymi ustami i różańcem oplatającym palce. Resztki jej włosów były tak cienkie, że prawie niewidoczne na poduszce. Skóra, dawniej oliwkowa, stała się żółta. Chuda pierś niemal niezauważalnie podnosiła się i opadała. Jeden rzut oka wystarczył, by powiedzieć Danowi, że siostra przełożona rzeczywiście wie, jak się sprawy naprawdę mają. Gdyby był tu Azzie, leżałby zwinięty w kłębek obok tej kobiety i czekał, aż przyjdzie Doktor Sen, żeby samemu móc wrócić na nocny obchód korytarzy, pustych, jeśli nie liczyć rzeczy widzianych tylko przez koty.

Dan usiadł na skraju łóżka i zauważył, że jedyna kroplówka, do jakiej stara kobieta jest podłączona, podaje płyn fizjologiczny. Już tylko jedno lekarstwo mogło staruszce pomóc, takie, którego apteka szpitalna nie miała na składzie. Dan wyprostował przekrzywiony wenflon. Potem wziął umierającą za rękę i spojrzał w uśpioną twarz.

(Concetta)

Jej oddech na chwilę się wstrzymał.

(Concetto wróć)

Oczy poruszyły się pod cienkimi, posiniałymi powiekami. Może słuchała; może śniła swoje ostatnie sny. Może o Włoszech. O tym, jak w prażącym słońcu pochylała się nad studnią i wyciągała wiadro chłodnej wody.

(wróć Abra cię potrzebuje i ja też)

Tylko tyle mógł zrobić i nie był pewien, czy to wystarczy, ale wtedy jej oczy pomału się otworzyły. Początkowo patrzyły pustym wzrokiem, stopniowo jednak nabrały przytomnego spojrzenia. Dan widział to już nieraz. Cud powracającej świadomości. Nie pierwszy raz się zastanawiał, skąd ona się bierze i dokąd odchodzi, kiedy opuszcza ciało. Śmierć to nie mniejszy cud niż narodziny.

Umierająca zacisnęła dłoń. Nadal patrzyła przytomnie. Wreszcie się uśmiechnęła. Uśmiech był lękliwy, ale to nieważne; ważne, że w ogóle był.

– *Oh mio caro! Sei tu? Sei tu? Come e possibile? Sei morto? Sono morta anch'io? ... Siamo fantasmi?*

Dan nie mówił po włosku, ale nie musiał. Znaczenie jej słów docierało do niego z doskonałą klarownością.

Och, mój kochany, to ty? Jak to możliwe? Ty nie żyjesz! A ja? Potem, po chwili:

Czy jesteśmy duchami?

Dan nachylił się ku niej i położył policzek na jej policzku. Szepnął jej coś na ucho.

Po pewnym czasie odszepnęła.

5

Ich rozmowa była krótka, lecz pouczająca. Concetta mówiła głównie po włosku. W końcu podniosła rękę – z wielkim trudem, ale dała radę – i pogłaskała go po zarośniętym policzku.

– Jesteś gotowa? – spytał.

– *Si.* Gotowa.

– Nie ma się czego bać.

– *Si,* wiem. Tak się cieszę, że przyszedłeś. Przypomnij mi, jak się nazywasz, *signor.*

– Daniel Torrance.

– *Si.* Jesteś darem od Boga, Danielu Torrance. *Sei un dono di Dio.*

Dan miał nadzieję, że to prawda.

– Dasz mi to?

– *Si,* oczywiście. Wszystko, czego potrzebujesz *por Abra.*

– A ja dam tobie to, czego potrzebujesz ty, Chetto. Razem napijemy się ze studni.

Zamknęła oczy.

(wiem)

– Zaśniesz, a kiedy się obudzisz…

(wszystko zmieni się na lepsze)

Moc była jeszcze silniejsza niż tej nocy, kiedy odszedł Charlie Hayes; Dan czuł, jak płynęła między nimi, gdy delikatnie ścisnął ręce Concetty i poczuł na dłoni dotyk gładkich paciorków różańca. Gdzieś gasły światła, jedno po drugim. Wszystko było tak, jak być powinno. We Włoszech mała dziewczynka w brązowej sukience i sandałach wyciągała wodę z chłodnego gardła studni. Ta dziewczynka wyglądała jak Abra. Szczekał pies. *Il cane. Ginata. Il cane si rotolava sull'erba.* Szczekał i tarzał się w trawie. Śmieszna Ginata!

Concetta miała szesnaście lat i była zakochana, miała trzydzieści lat i pisała wiersz przy stole kuchennym w parnym mieszkaniu w Queens, podczas gdy na ulicy w dole krzyczały dzieci; miała sześćdziesiąt lat, stała w deszczu i patrzyła w górę na sto tysięcy spływających z nieba nici najczystszego srebra. Była swoją matką, swoją prawnuczką i oto przyszedł czas jej wielkiej przemiany, wielkiej podróży. Ginata tarzała się w trawie i światła

(proszę kończyć)

gasły jedno po drugim. Otwierały się drzwi

(proszę kończyć zamykamy)

za którymi oboje czuli tajemniczy, wonny aromat potu nocy. W górze świeciły wszystkie gwiazdy, jakie kiedykolwiek istniały. Pocałował jej chłodne czoło.

– Wszystko w porządku, *cara*. Musisz się tylko przespać. Sen dobrze ci zrobi.

Czekał na jej ostatnie tchnienie.

Umarła.

6

Wciąż siedział i trzymał ją za ręce, kiedy drzwi rozwarły się na oścież i wpadła Lucy Stone. Jej mąż i lekarz jej córki szli za nią, ale nie za blisko, jakby bali się oparzyć otaczającą ją elektryczną aurą strachu, wściekłości i niejasnego oburzenia.

Chwyciła Dana za ramię, paznokcie wbiła jak szpony w bark pod jego koszulą.

– Zostaw ją! Nie znasz jej. Nic ci do mojej babci i do mojej cór...

– Mów ciszej – powiedział Dan, nie odwracając się. – Stoisz w obliczu śmierci.

Usztywniająca ją wściekłość ulotniła się, stawy się rozluźniły. Lucy osunęła się na łóżko obok Dana i spojrzała na woskową maskę, w którą zmieniła się twarz jej babci. Potem przeniosła wzrok na wymizerowanego, nieogolonego mężczyznę, który trzymał martwe dłonie, wciąż oplecione różańcem. Niezauważone łzy zaczęły staczać się po policzkach Lucy wielkimi, czystymi kroplami.

– Nie rozumiem nawet połowy z tego, co próbowali mi powiedzieć. Tylko że Abra została porwana, ale teraz już nic jej nie grozi... podobno... i że jest w motelu z jakimś Billym i oboje śpią.

– Wszystko to prawda – przytaknął Dan.

– Wobec tego niech mnie pan nie poucza, jak mam się zachowywać. Będę opłakiwać moją Momo po tym, jak zobaczę Abrę. Kiedy będzie w moich ramionach. Na razie chcę wiedzieć... chcę...

– Urwała, popatrując to na Dana, to na zmarłą. Dave stał za Lucy. John zamknął drzwi i opierał się o nie plecami. – Nazywa się pan Torrance? Daniel Torrance?

– Tak.

Jeszcze raz powoli przeniosła wzrok z nieruchomego profilu babci na twarz człowieka, który był obecny przy jej śmierci.

– Kim pan jest, panie Torrance?

Dan puścił dłonie Chetty i wziął Lucy za ręce.

– Chodź ze mną. Niedaleko. Tu, na drugi koniec sali.

Wstała bez sprzeciwu, wciąż patrząc w jego twarz. Zaprowadził ją do otwartych drzwi łazienki. Zapalił światło w środku i wskazał lustro nad umywalką, w którym ich twarze wyglądały jak na oprawionej fotografii. Ten obraz nie pozostawiał większych wątpliwości. Właściwie żadnych.

– Mój ojciec był twoim ojcem, Lucy. Jestem twoim przyrodnim bratem.

7

Powiadomiwszy siostrę przełożoną o śmierci pacjentki, poszli do małej ekumenicznej kaplicy szpitalnej. Lucy znała drogę; choć niezbyt głęboko wierząca, spędziła tam wiele godzin na snuciu wspomnień. Kojąca atmosfera tego miejsca sprzyjała zadumie koniecznej, gdy bliska osoba zbliża się do kresu życia. O tej porze mieli całą kaplicę dla siebie.

– Zanim przejdziemy do innych spraw – powiedział Dan – muszę spytać, czy mi wierzysz. Możemy zrobić badanie DNA, kiedy będzie czas, ale... czy to konieczne?

Lucy pokręciła głową w oszołomieniu, ani na chwilę nie odrywając oczu od jego twarzy. Jakby uczyła się jej na pamięć.

– Dobry Boże. Ledwo mogę złapać oddech.

– Już przy pierwszym spotkaniu z tobą miałem wrażenie, że wyglądasz znajomo – rzekł David Stone. – Teraz wiem dlaczego. Pewnie domyśliłbym się wcześniej, gdyby to nie było... no wiesz...

– Takie oczywiste – dokończył za niego John. – Dan, czy Abra wie?

– No pewnie. – Dan uśmiechnął się na wspomnienie teorii względności Abry.

– Wyczytała to w twoich myślach? – spytała Lucy. – Telepatycznie?

– Nie, bo ja sam tego nie wiedziałem. Nawet ktoś z darem Abry nie może wyczytać czegoś, czego nie ma. Ale podświadomie oboje wiedzieliśmy. Kurczę, nawet powiedzieliśmy to na głos. Umówiliśmy się, że jeśli ktoś spyta, co robimy razem, powiem, że jestem jej wujkiem. Bo nim jestem. Powinienem był to sobie wcześniej uświadomić.

– Nadzwyczajny zbieg okoliczności. – Dave pokręcił głową.

– Wcale nie. W najmniejszym stopniu. Lucy, zdaję sobie sprawę, że jesteś zła i zdezorientowana. Powiem ci wszystko, co wiem, ale trzeba na to trochę czasu. Dzięki Johnowi, twojemu mężowi i Abrze… jej przede wszystkim… ten czas mamy.

– W drodze – powiedziała Lucy. – Możesz mi wszystko opowiedzieć w drodze do Abry.

– Dobrze – zgodził się Dan. – W drodze. Lecz najpierw trzy godziny snu.

Jeszcze nie skończył mówić, a już kręciła głową. Chwyciła go za rękę obiema dłońmi. To były zimne dłonie człowieka, który przeżył głęboki szok.

– Nie, teraz. Muszę ją jak najszybciej zobaczyć. Nie rozumiesz? To moja córka, została porwana i muszę ją zobaczyć!

– Została porwana, ale już nic jej nie grozi.

– Tak twierdzisz, to zrozumiałe, ale tego nie wiesz.

– Tak twierdzi Abra, a ona to wie. Proszę mnie posłuchać, pani Stone… Lucy… ona teraz śpi i potrzebuje snu. – Ja też, pomyślał. Przede mną długa i, jak sądzę, trudna podróż. Bardzo trudna.

Lucy bacznie mu się przyglądała.

– Dobrze się czujesz?

– Jestem tylko zmęczony.

– Jak my wszyscy – stwierdził John. – To był… stresujący dzień. – Szczeknął śmiechem, po czym zakrył usta dłońmi jak dziecko, które powiedziało brzydkie słowo.

– Nie mogę nawet do niej zadzwonić i usłyszeć jej głosu. – Lucy mówiła powoli, jakby usiłowała wyartykułować trudną regułę. – Bo odsypia skutki działania narkotyku, który podał jej ten człowiek… ten, którego według was nazywa Krukiem.

– Wkrótce ją zobaczysz. – Dan położył dłoń na jej dłoni.

Lucy przez chwilę sprawiała wrażenie, jakby chciała ją strącić. Zamiast tego ją ścisnęła.

– Mogę zacząć opowiadać w drodze powrotnej do mieszkania twojej babci. – Wstał. Z dużym trudem. – Chodźmy.

8

Miał dość czasu, żeby opowiedzieć jej o tym, jak pewien zagubiony człowiek pojechał autobusem z Massachusetts na północ i – zaraz za granicą New Hampshire – wyrzucił, jak się później okazało, swoją ostatnią flaszkę gorzały do kubła na śmieci z wymalowanym od szablonu napisem JEŚLI JUŻ TEGO NIE POTRZEBUJESZ, ZOSTAW TO TUTAJ. I o tym, jak jego przyjaciel z lat dzieciństwa, Tony, przemówił po raz pierwszy od lat, kiedy autobus wjechał do Frazier. Słowami: „To tutaj".

Potem cofnął się do czasów, kiedy był Dannym, nie Danem (a czasem starym, a czasem doktorkiem, jak w starym tekście „co jest, doktorku?"), i nie mógł się obyć bez swojego niewidzialnego przyjaciela Tony'ego. Jasność była tylko jednym z ciężarów, które Tony pomagał mu dźwigać, i nie tym największym. Największym był jego ojciec alkoholik, trudny i, jak się okazało, niebezpieczny człowiek, którego i Danny, i jego matka kochali z całego serca – może w równym stopniu dla jego wad, co pomimo nich.

– Miał strasznie wybuchowy charakter i nie musiałeś być telepatą, żeby wiedzieć, kiedy tracił panowanie nad sobą. Zwykle działo się tak, gdy się upijał. Wiem, że był zalany tego wieczora, kiedy przyłapał mnie w swoim gabinecie na robieniu bajzlu w jego papierach. Złamał mi rękę.

– Ile miałeś wtedy lat? – spytał Dave. Siedział na tylnym siedzeniu z żoną.

– Cztery, zdaje się. Może nawet mniej. Kiedy ojciec wchodził na wojenną ścieżkę, zawsze odruchowo pocierał usta, o tak.

– Danny zademonstrował. – Znacie kogoś innego, kto tak robi, kiedy się denerwuje?

– Abra! – wykrzyknęła Lucy. – Myślałam, że ma to po mnie.

– Podniosła prawą dłoń do ust, po czym złapała ją lewą i położyła z powrotem na podołku. Tak samo jak zrobiła to Abra na ławce przed biblioteką publiczną w Anniston tego dnia, kiedy Dan po raz pierwszy spotkał się z nią twarzą w twarz. – Myślałam, że odziedziczyła też po mnie trudny charakter. Czasem potrafię być… dość szorstka.

– Gdy pierwszy raz zobaczyłem, jak pocierała usta, pomyślałem o moim ojcu – powiedział Dan – ale miałem wtedy inne sprawy na głowie. Dlatego o tym zapomniałem. – Przypomniał sobie Watsona, konserwatora Panoramy, który pierwszy pokazał jego ojcu kapryśny hotelowy kocioł centralnego ogrzewania. „Trzeba pilnować ciśnienia, bo powoli rośnie". Jednak koniec końców Jack Torrance o tym zapomniał. I dlatego Dan jeszcze żył.

– Mam rozumieć, że wydedukowałeś, że jesteśmy spokrewnieni, na podstawie jednego drobnego nawyku? To duży przeskok myślowy, zwłaszcza że to ja i ty jesteśmy do siebie podobni, nie ty i Abra… ona ma urodę głównie po ojcu. – Lucy zamilkła, zamyślona. – Tyle że oboje macie inną rodzinną cechę… Dave mówi, że nazywasz to jasnością. To stąd wiedziałeś, prawda?

Dan potrząsnął głową.

– W roku śmierci mojego ojca zaprzyjaźniłem się z pewnym człowiekiem. Nazywał się Dick Hallorann i był kucharzem w hotelu

Panorama. On też miał jasność i powiedział mi, że w pewnym stopniu występuje ona u wielu ludzi. Mówił prawdę. Poznałem w moim życiu dużo osób, które mniej czy bardziej jaśnieją. Jedna z nich to Billy Freeman. I dlatego teraz jest z Abrą.

John skręcił na mały parking za apartamentowcem Concetty, ale nikt nie wysiadł. Pomimo obaw o córkę Lucy była zafascynowana tą rodzinną historią.

– Jeśli nie dzięki jasności, to jak?

– Kiedy jechaliśmy „Riv" do Cloud Gap, Dave wspomniał, że znalazłaś kufer w magazynie w budynku Concetty.

– Tak. Należał do mojej matki. Nie miałam pojęcia, że Momo zatrzymała część jej rzeczy.

– Dave powiedział Johnowi i mnie, że swego czasu była z niej rozrywkowa dziewczyna. – Tak naprawdę Dave rozmawiał wtedy z Abrą, połączoną z nim telepatycznie, ale Dan uznał, że może lepiej, by jego nowo poznana siostra przyrodnia o tym nie wiedziała, przynajmniej na razie.

Lucy posłała Dave'owi pełne wyrzutu spojrzenie zarezerwowane dla nadmiernie gadatliwych małżonków.

– Powiedział też – ciągnął Dan – że w tym samym czasie, kiedy wyleciała z uniwersytetu w Albany, odbywała praktyki w prywatnej szkole w Vermoncie albo Massachusetts. Mój ojciec uczył angielskiego… dopóki go nie wylali za pobicie ucznia… w Vermoncie. W prywatnej szkole w Stovington. I, według mojej matki, w tamtych czasach był rozrywkowym chłopakiem. Kiedy tylko się dowiedziałem, że Abra i Billy są bezpieczni, przeprowadziłem obliczenia w pamięci. Wszystko się niby zgadzało, ale dla pewności wolałem się skonsultować z kimś, kto, jak sądziłem, znał całą prawdę. Z matką Alessandry Anderson.

– I znała prawdę? – spytała Lucy. Siedziała wychylona do przodu, z rękami na schowku między przednimi siedzeniami.

– Niecałą i nie mogliśmy długo rozmawiać, ale wiedziała wystarczająco dużo. Nie pamiętała nazwy szkoły, w której twoja matka odbywała praktyki, tylko że była gdzieś w Vermoncie. Pamiętała za to, że Alessandra miała krótki romans ze swoim nauczycielem krytyki literackiej. Który podobno był publikowanym autorem. – Dan zawiesił głos. – Mój ojciec był publikowanym autorem. Wydał kilka opowiadań, niektóre ukazały się w prestiżowych pismach, jak „Atlantic Monthly". Concetta nigdy jej nie pytała, jak ten mężczyzna się nazywał, a Alessandra nigdy tego nie zdradziła, ale jeśli w tym kufrze znajdziecie jej indeks, z pewnością zobaczycie, że jej nauczycielem krytyki literackiej był John Edward Torrance. – Ziewnął i spojrzał na zegarek. – Na razie to wszystko, na co mnie stać. Chodźmy na górę. Trzy godziny snu dla wszystkich, a potem ruszamy. Drogi będą puste, więc powinniśmy szybko dotrzeć na miejsce.

– Przyrzekasz, że jest bezpieczna? – spytała Lucy.

Dan skinął głową.

– No dobrze, zaczekam – zgodziła się. – Ale tylko trzy godziny. A co do spania… – Zaśmiała się. W tym dźwięku nie było krzty wesołości.

9

Kiedy tylko przestąpili próg apartamentu Concetty, Lucy podeszła do mikrofalówki w kuchni, nastawiła zegar i pokazała go Danowi. Kiwnął głową i znów ziewnął.

– Wpół do czwartej nad ranem ruszamy.

– Chętnie pojechałabym bez ciebie. Już teraz.

Uśmiechnął się z lekka.

– Najpierw wysłuchaj tej historii do końca.

– Tylko to mnie powstrzymuje. To i fakt, że moja córka musi odespać skutki tego, co ma w swoim organizmie. A teraz idź się połóż, zanim padniesz.

Dan i John zajęli pokój gościnny. Sądząc z tapety i umeblowania, przeznaczony był głównie dla jednej szczególnej dziewczynki, ale Chetta musiała od czasu do czasu podejmować też innych gości, bo stały w nim dwa łóżka.

Kiedy leżeli w ciemności, John powiedział:

– To nie przypadek, że hotel, w którym mieszkałeś w dzieciństwie, też był w Kolorado, prawda?

– Nie.

– Prawdziwy Węzeł jest w tym samym mieście?

– Tak.

– I hotel był nawiedzony?

Ducholudki, pomyślał Dan.

– Tak.

Wtedy John powiedział coś, co zaskoczyło Dana i na chwilę rozproszyło opary snu. Dave miał rację – najłatwiej przeoczyć to, co najbardziej oczywiste.

– To poniekąd logiczne... jak już dopuścisz do siebie myśl, że nadprzyrodzone istoty rzeczywiście mogą wśród nas być i na nas żerować. Złe miejsce przyciągałoby złe stworzenia. Czułyby się tam jak w domu. Myślisz, że Węzeł ma inne takie miejsca w innych częściach kraju? Inne... sam nie wiem... zimne punkty?

– Na pewno. – Dan zakrył oczy ramieniem. Był obolały na całym ciele, głowa mu pękała. – Johnny, normalnie nie mam nic przeciwko nocnym pogaduchom, lecz muszę się przespać.

– Dobra, ale… – John podniósł się na łokciu. – W gruncie rzeczy wolałbyś pojechać tam prosto ze szpitala, tak jak chciała Lucy. Bo zależy ci na Abrze prawie tak bardzo jak im. Sądzisz, że nic jej nie grozi, ale możesz się mylić.

– Nie mylę się. – Oby. Wmawiał tak sobie, bo naprawdę nie mógł tam pojechać teraz. Może do stanu Nowy Jork jeszcze by się jakoś dowlókł, lecz na tym jego podróż się nie skończy i musiał się przespać. Jego organizm domagał się tego.

– Co z tobą, Dan? Wyglądasz okropnie.

– Nic. Jestem zmęczony, to wszystko.

I odpłynął, najpierw w ciemność, potem w pogmatwany koszmar, w którym uciekał niekończącymi się korytarzami przed jakąś Postacią, która wymachiwała drewnianym młotkiem z boku na bok, rozdzierając tapetę i wzbijając w powietrze kłęby gipsowego pyłu. Wyłaź, mały gówniarzu! – wrzeszczała Postać. Wyłaź, nic niewart szczeniaku, lekarstwo czeka!

I nagle był z Abrą. Siedzieli na ławce przed biblioteką publiczną w Anniston, w promieniach słońca. Trzymała go za rękę. Już dobrze, wujku Danie. Już dobrze. Twój ojciec wypędził tę Postać przed śmiercią. Nie musisz…

Drzwi biblioteki rozwarły się z hukiem i na słońce wyszła kobieta. Jej głowę otaczały wielkie, skłębione chmury ciemnych włosów, a mimo to tkwił na niej zawadiacko przekrzywiony cylinder. Trzymał się jakby za sprawą magii.

– Patrzcie państwo – powiedziała. – Toż to Dan Torrance, człowiek, który okradł kobietę, kiedy spała pijana, a potem zostawił bez pomocy jej dziecko, później pobite na śmierć.

Uśmiechnęła się do Abry, obnażając pojedynczy ząb. Był długi i ostry jak bagnet.

– Co zrobi tobie, koteczku? Co zrobi tobie?

10

Lucy obudziła go punktualnie o wpół do czwartej, ale pokręciła głową, kiedy Dan chciał obudzić Johna.

– Niech jeszcze pośpi. A mój mąż chrapie na kanapie.

– O dziwo, uśmiechnęła się. – Wiesz, przypomina mi to scenę w Ogrodzie Getsemani. Kiedy Jezus gani Piotra, mówiąc: „Jednej godziny nie mogłeś czuwać ze mną?". Czy coś w tym stylu. Ale w sumie nie mam powodu ganić Davida, jak sądzę; on też to zobaczył. Chodź. Zrobiłam jajecznicę. Na pierwszy rzut oka widać, że musisz coś zjeść. Jesteś chudy jak szczapa. – Zawiesiła głos i dodała: – Bracie.

Dan nie był szczególnie głodny, lecz poszedł za nią do kuchni.

– Co też zobaczył?

– Przeglądałam papiery Momo… żeby zająć czymś ręce i jakoś zabić czas… kiedy usłyszałam brzęk w kuchni.

Wzięła go za rękę i zaprowadziła do blatu między kuchenką a lodówką. Stał tam rząd starych słojów aptecznych. Jeden z nich, zawierający cukier, przewrócił się. W rozsypanym cukrze niewidzialna ręka napisała wiadomość.

Nic mi nie jest
Kładę się z powrotem spać
Kocham Was

Pomimo marnego samopoczucia Dan pomyślał o swojej tablicy i uśmiechnął się mimo woli. Cała Abra.

– Musiała się przebudzić tylko na tyle, żeby to zrobić – powiedziała Lucy.

– Nie sądzę – odparł Dan.

Spojrzała na niego znad kuchenki, przy której nakładała jajecznicę na talerz.

– Ty ją obudziłaś – wyjaśnił. – Usłyszała twój niepokój.

– Naprawdę tak uważasz?

– Tak.

– Siadaj. – Zawiesiła głos. – Siadaj, Dan. Chyba muszę się nauczyć tak cię nazywać. Siadaj i jedz.

Nie był głodny, ale potrzebował paliwa. Zrobił, co kazała.

11

Usiadła naprzeciwko niego i sączyła szklankę soku z ostatniej karafki, jaką Concetta Reynolds zamówiła w Dean & Deluca.

– Starszy facet, który nie wylewa za kołnierz, zafascynowana nim młodsza kobieta. Tak to sobie wyobrażam.

– Ja też. – Dan powoli, metodycznie jadł jajecznicę. Nie czuł smaku.

– Kawy, panie... Dan?

– Chętnie.

Przeszła obok rozsypanego cukru do ekspresu.

– Jest żonaty, ale jako nauczyciel bywa na wielu imprezach dla kadry, na które przychodzi dużo młodych lasek. Późna pora, głośna muzyka, rozbuchane libido...

– Tak to pewnie wyglądało – przytaknął Dan. – Może moja

mama przez jakiś czas chodziła z nim na te imprezy, ale potem urodziło się dziecko, wymagało opieki, a nie było pieniędzy na nianię. – Lucy podała mu filiżankę kawy. Napił się czarnej, zanim mogła zapytać, czego do niej dodaje. – Dzięki. Mieli romans. Pewnie w jednym z lokalnych moteli. Na pewno nie na tylnym siedzeniu jego samochodu… mieliśmy volkswagena garbusa. Dwaj napaleni akrobaci by sobie nie poradzili.

– Ruchanie pomroczne – powiedział John, wchodząc do kuchni. Potargane od snu włosy sterczały mu z tyłu głowy. – Tak to nazywają starzy wyjadacze. Zostało jeszcze trochę tej jajecznicy?

– Aż za dużo – odparła Lucy. – Abra zostawiła wiadomość na blacie.

– Serio? – John poszedł zobaczyć. – Ona to napisała?

– Tak. Wszędzie poznałabym jej charakter pisma.

– Kurde, Verizon by splajtował, gdyby wszyscy tak potrafili.

Nie uśmiechnęła się.

– Siadaj i jedz, John. Masz dziesięć minut, potem idę spędzić Śpiącą Królewnę z kanapy. – Usiadła. – Mów dalej, Dan.

. – Nie wiem, czy sądziła, że tata porzuci dla niej moją mamę, i wątpię, czy znajdziecie odpowiedź na to w jej kufrze. Chyba że zostawiła po sobie pamiętnik. Wiem tylko, na podstawie tego, co powiedział Dave i czego później dowiedziałem się od Concetty, że Alessandra na jakiś czas została w Vermoncie. Może jeszcze się łudziła, że coś z tego będzie, może po prostu imprezowała, może jedno i drugie. Gdy dowiedziała się, że jest w ciąży, najwyraźniej dała za wygraną. Niewykluczone, że my wtedy już byliśmy w Kolorado.

– Myślisz, że twoja matka kiedykolwiek się dowiedziała?

– Nie wiem, ale na pewno zastanawiała się, na ile był jej wierny, zwłaszcza w te noce, kiedy wracał urżnięty w sztok. Musiała zdawać sobie sprawę, że pijackie wyskoki nie ograniczają się do gry na wyścigach czy wkładania pięciodolarowych banknotów w dekolty kelnerek.

Położyła dłoń na jego ramieniu.

– Dobrze się czujesz? Wyglądasz, jakbyś był wykończony.

– Wszystko gra. Ale nie tylko tobie ciężko dojść do ładu z tym wszystkim.

– Zginęła w wypadku samochodowym. – Lucy odwróciła się od Dana i patrzyła nieruchomym wzrokiem na tablicę magnetyczną na lodówce. Na jej środku wisiało zdjęcie Concetty z Abrą, z wyglądu mniej więcej czteroletnią, idących ręka w rękę przez łąkę pełną stokrotek. – Mężczyzna, z którym jechała, był dużo starszy. I pijany. Ostro zasuwali. Momo nie chciała o tym mówić, ale gdzieś koło moich osiemnastych urodzin zaczęło mnie to ciekawić i wyciągnęłam z niej przynajmniej część szczegółów. Kiedy spytałam, czy moja matka też była pijana, Chetta powiedziała, że nie wie. Że policja bada na zawartość alkoholu tylko kierowców, którzy giną w wypadkach, nie pasażerów, bo i po co. – Westchnęła. – Mniejsza z tym. Zostawmy dzieje rodziny na kiedy indziej. Powiedz, co się stało z moją córką.

Zrobił to. W którymś momencie odwrócił się i zobaczył stojącego w drzwiach Dave'a Stone'a. Wkładał koszulę w spodnie i obserwował go. Wzrokiem ponurym, pełnym przerażenia.

12

Dan zaczął od tego, jak Abra nawiązała z nim kontakt, początkowo wykorzystując Tony'ego jako swego rodzaju pośrednika. Potem opowiedział o tym, jak po raz pierwszy zetknęła się z Prawdziwym Węzłem: gdy nawiedziła ją koszmarna wizja chłopca, którego nazwała małym baseballistą.

– Pamiętam to – powiedziała Lucy. – Obudziły mnie jej krzyki. Zdarzało się to już wcześniej, ale wtedy to był pierwszy taki zły sen od dwóch–trzech lat.

Dave zmarszczył brwi.

– Niczego takiego sobie nie przypominam.

– Byłeś wtedy na konferencji w Bostonie. – Odwróciła się do Dana. – Zobaczmy, czy dobrze rozumiem. Ci ludzie nie są ludźmi, tylko… czym? Jakimiś wampirami?

– W pewnym sensie. Nie śpią za dnia w trumnach, w blasku księżyca nie zmieniają się w nietoperze i nie sądzę, żeby stronili od krzyży i czosnku, ale są pasożytami i z całą pewnością nie są ludźmi.

– Ludzie nie znikają po śmierci – zauważył John.

– Naprawdę widziałeś to na własne oczy? – zapytała Lucy z niedowierzaniem.

– Wszyscy trzej to widzieliśmy.

– Tak czy inaczej – powiedział Dan – Prawdziwego Węzła nie interesują zwyczajne dzieci, tylko te, które jaśnieją.

– Takie jak Abra – stwierdziła Lucy.

– Tak. Przed śmiercią je torturują… żeby oczyścić parę, jak mówi Abra. Jak bimbrownicy pędzący samogon.

– Chcą ją… wdychać. – Lucy wciąż nie mogła tego ogarnąć myślą. – Bo jaśnieje.

– I to jak. Ja jestem latarką. Ona latarnią morską. I zna prawdę o nich.

– To nie wszystko – wtrącił John. – To, co zrobiliśmy tym

ludziom w Cloud Gap... w odczuciu kobiety w kapeluszu Abra jest temu winna bez względu na to, kto pociągał za spust.

– Na co ona liczyła? – obruszyła się Lucy. – Czy oni nie rozumieją, co to samoobrona? Walka o przetrwanie?

– Rose rozumie tylko tyle – powiedział Dan – że jakaś mała dziewczynka rzuciła jej wyzwanie.

– Rzuciła jej...

– Abra skontaktowała się z nią telepatycznie. Zapowiedziała Rose, że ją dopadnie.

– Co takiego?!

– Ten jej temperament – mruknął Dave. – Setki razy mówiłem, że przysporzy jej kłopotów.

– Nie zbliży się do tej kobiety ani do reszty tych dzieciobójców! – krzyknęła Lucy.

Dan pomyślał: Tak... i nie. Wziął ją za rękę. W pierwszym odruchu chciała się wyrwać, lecz tego nie zrobiła.

– Lucy, zrozum, oni nigdy nie przestaną.

– Ale...

– Żadnych ale. W innych okolicznościach Rose może postanowiłaby się wycofać... to stara, przebiegła wilczyca... tylko że jest jeszcze jeden ważny szczegół.

– Jaki?

– Są chorzy – powiedział John. – Podobno na odrę. Mogli się nią zarazić od tego małego Trevora. Nie wiem, czy to kara boża, czy zwykła ironia losu.

– Na odrę?

– Nie brzmi groźnie, a to ciężka choroba i bardzo zakaźna. Kiedyś odrę łapały wszystkie dzieci w rodzinie. Jeśli to samo stanie się w tym Prawdziwym Węźle, mogą tego nie przetrwać.

– I dobrze! – Lucy miała na twarzy dobrze znany Danowi gniewny uśmiech.

– Nie, jeśli sądzą, że superpara Abry ich uzdrowi – stwierdził Dave. – To właśnie musisz zrozumieć, skarbie. To nie jest tylko potyczka. Dla tej suki to wojna o przetrwanie. – Przez chwilę walczył ze sobą i w końcu zdobył się na to, co musiał powiedzieć. – Jeśli Rose dostanie po temu szansę, pożre naszą córkę żywcem.

13

– Gdzie oni są? – spytała Lucy.

– W Kolorado, na kempingu Bluebell w mieście Sidewinder. – O tym, że ten kemping znajduje się w tym samym miejscu, w którym omal nie zginął z ręki ojca, Dan nie chciał mówić, bo to pociągnęłoby za sobą dalsze pytania i gadanie o zbiegach okoliczności. A jednego był pewien: zbiegi okoliczności nie istnieją.

– W tym Sidewinder na pewno jest posterunek policji – stwierdziła Lucy. – Zadzwonimy do nich i powiemy, żeby się tym zajęli.

– Jak ich przekonamy? – Ton Johna był łagodny, nienapastliwy.

– Cóż... to...

– Nawet gdybyś namówiła gliniarzy, żeby wybrali się na ten kemping – powiedział Dan – zastaliby tam tylko grupę Amerykanów w średnim i podeszłym wieku. Nieszkodliwych emerytów w kamperach, takich, co to zawsze chcą wszystkim dookoła pokazywać zdjęcia swoich wnusiów. Ich dokumenty byłyby w najlepszym porządku, od zezwoleń na posiadanie psów po akty własności ziemi. Policja nie znalazłaby żadnej broni, nawet gdyby uzyskali nakaz rewizji... a nie uzyskaliby go, brak uzasadnionego podejrzenia... bo Prawdziwy Węzeł broni nie potrzebuje. Swoją broń mają tutaj.

– Dan postukał się w czoło. – Wyszłabyś na pomyloną babę z New Hampshire, Abra na twoją pomyloną córkę, która uciekła z domu, a my na twoich pomylonych przyjaciół.

Lucy przycisnęła dłonie do skroni.

– Nie mogę uwierzyć, że to się naprawdę dzieje.

– Gdybyś poszperała w archiwach, zapewne przekonałabyś się, że Prawdziwy Węzeł... nie wiem, pod jaką nazwą oficjalnie występują... był i jest niezwykle hojny dla tego miasteczka w Kolorado. W swoje gniazdo się nie sra, tylko się je mości. Dzięki temu masz wielu przyjaciół, kiedy przychodzą ciężkie czasy.

– Ci zwyrodnialcy od dawna są wśród nas – powiedział John. – Prawda? Bo ta para zapewnia im przede wszystkim długowieczność.

– Jestem pewien, że tak – odparł Dan. – I jak na porządnych Amerykanów przystało, przez cały ten czas zajmowali się zarabianiem pieniędzy. Stać ich na to, żeby smarować łapy komu trzeba nie tylko w Sidewinder, ale też na szczeblu stanowym i federalnym.

– I ta Rose... nigdy nie przestanie.

– Właśnie. – Dan wspominał wizję, w której ją zobaczył. Przekrzywiony kapelusz. Rozdziawione usta. Pojedynczy ząb. – Wasza córka jest zadrą w jej sercu.

– Kobieta, która zabija dzieci, żeby utrzymać się przy życiu, nie ma serca – stwierdził Dave.

– Och, ona serce ma, ale czarne.

Lucy wstała.

– Dość gadania. Chcę jechać do Abry w tej chwili. Niech wszyscy skorzystają z ubikacji, bo jak już ruszymy, nie zatrzymamy się, dopóki nie dojedziemy do tego motelu.

– Czy Concetta ma komputer? – spytał Dan. – Jeśli tak, przed wyjazdem muszę na coś zerknąć.

Lucy westchnęła.

– Jest w jej gabinecie i pewnie bez trudu zgadniesz hasło. Ale jeśli nie wyrobisz się w pięć minut, jedziemy bez ciebie.

14

Rose leżała z otwartymi oczami w łóżku, sztywna jak pogrzebacz, dygocząc od pary i furii.

Piętnaście po drugiej usłyszała dźwięk zapalanego silnika. Steve Parodajny i Baba Ruska. Dwadzieścia po czwartej uruchomił się następny. Tym razem to bliźnięta Little, Groszek i Strączek. Była z nimi Smukła Terri Pickford, bez wątpienia lękliwie wypatrująca Rose przez tylną szybę. Duża Mo prosiła, żeby ją też zabrali – błagała o to – lecz odmówili, bo była zarażona.

Rose mogła ich powstrzymać, ale po co? Niech zobaczą, jak to jest samodzielnie żyć w Ameryce, bez Prawdziwego Węzła chroniącego ich na kempingach i drogach. Zwłaszcza kiedy każę Slimowi Lizusowi anulować ich karty kredytowe i opróżnić ich bogate konta bankowe, pomyślała.

Lizus nie mógł się równać z Jimmym Liczykrupą, ale sprawę załatwi jednym naciśnięciem guzika. Będzie tu i zrobi, co do niego należy. Zostanie. Jak wszyscy co bardziej wartościowi członkowie Plemienia… czy prawie wszyscy. Brudny Phil, Annie Fartuch i Doug Diesel nie wrócą. Głosowaniem postanowili jechać na południe. Deez powiedział im, że nie można już ufać Rose i że Węzeł dawno należało przeciąć.

Powodzenia, drogi chłopcze, pomyślała, zaciskając i otwierając pięści.

Z jednej strony to fatalnie, że Prawdziwi się podzielili; z drugiej – przerzedzenie stada dobrze im zrobi. Dlatego niech słabi uciekają, a chorzy umierają. Kiedy mała suka też umrze i połkną jej parę (Rose nie żywiła już złudzeń, że uda się ją uwięzić), tych dwudziestu pięciu czy ilu pozostanie posiądzie moc, jakiej nie mieli nigdy. Opłakiwała Kruka i wiedziała, że nikt go nie zastąpi, ale Charlie Szton da z siebie wszystko. Podobnie jak Sam Harfiarz... Krzywy Dick... Gruba Fannie i Długi Paul... Chciwa G, może mało lotna, za to ślepo lojalna.

Poza tym, skoro tamci odeszli, zapasy pary starczą na dłużej i dadzą im większą moc. Będą tej mocy potrzebowali.

Przyjdź do mnie, mała suko, pomyślała Rose. Zobaczymy, jakaś mocna, kiedy naprzeciw ciebie stoi dwudziestu pięciu. Zobaczymy, jak ci się spodoba samotna walka z Prawdziwymi. Pożremy twoją parę i wychłepczemy twoją krew. Ale najpierw upoimy się twoimi krzykami.

Patrzyła w ciemność, wsłuchana w cichnące głosy uciekinierów, wiarołomców.

Rozległo się ciche, nieśmiałe pukanie do drzwi. Długo leżała w milczeniu, zamyślona, po czym zwiesiła nogi z łóżka.

– Wejść.

Była naga, ale nie próbowała się okryć, kiedy do środka wsunęła się Cicha Sarey w jednej ze swoich workowatych flanelowych koszul nocnych. Mysia grzywka zasłaniała jej brwi i opadała prawie na oczy. Jak zawsze, Sarey była, a jakby jej nie było.

– Smutno mi, Łose.

– Wiem. Mnie też.

Nieprawda – nie było jej smutno, była wściekła – ale to dobrze zabrzmiało.

– Błąkuje mi Łandi.

Andi, tak – znana ćwokom jako Andrea Steiner, z której ojciec wyruchał całe człowieczeństwo, na długo zanim znalazł ją Prawdziwy Węzeł. Rose pamiętała, jak obserwowała ją tamtego dnia w kinie i jak później Andi przetrwała Przemianę dzięki sile woli i dzielności. Jadowita by została. Jadowita weszłaby w ogień, gdyby Rose powiedziała jej, że to dla dobra Prawdziwego Węzła.

Wyciągnęła ręce. Sarey pospieszyła do niej i wtuliła się w jej ramiona.

– Beś niej cem umzieć.

– Nie, kochanie, nie sądzę. – Rose wciągnęła ją do łóżka i mocno przytuliła. Sarey była kruszynką; sama skóra i kości. – Powiedz, czego chcesz naprawdę.

Dwoje oczu rozbłysło drapieżnym blaskiem pod grzywką.

– Siemsty.

Rose pocałowała jeden policzek, potem drugi i wreszcie wąskie, suche usta. Odchyliła się lekko i powiedziała:

– Tak. I dostaniesz to, czego chcesz. Otwórz usta, Sarey.

Sarey spełniła polecenie. Ich wargi znów się spotkały. Rose Kapelusz, wciąż pełna pary, wdmuchnęła swój oddech do gardła Cichej Sarey.

15

Ściany gabinetu Concetty oklejone były notatkami, fragmentami wierszy i listami, które na zawsze pozostaną bez odpowiedzi. Dan wpisał czteroliterowe hasło, otworzył Firefoxa i wyszukał na Google'u kemping Bluebell. Mieli stronę internetową, dość ubogą w informacje, pewnie dlatego, że właścicielom nieszczególnie zależało na przyciąganiu gości; to miejsce było tylko przykrywką. Zamieścili jednak zdjęcia terenu i Dan studiował je z fascynacją, z jaką zwykle ogląda się świeżo odnalezione stare rodzinne albumy.

Po Panoramie nie został ślad, ale Dan rozpoznał okolicę. Pewnego razu, tuż przed pierwszą zamiecią, on, matka i ojciec stali razem na szerokiej werandzie hotelu (która po przeniesieniu huśtawek i wiklinowych mebli do magazynu wydawała się jeszcze szersza) i patrzyli na łagodnie opadający trawnik. U jego podnóża, gdzie często przychodziły jelenie i widłorogi, teraz ciągnął się podłużny, rustykalny budynek o nazwie Dom Turysty Panorama. Tutaj, jak głosił podpis, goście mogli zjeść kolację, zagrać w bingo, a w piątkowe i sobotnie wieczory potańczyć przy muzyce na żywo. Tutaj też w niedzielę odprawili mszę duchowni dojeżdżający z Sidewinder.

Zanim spadł śnieg, mój ojciec strzygł ten trawnik i przycinał żywopłot, który dawniej tam był, myślał Dan. Mawiał, że swego czasu strzygł żywopłoty wielu kobietom. Nie rozumiałem tego żartu, ale mama się śmiała.

– Też mi żart – wymamrotał.

Zobaczył rzędy lśniących przyłączy do kamperów, nowoczesne instalacje dostarczające nie tylko propan-butan, ale i elektryczność. Oddzielne prysznice dla pań i panów w budynkach dość dużych, by obsłużyć wielkie parkingi dla ciężarówek typu Little America czy Pedro's South of the Border. Plac zabaw dla dzieci (Dan był ciekaw, czy bawiące się tam maluchy widziały albo wyczuwały niepokojące rzeczy, jak kiedyś Danny Torrance na placu zabaw Panoramy). Boisko do softballu, pole do gry w shuffleboard, dwa korty tenisowe, nawet boisko do bocce.

Ale w roque'a tam nie grają, pomyślał. Już nie.

W połowie wysokości stoku – tam, gdzie kiedyś zbierały się wycięte z żywopłotu zwierzęta – ciągnął się szereg białych anten satelitarnych. Na szczycie wzgórza, na którym dawniej stał hotel, długie schody prowadziły na drewnianą platformę. Miejsce to, dziś należące do władz stanu Kolorado, nosiło nazwę Dach Świata. Goście kempingu Bluebell mogli korzystać i z niego, i z pobliskich szlaków turystycznych, wszystko za darmo. „Szlaki polecamy tylko doświadczonym piechurom – ostrzegał podpis – ale Dach Świata jest dla wszystkich. Widoki zapierają dech w piersi!".

Dan w to nie wątpił. Te z jadalni i sali balowej Panoramy rzeczywiście zapierały dech w piersi… dopóki rosnące z dnia na dzień zaspy nie zakryły okien. Na zachodzie można było zobaczyć najwyższe wierzchołki Gór Skalistych jak wbite w niebo groty włóczni. Ku wschodowi roztaczał się widok aż do Boulder. Kurczę, nawet do Denver i Arvada w te rzadkie dni, kiedy powietrze nie było zbyt zanieczyszczone.

Władze stanu przejęły tę działkę i Dana wcale to nie dziwiło. Kto chciałby cokolwiek tam zbudować? To była zgniła ziemia i sądził, że wyczuwało się to i bez udziału telepatii. Prawdziwi jednak wybrali to miejsce i Dan domyślał się, że normalni goście rzadko tam wracali czy polecali Bluebell znajomym. „Złe miejsce przyciągałoby złe stworzenia", zauważył John. Jeśli tak, prawdziwa byłaby także odwrotna zasada: takie miejsce odpychałoby stworzenia z natury dobre.

– Dan! – zawołał Dave. – Odjazd!

– Jeszcze minutę! – Dan zamknął oczy i przycisnął nasadę dłoni do czoła.

(Abra)

Jego głos obudził ją od razu.

Rozdział XVII

Mała suka

1

Na zewnątrz motelu Crown było ciemno – do świtu została jeszcze co najmniej godzina – kiedy drzwi pokoju numer 24 otworzyły się i wyszła dziewczyna. Świat prawie zupełnie zniknął w gęstej mgle. Dziewczyna miała na sobie czarne spodnie i białą koszulę. Włosy spięła w kucyki i wyglądała dziecinnie. Oddychała głęboko; chłód i wisząca w powietrzu wilgoć bardzo pomagały na dręczący ją ból głowy, ale nie na cierpienie duszy. Momo umarła.

Chociaż, jeśli wujek Dan miał rację, wcale nie umarła; po prostu była gdzie indziej. Może jako ducholudek; może nie. Tak czy tak, nie czas o tym myśleć. Może później pomedytuje o tych sprawach.

Zanim wyszła z pokoju, Dan spytał ją, czy Billy śpi. Tak, powiedziała mu, jak kamień. Przez otwarte drzwi widziała stopy i nogi pana Freemana pod kocami i słyszała jego miarowe chrapanie. Pyrkotał jak motorówka na biegu jałowym.

Potem Dan spytał, czy Rose lub ktoś z pozostałych próbował grzebać jej w głowie. Nie. Wiedziałaby o tym. Zastawiła pułapki, a Rose domyśliła się tego, nie jest głupia.

Spytał też, czy ma w pokoju telefon. Tak, miała. Wujek Dan powiedział jej wtedy, co chce, żeby zrobiła. To było dość proste. Przerażało ją tylko to, co musiała powiedzieć tej dziwnej kobiecie z Kolorado. A mimo to chciała to zrobić. W głębi ducha pragnęła tego od chwili, kiedy usłyszała przedśmiertne krzyki małego baseballisty.

(To słowo musisz powtarzać)

Tak, oczywiście.

(bo musisz ją sprowokować rozumiesz?)

(tak wiem co to znaczy)

Rozzłościć ją. Rozwścieczyć.

We mgle droga, którą przyjechali, była tylko ledwo widoczną rysą, drzewa po drugiej stronie zniknęły zupełnie. Podobnie jak recepcja motelu. Abra czasem myślała, że chciałaby taka być, cała biała w środku. Ale tylko czasem. W najgłębszej głębi serca nigdy nie żałowała, że jest, kim jest.

Kiedy uznała, że jest gotowa – na tyle, na ile to możliwe – wróciła do pokoju i zamknęła drzwi od swojej strony, żeby nie obudzić pana Freemana, gdyby musiała podnieść głos. Przejrzała instrukcję korzystania z telefonu, wcisnęła 9, żeby wyjść na linię zewnętrzną, po czym zadzwoniła na informację i poprosiła o numer do Domu Turysty Panorama na kempingu Bluebell w Sidewinder w stanie Kolorado. „Mógłbym podać ci numer główny – powiedział Dan – ale połączyłoby cię z automatyczną sekretarką".

W miejscu, gdzie goście jedli posiłki i grali w gry, długo dzwonił telefon. Dan powiedział, że tak pewnie będzie i żeby czekała cierpliwie. Bądź co bądź, tam było dwie godziny wcześniej.

W końcu zrzędliwy głos powiedział:

– Halo? Recepcja jest pod innym nu…

– Nie chcę rozmawiać z recepcją – powiedziała Abra. Miała nadzieję, że w jej głosie nie słychać tego, jak mocno i szybko bije jej serce. – Chcę rozmawiać z Rose. Rose Kapelusz.

Pauza. Potem:

– Kto mówi?

– Abra Stone. Znasz to nazwisko, prawda? Jestem dziewczyną, której szuka. Przekaż jej, że zadzwonię znowu za pięć minut. Jeśli podejdzie do telefonu, porozmawiamy. Jeśli nie, powiedz jej, żeby się pierdoliła. Więcej nie zadzwonię.

Odłożyła słuchawkę, po czym spuściła głowę, objęła płonącą twarz dłońmi i oddychała głęboko.

2

Rose piła kawę za kierownicą swojego earthcruisera, trzymając nogi na skrytce, w której przechowywała zbiorniki z parą, kiedy ktoś zapukał do jej drzwi. Pukanie o tak wczesnej porze mogło oznaczać tylko kolejne kłopoty.

– Tak – powiedziała. – Wejść.

To był Długi Paul w szlafroku narzuconym na dziecinną piżamę w samochodziki.

– Zadzwonił automat w Domu Turysty. Z początku to zignorowałem, uznałem, że to pomyłka, poza tym parzyłem kawę w kuchni. Ale dzwonił dalej, więc odebrałem. To była ta dziewczyna. Chciała z tobą rozmawiać. Powiedziała, że zadzwoni znowu za pięć minut.

Cicha Sarey usiadła prosto na łóżku, mrugając osłoniętymi grzywką oczami, z ramionami otulonymi pościelą jak szalem.

– Idź – powiedziała do niej Rose.

Sarey bez słowa wyszła. Rose patrzyła przez szeroką przednią szybę earthcruisera, jak Cicha wlecze się boso z powrotem do boundera, który dzieliła z Jadowitą.

Ta dziewczyna.

Zamiast uciec, zamiast się schować, ta mała suka do niej dzwoni. To się nazywa mieć tupet. Jej własny pomysł? Trochę trudno w to uwierzyć, nie?

– Tak wcześnie, a ty krzątasz się w kuchni?

– Nie mogłem zasnąć.

Odwróciła się do niego. Zwyczajny wysoki, łysiejący staruszek w okularach dwuogniskowych zsuniętych na czubek nosa. Taki, którego ćwok mógłby przez rok codziennie mijać na ulicy i ani razu nie zauważyć, ale przy tym niepozbawiony pewnych umiejętności. Nie usypiał ludzi jak Jadowita, nie był tak dobrym tropicielem jak nieodżałowany Dziadzio Flick, lecz miał całkiem niezły dar przekonywania. Kiedy od niechcenia sugerował ćwokowi, żeby dał swojej – albo cudzej – żonie w pysk, ten pysk zostawał obity, i to natychmiast. Wszyscy Prawdziwi mieli takie czy inne zdolności; dzięki temu tak dobrze im się ze sobą żyło.

– Pokaż ręce, Paulie.

Westchnął i podciągnął rękawy szlafroka i piżamy do pomarszczonych łokci. Skórę znaczyły czerwone krostki.

– Kiedy się pojawiły?

– Pierwsze dwie zobaczyłem wczoraj po południu.

– Masz gorączkę?

– Uhm. Małą.

Zajrzała w jego szczere, ufne oczy i miała chęć go przytulić. Niektórzy uciekli, ale Długi Paul został. I większość pozostałych. Na pewno wystarczająco wielu, żeby poradzić sobie z tą małą suką, jeśli naprawdę jest na tyle głupia, żeby się tu pokazać. Czego nie można wykluczyć. Która trzynastolatka nie jest głupia?

– Wyjdziesz z tego – powiedziała Rose.

Znów westchnął.

– Mam nadzieję. Jeśli nie, przynajmniej dobrze przeżyłem życie.

– Nie mów tak. Każdy, kto zostanie, będzie zdrowy. Obiecuję to, a obietnic dotrzymuję. Teraz zobaczmy, co nasza mała przyjaciółka z New Hampshire ma nam do powiedzenia.

3

Niecałą minutę po tym, jak Rose usiadła na krześle obok dużej plastikowej maszyny do losowania numerów w bingo (i postawiła przy niej kubek stygnącej kawy), automat w Domu Turysty eksplodował dwudziestowiecznym terkotem, na który aż podskoczyła. Odczekała dwa dzwonki, zanim podniosła słuchawkę z widełek i przemówiła swoim najbardziej modulowanym głosem.

– Witaj, moja droga. Wiesz, mogłaś skontaktować się ze mną telepatycznie. Nie musiałabyś płacić za międzymiastową.

Mała suka postąpiłaby bardzo niemądrze, gdyby tego spróbowała. Nie tylko ona potrafiła zastawiać pułapki.

– Idę po ciebie – powiedziała Abra Stone. Tak młody, tak świeży głos! Na samą myśl o całej użytecznej parze, która była źródłem tej świeżości, Rose poczuła, że wzbiera w niej zachłanność niczym nieugaszone pragnienie.

– Już mówiłaś. Jesteś pewna, że naprawdę tego chcesz, moja droga?

– Będziesz tam, jeśli przyjdę? Czy tylko twoje tresowane szczury?

W Rose zawrzał gniew. Pomóc to nie pomogło, no ale nigdy nie była rannym ptaszkiem.

– Dlaczego miałoby mnie nie być, moja droga? – Zachowywała spokojny, lekko pobłażliwy ton, ton matki (tak przynajmniej sądziła; nigdy nie była matką) rozmawiającej z rozkapryszonym dzieckiem.

– Bo jesteś tchórzem.

– Ciekawam, na jakiej podstawie tak sądzisz – powiedziała Rose. Jej ton pozostał taki sam, pobłażliwy, lekko rozbawiony, lecz mocno zacisnęła dłoń na słuchawce. – Przecież nigdy mnie nie spotkałaś.

– Owszem. W mojej głowie. Tak ci dokopałam, że uciekałaś z podkulonym ogonem. I zabijasz dzieci. Tylko tchórze zabijają dzieci.

Nie musisz usprawiedliwiać się przed dzieciakiem, powiedziała sobie Rose. Zwłaszcza ćwokiem.

A jednak…

– Nic o nas nie wiesz. O tym, kim jesteśmy i co musimy robić, żeby przetrwać.

– Jesteście tchórzami i tyle – odparła mała suka. – Myślicie, że macie nie wiadomo jakie zdolności i nie wiadomo jaką moc, ale tak naprawdę potraficie tylko żreć i długo żyć. Jak hieny. Zabijacie słabych i uciekacie. Tchórze.

Pogarda w jej głosie paliła jak żrący kwas.

– To nieprawda!

– A ty jesteś naczelnym tchórzem. Nie odważyłaś się sama po mnie przyjść, co? Wysłałaś tych ludzi.

– Porozmawiamy racjonalnie czy…

– Co jest racjonalnego w zabijaniu dzieci, żeby im coś ukraść?

Co w tym racjonalnego, ty tchórzliwa stara kurwo? Wysłałaś swoich ludzi, żeby odwalili za ciebie całą robotę, schowałaś się za ich plecami i pewnie mądrze zrobiłaś, bo teraz oni wszyscy nie żyją.

– Głupia! Ty nic nie wiesz! – Rose porwała się na nogi. Jej uda uderzyły w blat stołu, kawa wylała się pod maszynę losującą. Długi Paul wyjrzał z kuchni i na widok miny Rose natychmiast schował się z powrotem. – Kto tu jest tchórzem? Prawdziwym tchórzem? Możesz mnie obrażać przez telefon, ale nie ośmieliłabyś się twarzą w twarz!

– Ilu będziesz musiała mieć ze sobą, kiedy przyjdę? – szydziła Abra. – Ilu, ty tchórzliwa hieno?

Rose nie odpowiedziała. Musiała zapanować nad sobą, była tego świadoma, ale żeby jakaś gówniara z niewyparzoną gębą tak się do niej odzywała… w dodatku gówniara, która wiedziała za dużo. Zdecydowanie za dużo.

– W ogóle odważyłabyś się stanąć przede mną sama? – spytała mała suka.

– Poczekaj, to zobaczysz – warknęła Rose.

Na drugim końcu linii zapadła cisza i kiedy mała suka wreszcie przemówiła, wydawała się zamyślona.

– Ty? Sam na sam ze mną? Nie, nie ośmielisz się. Taki tchórz jak ty? Nigdy w życiu. Nawet przeciwko dziecku. Jesteś oszustką i kłamczuchą. Czasem wyglądasz ładnie, ale widziałam twoją prawdziwą twarz. Jesteś tylko starą, tchórzliwą kurwą.

– Ty… ty… – Rose nie mogła wydobyć z siebie ani słowa więcej. Bała się, że wściekłość ją udusi. Oto ona, Rose Kapelusz, dostaje burę od gówniary, której za środek transportu służy rower, a głównym zmartwieniem jeszcze parę tygodni temu zapewne było to, kiedy wreszcie będzie miała piersi większe od bąbli po ukąszeniach komara.

– Ale może dam ci szansę – powiedziała mała suka. Jej pewność siebie i beztroskie zuchwalstwo były niewiarygodne. – Oczywiście, jeśli przyjmiesz moją propozycję, spiorę cię na kwaśne jabłko. Pozostałymi nie będę sobie zawracać głowy, i tak już umierają. – Ni mniej, ni więcej, tylko się zaśmiała. – Dławią się małym baseballistą i chwała mu za to.

– Jeśli przyjdziesz, zabiję cię – powiedziała Rose. Jedną dłonią objęła gardło i zaczęła rytmicznie ściskać. Potem zrobią się sińce.

– Jeśli uciekniesz, znajdę cię. A wtedy będziesz krzyczeć godzinami, zanim umrzesz.

– Nie ucieknę. I jeszcze zobaczymy, kto będzie krzyczał.

– Ilu ty będziesz miała ze sobą, moja droga?

– Będę sama.

– Nie wierzę ci.

– Wyczytaj to w moich myślach. A może to też boisz się zrobić? Rose milczała.

– Pewnie, że się boisz. Pamiętasz, co się stało, kiedy ostatnio próbowałaś. Pokonałam cię twoją własną bronią i nie było ci to w smak, co? Hiena. Morderczyni dzieci. Tchórz.

– Przestań… mnie… tak… nazywać.

– Tam, gdzie jesteś, jest takie podwyższenie na wzgórzu. Platforma widokowa. Nazywa się Dach Świata. Znalazłam to w Internecie. Bądź tam w poniedziałek o piątej po południu. Sama. Jeśli nie będziesz sama, jeśli to twoje stado hien nie będzie siedziało w tej waszej sali zebrań czy jak to się nazywa, w czasie, kiedy my będziemy załatwiać nasze sprawy, poznam to. I sobie pójdę.

– Znalazłabym cię – powtórzyła Rose.

– Tak sądzisz? – Gówniara dosłownie z niej drwiła.

556

Rose zamknęła oczy i zobaczyła tę dziewczynę. Zobaczyła ją wijącą się na ziemi, z ustami pełnymi wściekłych szerszeni i rozżarzonymi kijami sterczącymi z oczu.

Nikt do mnie tak nie mówi. Nigdy.

– Może nawet byś mnie znalazła – ciągnęła mała suka. – Ale co do tego czasu zostałoby z tego twojego śmierdzącego Prawdziwego Węzła? Ilu miałabyś wtedy u boku? Dziesięciu? Może tylko czterech? Trzech?

Ta myśl przyszła już Rose do głowy. Fakt, że dziecko, którego nigdy nawet nie spotkała twarzą w twarz, wyciągnęło ten sam wniosek co ona, był pod wieloma względami bardzo irytujący.

– Kruk znał Szekspira – mówiła dalej mała suka. – Niedługo zanim go zabiłam, przytoczył mi kilka cytatów. Ja też co nieco o Szekspirze wiem, bo uczyłam się o nim w szkole. Czytaliśmy tylko jedną sztukę, *Romeo i Julia*, ale pani Franklin dała nam listę słynnych cytatów z innych jego dzieł. Jak „być albo nie być" i „dla mnie to po grecku". Wiedziałaś, że to z Szekspira? Ja nie. Ciekawe, prawda?

Rose milczała.

– Tak naprawdę wcale nie myślisz o Szekspirze. Myślisz o tym, jak bardzo chciałabyś mnie zabić. Nie muszę czytać ci w myślach, żeby to wiedzieć.

– Na twoim miejscu bym uciekła – powiedziała Rose w zamyśleniu. – Gdzie cię te twoje nożęta poniosą. Nic ci to nie da, ale trochę dłużej pożyjesz.

Mała suka nie dała się zbić z pantałyku.

– Było jeszcze jedno powiedzenie. Nie pamiętam, jak dokładnie szło, ale to było coś w stylu „wysadzić kogoś jego własną petardą". Pani Franklin mówiła, że tu chodzi o taką petardę, jakich używano kiedyś, coś w rodzaju bomby na patyku. Myślę, że mniej więcej to spotkało twoje plemię tchórzy. Wyssaliście niewłaściwą parę i wtedy podpaliliście lont petardy, która niedługo was wysadzi. – Zawiesiła głos. – Jesteś tam jeszcze, Rose? A może uciekłaś?

– Chodź do mnie, moja droga. – Rose wrócił spokój. – Jeśli chcesz spotkać się ze mną na platformie widokowej, przyjdę tam. Razem będziemy podziwiać panoramę, zgoda? I zobaczymy, kto jest silniejszy.

Odłożyła słuchawkę, zanim mała suka mogła odpowiedzieć. Dała się wyprowadzić z równowagi, choć obiecywała sobie, że na to nie pozwoli, ale do niej należało ostatnie słowo.

A może nie, bo inne słowo, to, którego użyła mała suka, rozbrzmiewało raz po raz w jej głowie jak zacinająca się płyta gramofonowa.

Tchórz. Tchórz. Tchórz.

4

Abra ostrożnie odłożyła słuchawkę jeszcze ciepłą od jej dłoni i mokrą od jej potu. Potem, zanim zrozumiała, co się dzieje, ryknęła głośnym płaczem. Szloch wydzierał się z jej gardła, ściskał żołądek, wstrząsał nią od stóp do głów. Pobiegła do łazienki, wciąż załkana, uklękła przed sedesem i zwymiotowała.

Kiedy wyszła, pan Freeman stał w drzwiach między ich pokojami, z koszulą wywleczoną ze spodni i siwymi włosami sterczącymi w zwariowanych sprężynkach.

– Co się stało? Zaszkodził ci ten narkotyk?

– To nie od tego.

Podszedł do okna i wyjrzał w napierającą mgłę.

– To przez nich? Idą po nas?

Chwilowo niezdolna mówić, mogła tylko potrząsnąć głową tak gwałtownie, że jej kucyki latały na boki. To ona pójdzie po nich i dlatego się bała.

Nie tylko o siebie.

5

Rose siedziała nieruchomo i oddychała głęboko, żeby uspokoić nerwy. Kiedy odzyskała panowanie nad sobą, zawołała Długiego Paula. Po długiej chwili ostrożnie wysunął głowę zza wahadłowych drzwi prowadzących do kuchni. Na widok jego miny uśmiechnęła się słabo.

– Nic ci nie grozi. Możesz wejść. Nie ugryzę.

Wszedł i zobaczył rozlaną kawę.

– Posprzątam.

– Zostaw to. Kto z tych, co zostali, jest naszym najlepszym tropicielem?

– Ty, Rose. – Bez wahania.

Rose nie miała zamiaru zbliżać się do dziewczyny myślami, nawet w sytuacji awaryjnej.

– Oprócz mnie.

– Cóż… teraz, kiedy odszedł Dziadzio Flick… i Barry… – Zamyślił się. – Sue potrafi jako tako namierzać, Chciwa G też. Ale myślę, że Charlie Szton jest w tym trochę lepszy.

– Choruje?

– Wczoraj był zdrowy.

– Przyślij go do mnie. Zanim przyjdzie, wytrę tę kawę. Bo… to ważne, Paulie… kto narobi bałaganu, powinien go posprzątać.

Po jego wyjściu przez pewien czas nie ruszała się z miejsca, z dłońmi złożonymi w daszek pod brodą. Wróciła trzeźwość myślenia, a z nią umiejętność planowania. Jednak wyglądało na to, że nie nabiorą dziś pary. To mogło zaczekać do poniedziałkowego ranka.

W końcu poszła do kuchni po papierowe ręczniki. I posprzątała bałagan, którego narobiła.

6

– Dan! – Tym razem wołał John. – Musimy ruszać!

– Już idę! Tylko pochlapię twarz zimną wodą!

Poszedł w głąb korytarza. Słuchał Abry, lekko kiwając głową, jakby tu z nim była.

(pan Freeman chce wiedzieć czemu płakałam czemu wymiotowałam co mu powiedzieć)

(na razie tylko to że kiedy przyjedziemy będę musiał pożyczyć jego wóz)

(bo jedziemy dalej jedziemy na zachód)

(…cóż…)

To było skomplikowane, ale zrozumiała. Chodziło o coś, czego nie dało się wyrazić słowami, i nie było takiej potrzeby.

Na półce obok umywalki leżało kilka nierozpakowanych szczoteczek do zębów. Jedna, rozpakowana, miała na rączce imię **ABRA** wypisane literami w kolorach tęczy. Na ścianie wisiała tabliczka z sentencją ŻYCIE BEZ MIŁOŚCI JEST JAK DRZEWO BEZ OWOCÓW. Patrzył na nią przez kilka sekund, ciekaw, czy w AA słyszał kiedyś coś podobnego. Jedno tylko przyszło mu do głowy: „Jeśli nie możesz dziś nikogo kochać, przynajmniej postaraj się nikogo nie skrzywdzić". Nie to samo.

Puścił zimną wodę i kilka razy energicznie ochlapał sobie twarz. Zakręcił kran, chwycił ręcznik i podniósł głowę. Tym razem w lustrze nie było z nim Lucy; był tylko Dan Torrance, syn Jacka i Wendy, który zawsze uważał się za jedynaka.

Jego twarz obłaziły muchy.

Część czwarta

Dach Świata

Rozdział XVIII

Na zachód

1

Tym, co Dan najlepiej zapamiętał z tej soboty, nie była podróż z Bostonu do motelu Crown, bo czworo ludzi w suburbanie Johna Daltona prawie się nie odzywało. Ta cisza nie była niezręczna ani wroga – milczenie zmęczonych ludzi, którzy mają dużo do przemyślenia. Najbardziej zapadło mu w pamięć to, co się stało, kiedy dotarli na miejsce.

Wiedział, że czekała, bo był z nią w kontakcie przez większą część podróży i rozmawiali tak, jak do tego przywykli – na poły słowami, na poły obrazami. Kiedy zajechali przed motel, siedziała na tylnym zderzaku starego pikapa Billy'ego. Na ich widok zerwała się na nogi i pomachała. W tej samej chwili rzedniejąca od pewnego czasu pokrywa chmur rozstąpiła się i na Abrę padł promień słońca. Zupełnie jakby Bóg przybił z nią piątkę.

Lucy wydała okrzyk, któremu niewiele brakowało do wrzasku. Odpięła pas i otworzyła drzwi, zanim John całkiem zatrzymał samochód. Po pięciu sekundach już miała córkę w ramionach i całowała ją w ciemię – w nic innego nie mogła, bo twarz Abry przyciskała do piersi. Teraz słońce padało na obie.

Dan dziwnie się poczuł, kiedy jego usta mimowolnie ułożyły się w uśmiech. Tak dawno się nie uśmiechał.

2

Lucy i David chcieli zabrać Abrę z powrotem do New Hampshire. Dan nie miał nic przeciwko temu, ale tymczasem, dopóki byli razem, musieli porozmawiać. Grubas z długim kucykiem znów urzędował w recepcji, tyle że dziś oglądał walkę w klatce zamiast pornosa. Ochoczo zgodził się ponownie wynająć im pokój 24; wisiało mu, czy zostaną na noc, czy nie. Billy pojechał do właściwego Crownville po dwie pizze. Potem rozsiedli się w pokoju i Dan i Abra na zmianę opowiedzieli pozostałym o wszystkim, co się wydarzyło i co się dopiero wydarzy. Jeśli sprawy potoczą się po ich myśli.

– Nie – stwierdziła Lucy od razu. – To zbyt niebezpieczne. Dla was obojga.

John uśmiechnął się posępnie.

– Najbardziej niebezpiecznie byłoby zignorować tych... te istoty. Rose mówi, że jeśli Abra nie przyjdzie do niej, ona przyjdzie do Abry.

– Ma, jak to się mówi, fiksację na jej punkcie – powiedział Billy i wziął kawałek pizzy z pepperoni i grzybami. – U wariatów to częste. Wystarczy pooglądać program doktora Phila, żeby to wiedzieć.

Lucy spojrzała na córkę z wyrzutem.

– Sprowokowałaś ją. To było niebezpieczne, ale jak trochę ochłonie...

Choć nikt jej nie przerwał, zawiesiła głos. Może, pomyślał Dan, dopiero gdy to powiedziała, zdała sobie sprawę, jak niewiarygodnie to brzmi.

– Oni nie przestaną, mamo – tłumaczyła Abra. – Ona nie przestanie.

– Abra będzie w miarę bezpieczna – zapewnił Dan. – Jest takie jakby koło. Nie wiem, jak to lepiej wytłumaczyć. Jeśli stanie się coś złego... jeśli coś pójdzie nie tak, Abra posłuży się tym kołem, żeby uciec. Wycofać się. Obiecała mi to.

– Właśnie – przytaknęła Abra. – Obiecałam.

Dan przeszył ją twardym wzrokiem.

– I obietnicy dotrzymasz, prawda?

– Tak – powiedziała Abra stanowczo, choć z wyraźnym ociąganiem. – Dotrzymam.

– Trzeba też pomyśleć o tych wszystkich dzieciach – przypomniał John. – Nigdy się nie dowiemy, ile Prawdziwy Węzeł ich przez lata uprowadził. Może setki.

Dan uważał, że jeśli żyli tak długo, jak sądziła Abra, takich dzieci prawdopodobnie były tysiące.

– I ile jeszcze uprowadzą, nawet jeśli Abrę zostawią w spokoju – dodał.

– Może odra ich wszystkich zabije – zauważył Dave z nadzieją. Odwrócił się do Johna. – Mówiłeś, że tak się może stać.

– Właśnie dlatego jestem im potrzebna. Myślą, że mogę ich uleczyć – wtrąciła Abra. – Rusz głową.

– Wyrażaj się, młoda damo – skarciła ją Lucy, ale nieobecnym tonem. Wzięła ostatni kawałek pizzy, spojrzała na niego i wrzuciła z powrotem do pudełka. – Inne dzieci mnie nie obchodzą. Obchodzi mnie Abra. Wiem, to okropne, ale taka jest prawda.

– Nie myślałabyś tak, gdybyś zobaczyła te wszystkie małe zdjęcia w „Shopperze" – powiedziała Abra. – Nie mogę ich zapomnieć. Czasem mi się śnią.

– Jeśli ta wariatka ma kilka szarych komórek na krzyż, domyśli się, że Abra nie przyjedzie sama – stwierdził Dave. – Co, miałaby polecieć do Denver i tam wypożyczyć samochód? Trzynastolatka? – I, posyłając córce półżartobliwe spojrzenie, dodał: – Rusz głową.

– Po tym, co się stało w Cloud Gap, Rose wie już, że Abra ma przyjaciół – poparł go Dan. – Nie wie, że co najmniej jeden z nich jaśnieje. – Spojrzał na Abrę, szukając potwierdzenia. Przytaknęła.
– Posłuchajcie, Lucy, Dave. Myślę, że Abra i ja razem możemy położyć kres tej… – Szukał właściwego słowa i znalazł jedyne, które pasowało. – Tej zarazie. W pojedynkę… raczej nie.

– Poza tym, mamo – dodała Abra – ty i tata tak naprawdę nie możecie mnie powstrzymać. Możecie mnie zamknąć w moim pokoju, ale głowy mi nie zamkniecie.

Lucy posłała jej Spojrzenie Śmierci, to, które matki rezerwują dla zbuntowanych córek. Na Abrę działało zawsze, nawet kiedy miała humory, ale nie tym razem. Patrzyła na matkę ze spokojem. I smutkiem, który zmroził serce Lucy.

Dave wziął żonę za rękę.

– Myślę, że tak trzeba.

W pokoju zapadła cisza. Przerwała ją Abra.

– Jeśli nikt nie chce tego ostatniego kawałka, ja go wezmę. Umieram z głodu.

3

Jeszcze kilka razy powtórzyli cały plan od początku do końca i parę jego elementów wywołało głośne spory, ale w gruncie rzeczy wszystko już zostało ustalone. Poza, jak się okazało, jednym drobnym szczegółem. Kiedy wyszli z pokoju, Billy nie chciał wsiąść do suburbana Johna.

– Jadę z tobą – powiedział do Dana.

– Billy, doceniam intencje, ale to nie jest dobry pomysł.

– Mój wóz, moje zasady. Naprawdę myślisz, że sam dojedziesz w góry Kolorado do poniedziałku po południu? Nie rozśmieszaj mnie. Wyglądasz jak gówno na patyku.

– Słyszałem ostatnio podobną opinię od kilku osób, chociaż nikt tego tak zgrabnie nie ujął – stwierdził Dan.

Billy się nie uśmiechnął.

– Mogę ci pomóc. Jestem stary, ale jeszcze dycham.

– Weź go ze sobą – powiedziała Abra. – Ma rację.

Dan przyjrzał jej się uważnie.

(wiesz coś Abro)

Odpowiedź była natychmiastowa.

(nie coś czuję)

To Danowi wystarczyło. Rozłożył ręce i Abra mocno go uściskała, wtulając policzek w jego pierś. Mógłby długo tak ją tulić, ostatecznie jednak puścił siostrzenicę i cofnął się.

(daj znać kiedy będziecie blisko wujku Danie przyjdę)

(tylko delikatne muśnięcia pamiętaj)

Zamiast wyrażonej słowami myśli wysłała obraz: czujnik dymu pikający na znak, że pora wymienić w nim baterie. Pamiętała doskonale.

Kiedy szli do samochodu, Abra poprosiła ojca:

– Po drodze kupmy kartkę z życzeniami powrotu do zdrowia. Julie Cross wczoraj złamała rękę na treningu.

Spojrzał na nią ze zmarszczonymi brwiami.

– Skąd wiesz?

– Wiem – powiedziała.

Delikatnie pociągnął ją za kucyk.

– Ty naprawdę przez cały czas to potrafiłaś, co? Nie rozumiem, dlaczego przed nami udawałaś, Abba-Daba-Du.

Dan, który dorastał z jasnością, mógł mu to wytłumaczyć. Rodziców czasem trzeba chronić.

4

I tak oto się rozdzielili. Suburban Johna pojechał na wschód, a pikap Billy'ego na zachód, z Billym za kierownicą.

– Na pewno jesteś w stanie prowadzić, Billy? – spytał Dan.

– Po tak dobrze przespanej nocy? Kochany, mógłbym prowadzić aż do Kalifornii.

– Wiesz, dokąd jedziemy?

– Kupiłem atlas drogowy w mieście, kiedy czekałem na pizze.

– Czyli już wtedy zdecydowałeś. I wiedziałeś, co z Abrą planujemy.

– No... tak jakby. Czasem miewam przeczucia. – Billy uśmiechnął się szeroko. – Zdaje się, że powiedziałem ci o tym w dniu, kiedy się poznaliśmy.

– No dobra, ale gdybyś chciał, żebym cię zmienił, krzycz – powiedział Dan i od razu zasnął z głową opartą o okno pasażera. Spadał w pogłębiającą się otchłań pełną nieprzyjemnych obrazów. Najpierw zobaczył wycięte z żywopłotu zwierzęta sprzed hotelu Panorama, te, które poruszały się, kiedy nie patrzyłeś. Potem panią Massey z pokoju 217, która teraz miała na głowie przekrzywiony cylinder. Wciąż spadając, przeżył od nowa bitwę na Cloud Gap, tyle że tym razem, kiedy wbiegł do winnebago, znalazł tam Abrę;

leżała na podłodze z poderżniętym gardłem, a nad nią stała Rose z ociekającą krwią brzytwą. Na widok Dana dolna połowa twarzy Rose opadła w odrażającym uśmiechu, odsłaniając pojedynczy długi, błyszczący ząb. Mówiłam jej, że to się tak skończy, ale nie chciała mnie słuchać, powiedziała. Dzieci już takie są.

Jeszcze głębiej była tylko ciemność.

Obudził się o zmierzchu. Zobaczył przerywaną białą linię. Byli na autostradzie międzystanowej.

– Długo spałem?

Billy zerknął na zegarek.

– Jedenaście godzin z hakiem. Lepiej ci?

– Tak. – A właściwie i tak, i nie. W głowie mu się przejaśniło, ale brzuch bolał jak diabli. Żadne zaskoczenie, zważywszy na to, co rano zobaczył w lustrze. – Gdzie jesteśmy?

– Jakieś dwieście kilometrów na wschód od Cincinnati. Przespałeś dwa przystanki na tankowanie. I chrapiesz.

Dan usiadł prosto.

– Jesteśmy w Ohio? Jezu! Która godzina?

Billy zerknął na zegarek.

– Piętnaście po szóstej. Żaden problem; ruch jest mały, nie pada. Chyba jedzie z nami anioł.

– Poszukajmy motelu. Ty musisz się przespać, mnie zaraz pęcherz pęknie.

– Nie dziwię się.

Billy skręcił na następny zjazd z autostrady oznakowany symbolami stacji benzynowych, restauracji i moteli. Zatrzymał się pod Wendy's i poszedł kupić coś do żarcia, a Dan w tym czasie skorzystał z toalety. Po powrocie do samochodu raz ugryzł podwójnego hamburgera, resztę schował z powrotem do torby i ostrożnie łyknął kawowego shake'a. To jego żołądek był w stanie znieść.

Billy miał zszokowaną minę.

– Stary, musisz coś zjeść! Co z tobą?

– Chyba pizza na śniadanie to był zły pomysł. – I, ponieważ Billy wciąż na niego patrzył: – Shake też jedzenie. Nic więcej mi nie trzeba. Patrz na drogę, Billy. Nie pomożemy Abrze, jeśli będziemy opatrywani na pogotowiu.

Pięć minut później Billy zatrzymał pikapa pod daszkiem osłaniającym wejście do motelu Fairfield Inn. Nad drzwiami migał neon WOLNE POKOJE. Billy zgasił silnik, ale nie wysiadł.

– Skoro narażam razem z tobą życie, wodzu, chcę wiedzieć, co ci dolega.

Dan miał ochotę zwrócić mu uwagę, że podjął to ryzyko z własnej, nie jego inicjatywy, ale to nie byłoby w porządku. Wyjaśnił. Billy słuchał z okrągłymi oczami.

– Chryste Panie, czyś ty zgłupiał? – powiedział, kiedy Dan skończył.

– Nie wiem, czemu mieszasz do tego Chrystusa i dlaczego niby miałby zgłupieć – odparł Dan. – Ale kto Go tam wie. Wynajmiesz pokoje, czy ja mam to zrobić?

Billy nie ruszał się z miejsca.

– Abra wie?

Dan pokręcił głową.

– Ale może się dowiedzieć – dodał Billy.

– Może, ale tego nie zrobi. Wie, że nie wolno podglądać, zwłaszcza bliskich. Tak jak nie podgląda się własnych rodziców, kiedy uprawiają seks.

– Nauczyłeś się tego w dzieciństwie?

– Tak. Czasem coś się niechcący zauważy… nie ma na to rady…
wtedy się od tego odwracasz.

– Starczy ci sił, Danny?

– Na jakiś czas, owszem. – Pomyślał o ospałych muchach łażą-
cych po jego wargach, policzkach i czole. – Jak długo trzeba.

– A co potem?

– O to, co będzie potem, będę się martwił potem. Na razie liczy
się chwila obecna. Chodźmy do motelu. Musimy wyjechać wcześnie rano.

– Jakieś wiadomości od Abry?

Dan uśmiechnął się.

– Wszystko z nią w porządku.

Przynajmniej na razie.

5

Tak naprawdę wcale nie było z nią wszystko w porządku.

Siedziała przy biurku z *Zabić drozda* w ręku i usiłowała nie patrzeć
w okno sypialni, bo a nuż zobaczyłaby w nim znajomą twarz. Wiedziała, że coś z Danem jest nie tak i że nie chciał, by znała powody,
a mimo to korciło ją, żeby ich poszukać, choć przez lata nauczyła
się nie wnikać w prywatne sprawy dorosłych. Powstrzymywały ją
dwie rzeczy. Jedną była świadomość, że czy to jej się podobało, czy
nie, nie mogła mu pomóc. Drugą (silniejszą) – obawa, że mógłby
wyczuć jej obecność w swojej głowie. A wtedy zawiódłby się na niej.

Pewnie i tak trzyma to pod kluczem, pomyślała. Potrafi to robić.
Jest dość silny.

Nie tak silny jednak jak ona… czy też, używając właściwszej
w tym przypadku terminologii, nie tak jaśniejący. Mogła pootwierać

skrytki w jego umyśle i obejrzeć, co w nich przechowywał, lecz uznała, że to mogłoby być niebezpieczne dla nich obojga. Bez konkretnego powodu; to było tylko przeczucie – tak jak wtedy, kiedy coś jej powiedziało, że pan Freeman powinien pojechać z Danem – ale ufała swojemu instynktowi. Chociaż... może w tych skrytkach trzymał coś, co mogłoby im pomóc. Mogła żywić taką nadzieję. „Słuszna nadzieja wzlata na skrzydłach jaskółczych" – to jeszcze jeden cytat z Szekspira.

Nie patrz w to okno. Ani się waż.

Wykluczone. Spojrzała więc i zobaczyła Rose uśmiechającą się do niej spod zawadiacko przekrzywionego kapelusza. Burza włosów, blada, porcelanowa skóra, ciemne, szalone oczy i bujne czerwone wargi skrywające ten pojedynczy sterczący ząb. Ten kieł.

Umrzesz, krzycząc z bólu, mała suko.

Abra zamknęła oczy, zamyśliła się głęboko

(nie ma cię nie ma cię nie ma cię)

i otworzyła je znowu. Uśmiechnięta twarz w oknie zniknęła. Ale nie na dobre. Gdzieś wysoko w górach – na dachu świata – Rose myślała o niej. I czekała.

6

W motelu był bufet śniadaniowy. Jako że towarzysz podróży czujnie go obserwował, Dan ostentacyjnie zjadł trochę płatków z jogurtem. Billy'emu wyraźnie ulżyło. W czasie, kiedy poszedł ich wymeldować, Dan bez pośpiechu skierował się do męskiej ubikacji w holu głównym. Tam zamknął się w kabinie, padł na kolana i zwymiotował wszystko, co zjadł. Nieprzetrawione płatki z jogurtem pływały w czerwonej pianie.

– Wszystko w porządku? – spytał Billy, kiedy Dan wrócił do recepcji.

– Jasne – powiedział Dan. – Ruszajmy.

7

Według atlasu drogowego Billy'ego z Cincinnati do Denver było jakieś tysiąc osiemset kilometrów. Sidewinder leżało około stu kilometrów dalej na zachód krętymi drogami, na wielu odcinkach biegnącymi skrajem przepaści. Tego niedzielnego popołudnia Dan próbował trochę poprowadzić wóz, ale szybko się zmęczył i oddał kierownicę Billy'emu. Zasnął i kiedy się obudził, słońce już zachodziło. Byli w Iowa, w rodzinnych stronach świętej pamięci Brada Trevora.

(Abra?)

Bał się, że przy takiej odległości porozumienie telepatyczne będzie trudne lub w ogóle niemożliwe, ale odpowiedziała szybko i tak wyraźnie jak zawsze; gdyby była stacją radiową, nadawałaby z mocą stu tysięcy watów. Siedziała w swoim pokoju i pisała na komputerze pracę domową. Co go rozczuliło i zasmuciło jednocześnie, na kolanach trzymała Kicusia, pluszowego królika. Stres związany z tym, co robili, sprawił, że emocjonalnie cofnęła się do dzieciństwa.

Jako że kanał łączności między nimi był szeroko otwarty, wychwyciła tę myśl.

(nie martw się o mnie wszystko gra)

(to dobrze bo musisz zadzwonić)

(tak zgoda a u ciebie wszystko w porządku)

(tak)

Wiedziała, że to nieprawda, ale o nic nie pytała. Nie życzył sobie tego.

(masz)

Wysłała mu obraz.

(jeszcze nie dziś niedziela sklepy są pozamykane)

Następny obraz, taki, który przywołał uśmiech na jego usta. Wal-Mart... tylko że z szyldem SUPERSKLEP ABRY.

(nie sprzedaliby nam tego czego potrzebujemy poszukamy sklepu w którym się zgodzą)

(dobrze chyba)

(wiesz co jej powiedzieć?)

(tak)

(będzie próbowała wciągnąć cię w dłuższą rozmowę brać na spytki nie daj jej)

(nie dam)

(potem odezwij się żebym się nie martwił)

Oczywiście, że będzie się martwił, i to jak.

(dobrze kocham cię wujku Danie)

(ja ciebie też)

Przesłał jej całusa. Abra odpowiedziała obrazem: wielkie czerwone rysunkowe usta. Prawie czuł ich dotyk na policzku. I zniknęła.

Billy wpatrywał się w niego.

– Rozmawiałeś z nią, prawda?

– W rzeczy samej. Patrz na drogę, Billy.

– Jasne, jasne. Jakbym słyszał moją byłą.

Billy włączył migacz, skręcił na lewy pas i wyprzedził wielki, ociężały samochód turystyczny Fleetwood Pace Arrow. Dan patrzył na ten wóz, ciekaw, kto jest w środku i czy wygląda przez przyciemniane szyby.

– Chcę przejechać jeszcze ze sto pięćdziesiąt kilometrów, zanim się zatrzymamy gdzieś na noc – rzekł Billy. – Wtedy, jak sobie wyliczyłem, jutro będziemy mogli poświęcić godzinę na to, żebyś załatwił, co trzeba, a i tak dojedziemy w góry na piątą, tak jak się z tą kobietą umówiliście. Ale trzeba będzie wyruszyć przed świtem.

– Jasne. Rozumiesz, jak to się odbędzie?

– Rozumiem, jak to się ma odbyć. – Billy zerknął na niego. – Lepiej się módl, żeby nie skorzystali z lornetki, jeśli ją mają. Jak myślisz, wrócimy stamtąd żywi? Powiedz prawdę. Jeśli odpowiedź brzmi „nie", to kiedy zatrzymamy się na noc, zamówię największy stek, jaki w życiu widziałeś. Niech MasterCard potem ściąga pieniądze na spłatę karty kredytowej od moich krewnych, bo wiesz co? Krewnych nie mam. Chyba żeby liczyć moją byłą, a ta to nie naszczałaby na mnie, gdybym się palił.

– Wrócimy żywi – powiedział Dan, ale bez przekonania. Zbyt fatalnie się czuł, żeby zachowywać pozory.

– Tak? Cóż, może mimo to zamówię stek. A ty?

– Chyba zdołam przełknąć trochę zupy. Byle była cienka. – Na myśl o jedzeniu czegoś zbyt gęstego, żeby dało się przez to czytać gazetę – pomidorowej bisque, kremu grzybowego – żołądek mu się kurczył.

– Dobra. Może zamkniesz oczy?

Dan wiedział, że nie może spać głęboko, bez względu na to, jak fatalnie się czuł i jak bardzo był zmęczony – nie teraz, kiedy Abra miała do czynienia z prastarą istotą, która wyglądała jak piękna kobieta – ale zdołał się zdrzemnąć. Drzemka była lekka, a przy tym dość mocna, by opadły go sny, najpierw o Panoramie (dziś w roli głównej występowała winda, która jeździła sama z siebie w środku nocy), potem o siostrzenicy. Tym razem Abra została uduszona kablem elektrycznym. Patrzyła na Dana wybałuszonymi, pełnymi wyrzutu oczami. Aż za łatwo mógł wyczytać, co się w nich kryło. Mówiłeś, że mi pomożesz. Że mnie uratujesz. Gdzie byłeś?

8

Abra odwlekała to, co miała do zrobienia, dopóki się nie zorientowała, że zaraz mama zagoni ją do łóżka. Rano nie pójdzie do szkoły, ale i tak przed nią był ważny dzień. I być może bardzo długa noc.

Odwlekanie tylko pogarsza sytuację, *cara mia*.

Tak powiadała ewangelia według Momo. Abra spojrzała w stronę okna. Pragnęła zobaczyć w nim prababcię zamiast Rose. To byłoby piękne.

– Momo, tak bardzo się boję – powiedziała. W końcu dla uspokojenia wzięła dwa głębokie oddechy, po czym sięgnęła po swojego iPhone'a i wybrała numer Domu Turysty Panorama na kempingu Bluebell. Odebrał jakiś mężczyzna i kiedy Abra powiedziała, że chce rozmawiać z Rose, spytał ją, kim jest.

– Wiesz, kim jestem – stwierdziła. I z, miała nadzieję, irytującą dociekliwością: – Zachorowałeś już?

Mężczyzna na drugim końcu linii (był to Lizus) nie odpowiedział, ale usłyszała, że szepnął coś do kogoś. Po chwili odezwała się Rose, znów w pełni opanowana.

– Witaj, moja droga. Gdzie jesteś?

– W drodze.

– Doprawdy? Jak miło, kochanie. Czyli jeśli sprawdzę, z jakiego numeru dzwonisz, nie wyświetli mi się przed nim kierunkowy z New Hampshire?

– Pewnie tak – powiedziała Abra. – Dzwonię z mojej komórki. W jakiej ty epoce żyjesz, suko?

– Czego chcesz? – Głos na drugim końcu linii stał się oschły.

– Upewnić się, że znasz zasady. Będę tam jutro o piątej. Przyjadę starym czerwonym pikapem.

– Kto będzie prowadził?

– Mój wujek Billy.

– To jeden z tych, co urządzili zasadzkę?

– Nie, był ze mną i Krukiem. Dość pytań. Zamknij się i słuchaj.

– Cóż za brak kultury – westchnęła Rose ze smutkiem.

– Zatrzymamy się na końcu parkingu, przy tablicy z napisem DZIECI JEDZĄ GRATIS KIEDY DRUŻYNY Z KOLORADO WYGRYWAJĄ.

– Widzę, że byłaś na naszej stronie internetowej. To miło. A może nie ty, tylko twój wujek? Odważny jest, skoro zgodził się być twoim szoferem. To brat twojego ojca czy matki? Rodziny ćwoków to moje hobby. Rysuję drzewa genealogiczne.

„Będzie cię brać na spytki", przestrzegł ją Dan i miał całkowitą rację.

– Powiedziałam: zamknij się i słuchaj. Czegoś nie rozumiesz? Chcesz, żebyśmy się spotkały, czy nie?

Żadnej odpowiedzi, tylko wyczekująca cisza. Straszna cisza.

– Z parkingu będziemy widzieli wszystko: kemping, Dom Turysty i Dach Świata na szczycie wzgórza. Lepiej, żebyśmy z wujkiem zobaczyli tam ciebie i nikogo innego z tego twojego Prawdziwego Węzła. W czasie, kiedy ty i ja zajmiemy się naszymi sprawami, twoi ludzie mają siedzieć w tej sali zebrań czy co to jest. W tej takiej dużej sali, rozumiesz? Wujek Billy nie pozna, czy są, gdzie mają być, ale ja tak. Jeśli wyczuję, że choć jeden z waszych jest gdzie indziej, zwijamy się.

– Twój wujek zaczeka w samochodzie?

– Nie. Ja zaczekam w samochodzie, dopóki nie będziemy pewni, że wszystko gra. Wtedy on wsiądzie z powrotem, a ja przyjdę do ciebie. Nie chcę, żeby się do ciebie zbliżał.

– Dobrze, moja droga. Będzie, jak sobie życzysz.

Wcale nie. Kłamiesz.

Ale Abra też nie mówiła prawdy, więc poniekąd były kwita.

– Mam jedno naprawdę ważne pytanie, moja droga – powiedziała Rose uprzejmym tonem.

Abra prawie spytała, o co chodzi, po czym przypomniała sobie radę wujka. Tego prawdziwego wujka. Jedno pytanie, jasne. Które pociągnęłoby za sobą następne… i następne… i następne.

– Udław się – rzuciła i zerwała połączenie. Dłonie zaczęły jej drżeć. Potem nogi, ręce i barki.

– Abra! – To mama. Wołała z podnóża schodów. Czuje to, pomyślała Abra. Tylko trochę, ale to czuje. Czy to matczyna intuicja, czy jasność? – Kochanie, wszystko w porządku?

– Tak, mamo! Szykuję się do spania!

– Dziesięć minut, potem przyjdziemy dać ci buzi na dobranoc. Wtedy masz już być w piżamie.

– Dobrze.

Gdyby wiedzieli, z kim właśnie rozmawiałam, pomyślała Abra. Ale nie wiedzieli. Tylko im się wydawało, że mają pełny obraz sytuacji. Ona była tu, w swojej sypialni, wszystkie drzwi i okna w domu były pozamykane. Rodzice wierzyli, że to zapewni jej bezpieczeństwo. Nawet tata, który widział Prawdziwy Węzeł w akcji.

Dan jednak wiedział. Zamknęła oczy i nawiązała z nim kontakt.

9

Dan i Billy byli pod kolejnym motelem. I wciąż żadnych wiadomości od Abry. Niedobrze.

– Dawaj, wodzu – rzekł Billy. – Chodźmy do środka i...

I wtedy się odezwała. Dzięki Bogu.

– Bądź przez chwilę cicho – powiedział Dan i zaczął słuchać. Po dwóch minutach odwrócił się. Uśmiechnięty. Billy pomyślał, że jego towarzysz wreszcie znów wygląda jak Dan Torrance.

– To była ona?

– Tak.

– Jak poszło z Królową Suką?

– Abra mówi, że dobrze. Możemy działać.

– Żadnych pytań o mnie?

– Tylko o to, czy jesteś od strony ojca, czy matki. Słuchaj, Billy, ta wersja z wujkiem to chyba był błąd. Jesteś o wiele za stary, żeby być bratem Lucy albo Davida. Kiedy jutro pojedziemy załatwić, co trzeba, sprawisz sobie ciemne okulary. Duże. I naciągniesz tę swoją baseballówkę na uszy, żeby zasłaniała ci włosy.

– Może przy okazji powinienem kupić dezodorant.

– Nie błaznuj, stary pierdzielu.

Billy uśmiechnął się szeroko.

– Zameldujmy się, zjedzmy coś. Wyglądasz lepiej. Jakbyś był w stanie zjeść prawdziwe jedzenie.

– Zupę – powiedział Dan. – Nie ma co kusić losu.

– Zupę. Jasne.

Zjadł całą. Pomału. I – przypominając sobie, że za niecałe dwadzieścia cztery godziny to się w taki czy inny sposób skończy – udało mu się nie zwymiotować. Jedzenie zamówili do pokoju

Billy'ego i kiedy talerz był pusty, Dan wyciągnął się na dywanie. To trochę złagodziło ból brzucha.

– Co robisz? – spytał Billy. – To joga czy coś takiego?

– Właśnie. Nauczyłem się tego z kreskówek z misiem Yogi. Jeszcze raz powtórz wszystko od początku do końca.

– Wiem, co i jak, wodzu, bez obaw. Robi się z ciebie drugi Casey Kingsley.

– Nie strasz. A teraz powtórz wszystko.

– Abra puści pierwszy sygnał koło Denver. Jeśli mają kogoś, kto nasłuchuje, zorientują się, że jedzie. I że jest niedaleko. Będziemy w Sidewinder przed czasem... powiedzmy, o czwartej zamiast o piątej... i nie skręcimy na kemping, tylko pojedziemy dalej. Nie zobaczą naszego wozu. Chyba że wystawią wartę przy szosie.

– Nie sądzę, żeby to zrobili. – Dan pomyślał o jeszcze jednym aforyzmie z AA: „Nie mamy władzy nad ludźmi, miejscami i rzeczami". Jak większość mądrości alkoholików, to była w siedemdziesięciu procentach prawda, a w trzydziestu ple-ple ku pokrzepieniu serc. – Tak czy tak, nie wszystko od nas zależy. Mów dalej.

– Jakieś półtora kilometra dalej jest plac piknikowy. Byłeś tam parę razy z mamą, zanim was zasypało. – Billy zamilkł. – Tylko we dwoje? Bez taty?

– Pisał. Pracował nad sztuką. Mów dalej.

Billy mówił, Dan uważnie słuchał i na koniec skinął głową.

– No dobra. Wszystko wiesz.

– Przecież mówiłem. A teraz mogę ja o coś zapytać?

– Jasne.

– Czy jutro po południu będziesz jeszcze w stanie przejść półtora kilometra?

– Tak.

Oby.

10

Dzięki temu, że wyruszyli wcześnie – o czwartej nad ranem, długo przed świtem – Dan Torrance i Billy Freeman tuż po dziewiątej zaczęli widzieć chmurę ciągnącą się na całej długości horyzontu. Godzinę później, kiedy ta sinoszara smuga przekształciła się w łańcuch górski, zatrzymali się w miasteczku Martenville w stanie Kolorado. Tam na krótkiej (i prawie zupełnie opustoszałej) głównej ulicy Dan zobaczył nie to, na co liczył, ale coś jeszcze lepszego: sklep z odzieżą dziecięcą. Niedaleko, między przybrudzonym lombardem a wypożyczalnią wideo z wymalowanym mydłem na witrynie napisem LIKWIDACJA WYPRZEDAŻ OKAZYJNE CENY, stała apteka o nazwie Drugs & Sundries. Dan wysłał do niej Billy'ego, a sam wszedł do sklepu z odzieżą dziecięcą.

W środku panowała przygnębiająca atmosfera beznadziei. Był jedynym klientem. Ten sklep był czyimś dobrym pomysłem, który nie wypalił, pewnie za sprawą centrów handlowych w Sterling i Fort Morgan. Po co kupować na miejscu, kiedy można się kawałek przejechać i dostać tańsze spodnie i sukienki na nowy rok szkolny? Co z tego, że produkowane w Meksyku czy Kostaryce? Oklapła kobieta z oklapłą fryzurą wyszła zza lady i obdarzyła Dana oklapłym uśmiechem. Spytała, czym może mu służyć. Kiedy odpowiedział, jej oczy stały się okrągłe.

– Wiem, że to dość niezwykła prośba – powiedział Dan – ale niech mi pani trochę pójdzie na rękę. Zapłacę gotówką.

Dostał to, czego chciał. W małych, podupadających sklepach daleko od autostrady słowo na G działa jak magiczne zaklęcie.

11

Pod Denver Dan skontaktował się z Abrą. Zamknął oczy i wyobraził sobie koło teraz już znane im obojgu. W Anniston Abra zrobiła to samo. Tym razem poszło łatwiej. Kiedy znów otworzył oczy, patrzył na trawnik za domem Stone'ów, opadający ku rzece Saco skrzącej się w popołudniowym słońcu. Gdy powieki podniosła Abra, zobaczyła Góry Skaliste.

– O rany, wujku Billy, piękne są, co?

Billy zerknął na siedzącego obok człowieka. Dan założył nogę na nogę tak, jak nigdy tego nie robił, i kiwał stopą. Jego policzki nabrały rumieńców, z oczu zniknęła mgła przesłaniająca je przez całą podróż na zachód.

– Piękne, kochanie – rzekł.

Dan uśmiechnął się i zamknął oczy. Kiedy otworzył je znowu, zdrowe rumieńce, które zawdzięczał Abrze, już zanikały. Jak róża bez wody, pomyślał Billy.

– Było coś?

– Krótki sygnał. – Dan uśmiechnął się znowu, ale tym razem był to zmęczony uśmiech. – Jak piknięcie czujnika dymu, w którym trzeba wymienić baterie.

– Myślisz, że usłyszeli?

– Oby – powiedział Dan.

Rose chodziła tam i z powrotem koło swojego earthcruise-ra, kiedy przybiegł Charlie Szton. Tego ranka Prawdziwi nabrali pary ze wszystkich oprócz jednego zbiorników, które trzymała w schowku, i to w połączeniu z parą, którą wdychała sama przez ostatnich parę dni, sprawiło, że była zbyt nakręcona, by wysiedzieć na miejscu.

– Co? – rzuciła. – Obyś miał dobre wiadomości.

– Namierzyłem ją, to chyba dobra wiadomość? – Sam mocno nabuzowany, Charlie złapał Rose za ramiona i zakręcił nią wkoło, rozwiewając jej włosy. – Złapałem ją! Tylko przez kilka sekund, ale to była ona!

– Widziałeś jej wujka?

– Nie, patrzyła przez przednią szybę samochodu na góry. Powiedziała, że są piękne…

– Bo to prawda. – Na usta Rose wypływał szeroki uśmiech. – Zgodzisz się, Charlie?

– …a on przytaknął. Jadą, Rosie! Naprawdę jadą!

– Poznała, że tam byłeś?

Puścił ją, zasępiony.

– Nie wiem na pewno… Dziadzio Flick pewnie mógłby…

– Po prostu powiedz, co sądzisz.

– Chyba nie.

– To mi wystarczy. Idź w jakieś ciche miejsce. Gdzieś, gdzie będziesz mógł się skupić i nikt ci nie będzie przeszkadzał. Siedź i nasłuchuj. Jeśli… kiedy… znów ją namierzysz, daj mi znać. Nie chcę jej stracić z oczu. Gdybyś potrzebował więcej pary, poproś. Trochę zachowałam.

– Nie, nie, nie trzeba. Będę nasłuchiwał. Czujnie! – Charlie

Szton wybuchnął dość szalonym śmiechem i czmychnął. Rose sądziła, że nie wiedział, dokąd właściwie ma pójść, ale miała to gdzieś. Byleby nasłuchiwał.

13

W południe Dan i Billy byli już u podnóża szczytów Flatirons. Patrząc na zbliżające się Góry Skaliste, Dan rozmyślał o spędzonych na tułaczce latach, gdy ciągle ich unikał. To z kolei przypomniało mu jakiś wiersz, który mówi o tym, że możesz uciekać całymi latami, ale w końcu i tak zawsze stajesz twarzą w twarz ze sobą w pokoju hotelowym, z nagą żarówką nad głową i rewolwerem na stole.

Ponieważ mieli czas, opuścili autostradę i pojechali do Boulder. Billy był głodny. Dan – tylko ciekawy. Billy podjechał do baru kanapkowego, ale kiedy spytał Dana, co mu zamówić, ten jedynie pokręcił głową.

– Na pewno? Przed tobą kawał drogi.

– Zjem, kiedy będzie po wszystkim.

– Jak chcesz...

Billy poszedł do Subwaya po kanapkę z pikantnym kurczakiem. Dan skontaktował się z Abrą. Koło się obróciło.

Kiedy Billy wyszedł z baru, Dan wskazał ruchem głowy jego zawiniętą w papier długą kanapkę.

– Zaczekaj z tym parę minut. Skoro już jesteśmy w Boulder, chcę coś sprawdzić.

Po pięciu minutach wjechali na Arapahoe Street. Dwie przecznice od obskurnej małej dzielnicy barów i kafejek Dan kazał Billy'emu zatrzymać wóz.

– Możesz wsuwać. Zaraz wracam.

Wysiadł i stanął na popękanym chodniku, patrząc na przygarbiony dwupiętrowy budynek z wystawioną w oknie tabliczką UMEBLOWANE KAWALERKI CENY PRZYSTĘPNE DLA STUDENTÓW. Trawnik był łysiejący. Z pęknięć w chodniku wyrastały chwasty. Wątpił, czy ten budynek jeszcze stoi, sądził, że Arapahoe to dziś ulica apartamentowców zamieszkanych przez majętnych nierobów, którzy piją kawę ze Starbucks, kilka razy dziennie zaglądają na Facebooka i ćwierkają na Twitterze jak opętani. Ale proszę, wciąż był i wyglądał – przynajmniej z zewnątrz – jak za dawnych lat.

Billy dołączył do niego z kanapką w dłoni.

– Przed nami jeszcze sto dwadzieścia kilometrów, Danno. Ruszmy tyłki.

– Jasne. – Dan patrzył dalej na budynek z odłażącą zieloną farbą. Kiedyś mieszkał tu mały chłopiec; pewnego dnia siedział na tym samym kawałku krawężnika, na którym teraz stał Billy Freeman zajadający kanapkę z kurczakiem. Siedział i czekał, aż jego tata wróci z rozmowy o pracę w hotelu Panorama. Ten mały chłopiec miał szybowiec z drewna balsy. Jedno skrzydło pękło. To nic, myślał. Wróci tata, zreperuje je taśmą i klejem. Potem może będą razem ten szybowiec puszczać. Jego tata był przerażającym człowiekiem i jakże ten mały chłopiec go kochał.

– Mieszkałem tu z mamą i ojcem, zanim przenieśliśmy się do Panoramy – powiedział Dan. – Marne lokum, co?

Billy wzruszył ramionami.

– Widziałem gorsze.

Dan też, w latach swojej tułaczki. Na przykład mieszkanie Deenie w Wilmington.

Wskazał w lewo.

– Tam były knajpy. Jedna nazywała się Broken Drum. Wygląda na to, że rewitalizacja ominęła tę część miasta, więc może jeszcze tam jest. Kiedy przechodziliśmy koło niej z ojcem, on zawsze przystawał i patrzył w witrynę, i czułem, jak bardzo chciał wejść do środka. Czułem jego pragnienie. Przez wiele lat piłem, żeby to pragnienie ugasić, lecz ono nigdy cię do końca nie opuszcza. Tata to wiedział, nawet wtedy.

– Kochałeś go.

– Tak. – Wciąż wpatrywał się w ten zaniedbany dom. Nie wyglądał imponująco, ale Dan mimo woli pomyślał, że ich życie mogłoby być zupełnie inne, gdyby w nim zostali. Gdyby Panorama nie dorwała ich w swoje szpony. – Był i dobrym, i złym człowiekiem, i kochałem go i takiego, i takiego. Boże drogi, nadal go kocham.

– Jak większość dzieci – powiedział Billy. – Kochasz rodziców i liczysz, że wszystko się dobrze ułoży. Jakie jest inne wyjście? No, Dan, rusz się. Jeśli mamy to załatwić, pora jechać.

Pół godziny później Boulder było już za nimi i wjeżdżali w Góry Skaliste.

Rozdział XIX

Ducholudki

1

W New Hampshire zbliżał się zachód słońca. Abra wciąż była na tylnym ganku, wpatrzona w rzekę. Kicuś siedział tuż obok, na klapie kompostownika. Lucy i David wyszli z domu i przycupnęli obok córki. John Dalton z filiżanką wystygłej kawy w ręku obserwował ich przez kuchenne okno. Jego czarna torba stała na blacie, ale nie miał w niej nic, co mogło mu się przydać tego wieczora. Nic.

– Chodź do środka, zjedz kolację – powiedziała Lucy, świadoma, że Abra nie weźmie niczego do ust, dopóki nie będzie po wszystkim. Ale człowiek zawsze się trzyma tego, co zna. Jako że wszystko wyglądało normalnie i niebezpieczeństwo było przeszło tysiąc kilometrów stąd, przychodziło jej to łatwiej niż córce. Choć Abra do tej pory miała czystą cerę – nieskazitelnie gładką jak w latach niemowlęcych – teraz wokół skrzydełek jej nosa wykwitł trądzik, a brodę obsypały brzydkie pryszcze. To tylko buzowanie hormonów, pierwszy zwiastun właściwego okresu dojrzewania; tak sobie wmawiała Lucy, bo to było coś normalnego. Ale trądzik bierze się też ze stresu. Do tego dochodziła bladość skóry jej córki i ciemne kręgi pod oczami. Abra wyglądała, jakby było z nią prawie tak źle jak z Danem, kiedy Lucy widziała go ostatnio – gdy powoli, z wysiłkiem wsiadał do pikapa pana Freemana.

– Nie mogę teraz jeść, mamo. Nie ma czasu. Poza tym pewnie i tak bym wszystko zwróciła.

– Kiedy się zacznie, Abby? – spytał David.

Nie spojrzała na nich. Patrzyła nieruchomym wzrokiem na rzekę, ale Lucy wiedziała, że tak naprawdę jej nie widzi. Była daleko stąd, w miejscu, gdzie żadne z nich nie mogło jej pomóc.

– Już niedługo. Lepiej dajcie mi buzi i idźcie do środka.

– Ale… – zaczęła Lucy i zobaczyła, że David przecząco pokręcił głową. Bardzo stanowczo. Westchnęła, wzięła Abrę za rękę (jakże była zimna) i pocałowała córkę w lewy policzek, a David w prawy. Lucy dodała jeszcze:

– Pamiętaj, co powiedział Dan. Jeśli coś będzie nie tak…

– Idźcie już. Kiedy się zacznie, wezmę Kicusia i posadzę go sobie na kolanach. Od tego czasu nie możecie mi przeszkadzać. Pod żadnym pozorem. Wujek Dan i może nawet Billy mogliby to przypłacić życiem. Możliwe, że się przewrócę, jakbym zemdlała, ale to nie będzie zemdlenie, więc nie ruszajcie mnie i niech doktor John też mnie nie rusza. Po prostu zostawcie mnie w spokoju, dopóki to się nie skończy. Myślę, że Dan zna miejsce, gdzie możemy być razem.

– Nie rozumiem, jak to się może udać – powiedział David. – Ta kobieta, Rose, zobaczy, że nie ma tam małej dziewczynki…

– Musicie wejść do środka. Już – ucięła Abra.

Zrobili, co kazała. Lucy spojrzała błagalnie na Johna; mógł tylko wzruszyć ramionami. Stanęli we trójkę w oknie kuchni i objęci patrzyli na dziewczynkę, która siedziała na schodkach, ciasno oplatając rękami kolana. Nie widać było żadnego zagrożenia; panował niezmącony spokój. Nagle Abra sięgnęła po Kicusia i posadziła go sobie na podołku. Na ten widok z ust Lucy wyrwał się jęk. John ścisnął jej ramię. David mocniej objął żonę, a ona kurczowo, lękliwie schwyciła jego dłoń.

Proszę, niech moja córka wyjdzie z tego cała i zdrowa. Jeśli już coś ma się stać... coś złego... niech to spotka mojego brata przyrodniego. Nie ją.

– Będzie dobrze – powiedział Dave.

Skinęła głową.

– Oczywiście. Oczywiście.

Patrzyli na dziewczynkę na ganku. Lucy zrozumiała, że nawet gdyby zawołała Abrę, nie byłoby odpowiedzi. Abry już z nimi nie było.

2

Billy i Dan dotarli do skrzyżowania z utwardzoną drogą prowadzącą do bazy Prawdziwych w Kolorado za dwadzieścia czwarta lokalnego czasu, czyli ze sporym wyprzedzeniem. Nad jej wylotem, niczym u wjazdu na ranczo, rozpięty był drewniany łuk z wyrytym napisem WITAMY NA KEMPINGU BLUEBELL! ZOSTAŃ NA TROCHĘ, PRZYJACIELU! Tabliczka umieszczona na poboczu wyglądała dużo mniej zachęcająco: NIECZYNNE DO ODWOŁANIA.

Billy nawet nie zwolnił, ale obserwował uważnie okolicę.

– Nikogo nie widzę. Nawet na trawnikach, chociaż pewnie mogli kogoś zadekować w tej portierni czy co to jest. Jezu, Danny, wyglądasz okropnie.

– Całe szczęście, że wybory Mistera Ameryki dopiero za parę miesięcy – powiedział Dan. – To półtora kilometra stąd, może mniej. Będzie tabliczka z napisem „Punkt widokowy" i „Plac piknikowy".

– A jeśli kogoś tam wystawili?

– Nie zrobili tego.

– Skąd ta pewność?

– Bo ani Abra, ani jej wujek Billy nie mogą znać tego miejsca, skoro nigdy tu nie byli. A Prawdziwi nie wiedzą o moim istnieniu.

– Obyś miał rację.

– Abra mówi, że wszyscy są tam, gdzie mają być. Sprawdziła to. A teraz bądź przez chwilę cicho, Billy. Muszę pomyśleć.

Chciał pomyśleć o Hallorannie. Przez kilka lat po strasznej zimie w hotelu Panorama Danny Torrance i Dick Hallorann wiele razy rozmawiali. Czasem twarzą w twarz, częściej myślami. Danny kochał matkę, ale były pewne sprawy, których nie rozumiała i zrozumieć nie mogła. Na przykład o co chodziło ze skrytkami. Tymi, do których chowałeś niebezpieczne rzeczy czasem przyciągane przez jasność. Nie żeby te skrytki były dobre na wszystko. Kilka razy próbował zrobić sobie taką, w której zamknąłby swoje picie, ale te starania zakończyły się sromotną klęską (może dlatego, że tej klęski chciał). Jednak w przypadku pani Massey... i Horace'a Derwenta...

Miał teraz w swoim schowku trzecią skrytkę, ale nie tak solidną jak te, które zrobił w dzieciństwie. Bo był słabszy? Bo zawierała coś innego od zjaw, które popełniły ten błąd, że postanowiły go odszukać? Jedno i drugie? Nie wiedział. Wiedział tylko, że jest nieszczelna. Kiedy ją otworzy, to, co przechowywał w środku, być może go zabije. Ale...

– Co masz na myśli? – spytał Billy.

– Hę? – Dan się skulił. Brzuch bolał go strasznie.

– Powiedziałeś: „Nie ma wyboru". Co miałeś na myśli?

– Mniejsza o to. – Już zjeżdżali z szosy na polanę z ławami piknikowymi i miejscami na ogniska. Przypominała Cloud Gap, tyle że bez rzeki. – Ale... jeśli coś pójdzie nie tak, wsiadaj do wozu i gaz do dechy.

– Myślisz, że to coś da?

Dan nie odpowiedział. Paliło go w brzuchu. Potwornie.

3

Tuż przed czwartą w to poniedziałkowe popołudnie pod koniec września Rose poszła na Dach Świata z Cichą Sarey, która wyglądała na kobietę koło czterdziestki, ale żyła w Ameryce od czasów, kiedy ta ziemia jeszcze Ameryką nie była.

Rose miała na sobie obcisłe dżinsy podkreślające jej długie, zgrabne nogi. Mimo chłodu Cicha Sarey była w samej podomce nijakiego jasnoniebieskiego koloru, która trzepotała na wietrze wokół krzepkich nóg w pończochach przeciwżylakowych. Rose przystanęła przed tabliczką przytwierdzoną śrubami do granitowego słupka u podnóża trzydziestu kilku stopni prowadzących na platformę widokową. Napis informował, że w tym miejscu kiedyś stał słynny hotel Panorama, który doszczętnie spłonął mniej więcej trzydzieści pięć lat temu.

– Bardzo tu silne uczucia, Sarey.

Sarey skinęła głową.

– Wiesz, że są gorące źródła, gdzie z ziemi wydobywa się para, prawda?

– Ta.

– To właśnie coś w tym stylu. – Rose schyliła się, żeby powąchać trawę i polne kwiaty. Przez ich aromaty przebijał żelazny zapach prastarej krwi. – Silne emocje: nienawiść, strach, uprzedzenia, żądza. Echo morderstwa. Pożywić się tym nie da, za dużo czasu minęło… mimo to działa orzeźwiająco. Mocny bukiet.

Sarey milczała.

– I jeszcze to. – Rose machnęła ręką w stronę stromych drewnianych schodów prowadzących na platformę widokową. – Wygląda jak szafot, nie sądzisz? Brakuje tylko zapadni.

Sarey nadal milczała, lecz jej myśl

(nie ma sznura)

była wystarczająco wyrazista.

– To prawda, kochanie ty moje, ale jedna z nas tak czy tak tam zadynda. Albo ja, albo ta suka, która pcha nos w nasze sprawy. Widzisz to? – Rose wskazała małą zieloną szopę jakieś sześć metrów od nich.

Sarey skinęła głową.

Rose nosiła przy pasku zapinaną na suwak saszetkę. Otworzyła ją, wygrzebała z niej klucz i podała swojej towarzyszce. Sarey podeszła do szopy przez źdźbła trawy muskające jej grube cieliste pończochy. Klucz pasował do kłódki na drzwiach. Kiedy je otworzyła, słońce oświetliło klitkę niewiele większą od wygódki. Wewnątrz była kosiarka do trawy i plastikowy kubeł, a w nim sierp i grabie. Szpadel i kilof stały oparte o tylną ścianę. Nie było nic poza tym i nic, za czym można by się schować.

– Wejdź do środka – poleciła Rose. – Pokaż, co potrafisz. – Tyle masz w sobie pary, że powinnaś być w stanie mnie zadziwić, pomyślała.

Jak wszyscy członkowie Prawdziwego Węzła, także i Cicha Sarey miała swój mały dar. Weszła do szopy, pociągnęła nosem i powiedziała:

– Kurz.

– Mniejsza o kurz. Zobaczmy, jak robisz tę swoją sztuczkę. Czy raczej nie zobaczmy.

Bo na tym właśnie polegał dar Sarey. Nie potrafiła stać się niewidzialna (nikt z nich tego nie potrafił), ale umiała wytworzyć wokół siebie swoistą mglistość, która dobrze się komponowała z jej nijaką twarzą i figurą. Odwróciła się do Rose, po czym spojrzała w dół, na swój cień. Przesunęła się – nieznacznie, o pół kroku – i jej cień zlał się w jedno z tym rzucanym przez uchwyt kosiarki do trawy. Potem znieruchomiała i nagle szopa była pusta.

Rose zacisnęła oczy, po czym otworzyła je szeroko i zobaczyła Sarey stojącą obok kosiarki z dłońmi skromnie splecionymi jak nieśmiała dziewczyna, która czeka, aż jakiś chłopak na imprezie poprosi ją do tańca. Odwróciła się, popatrzyła na góry i kiedy znów zajrzała do szopy, w środku było pusto – ot, mały składzik, w którym nie ma się gdzie schować. W mocnym świetle słońca nie było nawet cienia. Oprócz tego rzucanego przez uchwyt kosiarki, rzecz jasna. Nie, jeszcze coś...

– Łokieć bliżej ciała – powiedziała Rose. – Widzę go.

Cicha Sarey wykonała polecenie i zniknęła, przynajmniej dopóki Rose się nie skoncentrowała. Wtedy zobaczyła ją znowu. Tyle że ona oczywiście wiedziała, że Sarey tam jest. Kiedy przyjdzie właściwy moment – już niebawem – mała suka wiedzieć tego nie będzie.

– Brawo, Sarey! – powiedziała ciepło (a przynajmniej starała się, by to zabrzmiało ciepło). – Możliwe, że nie będziesz mi potrzebna, ale jeśli tak, posłużysz się sierpem. I myśl wtedy o Andi. Zgoda?

Na dźwięk imienia Andi usta Sarey wydęły się w żałosnym grymasie. Popatrzyła w zadumie na sierp w plastikowym kuble i kiwnęła głową.

Rose podeszła i wzięła kłódkę.

– Teraz zamknę cię w środku. Mała suka może czytać w myślach tych w Domu Turysty, ale nie twoich. Jestem tego pewna. Bo ty jesteś cicha, prawda?

Sarey znów kiwnęła głową. Tak, była cicha, teraz i zawsze.

(co z)

Rose uśmiechnęła się.

– Kłódką? O to się nie martw. Pamiętaj tylko, żeby się nie ruszać. I być cicho. Rozumiesz?

– Ta.

– I rozumiesz, o co chodzi z sierpem? – Rose nie powierzyłaby Sarey pistoletu, nawet gdyby Prawdziwi jakiś mieli.

– Siełp. Ta.

– Jeśli sobie z nią poradzę… a jestem tak pełna pary, że nie powinnam mieć z tym trudności… zostaniesz tutaj, dopóki cię nie wypuszczę. Ale jeśli usłyszysz, że krzyczę… pomyślmy… jeśli usłyszysz, że krzyczę „nie zmuszaj mnie, żebym cię ukarała", to będzie znak, że potrzebuję pomocy. Dopilnuję, żeby ona była odwrócona do ciebie plecami. Wiesz, co masz wtedy zrobić, prawda?

(wejdę po schodach i)

Rose potrząsnęła głową.

– Nie, Sarey. Nie będziesz musiała. Ona nie zbliży się do tej platformy.

Żałowałaby straconej pary jeszcze bardziej niż straconej możliwości, by zabić tę małą sukę osobiście… powoli, w męczarniach.

Nie mogła jednak pozwolić sobie na najmniejszą nieostrożność. Dziewczyna miała nadzwyczajną moc.

– Czego będziesz nasłuchiwać, Sarey?

– Nie śmusiaj mnie, siebym cię ukałała.

– I o czym będziesz myśleć?

Oczy rozbłysły pod niechlujną grzywką.

– O siemście.

– Właśnie. O zemście za Andi, zamordowaną przez przyjaciół tej małej suki. Ale to tylko jeśli będziesz mi potrzebna, bo chcę załatwić to sama. – Rose zwinęła dłonie w pięści, paznokcie wbiły się w odciśnięte już w skórze półksiężyce pokryte zaskorupiałą krwią. – Ale jeśli będziesz mi potrzebna, masz przyjść. Bez wahania, bez żadnej zwłoki. Nie zatrzymuj się, dopóki ostrze tego sierpa nie przebije jej gardła na wylot.

Oczy Sarey błyszczały.

– Ta.

– Dobrze. – Rose pocałowała ją, zamknęła szopę i zatrzasnęła kłódkę. Włożyła klucz do kieszeni i oparła się o drzwi. – Posłuchaj mnie, kochanie. Jeśli wszystko dobrze pójdzie, ty pierwsza nabierzesz pary. Obiecuję. I to będzie najlepsza para w twoim życiu.

Podeszła z powrotem do platformy widokowej, wzięła kilka głębokich oddechów dla uspokojenia nerwów i zaczęła wspinać się po schodach.

Nie mój szafot, kochana – twój.

4

Dan stał oparty obiema rękami o jeden ze stołów piknikowych. Miał spuszczoną głowę i zamknięte oczy.

– To szalony pomysł – powiedział Billy. – Powinienem zostać z tobą.

– Nie możesz. Masz co robić.

– Co będzie, jeśli zasłabniesz w połowie drogi? A nawet jeśli nie, jak poradzisz sobie z całą ich bandą? Wyglądasz tak, że nie wiem, czy przetrzymałbyś dwie rundy z pięciolatkiem.

– Myślę, że wkrótce poczuję się dużo lepiej. I wrócą mi siły. Jedź już. Pamiętasz, gdzie zaparkować?

– Na końcu parkingu, przy tablicy z informacją, że dzieci jedzą za darmo, kiedy drużyny z Kolorado wygrywają.

– Zgadza się. – Dan podniósł głowę i zobaczył wielkie ciemne okulary na nosie Billy'ego. – Mocniej naciągnij czapkę. Aż po uszy. Wyglądaj młodo.

– Mam w zanadrzu sztuczkę, która odmłodzi mnie jeszcze bardziej. Mam nadzieję, że wciąż ją potrafię.

Dan ledwo go słyszał.

– Jeszcze jednego mi trzeba.

Wyprostował się i rozłożył ramiona. Billy uścisnął go. Chciał zrobić to mocno, żarliwie, ale nie śmiał.

– Abra miała rację – powiedział Dan. – Nie dotarłbym tu bez ciebie. A teraz zrób, co do ciebie należy.

– Ty też. Liczę, że w Święto Dziękczynienia weźmiesz kurs do Cloud Gap.

– Z przyjemnością – odparł Dan. – Najlepsza kolejka, jakiej chłopcu nie dane było mieć.

Billy patrzył, jak Dan powoli, trzymając się obiema rękami za brzuch, idzie do drogowskazu na drugim końcu polany. Tworzyły go dwie drewniane strzałki. Jedna skierowana była na zachód, w stronę punktu widokowego Pawnee. Druga na wschód, w dół stoku. Widniał na niej napis DO KEMPINGU BLUEBELL.

Dan ruszył tą drugą ścieżką. Widać go było przez żółte liście osik; szedł powoli, żmudnie, ze spuszczoną głową, patrząc pod nogi. I wreszcie zniknął.

– Miej tego chłopaka w swojej opiece – szepnął Billy. Nie wiedział, czy mówi do Boga, czy do Abry, i uznał, że to bez różnicy; oboje pewnie byli tego popołudnia zbyt zajęci, żeby zawracać sobie głowę takimi szaraczkami jak on.

Wrócił do pikapa. Ze skrzyni ładunkowej wyjął małą dziewczynkę z szeroko otwartymi porcelanowymi niebieskimi oczami i sztywnymi blond lokami na głowie. Nie ważyła dużo; pewnie w środku była pusta.

– Jak się trzymasz, Abro? Mam nadzieję, że cię za bardzo nie poobijało.

Miała na sobie T-shirt Colorado Rockies i niebieskie szorty. Była boso, bo i czemu nie? Ta dziewczynka – manekin kupiony w dogorywającym sklepie z odzieżą dziecięcą w Martenville – nigdy nie przeszła ani jednego kroku. Miała jednak zginane kolana i Billy bez trudu usadowił ją na miejscu pasażera. Zapiął jej pas bezpieczeństwa, zaczął zamykać drzwi, po czym sprawdził, czy szyja też się zgina. Zginała się, ale tylko trochę. Cofnął się, żeby obejrzeć ogólny efekt. Wyszło nieźle. Zdawała się patrzeć na coś, co miała na kolanach. A może modlić się o siłę przed zbliżającą się bitwą. Całkiem nieźle.

Chyba że tamci mają lornetkę. Wtedy wszystko trafi szlag.

Wsiadł do samochodu i czekał, żeby dać Danowi trochę czasu. Miał nadzieję, że chłopak nie leży nieprzytomny gdzieś przy ścieżce prowadzącej na kemping Bluebell.

Za piętnaście piąta Billy uruchomił wóz i ruszył z powrotem w kierunku, z którego przyjechał.

Dan szedł w równym tempie mimo coraz silniejszego palenia w brzuchu. Czuł się, jakby płonący szczur zżerał mu flaki. Gdyby ścieżka prowadziła pod górę, nie w dół, nie dałby rady.

Za dziesięć piąta pokonał zakręt ścieżki i zatrzymał się. Niedaleko przed nim osiki ustępowały miejsca zielonemu, przystrzyżonemu trawnikowi opadającemu ku dwóm kortom tenisowym. Za kortami widział parking dla samochodów turystycznych i podłużny budynek z bali: Dom Turysty Panorama. Dalej teren znów się podnosił. Tam, gdzie niegdyś stał hotel Panorama, na tle nieba odcinała się wysoka platforma. Dach Świata. Kiedy na nią patrzył, ta sama myśl, która nasunęła się Rose Kapelusz

(szafot)

teraz przemknęła przez głowę jemu. Przy balustradzie, zwrócona twarzą na południe, w stronę parkingu dla gości, stała samotna postać. Postać kobieca. Na głowie miała przekrzywiony cylinder.

(Abro jesteś tam)

(tak)

Wydawała się spokojna. I dobrze. O to chodziło.

(czy cię słyszą)

Reakcją było nieokreślone uczucie łaskotania: jej uśmiech. Ten gniewny.

(jeśli nie to są głusi)

To wystarczyło.

(teraz musisz do mnie przyjść ale pamiętaj jeśli powiem żebyś sobie poszła MASZ SOBIE PÓJŚĆ)

Nie odpowiedziała i zanim mógł to powtórzyć, już z nim była.

6

Stone'owie i John Dalton patrzyli bezradnie, jak Abra osuwa się na bok. Jej głowa wylądowała na deskach ganku, nogi leżały rozrzucone na schodkach. Kicuś wysunął się z rozluźnionej dłoni. Nie wyglądała jak śpiąca ani nawet omdlała. To była brzydka, bezwładna poza kogoś, kto umarł. Lucy wyskoczyła naprzód. Dave i John przytrzymali ją.

– Puszczajcie! – Szamotała się z nimi. – Muszę jej pomóc!

– Nie możesz – tłumaczył John. – Już tylko Dan może jej pomóc. Muszą pomóc sobie nawzajem.

Patrzyła na niego oszalałymi oczami.

– Czy ona w ogóle oddycha? Możesz to stwierdzić?

– Oddycha – powiedział Dave, choć nawet samego siebie tym nie przekonał.

7

Kiedy znalazła się przy nim, ból zelżał. Niewielka to była dla Dana pociecha, bo teraz Abra dzieliła jego cierpienie. Wyczytał to z jej twarzy, widział też jednak zadziwienie w jej oczach, kiedy rozglądała się po pokoju, w którym się znalazła. Pod ścianą z sękatej sosny stało piętrowe łóżko, podłogę przykrywał chodnik ze wzorem w kaktusy i kwiaty szałwii. Na chodniku i dolnej pryczy łóżka walały się tanie zabawki. Blat małego biurka w kącie zajmowały porozrzucane książki i układanka z dużymi elementami. Grzejnik szczękał i syczał w przeciwległym kącie.

Abra podeszła do biurka i wzięła jedną z książek. Jej okładka przedstawiała dziecko na rowerku na trzech kółkach, za którym biegł mały pies. Tytuł brzmiał: *Czytaj z Dickiem i Jane*.

Dan stanął u jej boku ze zdumionym uśmiechem na twarzy.

– Ta dziewczynka na okładce to Sally. Dick i Jane to jej brat i siostra. A pies wabi się Jip. Przez pewien czas byli moimi najlepszymi przyjaciółmi. Właściwie jedynymi przyjaciółmi. Oprócz Tony'ego, oczywiście.

Odłożyła książkę i odwróciła się do niego.

– Gdzie my jesteśmy, Dan?

– We wspomnieniach. Kiedyś stał tu hotel, a to był mój pokój. Teraz jest to miejsce, gdzie możemy być razem. Pamiętasz koło, które się obraca, kiedy wnikasz w kogoś innego?

– Uhm…

– To jest jego środek. Piasta.

– Szkoda, że nie możemy tutaj zostać. Tak tu… bezpiecznie. Tylko z nimi coś jest nie tak. – Abra wskazała przeszklone drzwi balkonowe. – Nie pasują do reszty. Nie było ich tu, prawda? Kiedy byłeś dzieckiem.

– Nie. W pokoju nie miałem okien, a jedyne drzwi prowadziły do mieszkania dozorcy. Zmieniłem to. Musiałem. Wiesz dlaczego?

Przyjrzała mu się z powagą.

– Bo teraz jest inaczej niż kiedyś. Bo przeszłość przeminęła, nawet jeśli określa teraźniejszość.

– Sam bym tego lepiej nie ujął.

– Nie musiałeś tego mówić. Pomyślałeś to.

Pociągnął ją w stronę tych drzwi balkonowych, które nigdy nie istniały. Przez szkło widzieli trawnik, korty tenisowe, Dom Turysty Panorama i Dach Świata.

– Widzę ją – wyszeptała Abra. – Jest tam, na górze. Nie patrzy w tę stronę, co?

– Oby nie – powiedział Dan. – Jak bardzo cię boli, kochanie?

– Bardzo. Ale to nic. Bo…

Nie musiała kończyć. Wiedział, co chciała powiedzieć. Uśmiechnęła się. Ta więź między nimi, mimo towarzyszącego jej bólu – bólu we wszelkich jego postaciach – była czymś dobrym. Czymś bardzo dobrym.

– Dan?

– Tak, kochanie?

– Tam są ducholudki. Nie widzę ich, ale je czuję. A ty?

– Tak. – Czuł ich obecność od lat. Bo przeszłość określa teraźniejszość. Objął Abrę ramieniem, a ona otoczyła go ręką w pasie.

– Co teraz?

– Czekamy na Billy'ego. Miejmy nadzieję, że będzie punktualnie. A potem wszystko rozegra się bardzo szybko.

– Wujku Danie?

– Słucham.

– Co w tobie siedzi? To nie jest duch. To jakby… – Poczuł, że zadrżała. – Jakby potwór.

Nie odpowiedział.

Wyprostowała się i odsunęła od niego.

– Zobacz! Tam!

Stary pikap marki Ford wtaczał się na parking dla gości.

8

Rose stała z dłońmi na sięgającej pasa balustradzie platformy widokowej i patrzyła na pikapa wjeżdżającego na parking. Para wyostrzyła jej wzrok, mimo to żałowała, że nie wzięła lornetki. Na pewno mieli ich kilka w magazynie dla gości, którzy chcieli obserwować ptaki, dlaczego więc tego nie zrobiła?

Bo miałam tyle innych spraw na głowie. Choroba... szczury uciekające z okrętu... utrata Kruka z winy małej suki...

To wszystko prawda – tak, tak, po trzykroć tak – ale powinna była o tym pamiętać. Przez chwilę zastanawiała się, czy o czymś jeszcze nie zapomniała, lecz odpędziła tę myśl. Nasycona parą, była w szczytowej formie i wciąż panowała nad sytuacją. Wszystko przebiegało zgodnie z planem. Wkrótce dziewczyna tu przyjdzie, bo przepełniała ją naiwna młodzieńcza pewność siebie i duma ze swoich umiejętności.

Ale to ja jestem górą, pod wieloma względami. Jeśli nie poradzę sobie z tobą sama, zaczerpnę siły z pozostałych Prawdziwych. Wszyscy są w jednej sali, bo uznałaś, że to taki dobry pomysł. Jednak czegoś nie wzięłaś pod uwagę. Kiedy jesteśmy razem, łączymy się w Prawdziwy Węzeł, a to czyni nas gigantyczną baterię. Źródłem mocy, z której w razie potrzeby będę mogła skorzystać.

W ostateczności pozostawała jeszcze Cicha Sarey. Teraz już pewnie miała sierp w dłoni. Może inteligencją nie grzeszyła, ale była bezlitosna, żądna krwi i – jak już zrozumiała, czego się od niej wymaga – bezwzględnie posłuszna. Poza tym miała swoje powody, by chcieć, żeby ta mała suka legła trupem u podnóża platformy widokowej.

(Charlie)

Charlie Szton odpowiedział prawie od razu i choć zazwyczaj marny był z niego telepata, teraz – wspierany przez pozostałych, zgromadzonych w głównej sali Domu Turysty – nadawał głośno i wyraźnie, prawie nieprzytomny z podniecenia.

(odbieram ją bez żadnych zakłóceń wszyscy ją słyszymy musi być naprawdę blisko na pewno ją wyczuwasz)

Rzeczywiście, wyczuwała ją, choć umysł trzymała szczelnie zamknięty, żeby mała suka nie mogła w nim namieszać.

(mniejsza z tym powiedz tylko pozostałym żeby byli gotowi w razie gdybym potrzebowała pomocy)

Odpowiedzieli, przekrzykując się jeden przez drugiego. Byli gotowi. Nawet chorzy chcieli pomóc na tyle, na ile mogli. Kochała ich za to.

Wbiła wzrok w szoferkę pikapa. Dziewczyna patrzyła w dół. Czyta coś? Zbiera się w sobie? Może modli się do Boga ćwoków? Nieważne.

Chodź do mnie, mała suko. Chodź do cioci Rose.

Wysiadł jej wujek. Tak jak suka zapowiadała. Sprawdzał teren. Powoli przeszedł wokół maski pikapa, rozglądając się na wszystkie strony. Zajrzał w okno od strony pasażera, powiedział coś do dziewczyny, po czym nieco odsunął się od wozu. Spojrzał w stronę Domu Turysty, odwrócił się do platformy wznoszącej się na tle nieba... i pomachał. Bezczelny typ! Ni mniej, ni więcej, tylko do niej pomachał.

Rose nie odwzajemniła gestu. Miała zmarszczone brwi. Wujek. Dlaczego jej rodzice wysłali wujka, zamiast sami przywieźć tę ich przeklętą córunię? Skoro już o tym mowa, czemu w ogóle ją tutaj puścili?

Przekonała ich, że to jedyne wyjście. Że jeśli ona nie przyjdzie do mnie, ja przyjdę do niej. Taki jest powód. To logiczne.

Owszem, to było logiczne, mimo to niepokój narastał. Pozwoliła małej suce ustalić zasady. Przynajmniej pod tym względem dała się zmanipulować. Pozwoliła na to, bo była na swoim terenie i podjęła środki ostrożności, ale głównie dlatego, że była wściekła. Tak kurewsko wściekła.

Patrzyła na człowieka na parkingu. Znów chodził w kółko, zaglądał to tu, to tam, upewniał się, że jest sama. To w pełni zrozumiałe, na jego miejscu postąpiłaby tak samo, ale mimo to miała nieodparte wrażenie, że tak naprawdę tylko gra na zwłokę, choć po co mu to, tego nie pojmowała.

Jeszcze mocniej wytężyła wzrok, teraz skupiając się na ruchach tego faceta. Stwierdziła, że nie jest tak młody, jak jej się początkowo wydawało. Szczerze mówiąc, miał chód człowieka, którego młodość dawno przeminęła. Człowieka nękanego artretyzmem. I dlaczego dziewczyna siedzi tak nieruchomo?

Teraz Rose zaniepokoiła się nie na żarty.

Coś tu nie gra.

9

– Patrzy na pana Freemana – powiedziała Abra. – Chodźmy.

Otworzył drzwi balkonowe i się zawahał. Coś w jej głosie...

– Co się stało, Abro?

– Nie wiem. Może nic, ale to mi się nie podoba. Bardzo uważnie mu się przygląda. Chodźmy prędzej.

– Muszę najpierw coś zrobić. Spróbuj się na to przygotować i nie przestrasz się.

Dan zamknął oczy i przeniósł się do schowka w głębi swojego umysłu. Prawdziwe skrytki po tylu latach byłyby pokryte kurzem, ale te dwie, które umieścił tam w dzieciństwie, wyglądały jak nowe. Bo i czemu nie? Wykonane były z czystej wyobraźni. Trzecią – tę najnowszą – otaczała słaba różowawa mgiełka i Dan pomyślał: Nic dziwnego, że jestem chory.

Nieważne. Ta musiała na razie tu zostać. Otworzył starszą z dwóch pozostałych skrytek, przygotowany na wszystko. Znalazł...

pustkę. Prawie pustkę. W skrytce, w której przez trzydzieści dwa lata trzymał panią Massey, była kupka ciemnoszarego popiołu. Za to w tej drugiej...

Zdał sobie sprawę, jak głupio postąpił, uprzedzając Abrę, by się przygotowała i nie przestraszyła.

Wrzasnęła wniebogłosy.

10

Na tylnym ganku domu w Anniston Abra zaczęła się miotać. Jej nogi spazmatycznie drgały; stopy bębniły w schodki; dłoń – trzepocząca jak ryba wyciągnięta na brzeg rzeki – gwałtownie odtrąciła sponiewieranego, umorusanego Kicusia.

– Co się z nią dzieje?! – krzyknęła Lucy.

Rzuciła się do drzwi. David stał jak wryty w ziemię – zahipnotyzowany widokiem targanej konwulsjami córki – ale John chwycił Lucy, przytrzymał ją.

– Puszczaj! Muszę do niej pójść!

– Nie! – krzyknął John. – Nie, Lucy, nie możesz!

Wyswobodziłaby się, ale David już zdołał się ruszyć i pomógł lekarzowi.

Uległa i spojrzała najpierw na Johna.

– Jeśli ona tam umrze, dopilnuję, żebyś poszedł za to siedzieć. – Potem przeniosła wzrok, matowy i wrogi, na męża. – A tobie nigdy tego nie wybaczę.

– Uspokaja się – powiedział John.

Miotające Abrą drgawki zelżały, po czym ustały całkowicie. Jej policzki jednak były mokre i spod zamkniętych powiek wyciekały łzy. W gasnącym świetle dnia lśniły na jej rzęsach jak brylanty.

11

W sypialni Danny'ego Torrance'a z lat dzieciństwa – pokoju teraz już zbudowanym tylko z pamięci – Abra kurczowo uczepiła się Dana, twarz wcisnęła w jego pierś.

– Ten potwór... poszedł już? – zapytała stłumionym głosem.

– Tak.

– Przysięgasz na imię matki?

– Tak.

Najpierw podniosła wzrok na niego, by się upewnić, że mówi prawdę, i dopiero potem odważyła się rozejrzeć dookoła.

– Ten uśmiech. – Wzdrygnęła się.

– Tak – powiedział Dan. – Chyba... cieszy się, że jest w domu. Abro, dasz radę? Bo musimy to załatwić już teraz. Czas minął.

– Dam radę. Ale jeśli... to... wróci?

Pomyślał o skrytce. Była otwarta, lecz mógł zamknąć ją z powrotem. Zwłaszcza z pomocą Abry.

– Sądzę, że on... to... w ogóle nie chce mieć z nami do czynienia, kochanie. Chodź. Tylko pamiętaj: jeśli każę ci wrócić do New Hampshire, masz to zrobić.

Także i tym razem nie odpowiedziała i nie było czasu na dyskusje. Pora zaczynać. Wyszedł przez drzwi balkonowe. Za nimi był koniec ścieżki. Abra szła obok niego, ale jej postać po opuszczeniu pokoju ze wspomnień stała się mniej materialna. To wyostrzała się, to zanikała.

Tutaj sama jest prawie ducholudkiem, pomyślał Dan. Uświadomił sobie, jak bardzo Abra się naraża. Wolał nie myśleć o tym, jak wątła więź w tej chwili łączyła ją z ciałem.

Szybkimi krokami – ale nie biegiem; rzuciliby się Rose w oczy, a mieli do pokonania co najmniej siedemdziesiąt metrów, zanim tylna ściana Domu Turysty Panorama osłoni ich od strony platformy – Dan i jego ducholudkowa towarzyszka przecięli trawnik i weszli na wyłożoną kamiennymi płytami ścieżkę między kortami tenisowymi.

Dotarli na tyły kuchni i wreszcie schronili się za Domem Turysty. Rozbrzmiewał tu miarowy warkot wentylatora wyciągowego, z kubłów na śmieci dobywał się smród zgniłego mięsa. Dan nacisnął klamkę w tylnych drzwiach. Były otwarte, ale na chwilę znieruchomiał, zanim je pchnął.

(czy wszyscy są)

(tak wszyscy ale Rose ona pospiesz się Dan musisz bo)

Oczy Abry, migoczące jak oczy dziecka w starym czarno-białym filmie, były szeroko otwarte z przerażenia.

– Ona wie, że coś jest nie tak.

12

Rose przeniosła wzrok na małą sukę, która wciąż siedziała na miejscu pasażera ze spuszczoną głową. Przez cały ten czas nawet nie drgnęła. Nie patrzyła na swojego wujka – jeśli rzeczywiście był jej wujkiem – i nie zbierała się, żeby wysiąść. Czujnik alarmowy w głowie Rose, dotąd świecący żółtym światłem nakazującym ostrożność, teraz rozjarzył się czerwienią.

– Ej! – Głos poniósł się ku niej przez rozrzedzone powietrze. – Ej, stara ruro! Zobacz!

Odwróciła się do mężczyzny na parkingu i prawie osłupiała, kiedy podniósł ręce nad głowę i niewprawnie zrobił gwiazdę. Myślała, że klapnie na tyłek, ale na asfalcie wylądowała tylko jego czapka. Spod niej wyłoniły się cienkie białe włosy człowieka po siedemdziesiątce. Może nawet osiemdziesiątce.

Rose znów spojrzała na szoferkę pikapa. Dziewczyna wciąż siedziała w zupełnym bezruchu, ze spuszczoną głową. Wygłupy wujka w ogóle jej nie interesowały. Nagle przyszło olśnienie i Rose zrozumiała to, co zauważyłaby od razu, gdyby ta sztuczka nie była tak bezczelna: to manekin.

Ale przecież ona tu jest! Wyczuwa ją Charlie Szton, wyczuwają ją wszyscy w Domu Turysty, siedzą tam razem i wiedzą...

Wszyscy razem w Domu Turysty. Wszyscy razem w jednym miejscu. I czy to był pomysł Rose? Nie. Tego zażądała...

Rose rzuciła się do schodów.

13

Pozostali członkowie Prawdziwego Węzła tłoczyli się przy dwóch oknach wychodzących na parking i patrzyli, jak Billy Freeman po raz pierwszy od czterdziestu lat robi gwiazdę (a kiedy ostatnio odstawiał takie akrobacje, był pijany). Petty Kitajka nawet się roześmiała.

– Na litość boską...

Odwróceni plecami, nie zobaczyli wchodzącego z kuchni Dana ani pojawiającej się i znikającej dziewczyny u jego boku. Dan miał dość czasu, żeby zauważyć dwa stosiki ubrań na podłodze i zrozumieć, że odra Bradleya Trevora wciąż robi swoje. Potem wrócił w głąb siebie i odszukał trzecią skrytkę – tę nieszczelną. Otworzył ją.

(Dan co robisz)

Wychylił się do przodu z rękami na udach – żołądek palił go jak rozżarzony metal – i wypuścił ostatnie tchnienie starej poetki, tchnienie, które oddała mu w swoim pożegnalnym pocałunku. Z jego ust wypłynęła długa smuga różowej mgły, w zetknięciu z powietrzem ciemniejąca w czerwień. Przez chwilę nie mógł się skupić na niczym prócz błogiej ulgi, która rozlała się po jego trzewiach, kiedy opuściły go zatrute szczątki Concetty Anderson.

– Momo! – wrzasnęła Abra.

14

Na platformie Rose otworzyła szeroko oczy.

Mała suka jest w Domu Turysty.

I jeszcze ktoś…

Bez wahania wskoczyła do tego nowego, nieznanego jej umysłu. Szukała. Nie baczyła na wszelkie oznaki obecności mocnej pary, tylko usiłowała powstrzymać tego człowieka. Nie brała pod uwagę straszliwej możliwości, że już za późno.

15

Prawdziwi odwrócili się na krzyk Abry. Ktoś – był to Długi Paul – powiedział:

– A to co, u licha?

Czerwona mgła przybrała postać kobiety. Przez chwilę – na pewno nie dłużej – Dan patrzył w uformowane ze skłębionych oparów oczy Concetty. To były oczy młodej dziewczyny. Wciąż słaby, skupiony na tej zjawie, nie poczuł, że ma w głowie intruza.

– Momo! – krzyknęła znowu Abra. Wyciągała do niej ręce.

Kobieta w chmurze być może na nią spojrzała. Może nawet się uśmiechnęła. A potem sylwetka Concetty Reynolds rozwiała się i mgła popłynęła w kierunku członków Prawdziwego Węzła.

Wielu z nich tuliło się do siebie z lękiem i osłupieniem. Danowi ta czerwona substancja przypominała krew rozchodzącą się w wodzie.

– To para – powiedział im. – Żywiliście się nią, dranie; teraz od niej zdechniecie.

Od samego początku wiedział, że jeśli to nie stanie się szybko, nie pożyje dość długo, by zobaczyć, czy plan się powiódł; nie przypuszczał jednak, że efekt będzie tak błyskawiczny. Może wpłynął na to fakt, że już osłabiła ich odra. Tak czy tak, w kilka sekund było po wszystkim.

Skowyczeli w jego głowie jak konające banshee. Ten dźwięk wstrząsnął Danem, ale nie jego towarzyszką.

– Dobrze wam tak! – krzyknęła Abra. Wygrażała im pięściami. – I co, jak wam smakuje? Jak smakuje moja Momo? Dobra jest? Najedzcie się nią do syta! ZEŻRYJCIE WSZYSTKO!

Wpadli w cykl. Dan zobaczył przez czerwoną mgłę, jak dwoje z nich tuli się do siebie, stykając się czołami, i mimo wszystko ten widok go poruszył. Zobaczył słowa „kocham cię" na ustach Krótkiego Eddiego; zobaczył, że Duża Mo zaczęła mu odpowiadać; a potem oboje zniknęli i ich ubrania sfrunęły na podłogę. To stało się tak szybko.

Odwrócił się do Abry, by powiedzieć jej, że muszą to natychmiast doprowadzić do końca, ale wtedy Rose Kapelusz zaczęła wrzeszczeć i przez długą chwilę – zanim Abra mogła je zagłuszyć – te krzyki wściekłości i dzikiej rozpaczy przytłumiły wszystko, nawet błogą ulgę od bólu. I, miał głęboką nadzieję, od raka. Czy tak, przekona się, dopiero kiedy spojrzy w lustro.

Rose była na platformie u szczytu schodów, kiedy mordercza mgła przetoczyła się po Prawdziwym Węźle i szczątki Momo Abry błyskawicznie zebrały swoje śmiercionośne żniwo.

Biała zasłona bólu przesłoniła jej oczy. Krzyki przeszyły głowę jak odłamki szrapnela. Były nieporównanie silniejsze od tych, które słyszała, gdy oddział wypadowy ginął w Cloud Gap w New Hampshire, a Kruk gdzieś w stanie Nowy Jork czy Vermoncie. Rose zatoczyła się do tyłu jak uderzona maczugą. Wpadła na balustradę, odbiła się i runęła na deski. Gdzieś daleko jakaś kobieta – stara, sądząc z jej drżącego głosu – powtarzała „nie, nie, nie, nie, nie".

To ja. To muszę być ja, bo nikt inny nie został.

To nie dziewczyna, tylko sama Rose wpadła w pułapkę przez nadmierną pewność siebie. Przypomniało jej się coś

(wysadzić kogoś jego własną petardą)

co powiedziała ta mała suka. To rozpaliło w niej furię i przerażenie. Starzy przyjaciele i długoletni towarzysze podróży zginęli. Zostali otruci. Nie licząc tchórzy, którzy uciekli, Rose Kapelusz była ostatnim ocalałym członkiem Prawdziwego Węzła.

Chociaż nie, nie całkiem. Jest jeszcze Sarey.

Wyciągnięta na platformie, dygocząca w słońcu, Rose skontaktowała się z nią.

(jesteś)

Odpowiedź była pełna oszołomienia i trwogi.

(tak ale Rose czy oni czy to możliwe żeby)

(mniejsza o nich tylko pamiętaj Sarey czy pamiętasz)

(„nie zmuszaj mnie żebym cię ukarała")

(dobrze Sarey dobrze)

Jeśli dziewczyna nie ucieknie… jeśli popełni ten błąd i spróbuje dokończyć swojego śmiercionośnego dzieła…

Tak zrobi. Rose była tego pewna, a z wizyty w świadomości towarzysza małej suki dowiedziała się dwóch rzeczy: jak udało im się przeprowadzić tę masakrę i jak wykorzystać łączącą ich więź przeciwko nim. Wściekłość ma wielką moc.

Podobnie jak wspomnienia z lat dzieciństwa.

Podźwignęła się na nogi, bez namysłu przekrzywiła kapelusz pod należycie zawadiackim kątem i podeszła do balustrady. Mężczyzna z pikapa patrzył na nią z dołu, ale nie zwracała na niego uwagi. Zrobił, co do niego należało, podstępny bydlak. Potem może się nim zajmie, na razie jednak interesował ją tylko Dom Turysty Panorama. Dziewczyna była tam, ale jednocześnie znajdowała się daleko stąd. Na kempingu Bluebell zjawił się tylko jej duch. Całym sobą był tu kto inny – człowiek z krwi i kości, ćwok, mężczyzna, którego nigdy dotąd nie widziała. I ten człowiek miał parę. Słyszała jego głos, wyraźny i zimny.

(cześć Rose)

Niedaleko stąd było miejsce, w którym dziewczyna przestanie zanikać. W którym powróci do postaci cielesnej. W którym będzie ją można zabić. Sarey zajmie się człowiekiem z parą, ale najpierw człowiek z parą zajmie się małą suką.

(cześć Danny cześć dziecino)

Nasycona parą, wniknęła w niego i strzepnęła go do piasty koła. Ledwo słyszała krzyk oszołomienia i przerażenia Abry, która ruszyła za nim.

I kiedy Dan był tam, gdzie chciała Rose, przez chwilę zbyt zaskoczony, żeby jej się przeciwstawić, wlała w niego całą swoją furię. Wpuściła ją w niego jak parę.

Rozdział XX

Piasta koła, Dach Świata

1

Dan Torrance otworzył oczy. Słońce przeszyło źrenice i wbiło się w głąb jego obolałej głowy. Myślał, że mózg mu się sfajczy. To był kac wszech czasów. Obok niego donośne chrapanie: wstrętny, drażniący uszy dźwięk, ani chybi jakaś laska pogrążona w pijackim śnie na niewłaściwym krańcu tęczy. Dan odwrócił głowę w tamtym kierunku i zobaczył rozwaloną na plecach kobietę. Wyglądała jakby znajomo. Ciemne włosy rozścielone aureolą wokół głowy. Za duża koszulka Atlanta Braves.

To nie dzieje się naprawdę. Nie ma mnie tutaj. Jestem na Dachu Świata i muszę to zakończyć.

Kobieta przewróciła się na bok, otworzyła oczy i spojrzała na niego.

– Boże, moja głowa – powiedziała. – Przynieś no trochę tej koki, papciu. Została w salonie.

Patrzył na nią ze zdumieniem i narastającą wściekłością. Ta wściekłość brała się z niczego, ale czyż tak nie było zawsze? Żyła własnym życiem, była zagadką wewnątrz enigmy.

– Koka? Kto kupił kokę?

Uśmiechnęła się szeroko, obnażając jeden pożółkły ząb. Wtedy ją rozpoznał.

– Ty, papciu. A teraz idź po nią. Jak trochę oprzytomnieję, zrobię ci dobrze.

Jakimś cudem znalazł się z powrotem w tym obskurnym mieszkaniu w Wilmington, nagi, obok Rose Kapelusz.

– Co zrobiłaś? Skąd się tu wziąłem?

Odrzuciła głowę do tyłu i roześmiała się.

– Mieszkanko się nie podoba? A powinno, przecież umeblowałam je tym, co masz w głowie. No już, rób, co każę, palancie. Przynieś tę cholerną kokę.

– Gdzie Abra? Co z nią zrobiłaś?

– Zabiłam ją – powiedziała Rose obojętnie. – Tak bardzo się o ciebie martwiła, że opuściła gardę i wtedy rozprułam ją od gardła po brzuch. Nie mogłam wyssać tyle jej pary, ile chciałam, ale coś tam udało mi się…

Świat utonął w czerwieni. Dan ścisnął kobietę za gardło i zaczął dusić. Tylko jedna myśl huczała mu w głowie: nic niewarta suko, teraz dostaniesz lekarstwo, nic niewarta suko, teraz dostaniesz lekarstwo, nic niewarta suko, teraz dostaniesz za swoje.

2

Rose patrzyła z góry na człowieka z parą. Był silny, ale nie miał takiej mocy jak dziewczyna. Stał w rozkroku, ze spuszczoną głową, zgarbionymi ramionami i podniesionymi pięściami – w pozie człowieka owładniętego żądzą mordu. Rozgniewanymi facetami łatwo manipulować.

Nie mogła śledzić jego myśli, bo zalała je czerwona fala. To nic, wszystko grało, dziewczyna była tam, gdzie Rose tego chciała.

Zszokowaną i przerażoną Abrę względnie łatwo było przenieść do piasty koła. Jej szok i przerażenie jednak długo nie potrwają; mała suka wkrótce będzie martwą suką, wysadzoną jej własną petardą.

(wujku Danie nie nie przestań to nie ona)

Właśnie że tak, pomyślała Rose, natężając się jeszcze mocniej. Ząb wysunął się z jej ust i przebił dolną wargę. Krew ściekła po brodzie na bluzkę. Nie czuła ani tego, ani wietrzyku od gór rozwiewającego jej gęste ciemne włosy.

To jestem ja. Byłeś moim papciem, poznanym w barze papciem, namówiłam cię, żebyś wybulił kasę na marną kokę, a teraz już jest rano i muszę zażyć swoje lekarstwo. To właśnie chciałeś zrobić, kiedy ocknąłeś się obok tej pijanej kurwy w Wilmington, to właśnie zrobiłbyś, gdybyś miał jaja, jej i temu jej szczeniakowi na dokładkę. Twój ojciec wiedział, jak postępować z głupimi, nieposłusznymi babami, i jego ojciec przed nim. Czasem kobieta po prostu musi dostać lekarstwo. Musi…

Rozległ się warkot silnika. Był równie nieistotny jak ból jej wargi i smak krwi w ustach. Dziewczyna dusiła się, charczała. I nagle mózg Rose rozdarła myśl głośna jak uderzenie pioruna, zbolały ryk:

(MÓJ OJCIEC NIE WIEDZIAŁ NIC!)

Wciąż jeszcze próbowała zebrać rozproszone tym krzykiem myśli, kiedy pikap Billy'ego Freemana uderzył w podstawę platformy, zwalając Rose z nóg. Kapelusz spadł jej z głowy.

3

To nie było mieszkanie w Wilmington. To była jego dawno nieistniejąca sypialnia w hotelu Panorama – piasta koła. To nie była Deenie, kobieta, obok której obudził się w tym mieszkaniu, nie była to też Rose. To była Abra. Ściskał ją za szyję, oczy wychodziły jej z orbit.

Przez chwilę znów zaczęła się zmieniać – to Rose raz jeszcze próbowała wwiercić się do jego umysłu, wpuścić w niego swoją furię i podsycić jego własną. Nagle coś się stało i zniknęła. Ale wróci.

Abra kasłała i patrzyła na niego. Spodziewałby się raczej, że będzie w szoku, ale jak na dziewczynę, której o mało nie udusił, wydawała się dziwnie opanowana.

(cóż… wiedzieliśmy że nie będzie łatwo)

– Nie jestem moim ojcem! – krzyknął Dan. – Nie… jestem… moim… ojcem!

– To chyba dobrze – powiedziała Abra. O dziwo, uśmiechnęła się. – Ależ ty jesteś zapalczywy, wujku Danie. Wygląda na to, że naprawdę jesteśmy spokrewnieni.

– Omal cię nie zabiłem. Dość tego. Uciekaj stąd. Wracaj do New Hampshire.

Pokręciła głową.

– Będę musiała… na krótko… ale na razie jestem ci potrzebna.

– Abro, to rozkaz.

Założyła ręce na piersi i stała nieruchomo na chodniku w szałwie i kaktusy.

– O Boże. – Przeczesał dłońmi włosy. – Jesteś nieznośna.

Wyciągnęła rękę, chwyciła jego dłoń.

– Zakończymy to razem. A teraz chodź. Musimy wyjść z tego pokoju. Jakoś przestało mi się tu podobać.

Ich palce splotły się ze sobą i pokój, w którym Dan mieszkał przez pewien czas w dzieciństwie, rozpłynął się w nicość.

4

Dan miał dość czasu, by zauważyć maskę pikapa Billy'ego owiniętą wokół jednego z grubych słupów, które podtrzymywały wieżę widokową Dach Świata, i parę buchającą z rozwalonej chłodnicy. Zobaczył manekina, który odegrał rolę Abry, zwisającego z okna od strony pasażera z ręką niedbale odrzuconą do tyłu. Zobaczył samego Billy'ego, który usiłował otworzyć wgniecione drzwi kierowcy. Krew ściekała mu po twarzy.

Coś chwyciło Dana za głowę. Potężne ręce obróciły ją w bok, usiłowały skręcić mu kark. I wtem dłonie Abry wyswobodziły go z żelaznego chwytu Rose.

– Będziesz musiała się bardziej wysilić, ty tchórzliwa stara hieno! – zawołała Abra, patrząc do góry.

Rose stała przy balustradzie. Przekrzywiła swój szkaradny kapelusz pod właściwym kątem.

– Przyjemnie było, jak wujcio trzymał cię za gardło? I cóż o nim teraz sądzisz?

– To byłaś ty, nie on.

Rose rozdziawiła okrwawione usta w szerokim uśmiechu.

– Wcale nie, moja droga. Po prostu wykorzystałam to, co już w nim siedzi. Powinnaś to wiedzieć, przecież jesteś taka jak on.

Próbuje odwrócić naszą uwagę, pomyślał Dan. Ale od czego?

Był tam mały zielony budynek – może wygódka, może szopa.

(mogłabyś)

Nie musiał kończyć tej myśli. Abra odwróciła się w stronę szopy i wbiła w nią wzrok. Kłódka zatrzeszczała, pękła i spadła w trawę. Drzwi się otworzyły. Szopa była pusta, tylko kilka narzędzi i stara kosiarka do trawy. Danowi zdawało się, że coś tam wyczuwał, ale pewnie to nadwerężone nerwy dawały o sobie znać. Kiedy znów spojrzeli w górę, Rose nie było już w polu widzenia. Cofnęła się od balustrady.

Billy w końcu zdołał otworzyć drzwi samochodu. Wysiadł, zachwiał się, lecz jakoś ustał.

– Danny? Nic ci nie jest? – A potem: – To Abra? Jezu, ledwo ją widać.

– Słuchaj, Billy. Dasz radę dojść do Domu Turysty?

– Chyba tak. Co z tymi w środku?

– Już ich nie ma. Idź tam od razu, tak będzie najlepiej.

Billy nie protestował. Ruszył w dół stoku, kolebiąc się jak pijak. Dan wskazał schody prowadzące na platformę widokową i pytająco uniósł brwi. Abra pokręciła głową

(tego chce ona)

i poprowadziła Dana dookoła Dachu Świata w miejsce, z którego widzieli czubek cylindra Rose. Mała szopa z narzędziami znalazła się za ich plecami, ale Dan nie przywiązywał już do niej wagi, bo przecież naocznie się przekonał, że jest pusta.

(Dan muszę wrócić tylko na minutkę muszę się odświeżyć)

Obraz w jego myślach: łąka porośnięta otwierającymi się słonecznikami. Musiała zadbać o swoje fizyczne ja. To dobrze. Tak trzeba.

(idź)

(wrócę jak tylko)

(idź Abro poradzę sobie)

I przy odrobinie szczęścia, kiedy ona wróci, będzie po wszystkim.

5

W Anniston John Dalton i Stone'owie zobaczyli, że Abra bierze głęboki wdech i otwiera oczy.

– Abra! – zawołała Lucy. – Już po wszystkim?

– Prawie.

– Co ty masz na szyi? To sińce?

– Mamo, zostań, gdzie jesteś! Muszę wrócić. Dan mnie potrzebuje.

Sięgnęła po Kicusia, ale nie zdołała go chwycić. Znieruchomiała, oczy jej się zamknęły.

6

Rose wyjrzała ukradkiem znad balustrady i zobaczyła, że Abra zniknęła. Mała suka nie mogła tu długo wytrzymać, musiała wrócić, żeby trochę odpocząć. Jej obecność tutaj, na kempingu Bluebell, niewiele się różniła od jej obecności wtedy w supermarkecie, tyle że tym razem duch dziewczyny objawił się w dużo silniejszej postaci. A dlaczego? Bo pomagał jej ten mężczyzna. Wzmacniał ją. Jeśli będzie martwy, kiedy dziewczyna wróci…

Patrząc na niego z góry, Rose zawołała:

– Na twoim miejscu poszłabym sobie, dopóki możesz, Danny. Nie zmuszaj mnie, żebym cię ukarała.

7

Cicha Sarey była całkowicie skupiona na tym, co się działo na Dachu Świata – nasłuchiwała nie tylko uszami, ale całym swoim, trzeba przyznać, dość ograniczonym umysłem – i nie od razu zdała sobie sprawę, że nie jest już sama w szopie. Pierwszym znakiem ostrzegawczym był zapach: jakby coś gniło. Nie śmiała się odwrócić, bo drzwi były otwarte i ten mężczyzna na zewnątrz mógłby ją zobaczyć. Stała nieruchomo z sierpem w dłoni.

Usłyszała, jak Rose mówi mężczyźnie, że na jego miejscu poszłaby sobie, dopóki może, i wtedy drzwi szopy zaczęły się zamykać. Same.

– Nie zmuszaj mnie, żebym cię ukarała! – zawołała Rose. To był sygnał, że Sarey ma wyskoczyć z szopy i wbić sierp w szyję tej wścibskiej dziewczyny, ale że dziewczyna gdzieś przepadła, mężczyzna będzie musiał wystarczyć. Zanim jednak mogła się ruszyć, zimna, śliska dłoń objęła nadgarstek ręki trzymającej sierp. Objęła i mocno ścisnęła.

Odwróciła się – drzwi były zamknięte, więc nie miała powodu stać nieruchomo – i to, co zobaczyła w przyćmionym świetle wpadającym przez szczeliny w starych deskach, sprawiło, że ona, zazwyczaj milcząca, wrzasnęła przeraźliwie. Kiedy się koncentrowała, w którymś momencie dołączył do niej trup. Jego drapieżnie uśmiechnięta twarz była wilgotna, białawozielona, koloru zgniłego awokado. Oczy niemal wypadały z oczodołów. Garnitur pokrywała pleśń... ale kolorowe konfetti na ramionach było nowe.

– Wspaniały bal, prawda? – powiedział i kiedy się uśmiechnął, pękły mu wargi.

Krzyknęła raz jeszcze i wbiła sierp w jego lewą skroń. Zakrzywione ostrze weszło głęboko i utkwiło w głowie, ale krew nie popłynęła.

– Daj buziaka, kochanie – powiedział Horace Derwent. Spomiędzy jego warg wypełzł ruchliwy jak wąż biały strzęp języka. – Tak dawno nie byłem z kobietą.

Jego poszarpane wargi, lśniące zgnilizną, spoczęły na ustach Sarey, a dłonie zacisnęły się na jej gardle.

8

Rose zobaczyła, że drzwi szopy się zamknęły, usłyszała krzyk i zrozumiała, że teraz to już naprawdę została sama. Wkrótce, pewnie za parę sekund, wróci dziewczyna i będzie ich dwoje na nią jedną. Nie mogła do tego dopuścić.

Spojrzała w dół, na mężczyznę, i zebrała całą swoją spotęgowaną parą moc.

(uduś się zrób to JUŻ)

Jego ręce powędrowały do gardła, ale za wolno. Stawiał opór. Spodziewała się ciężkiego boju z małą suką, ale ten ćwok na dole był dorosły. Powinna móc rozgonić pozostałą w nim parę jak mgłę. Tak czy tak, brała nad nim górę.

Jego dłonie podniosły się na wysokość piersi... ramion... i wreszcie objęły szyję. Tam zadrżały – słyszała, jak dyszał z wysiłku. Natężyła się mocniej i dłonie się zacisnęły, odcinając dopływ powietrza do tchawicy.

(o to właśnie chodzi bydlaku było nie mieszać się w nie swoje sprawy ściskaj ściskaj i ŚCIS)

Coś ją uderzyło. Nie pięść; jakby podmuch mocno sprężonego powietrza. Obejrzała się i nie zobaczyła nic oprócz lekkiego skrzenia, które zaraz zanikło. Trwało to niecałe trzy sekundy, ale tyle wystarczyło, by wytrącić ją z koncentracji, i kiedy odwróciła się do balustrady, dziewczyna już wróciła.

Tym razem nie był to podmuch powietrza; to były dłonie, które wydawały się jednocześnie duże i małe. Spoczywały na jej krzyżu. Pchały. Mała suka i jej przyjaciel połączyli siły – a tego właśnie Rose chciała uniknąć. Robak strachu zaczął toczyć jej trzewia. Próbowała cofnąć się od balustrady, ale nie mogła. Musiała wytężyć wszystkie siły po to tylko, żeby ustać w miejscu, i sądziła, że bez wspierającej ją mocy Prawdziwych nie wytrzyma długo.

Gdyby nie ten podmuch... on tego nie zrobił, a jej tu nie było...

Jedna z dłoni przestała pchać i strąciła jej cylinder z głowy. Rose zawyła z oburzeniem – nikt nie dotykał jej kapelusza, nigdy! Zdołała wykrzesać z siebie dość siły, by chwiejnie cofnąć się od balustrady na środek platformy. Ale wciąż ją popychali.

Spojrzała w dół. Mężczyzna miał zamknięte oczy, tak mocno się koncentrował, że żyły wystąpiły mu na szyi i pot ściekał po jego policzkach jak łzy. Dziewczyna szeroko otwartymi bezlitosnymi oczami patrzyła na Rose. I uśmiechała się.

Rose opierała się ile sił, ale to było tak, jakby opierać się kamiennemu murowi, który nieubłaganie pcha naprzód. Jej brzuch wciskał się w balustradę. Usłyszała skrzypienie drewna.

Pomyślała o pertraktacjach. Powie dziewczynie, że mogłyby połączyć siły, dać początek nowemu Węzłowi. Zamiast umrzeć w 2070 czy 2080 roku, Abra Stone może przeżyć tysiąc lat. Dwa tysiące. Ale co by to dało?

Która nastolatka nie czuje się nieśmiertelna?

Dlatego zamiast pertraktować czy błagać, krzyknęła do nich buńczucznie:

– Pierdolcie się! Pierdolcie się oboje!

Straszny uśmiech dziewczyny stał się jeszcze szerszy.

– O nie – powiedziała. – To ty masz przepierdolone.

Tym razem nie było skrzypienia; rozległ się trzask jakby wystrzału z karabinu i Rose bez Kapelusza runęła w dół.

9

Od razu wpadła w cykl. Głowa, którą uderzyła w ziemię, była przekrzywiona (jak jej kapelusz, pomyślał Dan) na połamanej szyi pod zawadiackim kątem. Dan trzymał Abrę za rękę – która pojawiała się i znikała, kiedy Abra we własnym cyklu przenosiła się między tylnym gankiem swojego domu a Dachem Świata – i razem patrzyli.

– Boli? – spytała Abra umierającą kobietę. – Mam nadzieję, że tak. Mam nadzieję, że boli bardzo.

Usta Rose rozchyliły się w szyderczym grymasie. Jej ludzkie zęby zniknęły; został tylko ten jeden pożółkły kieł. Bezcielesne oczy unosiły się nad nim jak żywe niebieskie kamienie. I wreszcie zniknęła.

Abra odwróciła się do Dana. Na twarzy wciąż miała uśmiech, ale nie było w nim już gniewu ani złośliwości.

(bałam się o ciebie bałam się że ona)

(prawie jej się udało ale był ktoś)

Wskazał w górę, na sterczące w niebo połamane deski balustrady. Abra spojrzała tam, po czym przeniosła zdumiony wzrok na Dana. Mógł tylko pokręcić głową.

Tym razem ona wskazała coś palcem, nie w górze, tylko na dole.

(kiedyś był magik który też miał kapelusz na imię mu było Mysterio)

(a ty powiesiłaś łyżki na suficie)

Przytaknęła, ale nie podniosła głowy. Wciąż wpatrywała się w kapelusz.

(musisz się go pozbyć)

(jak)

(spal go pan Freeman mówi że rzucił palenie ale nadal pali w jego samochodzie czuć papierosami na pewno ma zapałki)

– Musisz – powiedziała z naciskiem. – Zrobisz to? Obiecujesz?

– Tak.

(kocham cię wujku Danie)

(ja ciebie też)

Przytuliła go. Objął ją i odwzajemnił uścisk. Wtedy jej ciało zmieniło się w deszcz. Potem we mgłę. I wreszcie zniknęło.

10

Na tylnym ganku domu w Anniston w New Hampshire, w zmroku, który wkrótce miał przejść w noc, mała dziewczynka usiadła prosto, wstała i zachwiała się, bliska omdlenia. Nie było zagrożenia, że się przewróci; rodzice natychmiast przypadli do niej. Razem wnieśli ją do środka.

– Nic mi nie jest – powiedziała Abra. – Możecie mnie postawić.

Ostrożnie to zrobili. David Stone został przy niej, gotów podtrzymać córkę, gdyby choć kolana jej się ugięły, lecz Abra stała pewnie.

– Co z Danem? – spytał John.

– Wszystko w porządku. Pan Freeman rozbił samochód... musiał... i ma rozcięty... – Położyła rękę na jego policzku. – Ale to chyba nic groźnego.

– A co z tamtymi? Z Prawdziwym Węzłem?

Abra dmuchnęła na otwartą dłoń.

– Już ich nie ma. – A potem: – Jest coś do jedzenia? Umieram z głodu.

11

Nieco przesadziła, mówiąc, że z Danem wszystko było w porządku. Poszedł do pikapa i usiadł w otwartych drzwiach od strony kierowcy, żeby złapać oddech. I zebrać myśli.

Jesteśmy na urlopie, zdecydował. Zachciało mi się zajrzeć na stare śmieci w Boulder. Potem przyjechaliśmy tutaj, żeby zobaczyć widok z Dachu Świata, ale na kempingu nie było nikogo. Poniosła mnie fantazja i założyłem się z Billym, że podjadę jego wozem pod samą platformę. Dałem za dużo gazu i straciłem panowanie nad kierownicą. Uderzyłem w słup podporowy. Strasznie mi przykro. Kretyński wygłup.

Wlepią mu cholernie wysoki mandat, ale był jeden plus: nie musiał się obawiać o wynik badania alkomatem.

Zajrzał do schowka i znalazł płyn do zapalniczek. Zapalniczki nie było – Billy na pewno nosił ją w kieszeni – były za to, a jakże, dwa w połowie zużyte kartoniki zapałek. Podszedł do kapelusza Rose i oblał go płynem do zapalniczek, aż materiał przesiąkł na wylot. Potem przykucnął, zapalił zapałkę i wrzucił ją do odwróconej do góry dnem główki. Płomienie szybko strawiły cylinder, ale Dan stał pod wiatr od niego, dopóki nie został sam popiół.

Smród był potworny.

Podszedł Billy, ocierając rękawem zakrwawioną twarz. Gdy zadeptywali popioły, by nie została ani jedna iskierka, która mogłaby wywołać pożar, Dan wyłuszczył mu, co powiedzą policji stanu Kolorado, kiedy przyjedzie.

– Będę musiał pokryć koszty naprawy tego cholerstwa i założę się, że nieźle dostanę po kieszeni. Dobrze, że mam oszczędności.

Billy prychnął.

– Kto miałby cię ścigać o odszkodowanie? Z tych z Prawdziwego Węzła zostały same ubrania. Sprawdziłem.

– Niestety – powiedział Dan – Dach Świata należy do wspaniałego stanu Kolorado.

– Cholera – zaklął Billy. – To trochę nie fair, przecież wyświadczyłeś Kolorado i całemu światu wielką przysługę. Gdzie Abra?

– W domu.

– To dobrze. I to koniec? Naprawdę koniec?

Dan skinął głową.

Billy wpatrywał się w popioły z cylindra Rose.

– Cholernie szybko się sfajczył. Prawie jak w filmowym efekcie specjalnym.

– Na pewno był bardzo stary. – I pełen magii, pomyślał. Jej czarnej odmiany.

Dan poszedł do samochodu i usiadł za kierownicą, żeby przejrzeć się w lusterku wstecznym.

– Widzisz coś, czego być nie powinno? – zapytał Billy. – Tak mawiała moja mama, kiedy przyłapywała mnie na gapieniu się we własne odbicie.

– Nic – powiedział Dan. Na jego twarz powoli wypłynął uśmiech. Uśmiech zmęczony, ale szczery. – Nic a nic.

– W takim razie zadzwońmy na policję i zgłośmy nasz wypadek. Zwykle omijam gliny z daleka, ale w tej chwili nie mam nic przeciwko odrobinie towarzystwa. To miejsce przyprawia mnie o ciarki. – Billy spojrzał na Dana przenikliwym wzrokiem. – Jest pełne duchów, prawda? Dlatego je wybrali.

Tak, dlatego, nie było co do tego wątpliwości. Ale nie trzeba być Ebenezerem Scrooge'em, by wiedzieć, że są i dobre, i złe ducholudki. Kiedy ruszyli w stronę Domu Turysty Panorama, Dan przystanął i spojrzał przez ramię na Dach Świata. Właściwie nie był zaskoczony, kiedy zobaczył, że na platformie, przy złamanej balustradzie, stoi mężczyzna. Postać uniosła dłoń, przez którą prześwitywał szczyt góry Pawnee, i przesłała mu buziaka gestem, który Dan pamiętał z dzieciństwa. Pamiętał doskonale. Tak się żegnali pod koniec każdego dnia.

Pora spać, doktorku. Śpij smacznie, stary. Niech ci się przyśni smok, rano mi o nim opowiesz.

Dan wiedział, że się rozpłacze, ale jeszcze nie teraz. Podniósł dłoń do ust i odwzajemnił pocałunek.

Potem poszedł z Billym na parking. Tam raz jeszcze obejrzał się za siebie.

Dach Świata był pusty.

Dopóki nie zaśniesz

STRACH to skrót od „stań na nogi, rany wyliż, chorobę zwalcz".

stare powiedzenie AA

Rocznica

1

Spotkania AA w sobotnie południe we Frazier miały długą tradycję; pierwsze z nich zostało zorganizowane w 1946 roku przez Grubego Boba D., który osobiście znał założyciela Programu, Billa Wilsona. Gruby Bob dawno leżał w grobie, powalony przez raka płuc – w tych wczesnych latach większość wychodzących z nałogu alkoholików paliła jak kominy, nowicjuszom zwykle kazano siedzieć cicho i opróżniać popielniczki – ale frekwencja na tych spotkaniach wciąż była wysoka. Na dzisiejszym zabrakło krzeseł, bo po jego zakończeniu przewidziano poczęstunek, miały być pizza i ciasto. Tak było na większości spotkań rocznicowych, a dziś jeden z członków grupy obchodził piętnaście lat trzeźwości. W pierwszych latach znany był jako Dan albo Dan T., ale szybko się rozeszło, że pracował w lokalnym hospicjum, i teraz już prawie wszyscy nazywali go Doktorkiem. Jako że tak czasem w dzieciństwie mówili do niego rodzice, Dan uznał to za przejaw ironii losu… ale w dobrym tego słowa znaczeniu. Życie to koło, jego jedynym zadaniem jest się toczyć i zawsze wraca do punktu wyjścia.

Spotkanie przebiegało zgodnie z ustaloną rutyną. Prowadził je na prośbę Dana prawdziwy lekarz, John. Było trochę śmiechu, kiedy Randy M. opowiedział o tym, jak obrzygał policjanta, który zatrzymał go za jazdę po pijaku – i jeszcze weselej, gdy dodał, że rok później okazało się, iż tenże sam policjant też uczestniczy w Programie. Maggie M. powiedziała przez łzy („podzieliła się", w żargonie AA), że sąd znów nie przyznał jej prawa do opieki nad dwojgiem dzieci. Pocieszali ją zwykłymi banałami – to wymaga czasu, trzeba działać, żeby coś zadziałało, nie poddawaj się, dopóki nie stanie się cud – i płacz Maggie w końcu przeszedł w siąkanie nosem. Kiedy komuś zadzwoniła komórka, ktoś inny jak zwykle krzyknął: „Siła Wyższa każe to wyłączyć!". Dziewczyna o drżących dłoniach upuściła kubek kawy; spotkanie bez choćby jednej rozlanej kawy było rzadkością.

Za dziesięć pierwsza John D. puścił w obieg koszyk („Jesteśmy samowystarczalni poprzez własne dobrowolne datki") i spytał, czy są jakieś ogłoszenia. Trevor K., który otworzył spotkanie, wstał i poprosił – jak zawsze – o pomoc w sprzątaniu kuchni i składaniu krzeseł. Yolanda V. rozdała żetony, dwa białe (za dwadzieścia cztery godziny bez picia) i fioletowy (za pięć miesięcy). Jak zawsze, na koniec powiedziała:

– Jeżeli dziś nie piłeś, brawa dla ciebie i twojej Siły Wyższej.

Kiedy oklaski ucichły, John powiedział:

– Jeden z nas obchodzi dziś swoją piętnastą rocznicę. Czy Casey K. i Dan T. zechcą wyjść na środek?

Rozległy się brawa i Dan poszedł na przód sali – pomału, by dotrzymać kroku kuśtykającemu o lasce Caseyowi. Casey wziął od Johna medalion z liczbą XV i podniósł go, żeby wszystkim pokazać.

– Nie sądziłem, że facet da radę – rzekł – bo od początku był na wskroś AA. To znaczy, aspołecznym arogantem.

Zaśmiali się uprzejmie z tego starego żartu. Dan uśmiechnął się, ale serce biło mu mocno. Myślał tylko o tym, żeby przebrnąć przez to, co go czekało, i nie zemdleć. Ostatnio bał się tak w chwili, kiedy patrzył na stojącą na platformie Dachu Świata Rose Kapelusz i usiłował nie dopuścić do tego, by udusiły go jego własne dłonie.

Pospiesz się, Casey, błagał w myślach. Zanim spękam. Albo się porzygam.

Może Casey jednak jaśniał… a może wyczytał coś z oczu Dana. Tak czy inaczej, skrócił swoje przemówienie.

– On jednak, wbrew moim oczekiwaniom, wydobrzał. Na siedmiu alkoholików, którzy do nas przychodzą, sześciu wychodzi i się upija. Ten siódmy to cud, dla którego wszyscy żyjemy. Jeden z tych cudów stoi teraz przed nami we własnej szpetnej osobie. Proszę bardzo, doktorku, zasłużyłeś na to.

Podał mu medalion. Dan wziął go. Przez chwilę miał wrażenie, że ten okrągły znaczek wyśliźnie się z jego zimnych palców i spadnie na podłogę. Casey zacisnął dłoń Dana wokół medalionu, żeby temu zapobiec, po czym objął go niedźwiedzim uściskiem.

– Kolejny rok, sukinsynu. Gratuluję – szepnął mu na ucho i powlókł się ciężkim krokiem na tył sali, gdzie zasiadali wszyscy starzy wiarusi.

Dan został sam na środku, ściskając medalion za piętnaście lat niepicia tak mocno, że ścięgna wystąpiły mu na nadgarstku. Zebrani alkoholicy patrzyli na niego, czekając, by natchnął ich doświadczeniem, siłą i nadzieją, które płyną z wieloletniej trzeźwości.

– Parę lat temu… – zaczął i musiał odchrząknąć. – Parę lat temu kuśtykający dżentelmen, który teraz siada tam z tyłu, spytał mnie przy kawie, czy wykonałem piąty krok: „Wyznaliśmy Bogu, sobie i drugiemu człowiekowi istotę naszych błędów". Powiedziałem mu, że w zasadzie tak. Ludziom, którzy nie mają tego problemu co my, to by pewnie wystarczyło... i między innymi dlatego nazywamy ich Ziemianami.

Zachichotali. Dan odetchnął głęboko i powiedział sobie, że jeśli mógł stawić czoło Rose i jej Prawdziwemu Węzłowi, stawi czoło i temu. Tyle że teraz było zupełnie inaczej. Tym razem nie będzie Danem Bohaterem, tylko Danem Kanalią. Wystarczająco długo żył na tym świecie, by wiedzieć, że każdy ma w sobie coś z kanalii, ale marna to pociecha, kiedy trzeba wystawić swoje brudy na widok publiczny.

– Powiedział mi, że według niego jest jeden błąd, którego nie mogę sobie wybaczyć, bo za bardzo się go wstydzę, żeby o nim mówić. Kazał mi to z siebie zrzucić. Przypomniał mi coś, co słyszy się na prawie każdym spotkaniu: że jesteśmy tylko tak chorzy, jak chore są nasze tajemnice. I że jeśli nie zdradzę swojej, prędzej czy później znajdę się w barze z drinkiem w dłoni. O to mniej więcej chodziło, Case?

Casey kiwnął głową z końca sali. Siedział z rękami wspartymi na główce laski.

Dan poczuł w oczach pieczenie zwiastujące łzy i pomyślał: Boże, pomóż mi przebrnąć przez to i się nie poryczeć. Proszę.

– Nie zdradziłem tej tajemnicy. Przez lata wmawiałem sobie, że tego nie powiem nikomu. Myślę jednak, że Casey miał rację, a jeśli znów zacznę pić, to umrę. Nie chcę tego. Ostatnimi czasy mam po co żyć. Dlatego...

Popłynęły łzy, te cholerne łzy, ale za daleko zaszedł, żeby się wycofać. Otarł je dłonią.

– Pamiętacie, co jest napisane w Obietnicach? Że nauczymy

się nie żałować przeszłości i nie pragnąć zamknąć za nią drzwi? Wybaczcie, że tak powiem, ale myślę, że to jedyna bzdura w programie pełnym prawd. Wielu rzeczy żałuję, lecz przyszedł czas, by te drzwi otworzyć bez względu na to, jak bardzo tego nie chcę.

Czekali. Nawet dwie panie, które kładły kawałki pizzy na papierowych talerzykach, stanęły w drzwiach kuchni i patrzyły na niego.

– Niedługo zanim przestałem pić, pewnego ranka obudziłem się obok poderwanej w barze kobiety. W jej mieszkaniu. To była nędzna nora, bo kobieta nie miała prawie nic. Wiedziałem, jak to jest, bo sam prawie nic nie miałem, i oboje zapewne byliśmy spłukani z tego samego powodu. Wszyscy ten powód znacie. – Wzruszył ramionami. – Jeśli jesteś jednym z nas, butelka zabiera ci wszystko. Najpierw po trochu, potem więcej i więcej, aż w końcu zostajesz z niczym.

Ta kobieta na imię miała Deenie. Niewiele więcej o niej pamiętam. Ubrałem się i wyszedłem, ale przedtem zabrałem jej pieniądze. I okazało się, że jednak miała coś, czego ja nie miałem, bo kiedy grzebałem w jej portfelu, obejrzałem się i za mną stał jej synek. Mały dzieciak, jeszcze w pieluchach. Ta kobieta i ja poprzedniego wieczora kupiliśmy trochę koki i jej resztka wciąż leżała na stole. Mały zobaczył ją i wyciągnął po nią rękę. Myślał, że to cukierki.

Dan znów otarł oczy.

– Zabrałem kokę i odłożyłem gdzieś, gdzie nie mógł jej dosięgnąć. Tyle zrobiłem. To za mało, ale przynajmniej tyle zrobiłem. Potem schowałem jej pieniądze do kieszeni i wyszedłem. Zrobiłbym wszystko, żeby to cofnąć. Ale nie mogę.

Panie stojące w drzwiach wróciły do kuchni. Niektórzy spoglądali na zegarki. Komuś zaburczało w żołądku. Patrząc na setkę zgromadzonych w sali alkoholików, Dan uświadomił sobie coś zdumiewającego: to, co zrobił, nie wzbudziło w nich wstrętu. Nawet ich nie zaskoczyło. Słyszeli gorsze rzeczy. On oczywiście też.

– No dobra – powiedział. – To wszystko. Moja wielka tajemnica. Dziękuję, że mnie wysłuchaliście.

Zanim rozległy się brawa, jeden ze starych wiarusów w tylnym rzędzie wykrzyknął tradycyjne pytanie:

– Jak sobie poradziłeś, doktorku?

Dan uśmiechnął się i udzielił tradycyjnej odpowiedzi:

– Dzień po dniu.

2

Po Ojcze Nasz, pizzy i cieście czekoladowym ozdobionym wielką rzymską piętnastką Dan pomógł Caseyowi wsiąść do jego tundry. Zaczął padać deszcz ze śniegiem.

– Wiosna w New Hampshire – skwitował Casey ponuro. – Piękna jak zawsze.

– Deszcz leje, robi breję – zadeklamował Dan – i hej, jakże wiatr siecze! Autobus się ślizga i na nas bryzga, czort z tym, śpiewaj, człowiecze!

Casey patrzył na niego szeroko otwartymi oczami.

– Ty to ułożyłeś?

– Nie. Ezra Pound. Kiedy wreszcie przestaniesz się migać i zrobisz coś z tym swoim biodrem?

Casey uśmiechnął się szeroko.

– W przyszłym miesiącu. Stwierdziłem, że skoro ty możesz zdradzić swoją największą tajemnicę, ja mogę sobie wstawić nowe biodro. – Zawiesił głos. – Nie żeby ta twoja tajemnica była znowu tak wielka, Danno.

– Zauważyłem. Myślałem, że uciekną ode mnie z krzykiem. Zamiast tego stali sobie, jedli pizzę i rozmawiali o pogodzie.

– Gdybyś im powiedział, że zabiłeś ślepą babunię, i tak zostaliby na pizzę i ciasto. Zawsze to darmowe żarcie. – Otworzył drzwi kierowcy. – Podsadź mnie, Danno.

Dan pomógł mu wsiąść.

Casey powiercił się ociężale, szukając wygodnej pozycji, po czym zapalił silnik i włączył wycieraczki, żeby oczyścić mokrą od deszczu ze śniegiem przednią szybę.

– Wszystko robi się mniejsze, kiedy wyciągnąć to na wierzch. Mam nadzieję, że przekażesz to swoim podopiecznym.

– Tak jest, o mędrcze – rzekł kpiąco Dan.

Casey spojrzał na niego ze smutkiem.

– Idź do diabła, kochany.

– Raczej wrócę – powiedział Danny – i pomogę składać krzesła.

Tak też uczynił.

Dopóki nie zaśniesz

1

W tym roku na urodzinach Abry Stone nie było ani balonów, ani magika. Kończyła piętnaście lat.

Była za to trzęsąca ścianami w całej okolicy muzyka rockowa hucząca w wystawionych na podwórko głośnikach, podłączonych przez Dave'a Stone'a z fachową pomocą Billy'ego Freemana. Dorośli jedli ciasto i lody i popijali kawę w kuchni Stone'ów. Dzieciaki zajęły pokój rodzinny na parterze i trawnik za domem, i sądząc z dochodzących stamtąd dźwięków, bawiły się doskonale. Koło piątej towarzystwo zaczęło się rozchodzić, ale Emma Deane, najlepsza przyjaciółka Abry, została na kolację. Abra wyglądała olśniewająco w czerwonej spódniczce i bluzce chłopce z odkrytymi ramionami. Tryskała radością. Zachwyciła się bransoletką z breloczkami, którą dał jej Dan, przytuliła go i pocałowała w policzek. Poczuł zapach perfum. Coś nowego.

Kiedy poszła odprowadzić Emmę do domu, trajkocząc z nią wesoło, Lucy nachyliła się do Dana. Wokół jej ust pojawiły się nowe zmarszczki, a włosy przetkane były pierwszymi siwymi nitkami. Abra sprawiała wrażenie, jakby zapomniała o Prawdziwym Węźle; Dan sądził, że Lucy nie zapomni nigdy.

– Porozmawiasz z nią o tych talerzach?

– Idę obejrzeć zachód słońca za rzeką. Kiedy wróci od Dea-ne'ów, możecie wysłać ją do mnie na krótką pogawędkę.

Lucy wyraźnie ulżyło i Dan miał wrażenie, że Davidowi też. Abra na zawsze pozostanie dla nich zagadką. Czy pocieszyłby ich, gdyby powiedział, że dla niego też? Pewnie nie.

– Powodzenia, wodzu! – rzucił za nim Billy.

Na tylnym ganku, w miejscu, gdzie Abra kiedyś leżała w stanie, który nie sposób nazwać utratą przytomności, dołączył do niego John Dalton.

– Zaproponowałbym ci moralne wsparcie, ale myślę, że tym razem jesteś zdany na siebie.

– Próbowałeś z nią rozmawiać?

– Tak. Na prośbę Lucy.

– I nic?

John wzruszył ramionami.

– Unika tematu.

– Jak ja w jej wieku – stwierdził Dan.

– Ale ty pewnie nigdy nie potłukłeś wszystkich talerzy w zabyt-kowym kredensie twojej matki, co?

– Moja matka nie miała zabytkowego kredensu – powiedział Dan.

I nigdy nie miałem takiej mocy jak moja siostrzenica, pomyślał.

Poszedł na koniec opadającego podwórka Stone'ów. Spojrzał na Saco. W zachodzącym słońcu zmieniła się w błyszczącego szkarłatnego węża. Wkrótce góry pochłoną ostatnie promienie słońca i rzeka stanie się szara. Tam, gdzie kiedyś ciągnęła się siatka mająca ograniczać potencjalnie zgubne zapędy odkrywcze małych dzieci, teraz rósł szereg krzewów ozdobnych. David zdjął ogrodzenie w październiku, bo, jak stwierdził, Abra i jej koleżanki nie potrzebują już tego zabezpieczenia; wszystkie pływały jak ryby.

Ale oczywiście były inne zagrożenia.

2

Kolor wody przyblakł, przybierając leciuteńki różowy odcień – jakby spopielałych róż – kiedy Abra wyszła do Dana. Nie musiał się obejrzeć za siebie, by wiedzieć, że tam jest i że narzuciła sweter na odkryte ramiona. W wiosenne wieczory w centralnym New Hampshire szybko robi się chłodno, nawet kiedy zagrożenie śniegiem dawno minęło.

(bransoletka bardzo mi się podoba Dan)

W zasadzie już nie nazywała go wujkiem.

(cieszę się)

– Chcą, żebyś porozmawiał ze mną o tych talerzach – stwierdziła. Wypowiedziane na głos słowa nie miały tego ciepła, które wyczuwał w jej myślach, a jej myśli w tej chwili ucichły. Po uroczym i szczerym podziękowaniu zamknęła przed nim swoje wewnętrzne ja. Teraz już miała w tym wprawę, z dnia na dzień coraz większą. – Prawda?

– A ty chcesz o nich rozmawiać?

– Przeprosiłam ją. Powiedziałam, że to niechcący. Chyba nie uwierzyła.

(ja ci wierzę)

– Bo ty wiesz. Oni nie.

Dan nie odpowiedział i przesłał tylko jedną myśl:

(?)

– Nie wierzą w nic, co mówię! – wybuchnęła. – To takie

niesprawiedliwe! Nie wiedziałam, że na tej durnej imprezie u Jennifer będzie alkohol, i wcale się nie napiłam! A ona mimo to daje mi szlaban na dwa tygodnie!

(???)

Nic. Rzeka już zupełnie poszarzała. Zaryzykował i zerknął na Abrę; wpatrywała się w swoje tenisówki, czerwone, pod kolor spódniczki. I policzków.

– No dobrze – powiedziała wreszcie i choć wciąż na niego nie patrzyła, kąciki jej ust uniosły się w lekkim, niechętnym uśmiechu. – Ciebie nie oszukam, co? Wzięłam jeden łyk, tylko żeby zobaczyć, jak to smakuje. O co jest cały ten szum. Pewnie poczuła to ode mnie, kiedy wróciłam do domu. I wiesz co? Cały ten szum jest o nic. Smakowało okropnie.

Dan milczał. Gdyby jej powiedział, że jemu też za pierwszym razem nie smakowało, że też sądził, że nie ma o co robić szumu, że to żadna wielka tajemnica, uznałaby to za napuszoną gadaninę dorosłego. Moralizatorstwem nie powstrzyma się dzieci od dorastania. Ani nie nauczy się ich, jak przez ten proces przebrnąć.

– Nie chciałam potłuc talerzy – wymamrotała. – To był wypadek, tak jak jej mówiłam. Po prostu byłam wściekła.

– To u ciebie wrodzone.

Wspominał chwilę, kiedy Abra stała nad dogorywającą Rose Kapelusz. „Boli? – zapytała Abra umierającą istotę, która wyglądała jak kobieta (pomijając ten straszliwy ząb). – Mam nadzieję, że tak. Mam nadzieję, że boli bardzo".

– Co, będziesz mi prawił kazania? – zapytała Abra. I dodała z nutą pogardy: – Wiem, że tego chce ona.

– Z kazaniami skończyłem, ale mogę ci opowiedzieć historię,

którą usłyszałem od mojej matki. Jej bohaterką jest twoja prababka od strony Jacka Torrance'a. Chcesz posłuchać?

Abra wzruszyła ramionami. Bylebym to już miała z głowy, mówił ten gest.

– Don Torrance nie był sanitariuszem jak ja. Był pielęgniarzem. Pod koniec życia chodził o lasce, bo okulał w wypadku samochodowym. I pewnego wieczoru przy kolacji tą laską stłukł żonę. Bez powodu; po prostu nagle zaczął ją prać. Złamał jej nos i rozciął skórę głowy. Spadła z krzesła na podłogę, a wtedy na serio wziął ją w obroty. Według tego, co tata opowiadał mojej mamie, zatłukłby twoją prababkę na śmierć, gdyby Brett i Mike, moi wujkowie, go nie odciągnęli. Kiedy przyjechało pogotowie, twój pradziadek klęczał przy żonie ze swoją małą apteczką i robił, co mógł. Powiedział, że spadła ze schodów. Prababka… Momo, której nigdy nie poznałaś… to potwierdziła. Dzieci też.

– Dlaczego? – wyszeptała Abra.

– Bo się bali. Później… długo po śmierci Dona… twój dziadek złamał mi rękę. Potem, w hotelu Panorama, który stał tam, gdzie teraz jest Dach Świata, pobił moją matkę niemal na śmierć. Posłużył się młotkiem do roque'a, nie laską, ale w sumie na jedno wychodzi.

– Rozumiem.

– Lata później, w barze w St. Petersburg…

– Wystarczy! Powiedziałam, że rozumiem! – Drżała.

– …pobiłem człowieka do nieprzytomności kijem do bilarda, bo zaśmiał się, kiedy źle trafiłem w bilę. Potem syn Jacka i wnuk Dona przez dziewięćdziesiąt dni zbierał w pomarańczowym kombinezonie śmieci wzdłuż drogi numer 41.

Odwróciła się ze łzami w oczach.

– Dzięki, wujku Danie. Dzięki, że zepsułeś…

Jego głowę wypełnił obraz, który na chwilę przesłonił widok rzeki: zwęglony, dymiący tort urodzinowy. W pewnych okolicznościach byłby zabawny. W tych nie.

Delikatnie wziął ją za ramiona i odwrócił ku sobie.

– Tu nie ma nic do rozumienia. To tylko dzieje rodziny. Jak śpiewał nieśmiertelny Elvis Presley, to twoja dzidzia, ty ją bujaj.

– Nie rozumiem.

– Pewnego dnia może będziesz pisać wiersze jak Concetta. Albo zrzucisz kogoś z wysoka siłą woli.

– Nigdy bym... Jej się należało. – Abra podniosła mokrą twarz ku jego twarzy.

– Nie przeczę.

– To dlaczego ciągle mi się to śni? Dlaczego chcę to cofnąć? Ona by nas zabiła, dlaczego więc chcę to cofnąć?

– Chcesz cofnąć to, że ją zabiłaś, czy radość, jaką ci to sprawiło?

Abra zwiesiła głowę. Dan miał ochotę ją przytulić, ale tego nie zrobił.

– Żadnego kazania, żadnego morału. Tylko krew, która ciągnie do krwi. Głupie pokusy czyhające na świadomych ludzi. A ty wkroczyłaś już w etap życia, na którym jesteś całkowicie świadoma. Wiem, że ci ciężko. Wszystkim w tym wieku jest ciężko, ale większość nastolatków nie ma twoich umiejętności. Twojej broni.

– Co mam zrobić? Co mogę zrobić? Czasem wpadam w taką złość... nie tylko na nią, ale i na nauczycieli... dzieciaki ze szkoły, które myślą, że są nie wiadomo kim... te, co śmieją się z ciebie, jeśli nie uprawiasz sportu, ubierasz się nie tak jak trzeba i w ogóle...

Dan przypomniał sobie radę, jakiej kiedyś udzielił mu Casey Kingsley.

– Idź na wysypisko.

– Hę? – Wybałuszyła na niego oczy.

Przesłał jej obraz: Abra wykorzystująca swoje nadzwyczajne umiejętności – jeszcze nie rozwinęły się w pełni, niewiarygodne, ale prawdziwe – by przewracać wyrzucone lodówki, wysadzać w powietrze zepsute telewizory, ciskać pralkami, płosząc stada mew.

Tym razem nie wybałuszyła oczu, tylko zachichotała.

– To pomoże?

– Lepsze wysypisko niż talerze twojej mamy.

Przekrzywiła głowę i patrzyła na niego wesoło. Znów byli przyjaciółmi. To dobrze.

– Kiedy te talerze były takie ohyyydne.

– To co, spróbujesz?

– Tak. – I sądząc z jej miny, już nie mogła się doczekać.

– Jeszcze jedno.

Spoważniała.

– Nie musisz dawać sobą pomiatać – powiedział. – Tylko pamiętaj, jak niebezpieczny może być twój gniew. Trzymaj go…

Zadzwoniła jego komórka.

– Lepiej odbierz – stwierdziła Abra.

Uniósł brwi.

– Wiesz, kto dzwoni?

– Nie, ale myślę, że to ważna sprawa.

Wyjął telefon z kieszeni i spojrzał na wyświetlacz. RIVINGTON HOUSE.

– Halo?

– Cześć, Danny, tu Claudette Albertson. Możesz przyjść?

Przebiegł myślą aktualną listę gości na swojej tablicy.

– Amanda Ricker? Jeff Kellogg?

Nie trafił.

– Jeśli możesz przyjść, pospiesz się – powiedziała Claudette. – Jeszcze jest przytomny. – Zawahała się. – Prosi o ciebie.

– Przyjdę. – Chociaż jeśli jest tak źle, jak twierdzisz, pewnie się mnie nie doczeka, pomyślał i zakończył połączenie. – Muszę iść, skarbie.

– Mimo że nie jest twoim przyjacielem. Mimo że nawet go nie lubisz. – Abra wyglądała na zamyśloną.

– Tak.

– Jak się nazywa? Tego nie wyłapałam.

(Fred Carling)

Przesłał jej tę myśl, po czym wziął ją w ramiona mocno-mocno-mocno. Abra odwzajemniła uścisk.

– Spróbuję – obiecała.

– Wiem. Słuchaj, Abro, tak bardzo cię kocham.

– Cieszę się – powiedziała.

3

Przyszedł po czterdziestu pięciu minutach. Claudette była w dyżurce. Zadał pytanie, które zadawał już dziesiątki razy.

– Jest jeszcze z nami? – Jakby chodziło o współpasażera autobusu.

– Ledwo, ledwo.

– Kontaktuje?

Pokiwała dłonią na boki.

– Czasem tak, czasem nie.

– Azzie?

– Był tam przez pewien czas. Uciekł, kiedy przyszedł doktor Emerson. Emersona już nie ma, bada Robertę Jackson. Azzie wrócił zaraz po jego wyjściu.

– Czemu Fred nie jest w szpitalu?

– Cztery samochody zderzyły się na stodziewiętnastce za granicą stanu, w Castle Rock. Dużo rannych. Wysłali tam cztery karetki i śmigłowiec. Niektórym z ofiar pewnie da się pomóc. Za to Fredowi… – Wzruszyła ramionami.

– Co się stało?

– Znasz go… żyć nie może bez fast foodu. McDonald to jego drugi dom. Czasem patrzy, czy coś jedzie, zanim przebiega przez Cranmore Avenue, czasem nie. Oczekuje od kierowców, że go przepuszczą. – Zmarszczyła nos i wystawiła język jak dziecko, które zjadło coś niesmacznego. Na przykład brukselkę. – Kto widział taki brak rozsądku.

Dan znał przyzwyczajenia Freda i jego brak rozsądku.

– Poszedł po cheeseburgera, jak co wieczór – mówiła dalej Claudette. – Policja aresztowała kobietę, która go potrąciła; laska była tak pijana, że ledwo na nogach stała, tak przynajmniej słyszałam. Jego przynieśli do nas. Twarz jak jajecznica, klatka piersiowa i miednica zmiażdżone, jedna noga prawie odcięta. Gdyby nie to, że Emerson akurat był u nas na obchodzie, Fred umarłby od razu. Udzieliliśmy mu pierwszej pomocy, zatamowaliśmy krwawienie, ale nawet gdyby był w szczytowej formie… a kochanemu staremu Freddiemu sporo do tego brakuje… – Znowu wzruszyła ramionami. – Edwards mówi, że na pewno przyślą karetkę, kiedy uprzątną ten bałagan w Castle Rock, tylko że on tak długo nie wytrzyma. Doktor co prawda tego wprost nie powiedział, lecz ja wierzę Azreelowi. Dlatego jeśli masz do niego iść, to idź. Wiem, że nigdy za nim nie przepadałeś…

Dan pomyślał o śladach palców sanitariusza na ręce biednego starego Charliego Hayesa. „Przykro mi" – tak zareagował Carling, kiedy Dan powiedział mu, że staruszek odszedł. Siedział sobie wygodnie, bujał się na swoim ulubionym krześle i jadł miętówki w czekoladzie. „Ale w sumie po to tu są, nie?".

A teraz leży w tym samym pokoju, w którym umarł Charlie. Życie kołem się toczy i zawsze wraca do punktu wyjścia.

<h1 style="text-align:center">4</h1>

Drzwi apartamentu Sheparda były półotwarte, ale Dan zapukał mimo to, przez grzeczność. Już na korytarzu słyszał rzężący, bulgoczący oddech Freda Carlinga, dźwięk ten jednak wyraźnie nie przeszkadzał Azziemu zwiniętemu w kłębek w nogach łóżka. Carling leżał na gumowym prześcieradle; miał na sobie tylko okrwawione bokserki i metry bandaży, przez które już przesiąkała krew. Jego twarz była zniekształcona, ciało powykręcane na co najmniej trzy różne strony.

– Fred, to ja, Dan Torrance. Słyszysz mnie?

Ocalałe oko się otworzyło. Oddech wstrzymał się na chwilę. Z ust wyszedł chrapliwy dźwięk, który mógł być słowem „tak".

Dan poszedł do łazienki, zwilżył ściereczkę ciepłą wodą, wyżął ją. Te czynności wykonywał już wiele razy. Kiedy wrócił do Carlinga, Azzie wstał, przeciągnął się, wyginając z lubością grzbiet, jak to koty mają w zwyczaju, i zeskoczył na podłogę. Wyszedł, żeby kontynuować przerwany wieczorny patrol. Lekko utykał. Był bardzo starym kotem.

Dan usiadł na skraju łóżka i delikatnie otarł ściereczką tę część twarzy Freda Carlinga, która jako tako się zachowała.

– Bardzo boli?

Znów ten ochrypły dźwięk. Lewa dłoń Carlinga była plątaniną połamanych palców, więc Dan ujął go za prawą.

– Nie musisz mówić.

(teraz już mniej)

Dan skinął głową.

– Dobrze. To dobrze.

(ale boję się)

– Nie ma się czego bać.

Zobaczył sześcioletniego Freda, gdy pływał z bratem w Saco i musiał przytrzymywać kąpielówki, żeby mu nie spadły, bo były za duże, odziedziczone po starszym rodzeństwie jak praktycznie wszystko, co miał. Zobaczył go, kiedy jako piętnastolatek całował dziewczynę w kinie samochodowym w Bridgeton, czuł zapach jej perfum, dotykał jej piersi i pragnął, by ten wieczór nie skończył się nigdy. Zobaczył go w wieku dwudziestu pięciu lat, jadącego do Hampton Beach ze Świętymi Drogi, siedzącego okrakiem na harleyu FXB model Sturgis, supermaszyna i on na niej, nabuzowany amfą i czerwonym winem, słońce wali jak młot, wszyscy patrzą, jak Święci pędzą w długiej, rozmigotanej kawalkadzie hałasu mówiącego wszem wobec „pierdolcie się"; życie eksploduje jak fajerwerki. I widzi mieszkanie Carlinga, a w nim małego psa, który ma na imię Brownie. Brownie wygląda niepozornie, ot, zwykły kundelek, ale jest mądry. Czasem wskakuje Fredowi na kolana i razem oglądają telewizję. Fred się niepokoi, bo Brownie na pewno czeka, żeby wrócił do domu, zabrał go na spacer i napełnił jego miskę.

– Nie martw się o Browniego – powiedział Dan. – Znam dziewczynkę, która chętnie się nim zaopiekuje. To moja siostrzenica i dziś ma urodziny.

Carling spojrzał na niego jedynym sprawnym okiem. Jego charczenie było bardzo głośne; brzmiało jak warkot silnika, do którego dostał się piach.

(możesz mi pomóc proszę doktorku możesz mi pomóc)

Tak. Mógł pomóc. To był jego sakrament; do tego został stworzony. W Rivington House było cicho, bardzo cicho. Gdzieś niedaleko otwierały się drzwi. Dotarli do granicy. Fred Carling spojrzał na niego, jakby chciał spytać co. Jakby chciał spytać jak. Ale przecież to było takie proste.

– Musisz zasnąć, to wszystko.

(nie zostawiaj mnie)

– Nie – powiedział Dan. – Jestem tu. I zostanę, dopóki nie zaśniesz.

Ścisnął dłoń Carlinga obiema rękami.

– Dopóki nie zaśniesz.

1 maja 2011 – 17 lipca 2012

Od autora

Moją pierwszą książką opublikowaną w wydawnictwie Scribner był *Worek kości*, który ukazał się w 1998 roku. Pragnąc zadowolić moich nowych wspólników, udałem się w trasę promującą tę powieść. Na jednym ze spotkań, kiedy składałem autografy, jakiś facet zapytał: „Hej, nie wie pan może, co się stało z tym dzieciakiem ze *Lśnienia*?".

To było pytanie, które sam często sobie zadawałem w związku z tą starą książką – wraz z innym: Jak potoczyłyby się losy udręczonego ojca Danny'ego, gdyby odnalazł Anonimowych Alkoholików, zamiast próbować samodzielnie wytrwać w trzeźwości?

Tak jak to było w przypadku *Pod kopułą* i *Dallas '63*, myśl ta, raz powzięta, nigdy mnie na dobre nie opuściła. Co pewien czas – pod prysznicem, przy oglądaniu telewizji, podczas długiej jazdy autostradą – mimowolnie zaczynałem liczyć, ile Danny Torrance miałby dziś lat, i zastanawiać się, gdzie właściwie jest. Nie wspominając o jego matce, jeszcze jednej osobie dobrej z natury, która doświadczyła na własnej skórze destrukcyjnych skłonności Jacka Torrance'a. Wendy i Danny byli, jak to się dziś określa, współuzależnieni, połączeni więzami miłości i odpowiedzialności z tkwiącym w szponach nałogu członkiem rodziny. W 2009 roku jeden z moich przyjaciół, trzeźwiejących alkoholików, w rozmowie ze mną sformułował zgrabne powiedzonko: „Kiedy współuzależniony tonie, przed oczami przebiega mu cudze życie". Wydało mi się zbyt prawdziwe, żeby było zabawne, i chyba wtedy zdecydowałem, że *Doktor Sen* musi powstać. Że muszę się dowiedzieć, co się z moimi bohaterami stało.

Czy podchodziłem do tej książki z obawą? Pewnie, że tak. *Lśnienie* to jedna z powieści (inne to *Miasteczko Salem, Cmętarz zwieżąt* i *To*) zawsze wymienianych przez ludzi w odpowiedzi na pytanie, które z moich książek napędziły im największego pietra. No i, oczywiście, był jeszcze film Stanleya Kubricka, który wielu zdaje się wspominać – z powodów nie całkiem dla mnie jasnych – jako jeden z najbardziej przerażających w historii kina. (Jeśli obejrzeliście ten film, ale nie przeczytaliście powieści, zaznaczam, że *Doktor Sen* jest kontynuacją tej ostatniej, stanowiącej, w moim mniemaniu, Prawdziwą Historię Rodziny Torrance'ów).

Chcę wierzyć, że wciąż jestem dość dobry w tym, co robię, ale nic nie może się równać ze wspomnieniem chwili, gdy człowieka coś solidnie wystraszy, dosłownie nic, zwłaszcza gdy tę dawkę grozy zaaplikuje się komuś młodemu i podatnemu na wpływy. Powstał co najmniej jeden znakomity sequel *Psychozy* Alfreda Hitchcocka (*Psychoza IV* Micka Garrisa, z Anthonym Perkinsem ponownie w roli Normana Batesa), ale ludzie, którzy oglądali tę czy którąkolwiek z pozostałych kontynuacji tego klasyka, zapytani o wrażenia tylko kręcą głowami i mówią: „Nie, nie, to nie to samo". Pamiętają swoje pierwsze spotkanie z Janet Leigh i żaden remake ani sequel nigdy nie przyćmi tego momentu, kiedy zasłona się odsuwa i nóż zaczyna robić swoje.

Poza tym ludzie się zmieniają. Autor książki *Doktor Sen* bardzo się różni od pełnego najlepszych intencji alkoholika, który napisał *Lśnienie*, ale obu interesuje to samo: opowiadanie zajmujących historii. Odszukanie Danny'ego Torrance'a i śledzenie jego perypetii sprawiło mi dużą frajdę. Mam nadzieję, że Tobie, Stały Czytelniku, też. Jeśli tak, jesteśmy kwita.

Już Cię puszczam, lecz pozwól, że jeszcze podziękuję ludziom, którym podziękować trzeba, dobrze?

Nan Graham redagowała tę książkę. Drobiazgowo. Dzięki, Nan. Jak może powiedziałaby Anastasia Steele, to tak przyjemnie bolało.

Chuck Verrill, mój agent, tę książkę sprzedał. To ważne samo w sobie, ale oprócz tego odbierał wszystkie telefony do mnie i podawał mi łyżeczką kojący syrop. Bez tego ani rusz.

Russ Dorr zebrał wszelkie niezbędne materiały, lecz za wszystko, co jest nie tak, winić należy mnie i moje opaczne rozumienie takich czy innych faktów. Russ jest znakomitym asystentem lekarza i nordyckim tytanem natchnienia i dobrego humoru.

Chris Lotts pomagał mi z językiem włoskim, gdy język włoski był potrzebny. Się masz, Chris.

Rocky Wood był moją skarbnicą wiedzy o wszystkim, co ze *Lśnieniem* związane; podsuwał mi nazwiska i daty, które albo zapomniałem, albo po prostu źle zapamiętałem. Oprócz tego dostarczył mi masę informacji o wszystkich samochodach turystycznych i kamperach pod słońcem (najfajniejszy był earthcruiser Rose). Rock zna moją twórczość lepiej niż ja sam. Poszukajcie go w Internecie. Facet ma łeb nie od parady.

Mój syn Owen przeczytał tę książkę i zaproponował pewne cenne zmiany. Główną z nich była sugestia, abyśmy zobaczyli, w jakich okolicznościach Dan, jak to mówią trzeźwiejący alkoholicy, „sięga dna".

Moja żona również przeczytała tę powieść i pomogła ją udoskonalić. Kocham Cię, Tabitho.

Dziękuję też Wam, chłopcy i dziewczęta, którzy czytacie moje książki. Obyście mieli długie dni i przyjemne noce.

Na koniec słowo przestrogi: kiedy będziecie na autostradach i drogach Ameryki, uważajcie na te wszystkie winnebago i boundery.

Nigdy nie wiadomo, kto siedzi w środku.

Bangor, Maine

Spis rzeczy